LE PALMIER ET L'ÉTOILE

DU MÊME AUTEUR

CHEZ LE MÊME ÉDITEUR

Mort d'un Chinois à La Havane

Cycle "Les Quatre Saisons"

L'Automne à Cuba

Electre à La Havane

Passé parfait

Vents de Carême (à paraître)

LEONARDO PADURA

LE PALMIER ET L'ÉTOILE

Traduit de l'espagnol (Cuba)
par Elena Zayas

Traduit avec le concours du
Centre National du Livre

Éditions Métailié
5, rue de Savoie, 75006 Paris
www.editions-metailie.com
2003

Titre original : *La novela de mi vida*

ISBN : 2-86424-453-5
ISSN : 0291-0154

A mon père maître maçon, grade 33,
et avec lui à tous les francs-maçons cubains.

A Lucía, toujours pour les mêmes raisons.

I

La mer et les retours

"Pourquoi ne puis-je m'éveiller de mon rêve ?
Oh ! Quand s'achèvera le roman de ma vie
pour que commence sa réalité ?"

J.M.H., 17 juin 1824

– Sers-moi un café double, mon frère.

Il s'était si souvent répété cette phrase pendant dix-huit ans, que les mots s'étaient usés, dans sa mémoire comme sur ses lèvres, au point de se vider de leur sens comme un mot d'ordre prononcé dans un langage incompréhensible. Car malgré l'oubli qu'il avait essayé de s'imposer comme la meilleure alternative possible, Fernando Terry avait trop souvent été victime des révoltes imprévisibles de sa conscience et avec une insistance incontrôlable, il avait ressassé ce qu'il aurait voulu éprouver à l'instant précis où, après avoir bu un café double au bar du cabaret Las Vegas, il allumerait une cigarette pour traverser la rue Infanta et descendre la rue 25, disposé à affronter son passé pour le meilleur et pour le pire. De la mélancolie à la haine, de la joie à l'indifférence, de la rancœur au soulagement, au cours de ses voyages imaginaires, Fernando avait joué avec toutes les cartes de la nostalgie, sans deviner qu'il avait peut-être gardé, tapie dans l'obscurité de sa manche, cette tristesse agressive, incrustée dans son âme, avec une interrogation: fallait-il vraiment que tu reviennes?

Au début de son exil, durant les mois d'incertitude vécus sous une tente étouffante dans les jardins de l'Orange Bowl à Miami, sans savoir encore s'il obtiendrait le droit de séjour aux États-Unis, Fernando avait commencé à penser à un retour, bref mais nécessaire, qui l'aiderait à panser les blessures encore ouvertes dues à une trahison dévastatrice et, peut-être même, à guérir la sensation vertigineuse de se retrouver flottant hors du temps dans un autre espace. Puis, avec les années et la persistance de la barrière des lois et des dispositions qui compliquaient tout retour, il avait tenté de croire que l'oubli était possible et que cela pouvait être le meilleur des remèdes. Il avait alors commencé à ressentir un soulagement bénéfique car le désir ardent de revenir s'était peu à peu dilué au point de se transformer en une angoisse souterraine qui remontait traîtreusement à la surface, certaines nuits indomptables quand, à Madrid, dans la solitude de sa mansarde, son cerveau s'obstinait à évoquer un instant de ses trente années vécues dans l'île.

Mais depuis que Fernando avait reçu la lettre d'Álvaro avec la plus excitante des nouvelles, celle qu'il n'espérait plus recevoir, le besoin de revenir avait cessé d'être un cauchemar furtif et il s'était senti poussé à ouvrir de nouveau la malle des souvenirs les plus dangereux. Alors, pour la première fois depuis son départ de Cuba, il avait repris la lecture des vieux papiers de sa thèse de doctorat, prématurément abandonnée, sur la poésie et l'éthique de José María Heredia tandis que son esprit s'obstinait à imaginer chacun des pas qui le conduiraient chez Álvaro afin d'affronter ces escaliers toujours obscurs et fatigants pour être happé d'un seul coup par le tourbillon de son passé. Durant ses parcours imaginaires il altérait généralement l'ordre, le rythme, la finalité de ses actions et de ses pensées, mais il partait toujours du Las Vegas, où, accoudé au bar avec les ivrognes, les travailleurs de la radio voisine, quelque conducteur de bus pressé et les vagabonds de rigueur, il boirait le café léger et douceâtre toujours préparé à la vieille cafétéria dont il découvrait, avec une douleur infinie, qu'elle n'existait plus que dans sa mémoire persistante et dans une certaine littérature de la nuit havanaise : la cafétéria Las Vegas et son invincible comptoir en acajou poli avaient disparu, partis en fumée comme tant d'autres choses de sa vie.

Fernando, comme si on l'avait poussé, s'enfuit devant cet échec déconcertant et, au pied de l'immeuble délabré où vivait son ami, en voyant les boîtes débordant d'ordures, les murs blessés par le salpêtre et les chiens tristes et galeux, il comprit que la guerre entre sa mémoire et la réalité venait tout juste de commencer. Il préféra alors continuer vers le Malecón avant de monter chez Álvaro où l'attendaient peut-être des absences et des tristesses encore plus déchirantes.

Il remarqua presque avec joie qu'à cette heure de l'après-midi, dans la chaleur du soleil d'été, la longue digue qui séparait les Havanais de la mer demeurait déserte, même si au loin il vit quelques pêcheurs pleins de conviction qui lançaient leurs lignes à l'eau, tandis qu'un élégant voilier de plaisance sortait de la baie pour gagner la pleine mer.

Les dix-huit années passées à se battre avec les détails de ce moment pour finalement se retrouver envahi par la sensation désagréable de s'être de nouveau égaré, lui firent douter du sens éventuel de son retour et il dut se raccrocher à la lettre d'Álvaro et à la nouvelle qui, en lettres majuscules, lui avait fait affronter l'épreuve et vaincre toutes ses réticences en demandant un mois de congé pour revenir à Cuba. FERNANDO, FERNANDO, FERNANDO : ÇA Y EST, IL Y A UNE BONNE PISTE. JE CROIS QUE

NOUS POUVONS SAVOIR OÙ SONT LES PAPIERS PERDUS DE HEREDIA. Son ami lui racontait comment leur ancien professeur, le docteur Mendoza, qui à la retraite était devenu bibliothécaire de la Grande loge, avait récupéré plusieurs caisses de documents maçonniques égarées dans une cave des Archives nationales et parmi les papiers il en avait trouvé un capable de lui couper le souffle : il s'agissait du compte rendu de l'assemblée de la loge de Matanzas, “Fils de Cuba”, réunie en l'honneur de José de Jesús Heredia, benjamin et dernier exécuteur testamentaire du poète José María Heredia, dans lequel il était stipulé que le vieux franc-maçon avait remis au Vénérable Maître une enveloppe scellée contenant un précieux document écrit par son père ; ledit document devait demeurer, dès lors et jusqu'en 1939, sous la protection de la loge, temple héritier de celui qui avait initié le poète indépendantiste à la franc-maçonnerie en 1822… De quel précieux document s'agissait-il ? lui demandait Álvaro et Fernando en avait conclu que cela ne pouvait être que le présumé roman disparu de Heredia qu'il avait essayé de trouver pendant des années, sans le moindre succès. Deux semaines plus tard, reniant ses décisions antérieures, il s'était présenté au consulat de Cuba, décidé à entamer les démarches pour obtenir un visa qui l'autoriserait à revenir temporairement dans sa patrie d'origine.

Perdu dans ses élucubrations, Fernando remarqua seulement la proximité du bateau de plaisance lorsque la brise lui apporta la musique des tambours et des maracas que l'on jouait à bord. Il observa le bateau et découvrit, accoudé au bastingage, un homme apparemment indifférent aux bruyantes réjouissances des touristes. Soudain, le voyageur leva les yeux et son regard se fixa sur Fernando, comme si la présence d'une personne assise sur le mur, à la merci de la solitude réverbérante du midi havanais, lui semblait inadmissible. Soutenant le regard de l'homme, Fernando suivit les évolutions du voilier jusqu'au moment où la plus petite des vagues nées dans son sillage vint mourir sur les rochers de la côte. Cet inconnu, qui l'observait en le scrutant avec une telle insistance, troubla Fernando et lui fit ressentir, comme si elle pouvait traverser le temps pour se coller à lui, la douleur qui dut submerger José María Heredia en ce matin lointain et sûrement froid du 16 janvier 1837, à bord du brigantin qui le ramenait vers l'exil après un séjour déchirant sur l'île, quand il regarda les vagues s'éloigner, cherchant justement ces rochers, dernière image d'une terre cubaine que le poète ne devait jamais revoir.

Et moi, fallait-il aussi que je revienne ? se demanda-t-il une fois de plus pendant qu'il traversait le Malecón, allumait une cigarette qui lui laissa un goût d'herbe sèche, revenait par la rue 25 et s'engageait dans les escaliers étroits conduisant chez Álvaro. Avec plus d'appréhension que de délicatesse, il frappa, comme à regret, à la vieille porte en bois et il sentit son cœur s'emballer en entendant le bruit des pas et le grincement de la porte.

– Enfin, vieux frère, dit Álvaro qui, sans la moindre hésitation, lui tendit les bras.

– Putain, Varo !

Et Fernando serra contre lui l'odeur de sueur, de tabac et d'alcool qui enveloppait les os saillants de l'homme qu'il avait considéré comme l'un de ses meilleurs amis, des années auparavant.

– C'est bon de te revoir… Mais c'est qu'il ne te manque rien ! Regarde-moi ça, tu es presque devenu blanc !

Álvaro sourit de sa propre plaisanterie et Fernando l'imita, malgré ce qu'il constatait et qui était bien pire que ce qu'il avait imaginé : les cinquante ans d'insomnie et de malbouffe d'Álvaro Almazán avaient macéré dans des alcools foudroyants et bon marché qui devaient avoir donné à son foie le même aspect que son visage : un masque violacé sillonné de rides perverses et de veines noueuses sur le point d'éclater.

– Je t'attends depuis ce matin, commenta Álvaro et il l'entraîna par le bras. Allez, entre.

L'appartement avait gardé le même aspect d'abandon, rongé par les croûtes invincibles du salpêtre, que Fernando avait connu plus de trente ans auparavant, à l'époque de leur amitié naissante, quand les parents d'Álvaro vivaient encore. La sensation de liberté liée à ce lieu, suscitée par le désordre perpétuel qui y régnait, expliquait peut-être que le groupe d'amis apprentis écrivains ait commencé à se réunir sur cette terrasse où se tiendraient finalement les fameuses *tertulias* – réunions littéraires – des Merles Moqueurs.

– Je sais bien à quoi tu penses…

Álvaro sourit et se laissa tomber dans un des fauteuils en fer de la terrasse.

Fernando acquiesça et occupa l'autre fauteuil.

– Ici rien n'a changé…

– J'ai du rhum.

– Ici rien ni personne ne change, précisa Fernando.

– Plus que tu ne crois. Mais cela n'empêche pas certaines fidélités.

Álvaro ne mit guère plus d'une minute à revenir avec deux verres pleins de glace et une bouteille sans étiquette, remplie d'un liquide trouble. Il servit des quantités exagérées et tendit un verre à Fernando.

– A quoi on trinque ?

– Aux poètes disparus. A tous ceux qui ont trépassé comme nous, dit Álvaro en employant, comme il avait toujours aimé le faire, le verbe "trépasser". Sans trinquer, il but la première gorgée. Regarde-moi… et ne regarde pas Enrique : ce n'est pas facile de rester vingt ans sous terre. Et le pauvre Víctor, il doit être plus ou moins dans le même état… Et les autres, même s'ils vont et viennent et si on organise des fêtes en leur honneur, il y a longtemps qu'ils ont trépassé. Parfois je pensais à toi comme si tu étais mort.

– Fais pas chier, Varo.

– Attends un peu. Il but une longue gorgée avec avidité. J'ai ta lettre par là. "Écris-moi seulement dans les trois cas suivants : si ma mère est en train de mourir, si tu es toi sur le point de mourir ou si tu trouves les papiers de Heredia."

– Tu trichais et tu m'envoyais tes livres.

– Je ne les ai même pas dédicacés, pour suivre tes instructions…

– Tu as bien fait de me les envoyer, admit Fernando et il but une gorgée de rhum qui lui laissa un goût de kérosène. Bon, j'ai une autorisation pour un séjour d'un mois, peut-être prolongeable… tu crois que ça suffira ?

– J'en sais foutrement rien… Mais, pour commencer, le mieux c'est toujours le début, non ?… Écoute, aujourd'hui les Merles Moqueurs vont se retrouver tous ensemble pour la première fois en vingt-cinq ans. Et j'ai là deux bougies : une pour Enrique et l'autre pour Víctor, les absents excusés…

Fernando se leva et marcha jusqu'au bord de la terrasse. Bien que la mer ne fût qu'à moins de cent mètres, on ne pouvait voir un morceau de reflet bleu que depuis cet angle et en se penchant sur la balustrade. En des temps plus poétiques, cet inconvénient lui donnait envie de démolir tous ces immeubles laids et mal agencés.

– Je t'ai dit que je ne voulais voir personne… Toi, El Negro Miguel Angel* et personne d'autre…

---

* Terme affectueux employé pour le noir de la bande de copains formée par les Merles Moqueurs. Il apparaîtra dans la suite du roman parfois sous son nom – Miguel Angel – ou son surnom, El Negro. (NdT)

– Tu fais chier, Fernando, tu vas continuer longtemps avec ça ?

– C'est toi qui fais chier, Varo, dit-il en protestant et il se retourna. Quelqu'un qui devait très bien me connaître m'a dénoncé. Et même si j'ai décidé d'oublier tout ça, je préfère ne voir personne et laisser cette histoire où elle est.

– Ben, laisse-la où elle est, mais ne renonce pas à ta vie. Ils t'ont déjà assez baisé comme ça !

– Trop, je crois. Allez, va, sers-moi encore un peu de rhum.

Bien que j'aie mis des années à le découvrir, je suis maintenant sûr que l'odeur de La Havane fait toute sa magie. Qui connaît la ville doit admettre qu'elle possède une lumière qui lui est propre, dense et légère à la fois, et une couleur exubérante qui la différencient de mille autres villes au monde. Mais seule son odeur est capable de lui donner cet esprit incomparable qui rend son souvenir si vivace. Car l'odeur de La Havane n'est ni plus agréable ni pire qu'une autre, elle n'est ni parfumée ni fétide, et, surtout, elle n'est pas pure : elle s'élabore à partir du mélange fébrile suintant d'une ville chaotique et hallucinante.

Cette odeur s'empara de moi la première fois que j'arrivai à La Havane à un âge où j'étais capable d'en prendre conscience. Je frisais les quatorze ans, me croyant adulte, et je pus distinguer la singularité de cette odeur, car je connaissais les exhalaisons d'une grande partie du monde américain : depuis la puanteur marécageuse de Pensacola jusqu'aux effluves des *tortillas** et de la poussière sèche du Mexique, en passant par les violents arômes des villes côtières ou des hautes terres du Venezuela – terres de pures émanations –, par la vapeur chaude et douceâtre de Saint-Domingue ou par les senteurs de coquillage frais de Veracruz. Mais La Havane m'enveloppa dans un merveilleux amalgame où l'odeur pénétrante des chorizos galiciens rivalisait avec celle de la viande boucanée de Montevideo ; l'odeur du crottin de cheval avec la brise de la mer ; celle de l'esclave africain et de ses relents acides avec celle des demoiselles blanches (ou qui passaient pour telles) parfumées aux douces lavandes françaises ; celle des eaux stagnantes avec celle de l'huile forte que l'on brûle dans les lampes ; celle des tissus neufs, chers et européens, avec celle des

* Galettes de maïs.

chiens galeux, maîtres de la nuit et des ordures; celle de l'urine des vaches laitières qui trottent en faisant danser leurs mamelles gonflées, avec les émanations merveilleuses des maisons de rendez-vous où flotte une haleine chargée d'eau-de-vie et de menthe, déjà mêlée à celle qu'exhalent les corps noirs, mulâtres, blancs, maures, jaunes, de femmes capables de satisfaire toutes les exigences de l'imagination virile... Et, flottant dans le ciel, les effluves du jasmin et du tabac, de la poix et des fromages, du poisson frais et du vin renversé, qui se fondent avec ceux de tous les fruits que le prodigieux climat tropical réunit sur les marchés de La Havane, parfumés par les ananas, les mangues, les goyaves, les papayes, les corossols et ces bananes délicieuses aux formes et aux couleurs les plus variées...

Maintenant c'est à peine si je respire un air inutile, cependant mes poumons usés me restituent, sournoisement, cette sensation chaude et juvénile: c'est l'odeur perdue de La Havane qui palpite dans ma poitrine avec l'intensité douloureuse du roman qu'a été ma vie dont tous les éléments ont pris des proportions excessives: la poésie, la politique, l'amour, la trahison, la tristesse, l'ingratitude, la peur, la douleur ont coulé à flots, pour donner forme à une existence orageuse qui s'éteindra bientôt. Alors il ne restera que l'oubli, ou peut-être la poésie, enfin libérée de l'intensité des jours et des années, et même étrangère à cet instant fulgurant où elle s'est faite chair et sang d'un homme.

Si je m'extasie à évoquer les arômes de La Havane, c'est pour situer l'heureux début de cette histoire dans cette ville où, à peine arrivé, je découvris cette odeur qui, pour une mystérieuse raison, m'exaltait et m'appartenait déjà. Comme je l'ai dit, je fêtai mes quatorze ans en arrivant sur l'île, en provenance du Venezuela où ma famille avait passé les cinq dernières années au milieu des troubles séparatistes et des massacres les plus cruels auxquels se livrèrent les deux factions. Le séjour havanais promettait d'être bref, car notre destination finale était Mexico, où mon père, éternel fonctionnaire royal, devait assumer la charge de juge d'instruction. Jusqu'alors ma jeune vie avait été une constante errance, comme si tel était le sort qui m'était réservé: n'appartenir à aucun lieu, n'avoir aucun endroit, être toujours de passage vers une autre destination. Bien que né à Cuba – là-bas, dans la chaude Santiago dont ma mémoire n'a pas retenu les odeurs –, j'avais à peine vécu trois ans dans l'île, dans ma petite enfance, de sorte que seulement lors de ce retour, je découvrais le pays où, par un concours de circonstances néfaste ou merveilleux, mes parents avaient jeté l'ancre, après maints naufrages, pour que le 31 décembre de l'an 1803, jour de la Saint-Sylvestre, mes yeux s'ouvrissent à la lumière du jour.

En plus de son odeur, La Havane me réservait une merveilleuse surprise, je découvris qu'on y vivait la luxure et les excès de la passion comme à la veille d'un cyclone. Et durant les quelques mois que je passai alors dans la ville, ma vie ne fut pas ébranlée par un cyclone mais par plusieurs qui me firent brusquement abandonner l'innocence de l'enfance pour me déposer sur le sentier tortueux au bout duquel je me trouve maintenant.

Peut-être était-ce déjà inscrit dans ma destinée : il se trouva que l'une des premières visites de courtoisie que nous reçûmes, à peine installés, fut celle de ce monsieur Leonardo, né dans l'Ile espagnole* comme mes parents, et ancien compagnon de mon père à l'Université de Saint-Domingue. Monsieur Leonardo, grand et élégant, était alors l'un des personnages les plus influents de La Havane, car il occupait la charge de conseiller du gouvernement de la ville, en reconnaissance de l'habileté politique dont il avait fait preuve à Saint-Domingue et au Venezuela où, comme nous, il avait vécu plusieurs années. Mais de toute évidence, sa carrière administrative avait été mieux rétribuée que celle de mon pauvre père, homme trop honnête dans un monde où tout s'achetait et se vendait sous le manteau.

A cette occasion, monsieur Leonardo se présenta accompagné de son épouse et de l'un de ses nombreux enfants, un petit jeune homme de mon âge prénommé Domingo, doté d'une voix d'ange et d'un regard perçant de démon myope. Après avoir savouré les rafraîchissements crémeux de corossol que ma mère réussissait si bien et bu un café fort et amer que mon père, artiste en la matière, exigeait toujours de préparer, vint le moment où les adultes commencèrent à faire l'éloge de leurs rejetons et en vinrent à révéler l'amour de la poésie que, curieusement, nous partagions tous deux. Et je ne mens pas en disant que Domingo et moi, nous échangeâmes un regard plus méfiant qu'amical, car chacun de nous se croyait déjà destiné à être le plus grand poète au monde.

---

* La Española ou Hispaniola, noms employés pour désigner Saint-Domingue durant l'époque coloniale.

A peine avions-nous écouté le flot d'éloges paternels, que j'invitai Domingo à m'accompagner dans ma chambre où nous entrâmes comme deux coqs prêts au combat. Là, je lui infligeai une de mes poésies récentes, une innocente composition dédiée à la belle Julia, restée à Caracas sans même avoir eu vent de mon existence et encore moins de mon amour désespéré. Domingo ne fut pas en reste, il sortit plusieurs papiers de sa poche et m'attaqua avec un "romance", bien rimé, amusant, plus chargé d'artifice que de poésie.

Tandis que nous nous agressions à coups de poèmes, rien n'augurait que l'ébauche d'une amitié pourrait naître entre nous. Il est bien connu qu'il est fort difficile que deux grands poètes puissent être de bons amis… à moins que, à l'âge de quatorze ans, ils ne s'initient au sexe entre les cuisses de la même prostituée.

El Negro arriva le dernier et Fernando pensa qu'en d'autres temps, il aurait sûrement été le premier: car il voulait toujours être le premier. Il vivait une compétition permanente; il cherchait désespérément la perfection avec une obsession et une énergie encouragée par le besoin de s'affirmer, obstiné à vaincre les atavismes historiques et les préjugés endurés par les hommes de sa race. Fernando ne pourrait jamais oublier cet après-midi-là, où à la sortie de l'école, parce qu'il l'avait devancé à l'examen d'espagnol de septième, il avait dû se bagarrer à coups de poing avec lui: le noir Miguel Angel avait pris cet échec comme une offense personnelle, et avec des larmes d'impuissance dans les yeux il avait défié Fernando, cherchant peut-être à le rattraper par la force dans sa guerre ouverte pour la suprématie… Mais maintenant, en le voyant entrer, Fernando découvrit dans ses yeux le regard traqué d'un esclave marron, qu'il n'aurait jamais imaginé chez le plus intransigeant et le plus orgueilleux des Merles Moqueurs.

– Guajiro*, va lui ouvrir, avait demandé Álvaro à Conrado, sans doute de façon intentionnelle, tandis qu'il allumait deux bougies rouges pour Víctor et Enrique. Fernando avait observé comment Miguel Angel et Conrado se serraient la main avec une froideur toute prévisible: tandis que l'un avait été déclaré "indifférent politique" et en portait les stigmates, l'autre, en sachant inspirer

---

* Paysan cubain. Employé aussi péjorativement (plouc). Ce sera le surnom de Conrado dans tout le roman.

confiance, avait grimpé les échelons de la bureaucratie, au point de devenir le directeur d'une entreprise moitié cubaine, moitié espagnole, chargée de l'exportation du cacao et de l'importation de confiseries.

– Si quelqu'un apprend que je suis ici avec ce dingue, je ne vais plus voir un bonbon de ma vie, même pas en photo, avait prévenu Conrado quand il avait su que El Negro serait sûrement présent, même s'il avait accepté d'assister à ce qu'Álvaro continuait d'appeler l'avant-dernier dîner des Merles Moqueurs.

Sans un mot, Miguel Angel s'approcha de Fernando pour le serrer dans ses bras.

– C'est bon de te revoir, mon frère.

– Et toi, comment ça va, El Negro ? lui demanda Fernando, presque horrifié de se voir dans ce miroir : Miguel Angel était en train de devenir chauve, il semblait maigre mais il avait du ventre et ses dents avaient pris la couleur du café et du tabac sur lesquels ils étaient tous les deux tellement portés.

– Je crois que ça va, dit enfin Miguel Angel, comme si ce n'était pas important, et il s'approcha de Tomás et d'Arcadio pour leur serrer la main. Alors il prit à sa ceinture un pistolet imaginaire et tira sur Álvaro qui lui répondit de la même façon. Puis tous deux soufflèrent sur le canon de leurs pistolets avant de les remettre à leur place : c'était comme ça qu'ils se saluaient depuis trente ans.

Fernando promena un regard angoissé sur les spectres de son passé : Conrado, Arcadio, Tomás, Miguel Angel, Álvaro... Sur cette terrasse délabrée, où arrivait l'odeur de la mer, se trouvait réunie la partie la plus importante de sa vie, ce qu'il aimait le plus mais aussi ce qui le torturait le plus, car il savait que l'un des présents, ou l'un des deux absents excusés, comme Álvaro avait nommé les défunts Enrique et Víctor, l'avait accusé de savoir que Enrique préparait son départ clandestin de Cuba.

Cela avait été le premier pas vers l'exil. Jusqu'alors, Fernando n'avait jamais envisagé l'idée de vivre ailleurs, et même si parfois, grâce à ses lectures juvéniles, il avait rêvé de voyager et de connaître les lieux emblématiques de la poésie – le New York de Whitman et de Lorca ; le Paris des symbolistes et des surréalistes ; le Buenos Aires de Borges ; l'Andalousie d'Alberti et la Castille de Machado –, il avait fini par tomber amoureux de La Havane de Heredia et de Casal, d'Eliseo Diego, de Lezama et de Carpentier, de cette ville débordante de métaphores et de révélations insondables où il voyageait grâce à ses lectures les plus ardues, s'appropriant avec gourmandise les odeurs, les lumières, les rêves et les amours égarés.

Au cours de ces jours de foi poétique, Fernando se considérait comme un homme heureux qui avait devant lui un futur paisible et prometteur. Deux ans auparavant, son mémoire de maîtrise sur l'invention lyrique des symboles et des représentations de la cubanité dans les œuvres de José María Heredia avait révélé de nouvelles facettes de la notion de patrie dans l'imaginaire du poète et le jury ne lui avait pas seulement décerné la mention la plus élevée, il avait ajouté certaines propositions tout à fait exceptionnelles : le travail devrait être publié et devenir un texte de référence pour les étudiants et Fernando Terry travaillerait comme professeur à la faculté des lettres. Pendant qu'il accomplirait les formalités requises, on lui ouvrirait un dossier de doctorant en littérature pour qu'il prépare, comme travail scientifique, une nouvelle édition critique des poésies de Heredia, commentées et annotées dans l'optique de son travail de maîtrise.

Ces deux années comme professeur furent sans doute les meilleures de sa vie. En plus de son travail d'enseignant de littérature cubaine et du temps qu'il pouvait consacrer à ses recherches, il avait pu jouir des avantages de sa toute nouvelle aisance économique et de sa position sur son terrain de prédilection, comme il le disait, dans un sens diachronique et synchronique, horizontal et vertical, à travers toute la gamme chromatique : avec la capacité d'un athlète il fit passer à la casserole toute femme jugée comestible parmi le corps enseignant et les morceaux les plus exquis parmi les élèves. Il vécut comme un prince, convaincu que son étoile fulgurante brillerait sans jamais s'éteindre et qu'il recommencerait à écrire des poèmes comme il l'avait fait pendant ses années d'étudiant, au moment où sa sensibilité s'éveillerait.

Mais, sans aucun signe avant-coureur, Fernando Terry découvrit que les bonnes étoiles pouvaient aussi s'éteindre et même se désintégrer dans l'immensité de l'espace quand la secrétaire de la faculté vint le chercher dans sa salle, en plein cours, et le pria de descendre d'urgence au bureau du doyen. Intrigué, Fernando entra dans la pièce où on réclamait sa présence et il se retrouva face à face avec un homme qui le regarda avec une sévérité agressive et lui ordonna :

– Asseyez-vous, j'ai à vous parler.

C'était un mulâtre costaud, plus âgé que Fernando de quelques années. Il se présenta comme le *compañero* Ramón, lieutenant de la Sécurité d'État affecté à la faculté des lettres de l'Université de La Havane. Sans autre préambule, il lui fit part de l'enquête sur Enrique Arias Martínez et de sa tentative de départ clandestin du pays ; ce dernier avait avoué que, parmi les personnes au courant de son projet, se trouvait Fernando Terry Alvarez.

– Vous comprendrez, continua le policier, qu'il s'agit d'une accusation extrêmement grave, si l'on tient compte de la responsabilité professionnelle et morale de quelqu'un qui se consacre à l'éducation des nouvelles générations dans une faculté où l'idéologie a un poids aussi important…

Quand il parvint à se remettre de la stupeur provoquée par ce coup bas qui lui avait coupé le souffle, Fernando protesta, nia, donna du poing sur la table, exigea une confrontation avec Enrique. Mais l'officier l'informa que c'était impossible pour le moment : mais il le croyait, affirma-t-il, et il alla même jusqu'à sourire en lui offrant une cigarette. L'accusation n'était certainement pas fondée et cherchait à porter préjudice à un professeur comme lui, puis il avait craqué une allumette pour lui donner du feu. Fernando devait comprendre et, bien sûr, collaborer, pour que tout soit éclairci. Par exemple – Ramón s'était approché de lui – Enrique ne lui avait-il jamais dit qu'il aimerait vivre aux États-Unis ? Ou n'avait-il jamais dit qu'il n'approuvait pas la politique de son pays ? N'avait-il jamais dit que d'autres parmi ses amis étaient d'accord avec lui ? Ne pensait-il pas qu'Álvaro Almazán ou Víctor Duarte pouvaient aussi être au courant des projets de Enrique Arias ? Et les autres, ceux qui se réunissaient dans l'appartement de la rue 25 ? Et Conrado Peláez, c'était quel genre ? Et Tomás Hernández et Arcadio Ferret, ils n'étaient pas au courant eux non plus ? Non, Ramón ne pouvait pas croire que, liés par une telle amitié, aucun d'entre eux ne connaisse les idées politiques de Enrique Arias.

C'est alors que Fernando, presque sans y penser, fit le faux pas qui allait le précipiter dans le puits noir et sans fond qui changerait sa vie. Des années durant, il se regarderait dans la glace en essayant de retrouver sur son propre visage celui du Fernando Terry déconcerté qui avait extrait d'un repli de sa mémoire ce qui avait peut-être été la cause stupide et insignifiante de ce malentendu.

– Enfin, ça ne s'est pas passé exactement comme ça… dit-il. Une fois, Enrique se sentait mal parce qu'il lui était arrivé quelque chose, je ne me souviens même plus ce que c'était, et il m'a dit qu'un de ces jours il monterait dans une barque pour s'en aller... C'était une de ces colères qu'il pique parfois, quand il devient un peu hystéro... parce que... enfin... il est pédé. C'est pour ça que je n'y ai même pas prêté attention.

Il avait savouré le mot *pédé* qui lui avait semblé être une bouchée propice, tout en découvrant, à cet instant, qu'il était content de le prononcer. Mais le policier Ramón avait hoché la tête comme s'il niait quelque chose de secret.

– Donc il vous a bien dit qu'il pensait s'en aller.

– Pas exactement... mais qu'un de ces jours...

– Vous avez été bien naïf... Comme vous voyez, le citoyen Enrique Arias parlait sérieusement. Lui, il voulait vraiment quitter le pays. Et vous savez que vous auriez dû en informer les autorités compétentes. Nous savons aussi que vous et plusieurs de vos amis avez des opinions sur certaines mesures qui ont été prises ces dernières années et que je ne vais pas énumérer maintenant, car vous savez très bien de quoi je parle.

– Non, non je ne sais pas, dit Fernando et il sentit que ses mains tremblaient.

– Vous devriez le savoir, parce que nous, nous sommes au courant de tout... Le moins qu'on puisse dire c'est qu'il suffit de lire vos poèmes pour comprendre que vous n'êtes pas particulièrement un homme politisé. Et sachez que nous ne sommes pas les seuls à le penser : la direction de cette faculté et un cadre haut placé du Parti sont du même avis... Moi, je ne vois rien de mal dans vos poésies. J'ai presque envie de dire qu'elles me plaisent, mais je vais être franc avec vous, vous ressemblez trop à Vallejo et je préfère les poèmes de votre copain Álvaro Almazán. Bien sûr, c'est une question de goût, comme je vous disais. Mais, bon, si vous collaborez avec nous...

Fernando regarda le policier qui lui énumérait les chefs d'accusation comme si cela lui faisait de la peine de les formuler ; il exprimait ses choix poétiques avec une certaine finesse esthétique alors qu'il venait de proposer de l'engager comme délateur. Il se leva lentement et l'espace d'un instant il se demanda par quels moyens le policier avait pu se procurer ses poésies et celles d'Álvaro. Et pourquoi pas celles d'Arcadio ? Et les nouvelles d'El Negro ? Alors, dans sa stupeur, il éprouva un léger soulagement car il se savait innocent. Il cessa de s'en faire quant aux antécédents insolites et aux conséquences prévisibles d'une farce injustifiable qui ne pouvait avoir d'autre but que la demande finale du policier. Sans regarder Ramón, il fuma sa cigarette et il remarqua que ses mains ne tremblaient plus.

– Vous avez raison. On dirait que je suis un bleu en matière de politique, comme vous dites. Mais pour le reste, vous vous trompez. Car je dois plus à Gelman qu'à Vallejo, et aussi parce que je ne suis pas un mouchard. Maintenant, excusez-moi.

Et il était revenu dans la salle pour reprendre ce qui serait son dernier cours à la faculté des lettres de l'Université de La Havane.

Le lendemain, quand la doyenne le convoqua dans son bureau pour l'informer qu'il était momentanément démis de ses fonctions, Fernando ressentit le premier coup de fouet de la peur. Une chose trouble, encore incompréhensible et sans doute exagérée, se propageait dans son entourage, mais sa foi en la vérité et la certitude de son innocence l'aidèrent à ne pas fléchir, et avec toute la dignité qu'il fut capable d'afficher, il dit à la doyenne qu'il s'en allait jusqu'à ce que les choses soient éclaircies.

Pendant plusieurs semaines Fernando attendit l'appel qui lui permettrait de reprendre une vie normale, tandis qu'il mourait d'envie de voir Enrique et de lui demander des explications. Mais l'appel rédempteur ne vint pas et la conversation avec Enrique dut attendre un an et demi, le temps qu'il purge sa peine pour tentative de sortie illégale du territoire.

Par-dessus tout au monde, Domingo adorait les voitures à chevaux et les livres. Il en ferait la preuve éclatante en parvenant à posséder une des plus luxueuses calèches à deux roues de La Havane et la meilleure bibliothèque privée de l'île, riche des nouveautés imprimées à Londres, Madrid, Paris, Bologne et Philadelphie. Mais en cet après-midi consacré à des intentions peu littéraires, quand il n'était guère qu'un simple étudiant platoniquement amoureux de la poésie, animé par un désir aussi fort que le mien de connaître les véritables mystères de la vie, il décida que, étant donné la saison, considérée sous d'autres latitudes comme l'hiver, et s'agissant de ma première promenade dans ce qu'il appela la vraie ville, nous devions nous passer de voiture et effectuer notre trajet à pied.

– En été, quand il pleut, m'expliqua-t-il, c'est impossible de parcourir la ville à pied : la boue t'arrive jusqu'aux genoux et les moustiques peuvent te saigner à blanc. Maintenant, durant la saison sèche, quand tu n'es pas renversé par un chariot, tu en sors couvert de poussière, avec les souliers maculés de crottin de cheval, mais ce ne sont là que de moindres maux comparés à la boue, tu me comprends ?

Le but de notre promenade était de faire une visite au bordel de *Madame** Anne-Marie, le plus célèbre de tous ceux que comptait la ville. On racontait que la patronne, une Française rescapée de la révolte des nègres de Saint-Domingue, grâce à son savoir-faire commercial et peut-être avec l'appui d'un secret bienfaiteur, avait réussi à atteindre les sommets du négoce. Certains amis de Domingo lui avaient recommandé de s'y rendre sans plus tarder et, même s'il devait attendre son tour, d'investir son argent dans une heure de plaisir avec la plus sollicitée parmi les hétaïres de *Madame* Anne-Marie, une mulâtresse brésilienne appelée Betinha, déjà célèbre dans les cercles masculins de la ville pour ses dons exceptionnels quant à la pratique des stratégies amoureuses les plus osées et les plus modernes, connues sous le nom de "style français".

Il devait être environ quatre heures de l'après-midi quand nous nous acheminâmes vers la vieille Place d'Armes où, comme tous les 6 janvier, jour des Rois, avait lieu un des spectacles les plus typiques et, pour moi, un des plus déprimants de La Havane : la danse des confréries de nègres devant le Palais des capitaines généraux de l'île. Cet événement annuel, consacré par la tradition, permettait aux nègres, libres et esclaves, créoles ou africains, de se livrer à leurs danses en pleine rue, une fois l'an, au rythme du tambour, pour se rendre au siège du gouvernement colonial. Là, le capitaine général recevait la salutation des nègres, tout en lançant vers eux des pièces de monnaie comme cadeau symbolique des Rois. Les nègres, enfiévrés par le son primitif des tambours, et certainement noyés dans d'alcool, dansaient comme des possédés, sous le regard toujours nerveux des soldats dépêchés sur place pour maintenir l'ordre. Ce même jour et à moindre échelle, cette danse qui avait lieu dans chaque village de l'île, dans chaque plantation de canne à sucre ou de café, était comme un avertissement de ce que l'on ne pouvait pas tolérer : car, en raison de l'infamante traite des esclaves, les nègres et les mulâtres constituaient la majorité de la population du pays, et cette danse

---

* En français dans le texte. Terme généralement employé pour désigner les tenancières de bordel en Amérique latine.

avec ces tambours était une démonstration de la force grandissante d'hommes qui, s'ils se trouvaient un chef, pouvaient inverser le destin de l'île, comme cela s'était produit quelques années auparavant dans la prospère Saint-Domingue.

Étourdis par les cris et le son monotone des percussions, nous prîmes par la rue Obispo, avec ses commerces décorés remplis de gens obstinés à acheter tout ce qui pouvait l'être et nous nous dirigeâmes vers les murailles, au-delà desquelles se trouvait la nouvelle avenue, le Paseo del Prado où, comme c'était jour de fête, se trouvait réunie la fine fleur de la jeunesse havanaise, plus spécialement des créoles, si portés à passer de longues heures dans la rue, pour peu qu'il ne fit pas un peu froid ou trop chaud. C'était le cas en cet après-midi de révélations où tant d'images diverses allaient s'offrir à mes yeux et à ma sensibilité.

Dès sa prime jeunesse, Domingo était un des meilleurs causeurs que j'aie connus, doué d'un remarquable pouvoir de persuasion, surtout quand il s'agissait de justifier ses attitudes. A cette époque-là il avait deux ou trois obsessions dont il ne tarda pas à me faire part: il ne voulait pas être pauvre et il était sûr de mourir dans la richesse; il voulait être poète, publierait des livres et il serait célèbre coûte que coûte. Quant à moi, moins prolixe et moins ambitieux, élevé loin de la vie mondaine de La Havane, ma vie était guidée par une seule étoile à laquelle j'avais consacré d'infinies nuits de veille: la poésie. De ce fait, j'avais déjà de nombreux vers, fables et traductions que, sans la moindre pudeur, j'étais disposé à montrer au premier lecteur que je trouverais... Mais Domingo, comme s'il ne m'entendait pas, accaparait la conversation, dans un tourbillon de paroles.

– Tu vois, José María, tu vois ce qu'est ce pays? et il me regarda avec toute la véhémence de ses yeux de myope, tout en me montrant les splendides cabriolets et autres voitures à chevaux qui parcouraient le trajet circulaire du Paseo du Prado et les jeunes élégants qui arpentaient sans relâche l'avenue, de haut en bas, vêtus de tissus sombres et incongrus, mais conformes aux exigences de la mode européenne. Ceci est une foire, un cirque, un faux pays. En plus, il faut croire que voici ce que Cuba a de meilleur. Mais ici tout ce qui compte c'est de s'afficher et d'avoir de l'argent, il faut qu'on te voie, qu'on parle de toi sinon tu n'existes pas... Le pire c'est qu'ici les gens ne veulent pas être ce qu'ils sont.

Je ne devais point tarder à apprécier la justesse de cette amère réflexion qui, sur le moment, me sembla exagérée, émerveillé comme je l'étais par tant d'animation, alors qu'à cet instant, ma disposition d'esprit ne me portait guère à philosopher sur les destinées d'un pays que je connaissais à peine. Mais Domingo prenait déjà la vie trop au sérieux pour un jeune garçon de quatorze ans, tandis que j'essayais de m'imprégner de tout ce que je voyais, d'imaginer ma place dans ce kaléidoscope tout en essayant d'orienter nos pas vers ce qui était mon principal objectif de jeune puceau désireux de cesser de l'être au plus vite.

En remontant le Prado, nous arrivâmes au quartier de l'église del Angel, située sur une petite hauteur, pour prendre la rue de l'Empedrado, la mieux pavée de la ville et continuer vers ladite Plaza Vieja, où se tenait une des foires habituelles en ce lieu. Bien que toujours dédiée à un saint, il importait peu de savoir à quel patriarche cette célébration était consacrée, aussi les fêtes duraient-elles généralement dix-huit jours, avec tout juste une messe au début et à la fin. Le reste du temps, les foires entretenaient leur ambiance carnavalesque grâce à ce qui était déjà considéré comme le meilleur divertissement de la ville : les jeux de hasard. Des tables dans la rue, sous les arcades, à l'intérieur des maisons et des commerces, servaient d'espace aux jeux les plus divers, de cartes, de dés, de pions, de loterie, de billard et à toutes les sortes de paris que l'imagination humaine avait pu inventer. De plus, à l'intérieur de certains patios, une enceinte avait été aménagée pour les combats de coqs où de nombreux fanatiques pariaient à grands cris. Les personnages effrayants qui déambulaient par là, blancs, noirs et mulâtres, avec une tête à avoir déjà commis mille forfaits, semblaient annoncer que nous avancions en terrain dangereux. Sur les recommandations préalables de Domingo, j'avais glissé entre mon pantalon et ma chaussette les monnaies nécessaires pour payer la fameuse Betinha, mais mon ami avait décidé de tenter sa chance avec l'argent restant, convaincu, selon ses dires, qu'il parviendrait ainsi à augmenter notre capital.

Dans un commerce dont l'enseigne annonçait une pharmacie, Domingo s'approcha d'une table où, pour mon plus grand étonnement, jouaient aux cartes des hommes vêtus d'uniformes militaires, un prêtre, plusieurs nègres d'allure patibulaire et une femme blanche au visage marqué par la cicatrice récente d'un coup de fouet. Au toit étaient accrochées deux lampes à huile qui éclairaient à peine le local ; autour de la table il y avait des jarres, des carafons de vin et d'eau-de-vie, des cigares allumés ou en passe de l'être, et en plus un de ces chiens galeux qui pullulent dans toute la ville. Domingo me demanda du regard si je désirais participer et je lui fis signe que non : les jeux de hasard ont toujours été étrangers à ma forme d'esprit.

Mais Domingo était un parieur né, comme il le démontrerait tant de fois tout au long de sa vie, et après les deux premiers tours, dont il sortit vainqueur, il se retourna pour me regarder avec un visage radieux. Je compris sur-le-champ la force de sa passion du jeu : ses mains tremblaient, il avalait sa salive, en proie à une grande excitation, et la sueur perlait sur son front malgré la fraîcheur de la brise venue avec la nuit. Quant à moi, je m'ennuyais plus que je ne m'enthousiasmais. Devinant la fin de cette mascarade, je me disposai à aller faire un tour sur la place mais, comme il faisait déjà sombre, la prudence me fit reconsidérer la chose. En quelques jours j'avais entendu parler de tant d'agressions, d'assassinats et de rossées en pleines rues que je préférai rester à l'intérieur de la pharmacie, boire une petite tasse de café et attendre le dénouement prévisible : quand nous aurions perdu tout ce que nous étions supposés avoir, nous cesserions d'être intéressants pour les rufians qui maraudaient sur la place et nous pourrions sortir sans crainte dans la rue.

En effet : quinze minutes plus tard, le gamin chanceux, comme l'avait baptisé la femme à la cicatrice, avait perdu ce qu'il avait gagné lors des premiers tours, en plus de l'once et demie qu'il avait réservée, au début, pour sa grande passion. Toutefois, même perdant, il était visible qu'il était tendu, avec les nerfs à fleur de peau.

– Allons-nous-en, dit-il, tout à la fois réjoui et triste. Armés de deux petites lanternes que nous procura l'Andalouse balafrée, nous prîmes la rue du Teniente Rey, pour sortir de la ville intramuros par la Puerta de Tierra, toute proche du Campo de Marte, par où on arrivait chez *Madame* Anne-Marie.

Aujourd'hui encore je suis capable de sentir combien mes jambes tremblaient, après avoir franchi le vestibule entouré d'une balustrade en bois, quand nous arrivâmes sur le seuil de la demeure, avant de tomber dans une salle abondamment décorée de plantes et parfumée par deux brûle-parfum où fumait de l'encens. Des bougies et des lampes à huile illuminaient la pièce comme pour une fête, au point d'éclairer également le couloir qui se perdait vers le fond de la maison et le patio intérieur, peuplé d'arbres et de fleurs. Dans un fauteuil à haut dossier, enveloppée dans une mantille de soie, maquillée et peignée comme pour une fête, était assise cette femme que j'avais imaginée grosse et vulgaire et qui s'avérait avoir les traits et les manières d'une muse.

– Entrez, messieurs. Soyez les bienvenus, nous dit-elle d'une voix profonde, dans un castillan parfait : Anne-Marie était mince, avec des cheveux châtains et de grands yeux verts, et tout conduisait à penser que dans sa jeunesse encore toute proche, elle avait été d'une troublante beauté. Il était facile de supposer, en la regardant et en connaissant son métier, qu'il s'agissait d'une femme capable d'avoir à ses pieds deux ou trois amants et même plus parmi l'élite de la société havanaise, à laquelle nous n'appartenions pas et c'est peut-être pourquoi elle entra en matière sans trop de cérémonial.

– Ma maison est à votre disposition… si toutefois vous avez plus de quinze ans…

– Madame, nous avons déjà seize ans, il n'y a pas lieu de vous inquiéter, mentit Domingo avec naturel.

– Et ces messieurs désirent quelque chose en particulier ?

Domingo se tourna vers moi et nous échangeâmes un regard. Mes jambes n'en finissaient plus de trembler, mais dans ce genre de situation, il y a toujours un instant où je suis sauvé quand je parviens à surmonter mes craintes.

– Nous voulons voir Betinha, dis-je.

Anne-Marie sourit et hocha la tête.

– Cela me fait plaisir de constater la célébrité grandissante de cette fille…

– Quel est le prix ? demandai-je, car j'avais peur que Domingo eût été mal informé et que notre capital fût insuffisant.

– Une demi-once, service complet, pour une heure.

Enfin je respirai avec soulagement, car une once et demie nous permettrait même de boire quelques verres de vin.

– Pour l'instant elle n'est pas disponible, mais dans une demi-heure vous pourrez compter sur Betinha. Désirez-vous boire quelque chose en attendant ?

– Deux verres de vin, trois, si vous nous faîtes l'honneur de nous accompagner, madame, et je me sentis libéré de toutes les appréhensions qui m'avaient assailli au cours de cette journée. Une demi-heure plus tard je connaîtrais une des vérités de la vie et j'aurais, comme le poète que je désirais devenir, une expérience vitale qu'un jour je transformerais en vers.

Anne-Marie était non seulement belle mais aussi très sociable et quand elle apprit qu'elle recevait deux poètes, ce que nous nous empressâmes de proclamer, elle nous offrit le deuxième verre et se lança avec nous dans une conversation très animée. Deux clients moins exigeants arrivèrent et furent tout de suite reçus par un jeune homme, efféminé et pâle, que la matrone appelait Elizardito, et qui, après maintes révérences et regards inquiets, les conduisit vers l'intérieur de la maison. Grâce à la volubilité de la *Madame*, qui durant sa jeunesse, comme elle nous le raconta, avait beaucoup joué Racine et un peu de Molière dans la ville haïtienne du Cap, alors florissante, j'appris cette nuit-là combien le commerce de la prostitution prospérait dans l'île plus que la production du sucre, et que le négoce était particulièrement rentable grâce au système des esclaves racoleuses que leurs maîtres faisaient travailler à tarif fixe, dans une petite maison louée. Par son travail, la prostituée devait subvenir à tous ses besoins et, à la fin de la semaine, remettre à son maître la somme fixée. Le reste de ce qu'elle avait gagné était à elle et cela poussait ces femmes à travailler avec application et à accepter une plus grande variété de clients, ce qui les rendait plus rentables que les prostituées blanches pour les blancs, car ces malheureuses esclaves avaient une idée fixe : acheter leur liberté et, si possible, monter quelque petit commerce comme les négresses libres de La Havane.

Nous savourions notre deuxième verre de vin quand notre conversation fut interrompue par l'apparition d'un homme d'une quarantaine d'années, d'aspect respectable avec son chapeau enfoncé jusqu'aux sourcils. La matrone s'excusa et alla vers lui, le prit par le bras et, tout en parlant à voix basse, tous deux sortirent dans la rue. Quelques minutes plus tard, Anne-Marie rentra.

– Comme vous le voyez, j'ai des clients distingués…

– Et peut-on savoir qui c'est ? osa demander Domingo.

Anne-Marie se mit à rire doucement, un joli rire de gorge.

– Bien sûr : c'est une bonne propagande pour mon négoce. C'est Domingo Aldama, un des hommes les plus riches de l'île…

– Alors, monsieur Aldama fait la tournée des putes, commenta mon ami qui, ensuite, me raconterait que cet homme qui aurait tant à voir avec son avenir, était un des négriers les plus actifs du pays.

– Il a, lui aussi, une prédilection pour Betinha. Voyons un peu, les enfants, qui passe le premier ? demanda alors Anne-Marie et la réponse de Domingo me produisit une vive surprise.

– Lui, dit-il et il m'indiqua le couloir d'un geste de sa main ouverte.

Par cette décision imprévue, ce garçon que je ne tarderais pas à aimer comme un frère me révéla ce jour-là, sans que je pusse encore le comprendre, un autre de ses traits de caractère. Aujourd'hui je sais que s'il me fit passer le premier, ce ne fut pas une preuve de courtoisie envers le nouveau venu que j'étais : il s'agissait d'une stratégie vitale qui consistait à envoyer les autres au front tandis qu'il restait dans la pénombre de l'arrière-garde.

Il tira vers la gauche puis il serra le nœud en le ramenant légèrement vers la droite pour atteindre la perfection avec une ultime correction quasi imperceptible vers la gauche : sa montre indiquait juste six heures de l'après-midi quand José de Jesús Heredia termina d'ajuster sa cravate. Il avait toujours fait preuve d'un grand raffinement et, devant le miroir à moitié terni de la petite chambre d'hôtel, il vérifia la propreté de ses narines, secoua les revers de sa vieille veste de mousseline maculés par la neige des pellicules invincibles et avec ses doigts mouillés de salive il peigna sa fine moustache désormais blanche et de plus en plus clairsemée. Il se disposa alors à attendre Carlos Manuel Cernuda et Cristóbal Aquino, les frères maçons avec lesquels il irait dîner au restaurant Neptuno avant d'assister à la tenue* de la loge de Matanzas, "Fils de Cuba", cette même nuit. Ils s'étaient donné rendez-vous à six heures et demie dans l'entrée du petit hôtel où ils l'avaient logé, et si une chose déplaisait à José de Jesús, c'était que les autres dussent l'attendre.

Cherchant le meilleur moyen d'occuper les trente minutes restantes, il pensa descendre dans le parc et regarder les gens passer. En ces paisibles soirées de printemps, on y voyait généralement de fort belles femmes, particulièrement nombreuses dans cette ville, mais il décida soudain que ce n'était pas une bonne idée : le spectacle de la beauté féminine avivait le sentiment de frustration que lui inspirait sa défunte capacité sexuelle. Alors José de Jesús s'approcha du lit où reposaient, glissés dans une enveloppe de Manille ficelée avec un cordon mauve, les feuillets

* *Tenue* est le terme employé par les francs-maçons pour désigner leur réunion ou séance.

écrits par son père plus de quatre-vingts ans auparavant et qui avaient exercé sur lui une fascination maladive depuis le jour où il les avait lus pour la première fois, dix-sept ans plus tôt. Il n'avait pris connaissance de l'existence du manuscrit qu'en le recevant enfin des mains de sa sœur aînée, Loreto, la seule des enfants du poète qui pouvait se souvenir des faits et gestes de leur père. C'était justement aux évocations de Loreto, plus qu'aux histoires que racontait sa grand-mère María de la Merced, que José de Jesús devait l'image d'un Heredia amaigri, les yeux cernés, qui pleurait dans les bras de son épouse Jacoba, quand il rentra de son dernier séjour à Cuba, en ce mois de février 1837, tel un mort-vivant, honteux, trahi, tellement défait qu'en cet instant il ne se sentait même pas décidé à exercer l'unique vengeance à sa portée : donner libre cours à sa mémoire et la projeter vers une postérité qui lui assurerait peut-être la compréhension et la justice.

Après avoir définitivement écarté l'idée de descendre dans le parc, le vieil homme s'assit sur le lit, dénoua le cordon usé et sortit les documents pour les regarder, peut-être pour la dernière fois. Seule la conscience assumée de la proximité menaçante de sa propre mort pouvait l'obliger à se séparer de ces feuillets à la texture rugueuse, où palpitaient l'énergie d'un homme singulier et la résignation amoureuse d'une épouse, dont les joues durent s'enflammer plus d'une fois tandis qu'elle copiait le récit déchirant dicté par son mari moribond. Car José de Jesús était tout autant attiré par l'histoire désolante que narrait le poète au long de la bonne centaine de feuilles du manuscrit, que par l'alternance des calligraphies de son père José María et de sa mère Jacoba, tandis qu'ils élaboraient un contrepoint dramatique, tel celui d'une sonate exécutée à quatre mains par deux pianistes qui atteignent seulement la perfection dans leur mutuelle complémentarité sur l'ébène et l'ivoire du clavier.

Il feuilleta le document et observa encore une fois les premières pages où s'étalait l'écriture caractéristique du poète, virile, haute, ferme, très inclinée vers la droite. De sa propre main Heredia avait retracé la partie héroïque et heureuse de l'histoire, celle de ses années de jeunesse faites de luxure, de poésie et de conspiration. Puis, avec le début de l'exil, la narration commençait à céder plus d'espace à la calligraphie ronde et subtile de Jacoba, surtout dans les épisodes qui devaient être les plus douloureux pour son père. Heredia décrivait de sa main la magnificence des chutes du Niagara et ses grandes retrouvailles avec la poésie, la décision enthousiaste de partir pour Mexico ou l'admiration que lui inspirait la beauté paisible de la fille du magistrat Isidoro Yáñez, tandis que Jacoba inscrivait de sa main les premières réflexions sur la tromperie, la nostalgie, le froid et la découverte de la maladie incurable qu'il avait contractée et qui l'emporterait quinze ans plus tard… C'était justement l'aggravation de son mal qui avait obligé Heredia à utiliser son épouse comme secrétaire, l'impliquant dans l'écriture d'une évocation dans laquelle il mettait à nu son corps et son âme comme peu d'hommes auraient osé le faire. Par contre, le dernier tiers de l'histoire était déjà du domaine presque exclusif de Jacoba, du fait de l'incapacité physique du protagoniste qui ne pouvait se tenir sur une chaise pour décrire, de sa main, le déclin final et l'agonie qui le conduiraient jusqu'à cette maison sombre et froide de la vieille rue de l'Hospicio de San Nicolás, près de la magnifique cathédrale de Mexico où il alla à la messe pour la dernière fois en ces jours de réconciliation avec Dieu. Mais, curieusement, presque à la fin, son père revenait défendre ses positions et, d'une écriture encore plus inclinée, au tracé incertain, il intervenait pour la dernière fois de sa main pour rappeler l'épisode de son voyage tant désiré à Cuba, quand les rares idéaux et les amitiés qu'il avait conservés s'écroulèrent, entraînant avec eux les derniers espoirs d'un homme qui à vingt ans avait connu la célébrité, la gloire, l'amour, la consécration, l'amitié et qui avait surtout dominé la poésie comme nul ne l'avait jamais fait dans cette île si prodigue en richesses matérielles et en misères humaines. De cet épisode douloureux, José de Jesús aimait lire et relire l'histoire du moment où, toutes ses illusions perdues, son père sentait que sa vie récupérait sa véritable dimension quand l'acteur Antonio Hermosilla, au mépris de tous les risques politiques, avait récité sur la scène d'un théâtre havanais la fameuse *Ode au Niagara* et le public, debout, avait applaudi le malheureux poète humilié, reconnaissant, une dernière fois, sa grandeur littéraire, sa capacité à faire resplendir la beauté qu'aucun tyran ne pourrait ternir… A partir de ce moment l'écriture de Jacoba se chargeait de recueillir les ultimes avatars de la triste aventure : ce fut elle qui confia au papier la véhémence de l'oubli, la douleur d'une maladie incurable, la sensation de froid qui devient insupportable, l'avalanche d'une nostalgie malsaine à force d'être obsessionnelle et aussi la décision même de la réparation historique et littéraire de son existence que supposait ce récit commencé le jour où il affronta la plus dramatique des solitudes, en découvrant qu'il n'avait plus un seul ami à qui s'adresser et qu'il entreprit cependant de libérer sa mémoire, disposé à raconter les avatars de sa vie à un fils qui ne le connaîtrait jamais.

Tandis que José de Jesús tournait les pages et caressait leurs bords rongés par l'humidité et le temps, il se demanda encore s'il avait pris la bonne décision. En présence d'un notaire, l'impertinent bibliothécaire Figarola aurait peut-être accepté l'achat de ces feuillets explosifs et la condition de les conserver cachetés et scellés jusqu'au 7 mai 1939. L'argent de cette vente l'aurait grandement aidé à affronter les dernières années de sa vie, car il n'avait même plus de vêtements pour s'habiller décemment et l'esprit de son père, depuis le ciel, l'aurait sûrement pardonné : Heredia savait que l'homme peut tout supporter, ou presque tout, hormis la faim et le mépris : et son benjamin, que peut-être il n'avait jamais pu prendre dans ses bras, vivait dans la misère, menacé par le mépris. Mais José de Jesús savait aussi que le goût amer de la trahison commise l'aurait empêché de mourir en paix : Figarola ou quiconque parmi ceux qui auraient aimé avoir le mérite d'exhiber ces documents pouvaient violer le pacte scellé au sein de la famille Heredia et révéler, sans aucune retenue, une histoire capable de changer pour toujours l'idée que l'on se faisait du poète et de plusieurs des hommes qui le côtoyèrent.

Alors il se sentit de nouveau assailli par l'idée qui le préoccupait depuis qu'il avait pris connaissance de ces documents : ne vaudrait-il pas mieux les détruire et laisser reposer en paix l'histoire, l'âme de son père, les secrets les plus terribles de sa vie et même l'image déjà auréolée des hommes sur qui le poète jetait l'anathème ? Ce ne serait pas la première fois que José de Jesús tenterait d'améliorer la biographie de son père. Il l'avait déjà fait, bien des années auparavant, en détruisant l'original de la terrible lettre de 1823, dans laquelle Heredia jurait son innocence devant le juge instructeur du procès des conspirateurs indépendantistes de la loge "Rayons et Soleils de Bolívar". Il avait aussi fait disparaître une missive adressée au père Félix Varela, mais renvoyée par la poste qui n'avait pas trouvé son destinataire, dans laquelle le poète remerciait le prêtre d'avoir intercédé en faveur de la publication, à Philadelphie, de son roman *Jicoténcal* qui devait être publié sans nom d'auteur, car Heredia le considérait comme un échec littéraire. En détruisant cette lettre, José de Jesús Heredia avait fait disparaître l'unique preuve qui permettait d'attribuer le roman à son père.

Aussi, depuis cent ans, la question intriguait-elle les spécialistes qui attribuaient la paternité de l'œuvre à Varela en personne.

José de Jesús se sentait rassuré par la conviction que l'histoire s'écrivait ainsi : avec des omissions, des mensonges, des évidences forgées *a posteriori*, avec des rôles de protagonistes fabriqués et manipulés, et son obstination à vouloir corriger l'histoire de son propre père ne le troublait nullement car les maîtres du pouvoir le faisaient constamment et la vérité historique était la putain la plus complaisante et la plus mal payée de toutes... Mais ces papiers répandus sur le lit de l'hôtel avaient le pouvoir de changer la vie de nombreuses personnes innocentes. De plus, le poids de la décision de son inflexible grand-mère María de la Merced pesait sur ces documents : ils devaient rester cachés au sein de la famille et n'être diffusés qu'au moment fixé, cent ans après la mort du poète.

Il était six heures vingt-sept et le vieil homme se donna deux minutes pour décider du sort final du manuscrit. A six heures vingt-neuf il devrait descendre pour rencontrer ses frères maçons, Carlos Manuel Cernuda et Cristóbal Aquino, mais cent vingt secondes pouvaient encore suffire pour décider du destin de l'héritage secret de José María Heredia.

La misère pouvait avoir ses compensations. Álvaro lui avait dit : tu t'en sors pour trente dollars ; en calculant que cela faisait cinq mille pesetas, Fernando avait eu du mal à le croire. Mais il y crut encore moins en contemplant la réincarnation de son argent : une table présidée par une marmite de riz *moro** brillant, aux grains bien séparés, surveillée par un plat débordant de boulettes de porc frites, une douzaine de *tamales* dans leur feuille, une pyramide de bananes mûres frites, une salade colorée de laitue, tomates et concombre, sans oublier un flan de citrouille endormi sur un océan de caramel, le tout préparé par une voisine d'Álvaro qui avait trouvé le moyen de gagner sa vie grâce à ses dons pour la cuisine créole, car son salaire de spécialiste catégorie A en planification lui permettait à peine de survivre une semaine. La boisson – deux caisses de bière, deux bouteilles de vin rouge et trois de rhum – était la contribution du Guajiro Conrado qui, toujours aussi rusé, refusa de révéler l'origine du butin.

---

* *Arroz moro* : riz blanc avec des haricots noirs.

À peine assis à table, Arcadio proposa un toast poétique en l'honneur de Fernando et tous trinquèrent. Ce fut alors qu'El Negro Miguel Ángel se leva et, avec son verre contre sa poitrine, il improvisa (ou peut-être pas) un de ses discours, dont il avait été si féru durant ses années de dirigeant estudiantin.

– Je voudrais aussi boire à nous tous. Je voudrais trinquer en souvenir des années où nous avons été amis. Aux bons souvenirs que nous avons partagés. A toutes les feuilles que nous avons écrites en pensant les lire sur cette terrasse. A la mémoire de Enrique et de Víctor, les amis disparus qui, pourtant, sont bien présents. Je veux boire au miracle qui nous réunit aujourd'hui autour d'une table, plus de vingt ans après, et aussi pour que nous soyons capables de mettre de côté les rancœurs et les différends, et même de les oublier, car c'est sûrement ce que nous avons de mieux à faire…

Au fur et à mesure que le toast de Miguel Angel prenait tournure, les autres se levèrent peu à peu. Fernando sentit croître la solennité tandis que les tensions se relâchaient et il observa la réaction de Conrado, Tomás et du bel Arcadio qui craignaient peut-être d'entendre quelque chose de déplacé. Mais ils trinquèrent, eux aussi, avec El Negro et les Merles Moqueurs survivants.

Pendant qu'ils mangeaient en se racontant des souvenirs agréables, Fernando ne put s'empêcher de faire le portrait de famille, pressant sa mémoire à la recherche d'un signe venu du lointain passé qui lui permettrait de désigner un de ces hommes comme le délateur qui avait bouleversé sa vie : en face de lui, à l'autre bout de la table, Álvaro parlait, physiquement délabré par l'alcool mais avec son éternelle étincelle d'insolence dans le regard. Après avoir reçu et lu les deux livres que son ami avait publiés, Fernando leur avait trouvé une force irrévérencieuse, à la fois démoniaque et scatologique, et il avait su qu'ils étaient le témoignage douloureux et sincère d'un homme incapable de se suicider d'un seul coup, mais qui savait se tuer à petit feu, avec application, comme s'il forgeait l'arrivée tant désirée de la fin. A part ces poèmes et une fidélité à toute épreuve à ses coutumes et ses manies, peu de choses avaient survécu dans l'entourage de ce vieux compagnon que Fernando, même dans les jours les plus sombres, n'avait jamais pu croire capable de commettre une trahison : Álvaro lui était toujours apparu trop authentique pour dissimuler les tiroirs secrets indispensables à un traître.

Assis à côté d'Álvaro, mais comme s'il appartenait à une autre espèce humaine et poétique, se trouvait le Bel Arcadio, épargné par les ravages du temps, vivant toujours pour la poésie, s'y consacrant avec une obstination de vestale et exhibant sur son front, comme s'il était né avec eux, les lauriers glanés grâce à son fanatique engouement. Fernando se souvenait des jours lointains où ils s'étaient connus ; ils venaient juste de s'inscrire à l'université et Arcadio écrivait des poèmes qui prétendaient établir une communication intelligente avec la réalité du pays ou avec celle, plus visible, de son quotidien personnel, paisible et mesuré. Mais cette dépendance n'avait pas tardé à s'effacer pour que sa poésie se suffise à elle-même et devienne l'écho viscéral du passage de l'homme le long des chemins imprévisibles et pourtant toujours semblables de la vie. Ses métaphores prosaïques de jeunesse s'assombrirent avec les années, comme son regard sur le destin et la solitude fondamentale de l'homme ; Arcadio égrena alors ses meilleurs poèmes. Cet effort poétique avait donné le jour à huit volumes, amplement diffusés, primés et commentés, et beaucoup considéraient Arcadio Ferret comme l'une des voix les plus remarquables de sa génération. On parlait même de l'influence qu'il exerçait sur les plus jeunes : sans vanité mais avec orgueil, Arcadio acceptait les éloges, les voyages, les médailles, les voitures mises à son service et même les cérémonies précoces organisées en son honneur, convaincu de les mériter. Cependant ces succès mondains suivaient des chemins parallèles à ceux de sa création, de plus en plus autonome et intimiste, à laquelle il vouait la même dévotion respectueuse qu'au temps de l'innocence, quand il rêvait de voir imprimé un de ses poèmes. Cette attitude à la fois condescendante et forcée, bien qu'assumée comme une chose naturelle, était ce qu'Álvaro supportait le moins car il s'obstinait à considérer son ancien condisciple comme un hypocrite opportuniste et prétentieux qui n'avait pas le courage de regarder en face la déchirante quotidienneté de la vie où lui, Álvaro, puisait la matière de sa poésie agressive. Fernando savait bien que cette rivalité humaine et esthétique, exacerbée par les années faisait partie de la tradition poétique d'une île où le succès des autres éveillait toujours l'amertume et la suspicion dont il importait peu qu'elles soient fondées ou pas.

A la droite de Fernando, buvant tout le rhum que pouvait accepter son estomac sans fond, se trouvait Tomás, peut-être celui d'entre eux qui avait le moins changé : quand l'ouragan déchaîné par Enrique avait balayé Fernando de la faculté des lettres, Tomás s'en était sorti indemne. Il avait conservé son poste de professeur, bien que durant ces vingt années, sa carrière ne soit pas devenue ce qu'elle promettait d'être : il y avait trop longtemps qu'il avait renoncé, abandonnant les romans qu'un jour il avait pensé écrire mais qu'il continuait à annoncer ou même à raconter. Il n'avait pas publié non plus les essais que son intelligence lui réclamait pourtant. Sa vie avait été submergée par la routine d'une lutte incessante pour assurer sa tranquillité et glaner de petits privilèges ; cuirassé dans sa philosophie pragmatique née dans la rue, il avait résisté à tous les ouragans, s'était adapté à son travail, avait hérité de certains des lits abandonnés par Fernando, tout en restant fidèle à son habitude de faire des altères et de courir : il était celui du groupe qui exhibait la meilleure forme physique, avec son estomac plat, ses bras noueux et sa chevelure noire où l'on pouvait compter de rares cheveux blancs. Fernando se souvenait que Tomás avait toujours été le cynique du groupe, le caméléon parfait, c'est pourquoi il le considérait comme celui qui avait le plus de chances d'être son délateur. Cependant, il n'avait aucune preuve pour justifier ses soupçons qui s'écrasaient toujours contre le mur du parfait sens de l'honneur qui collait à la peau de son ami tel un tatouage, comme la première leçon apprise dans les rues du quartier chaud de La Havane où il était né.

Le cas le plus intéressant était peut-être celui de Conrado, car tout en étant toujours le même – l'éternel paysan roublard – il avait cessé d'être Conrado : Fernando l'observait et croyait le reconnaître, mais soudain l'image du souvenir s'effaçait devant l'évidence d'une réalité de presque cent kilos qui avaient doublé les proportions de l'éternelle tête de veau du Guajiro. Il restait bien peu de choses de l'émerveillement victorieux du paysan malingre de Placetas qui avait abandonné les odeurs de la terre pour les vapeurs de l'asphalte, poussé par le désir de sortir de la boue et de la misère dans lesquelles avaient vécu ses grands-parents canariens et ses parents cubains, décidé depuis toujours à devenir Quelqu'un dans la Vie, comme il disait. Conrado avait sans aucun doute exploité au maximum son ambition et sa capacité innée à se transformer. Il avait su saisir sa chance et en tirer parti au point de réaliser ses rêves d'ascension sociale. Après avoir été le premier universitaire de sa famille misérable, il avait mis toute son ardeur à gravir tous les échelons, jusqu'au sommet, au point d'en arriver à être un peu plus que Quelqu'un dans la Vie, au moins dans le domaine le plus visible : une maison à Miramar, une voiture japonaise climatisée, une montre suisse en or, une femme et deux maîtresses, des vêtements élégamment décontractés et l'odeur entêtante de parfums tenaces renforçaient l'évidence de ses succès. De tous ses anciens compagnons, il était le seul que Fernando avait revu durant les longues années d'exil. À peine deux ans auparavant, de passage à Madrid, le Guajiro lui avait fait la surprise d'un coup de fil. La cuite avait été mémorable et Conrado avait semblé heureux de récupérer son ami. Ce n'est qu'au petit matin, en buvant les derniers verres, qu'il avait laissé échapper qu'il était en Espagne pour la énième fois. Fernando avait alors compris que quelque chose devait avoir changé chez Conrado ou dans sa vie pour que le Guajiro, si calculateur, ose sortir dans la rue avec un vieux copain exilé qu'il n'avait plus jamais appelé. Finalement Fernando avait essayé d'oublier le lapsus ainsi que d'autres vieilles rancœurs, pour ne garder que les heures de conversation pendant lesquelles Conrado l'avait mis au courant des péripéties de la vie des autres Merles Moqueurs. Il l'avait aussi entendu reconnaître qu'il ne s'était jamais cru capable de devenir écrivain : le Guajiro savait que la sensibilité, la sincérité et le goût du risque lui faisaient défaut et les poèmes de ses vingt ans n'avaient guère été qu'une manœuvre ingénieuse, mais tout à fait grossière, pour assurer son appartenance à ce groupe d'obstinés qui vivaient convaincus de pouvoir changer, à eux seuls, le destin littéraire du pays.

Assis à la droite d'Álvaro se trouvait Miguel Angel ; sans le vouloir, Fernando l'avait laissé pour le dessert parce qu'il était le personnage le plus troublant. Dans son souvenir, El Negro était une présence longue, permanente, qui l'avait accompagné depuis les jours bienheureux de la huitième, quand sa famille était arrivée dans le quartier de Fernando, où elle avait occupé la maison des propriétaires de la quincaillerie La Moderna qui avaient choisi l'exil. Ce petit noir costaud, plus grand que le reste de ses compagnons, s'était efforcé, dès le début, d'être le chef des pionniers et l'élève le plus remarqué du groupe ; Fernando l'avait toujours considéré comme une espèce de garde rouge, armé d'opinions politiques irréfutables, aussi définitives que la carte de militant qu'il devait obtenir quelques années plus tard. Ces convictions politiques, héritées de parents communistes et syndicalistes qui avaient été emprisonnés, persécutés et même torturés sous la dictature de Batista, faisaient partie intégrante de son quotidien, mais – miraculeusement, selon Arcadio –, elles n'avaient jamais envahi les textes que, dès son plus jeune âge, il s'était imposé d'écrire. Les nouvelles candides de ses années d'étudiant, tout comme ses deux romans publiés, étaient dénués d'intentions politiques visibles et souvent ils distillaient la magie de la grande littérature, même quand leur portée n'était pas celle que l'on aurait pu espérer, peut-être à cause du manque de métier qui ne vient qu'après de nombreuses feuilles mises au panier : pour Fernando, les deux romans d'El Negro constituaient les étapes d'un apprentissage capable de le conduire aux frontières de la grande littérature. Mais c'est alors que la muraille idéologique monolithique de Miguel Angel, cimentée par la ferveur stalinienne de ses parents et la dignité combative avec laquelle il assumait la couleur de sa peau, s'était fendue en deux et toute sa foi avait été emportée par les flots d'une désillusion galopante qui, chez un type comme lui, ne pouvait être que militante. Après avoir été accusé de "perestroiko" et de révisionniste, sa mise à la porte de la revue où il travaillait avait été le premier coup de semonce de ses anciens camarades, qui dès lors s'étaient mis à le considérer comme un ennemi potentiel et le jugèrent comme tel, surtout en apprenant la publication à l'étranger de quelques articles qui remettaient en question son attitude antérieure de croyant invétéré. Tandis qu'il s'en prenait à lui-même, le renégat avait continué à écrire. Comme par le passé, il avait réussi à éviter que ses convictions politiques envahissent le jardin secret de la création littéraire. Quelques mois plus tôt, Fernando avait reçu ce que El Negro considérait comme le brouillon de son troisième roman, et il avait lu d'une traite une histoire qui se passait au XIXe siècle ; il s'agissait de gens ordinaires qui se rencontraient et se perdaient, emportés par les courants de l'histoire, dans une intrigue qui permettait une lecture oblique du présent cubain, auquel, pourtant, il n'était fait aucune référence directe. Mais Fernando avait surtout trouvé dans ce texte, à la fois amer et plein d'espoir, où s'exprimait le traumatisme historique d'une race condamnée à l'esclavage et à la discrimination, le souffle d'une œuvre décisive, parée de la grande vertu qu'il avait toujours attendue de la littérature : la capacité d'émouvoir avec beauté et passion.

La possibilité de passer en revue, d'un seul coup, de façon sommaire, l'accumulation de fidélités, de trahisons, de changements et de conséquences qui forgent la vie des gens, provoqua chez Fernando une amère sensation de malaise et d'inquiétude : bâtir le passé sur le présent était un exercice presque sournois, capable de révéler les évidences gênantes des castrations et des renoncements impossibles à imaginer à l'époque où le présent était encore le futur, quand le passé était tellement limité qu'on pouvait le résumer en deux mots, un quelconque héritage lié à l'environnement ou à la génétique et à quelques attitudes assumées. Mais putain, pourquoi je fais ça? Pourquoi est-ce que je ne suis pas capable de prendre plaisir à cette réunion, de rire un peu et d'oublier définitivement toute cette merde? Il continua à se le demander en versant dans son verre le reste d'une bouteille de vin et en regardant les flammes des deux bougies où palpitaient les mémoires suspendues dans le temps de Víctor et de Enrique, le héros et le martyr, les deux pieds qui manquaient à cette table apparemment irrécupérable, construite sur l'amitié et sur leur foi innocente et juvénile en la littérature et en la vie. La mort de Víctor, victime d'une mine antichar placée sur une des routes du sud de l'Angola, avait été pour Fernando le malheur le plus dur à assimiler dans l'incertitude de son exil encore tout récent. Pour tous, Víctor était le meilleur des Merles Moqueurs: personne ne doutait de la bonté fondamentale de ce mulâtre grand et bien bâti, beau et sain, qui s'était emparé de la première place de leur promotion et de Delfina, la femme dont tous avaient rêvé et que Fernando aimait peut-être encore, malgré vingt ans passés sans la revoir... Il avait commencé à se lier d'amitié avec Víctor au collège, quand ils s'étaient retrouvés dans la même classe et dans la même équipe de base-ball. Avec les années, Fernando avait découvert qu'il avait souvent envié cet ami, car tandis que lui-même s'imposait des buts, les ambitions de Víctor étaient paisibles et simples: jouer au base-ball en le prenant seulement comme un jeu, écrire s'il pouvait écrire, aimer pour toujours la même femme, lire les livres qui lui plaisaient ou boire sans précipitation la bouteille de rhum que l'un de ses amis ouvrait devant lui. Jamais il n'avait donné l'impression de jalouser quelqu'un, d'en avoir peur ou de le détester. A la fin de ses études, le sort avait voulu que Víctor aille travailler comme assistant à l'Institut du cinéma où, grâce à ses efforts, il ne tarda pas à devenir metteur en scène de courts métrages. A l'époque où on l'avait envoyé en Angola comme correspondant de guerre, Víctor écrivait avec Miguel Angel ce qu'il espérait être le scénario de son premier long métrage, et il était parti au front comme il serait parti au bout du monde ou au stade de La Havane pour assister à un match de base-ball: calme et sans peur. Quand ses trente-deux ans avaient été mis en pièces, ceux qui l'aimaient étaient restés avec la sensation d'une perte irréparable et une terrible question : jusqu'où aurait pu arriver cet homme qui irradiait la tendresse, la sensibilité et le talent ?

C'est alors que la bougie de Enrique commença à vaciller, décidée à attirer l'attention de Fernando et à l'obliger à se demander une fois de plus : son heure était-elle arrivée ou c'est moi qui ai tué Enrique ?... Enrique et son souvenir le blessaient comme une obsession, et Fernando dut admettre que bien des années après sa mort, il semblait toujours vouloir être le centre d'intérêt, l'acteur principal, une présence toujours remarquée. Tout dans sa vie, y compris le dénouement de sa mort prématurée, avait été théâtral. Fernando était convaincu que Enrique avait atteint le summum de l'excentricité, un soir, à la fin de leur première année de faculté et après le début des réunions chez Álvaro, quand il avait demandé d'ajouter "une question à l'ordre du jour". Il avait alors dit à ses amis, pour que tout soit bien clair, limpide et en ordre, que si l'un d'entre eux le soupçonnait d'être pédé, eh bien, il était tombé juste : parce qu'il était vraiment pédé, depuis l'âge de douze ans, quand son professeur d'éducation physique de cinquième, un beau mulâtre svelte et bien monté, comme un typique beau mulâtre, l'avait enculé dans le gymnase de l'école, bien entendu sans utiliser la violence ou l'intimidation : Enrique était attiré par le professeur mulâtre et le professeur adorait s'envoyer Enrique. Et s'il cachait ses préférences sexuelles depuis toujours, c'était uniquement parce qu'à Cuba, c'était déjà difficile de vivre en étant soupçonné d'être pédé mais c'était encore pire si on l'avouait ; c'était aussi pour pouvoir étudier sans complications à l'université car, comme ils le savaient tous, les purges d'homosexuels à la faculté des lettres étaient dévastatrices et cycliques. La stupeur de ses amis avait été digne d'une anthologie de l'étonnement : à Cuba personne – ou presque – n'admettait son homosexualité, et encore moins d'une façon aussi directe, à la fois dépourvue de traumatisme et de romantisme. La révélation avait été si brutale que tous avaient continué d'accepter Enrique, peut-être d'une façon plus franche, définitivement débarrassés de leurs doutes sur les goûts sexuels de leur copain, capables de ternir l'amitié d'un brin de méfiance. Dès lors, il avait commencé à leur raconter ses aventures amoureuses et les autres, mi-gênés, mi-amusés, éprouvaient un certain plaisir à écouter les péripéties de ses aventures avec les partenaires qu'il draguait dans les rues ou en apprenant l'homosexualité cachée de personnalités connues du monde des arts, de la politique, de la télévision, qui en réalité étaient des tapettes alanguies, comme ce mulâtre de la télé, avec ses moustaches et sa voix trop grave, ou le terrible secrétaire des Jeunesses communistes de la faculté que, dès lors, ils avaient baptisé "le petit oiseau de la Jeunesse". Comme il fallait s'y attendre, les préférences littéraires de Enrique s'étaient portées sur le théâtre et pendant toutes leurs études il avait écrit des pièces, montées par la troupe de la Faculté dont il faisait également partie comme acteur: parce qu'il avait un don magique pour le spectacle, un réel sens du rythme et une facilité à dramatiser la vie. Il avait été le premier à remporter un prix important qui incluait l'édition du livre, malheureusement le seul qu'il ait jamais publié car après avoir fait un an et demi de prison pour avoir tenté de quitter illégalement le pays, son existence avait semblé être celle d'un autre, définitivement différent de celui qu'ils avaient connu. Moins d'un an plus tard, en traversant le Malecón, Enrique était mort, déchiqueté par un camion, sans que l'on sache jamais si une distraction fatale ou une intention préméditée l'avait poussé, cette nuit de 1979, contre la masse d'acier du KP3 soviétique. Une brise imperceptible, à laquelle la bougie de Víctor resta insensible, s'obstina à éteindre celle de Enrique. Une silhouette de fumée s'éleva de la mèche et dansa quelques secondes, avant d'être dévorée par la nuit.

Tandis que je me remémore mon existence, ces deux années passées à Cuba, épanoui et insouciant, fébrile et luxurieux, me semblent avoir été vécues par un étranger que je reconnais à peine. J'avais quinze ans, je comblais mon corps de plaisir et j'abreuvais mon esprit de liberté, rien ne me torturait et je crus être l'homme le plus heureux de la terre. Mais il est bien connu qu'un poète n'a jamais le droit de jouir pleinement de son sort; après y avoir réfléchi quelque peu, le moment me sembla venu de me créer une souffrance et aucune ne pouvait être plus appropriée qu'un amour impossible. Pour être honnête, je dois reconnaître qu'avec son expérience Betinha m'aida à concevoir cette peine d'amour feinte: étendu dans la chaleur de son lit, les idées se pressèrent à mon esprit avec la même facilité que l'eau jaillissant de la source.

Betinha, en plus de sa beauté, s'avéra incroyablement savante dans plus d'une facette de la vie, bien que le meilleur de ses dons fût l'habilité de son corps à satisfaire les exigences d'un autre corps. C'est pourquoi, dès la première nuit de notre relation, quand je perdis ma virginité entre ses cuisses, le désir de la revoir se transforma en une véritable obsession. Semaine après semaine, la pension que mon père m'allouait pour l'achat de mes livres et les dépenses habituelles d'un étudiant finissait dans les coffres de *Madame* Anne-Marie, qui, prenant en compte ma fidélité de bon client, mon goût précoce pour le vin et surtout certains de mes poèmes, me concéda des privilèges qui me sauvèrent : des tarifs préférentiels (avec le consentement de Betinha, qui avait également pris goût à exercer avec moi son minutieux enseignement) ou les repas qu'elle me laissait partager avec ses filles, pendant lesquels je déclamais des vers, les miens ou ceux d'un autre, pour ensuite faire la sieste près de la chaude mulâtresse brésilienne et sortir dans la rue, le soir, après avoir pleinement satisfait mes besoins physiques.

Un de ces après-midi, après avoir assouvi ma luxure, j'avouai à Betinha, non sans noblesse, combien je l'aimais. Fidèle au style français que pratiquait cette femme magnifique, elle fut incapable de se moquer de moi, ce que méritait une telle confession, et elle tenta de m'expliquer les raisons de mon amour tout en essayant de me faire comprendre combien notre relation lui semblait impossible.

– Pour ne pas souffrir, tu dois y penser comme cela, me dit-elle dans son étrange langage, aussi recherché que musical, tout en collant contre ma cuisse la luxuriance sombre et humide de son sexe : ce n'est tout simplement pas possible. Toi et moi nous ne pouvons pas nous aimer d'une façon différente de celle qui est la nôtre en ce moment. Tu es un enfant et moi, j'ai trente-deux ans. Bientôt tu partiras, et l'avenir te conduira par des chemins que tu n'imagines même pas. Nous, c'est ça et seulement ça, dit-elle en appuyant davantage son sexe contre mon corps et en posant sa main sur mon membre de nouveau dressé. Je suis une prostituée, je suis noire et toi, tu es blanc et en plus poète, qu'est-ce que je dis, tu es un très grand poète. C'est un palais et non un bordel que doit habiter ton amour impossible. Invente cet amour si tu ne le ressens pas, chante-le, et garde pour moi ta passion.

Avec sa bouche de rêve, Betinha soulagea alors l'érection provoquée par sa main intrépide, car elle savait bien à quel point la merveilleuse audace de sa langue insistante et douce me satisfaisait. Et je décidai, en cet instant précis du plaisir, de devenir un poète malheureux en amours. Il ne me restait plus qu'à trouver l'objet de mon amour impossible.

A cette époque-là, quand je n'étais pas chez Anne-Marie ou à l'université où mon père avait décidé de m'inscrire en première année de baccalauréat de droit, j'aimais parcourir La Havane à la recherche des secrets de la ville. En réalité, à chaque fois que cela m'était possible, je fuyais la maison où la situation familiale n'était guère satisfaisante car la tuberculose de mon père avait commencé à faire des ravages chez cet homme jadis robuste, désormais en proie aux poussées de fièvres et aux quintes de toux déchirantes. De ce fait, nous remettions constamment à une date ultérieure notre départ pour Mexico où il rêvait de se remettre grâce aux vertus du climat sec du haut plateau. La maison me faisait alors l'effet d'une cage, car la maladie et l'attente avaient rendu irascible cet homme droit, magistrat dans l'âme, si enclin à exiger le silence, surtout depuis qu'il passait de longues heures à écrire un texte intitulé *Mémorandum sur les révolutions du Venezuela, inspiré de documents inédits conservés par José Francisco Heredia, qui fut juge doyen de ladite Audience et qui les écrit pour son usage personnel et au cas où il conviendrait, dans quelque temps, de rappeler à Sa Majesté des faits aussi singuliers*, car il croyait encore possible que les pays de la Terre ferme* revinssent à la couronne d'Espagne. De son côté, ma mère, l'invincible María de la Merced, s'efforçait de garder le contrôle sur moi, comme elle le faisait avec mes sœurs et le petit Rafael, bien que cela lui fût de plus en plus difficile de me retenir, car avec l'habileté que j'acquérais alors, j'appris à m'esquiver à la moindre occasion favorable, toujours sauvé par un des multiples mensonges qu'à chaque instant mon cerveau turbulent était capable d'inventer.

Pour écrire mes poèmes, je préférais m'asseoir sur les bancs de n'importe quelle place ou promenade de la ville. L'atmosphère en ébullition que l'on respirait dans la rue me servait de stimulant et ce fut en ces jours de jeunesse exaltée que commença à s'ébaucher une de mes décisions transcendantales : si cela m'était possible je ferais de Cuba ma patrie poétique, car ce pays opprimé et corrompu, vital et généreux, possédait tous les charmes nécessaires

---

* Ancien nom attribué aux régions correpondant au Venezuela et à la Colombie actuels, au début de l'époque coloniale, par opposition aux Antilles, colonisées en premier.

pour qu'un poète y donnât libre cours à sa créativité. Ici les gens vivaient dans l'attente de quelque chose dont personne ne savait ce que cela pouvait bien être, car il y avait autant de partisans que d'ennemis de l'Indépendance, autant pour danser de joie à l'annonce de l'ouverture de tous les ports au commerce que pour annoncer la ruine économique que cette mesure entraînerait, autant de constitutionnalistes que de monarchistes, autant pour vouloir partir que pour désirer rester... Mais, curieusement, parmi ces spécimens de tout ce que l'on pouvait imaginer, il n'y avait aucun poète digne de ce nom ; alors, avec la passion poétique qui bouillait en moi, je n'aurais aucun mal à me hisser sur le trône d'un parnasse désert que je pourrais décorer selon mon bon plaisir.

Durant de longues heures je parlais de ces questions avec Domingo, moins doué que moi pour la poésie mais plus habile au moment de forger des chimères. Je dois reconnaître que ce fut lui qui me révéla combien la littérature cubaine cachait mal sa nudité et comme il serait facile de l'habiller. Ce fut aussi grâce à lui que je rencontrai mon premier amour impossible.

Nous sortions de chez lui en ce chaud après-midi du 16 mars 1818, lui se dirigeant vers une table de jeu et moi vers le lit de Betinha, objet de tous mes désirs, quand une luxueuse calèche s'arrêta devant le porche de la demeure et, à la suite d'un monsieur et d'une dame, sans aucun doute de haut rang, un être merveilleux qui ressemblait à une poupée de porcelaine mit pied à terre. Domingo salua ces personnes qui connaissaient ses parents de longue date et me présenta comme son ami poète et, à cet instant, en voyant le sourire flatteur de la jeune fille, je décidai d'en faire l'objet de mon amour. Elle avait douze ans à peine, mais comme ma passion allait, de toute évidence, être platonique, personne ne pourrait m'accuser de perversion. De plus, pour son âge, cette nymphe présentait des formes que sous les climats tempérés beaucoup de femmes n'atteignent que vers les dix-sept ou dix-huit ans et on pouvait déjà deviner la femme splendide qu'elle ne tarderait pas à devenir. De ce jour, Isabel Rueda y Ponce de León serait l'amour impossible que le malheureux poète abriterait dans son cœur même si elle ne devait l'apprendre que beaucoup plus tard.

Cet après-midi-là, utilisant comme écritoire le dos de Betinha endormie, je rédigeai d'une seule traite un sonnet parfaitement calculé, bouillant d'amour et de jalousie, car je doutais déjà de la constance de mon aimée, Isabel :

"*Mira mi bien, cuán seca y desecada*
Del sol al resplandor está la rosa
Que en tu seno tan fresca y olorosa
Pusiera ayer mi mano enamorada..."

"Regarde, mon amour, comme elle est fanée
Et séchée par la splendeur du soleil, la rose
Qu'en ton sein, si fraîche et parfumée
Avait hier placée ma main amoureuse..."

Je mis tout au plus une demi-heure pour écrire les quatorze vers, malgré les distractions provoquées par l'opulent panorama que m'offraient les fesses de Betinha. Mes vers, à peine terminés, je lui en fis la lecture, et il se produisit une chose que je n'aurais jamais imaginée : des yeux de cette femme endurcie par la vie coulèrent deux larmes qu'elle tenta de dissimuler en approchant son visage du mien pour m'embrasser avec une tendresse inattendue.

– Même si c'était un mensonge, j'aurais donné n'importe quoi pour que quelqu'un m'eût écrit quelque chose d'aussi beau. Il faudrait qu'elle fût stupide, ou pire, insensible, la femme qui ne tomberait pas amoureuse de toi après avoir reçu un tel poème...

Et je la vis sortir du lit, dans toute sa nudité de cuivre patiné, et se diriger vers une table de nuit qui occupait l'un des murs de la chambre. Sans me regarder, la femme murmura quelques mots dans une langue inconnue de moi, puis, après avoir passé plusieurs fois ses mains sur son visage et son cou, elle ouvrit un des tiroirs. Elle en sortit un petit coffre où elle prit avec une grande délicatesse, en le tenant comme si elle portait un petit enfant, un paquet enveloppé de tissus où dominaient le bleu sombre et le rose. Toujours sans me regarder elle s'approcha à nouveau du lit.

– Je veux te montrer une chose que n'a vue aucun des hommes qui sont entrés dans cette pièce.

Elle déposa le petit paquet sur le lit puis découvrit l'étrange silhouette d'une femme poisson, une sorte de sirène aux grands seins, taillée dans un bois noir sur lequel étaient incrustés de minuscules coquillages marins.

– C'est ma mère, Yemanjá, me précisa-t-elle en voyant mon étonnement.

Souvent, depuis mon arrivée à Cuba, j'avais entendu parler de ces saints que les nègres avaient apportés de leurs terres lointaines, représentations de leurs croyances païennes, auxquels ils continuaient à offrir les rythmes de leurs tambours et à sacrifier des animaux. Mais je m'étais toujours senti si éloigné de ce monde que c'est à peine si je m'étais soucié de son existence et encore moins de le connaître.

– On me l'a confiée à Bahia, quand j'avais douze ans, et elle m'accompagne toujours. Elle est la reine des mers bleues et ondulantes et aussi des eaux mortes. Elle est la mère de toute chose… Dans mon pays, on dit qu'elle vit dans la lagune de Abaeté, là-bas vers Itapoán. Mais les vieux nègres assurent qu'elle vit au fond de la mer. On raconte beaucoup d'histoires sur Yemanjá et elles sont toutes joyeuses, car elle est la joie, bien qu'elle puisse être vindicative avec ceux qui ne respectent pas ses enseignements… Elle m'aide à vivre et elle me donne la force de résister.

Et alors elle embrassa sa déesse mère, avec une dévotion et une tendresse quasi infantile qui m'émurent.

Si je me souviens que tout ceci arriva le 16 mars 1818, ce n'est pas dû à la rencontre avec Isabel, ni parce que j'avais écrit ce sonnet qui a servi à prouver l'ardeur de ma passion amoureuse et ma qualité de poète romantique. Non. Je le dois à la façon dont Betinha et moi nous fîmes l'amour, peut-être sous l'influence magique de cette Mère universelle, déesse noire de la fécondité et de l'amour. Sans retenue mais sans excès, avec une délicatesse et un total don de soi, nos esprits et nos corps exprimèrent leurs volontés, comme si nous faisions l'amour pour la dernière fois. Elle m'offrit la rose sombre de son anus; moi, comme une source intarissable, j'éjaculai trois fois; elle m'enveloppa de sa langue, comme d'un linge chaud et parfumé; je bus à satiété les sucs de ses profondeurs mystérieuses; elle m'augura l'immortalité de la gloire et je lui promis un poème d'amour…

En ces jours je conçus bien d'autres vers comme ceux que ce fameux après-midi j'avais dédiés à Isabel et je me souviens aujourd'hui, avec angoisse, comme rien n'était plus facile que d'écrire de la poésie: car je pensais en vers, mes idées prenaient la forme d'un sonnet, la rime naissait sur mes lèvres dans la simple conversation et mon esprit prodigue pouvait improviser des hendécasyllabes à l'infini. Mais, tandis que Betinha et tous mes amis me témoignaient leur admiration, une turbulente rivalité juvénile commença à germer dans le cœur de Domingo, sans doute était-ce la graine qui, par la suite, empoisonnerait son âme de parieur. Car, sans jamais l'avouer, il avait joué sur une seule carte le plus fort désir de sa vie : être le plus grand poète de l'île.

A cette époque-là, avec d'autres amis apprentis bardes, nous avions l'habitude de consacrer de longues heures à parler avec enthousiasme de littérature. Notre lieu de réunion préféré était la vieille Place d'Armes, moins fréquentée que la Alameda de Paula et plus centrale que le nouveau Paseo del Prado, car elle se trouvait juste à mi-chemin entre l'université et le bouillant séminaire et collège de San Carlos où Domingo et mes nouveaux amis, Sanfeliú, Silvestre et Cintra, suivaient leurs premiers cours de jurisprudence civile.

L'un de nos rêves préférés était la création d'une revue où nous révélerions au grand jour les poèmes et les écrits qui changeraient la face du monde littéraire de l'île. Domingo commençait à ébaucher sa théorie, persuadé que nous étions les élus, venus à la vie avec la mission de faire apparaître sur la carte de la culture cette colonie si réfractaire à la création de haut niveau, presque sans tradition littéraire et sans aucun écrivain célèbre. Mais nous savions bien que notre désir de donner toute sa dignité à la poésie ne serait pas chose facile dans un pays tellement porté sur les vices, où la circulation de l'argent, la quantité de nègres débarqués chaque année, les caisses de sucre produites et vendues, la qualité du tabac et le prix de la terre étaient les seules choses qui comptaient : aussi, pendant que l'Amérique se débattait contre l'Empire espagnol, c'est à peine si dans l'île on pouvait déceler des velléités de sédition. Les eaux agitées dans lesquelles se débattait la métropole, affectée par les invasions, les jours de constitutionnalisme, les années d'absolutisme, et les eaux tout aussi agitées qui submergeaient les terres voisines engagées dans une guerre sans merci, avaient apporté la richesse aux pêcheurs en eaux troubles, et personne ne voulait changer un tel état de choses… même pas moi, qui me considérait, comme mon père me l'avait inculqué, comme un Espagnol d'outre-mer, fils d'une patrie commune qui nous avait donné la gloire d'une religion, d'une langue et d'une longue histoire.

Dans ce contexte de fièvre poétique, pour démontrer la précocité de mon talent, je décidai de réunir tout ce que j'avais écrit au Venezuela et au cours des mois vécus à Cuba. Je préparai alors un “Recueil des compositions de José María Heredia”, dont je décidai qu'il serait le "Deuxième cahier", car j'avais composé, sciemment, un "Premier cahier", qui réunissait mes versions et traductions de grands poètes du passé. Comme je l'espérais, quelle ne fut pas la stupeur de mes amis en voyant ces chemises remplies de poèmes et de traductions ! De l'étonnement naquit l'enthousiasme, surtout de Silvestre Alfonso, le plus pur, le plus riche, mais aussi le moins poète des membres du clan, et ce fut lui qui eut l'idée de montrer mes écrits à un homme, alors professeur de philosophie au séminaire, dont la réputation de savant et l'aura de sainteté avaient fait une sorte d'oracle que tous allaient consulter pour connaître la vérité. Ainsi, un après-midi de novembre, nous entrâmes, comme en procession, dans une petite salle du séminaire où nous attendait déjà ce prêtre prédestiné à la sainteté, encore jeune mais au visage vieilli, au corps sec à l'extrême, au regard pénétrant et à la voix douce et autoritaire, qui répondait au nom de Félix Varela.

J'étais le seul que le père Varela ne connaissait pas. C'est pourquoi Domingo, devançant le reste des amis, me présenta et rappela au professeur le motif de notre visite. Le prêtre qui s'avérerait avec les années être un sage et un visionnaire, au-delà de ce que tous pouvaient imaginer, me regarda droit dans les yeux et je soutins son regard, pour une fois sans être pris de ces tremblements qui devaient accompagner tous les moments difficiles de ma vie, car s'il cherchait en moi un poète, il ne faisait nul doute qu'il le trouverait. Finalement Varela sourit et nous commençâmes la causerie ; en même temps il lisait quelques-unes de mes compositions, sautant de l'une à l'autre sans émettre le moindre jugement. Quand il passa aux traductions, ma connaissance du latin et du français lui sembla remarquable car j'avais osé commencer avec Horace et Florian puis, toujours sans émettre le moindre jugement, il laissa de côté les cahiers et orienta la conversation vers des sujets – pour moi – moins transcendants. Une demi-heure plus tard, Varela s'excusa car il avait un rendez-vous à l'évêché et me demanda de revenir la semaine suivante, pour avoir le temps de lire mes poèmes.

Préoccupé par l'absence d'un verdict immédiat, une semaine après, cette fois pris du tremblement habituel de mes jambes, je me présentai dans la cellule du séminaire où je trouvai le prêtre interprétant au violon une valse languide. J'avais mis à profit les jours écoulés entre nos deux rencontres pour me renseigner sur lui. Je fus rassuré en apprenant que derrière sa renommée d'homme sincère et terriblement direct, il y avait un homme bon, aux conceptions philosophiques osées, doté d'une culture encyclopédique, qui avait rêvé, un temps, d'être un grand concertiste. Mais il avait surtout la réputation d'être un ardent défenseur de la jeunesse et de la nouveauté, tout en étant attaché à l'ordre, comme en témoignait un récent éloge à Ferdinand VII dont il louait la politique envers la fidèle île de Cuba.

La froideur avec laquelle Varela me reçut cet après-midi-là ne fit que renforcer mes craintes. Sans cesser de jouer du violon, d'un regard il m'offrit un siège et m'ignora jusqu'au moment où il acheva la douce mélodie. Enfin, il sourit, replaça le violon dans son étui et chercha mes cahiers.

– J'ai lu vos poésies avec attention, mon jeune ami, et je dois avouer quelque chose que j'ai su dès que j'ai lu le premier de vos poèmes et qui, bien sûr, va vous réjouir : vous êtes un poète. Vous avez beaucoup à apprendre, vous devez trouver un style, éviter la rime facile... Mais personne ne peut douter que vous êtes déjà un poète et personne ne peut prédire jusqu'où vous irez, bien que je sache que vous irez très loin. J'ai été si surpris en lisant ces vers d'un enfant de quinze ans à peine que je ne sais si les conseils sont nécessaires, mais j'oserai vous en donner un : faites en sorte que votre poésie ne se prostitue jamais. Prostituez-vous, vous-même, si vous devez le faire pour vivre, car la vie est un don que Dieu nous donne et nous devons la conserver à n'importe quel prix. Mais la poésie est un miracle, et vous avez été désigné par la Providence pour créer la beauté... Vous allez souffrir de la jalousie des hommes, vous allez entendre des jugements assassins, vous allez être en but au mépris et à la rancœur, et vous serez sûrement trahi maintes fois, mais vous entendrez aussi des éloges et vous serez aimé et couronné de lauriers : essayez de faire la sourde oreille à ces chants de sirènes et aux hurlements des loups. Peut-être qu'en ce moment vous ne comprenez pas ce que je suis en train de vous dire, ni pourquoi. Mais un jour viendra où on voudra vous utiliser, on voudra acheter vos vers et votre intelligence, car les despotes, qui méprisent toujours la poésie, savent qu'un poète servile est plus utile qu'un poète mort et que les poèmes peuvent donner de l'éclat aux pires facettes de la tyrannie. N'oubliez jamais cela. Le reste, vous allez l'apprendre seul parce que vous débordez de talent et du désir d'être poète...

Mes tremblements, calmés pendant que j'écoutais Varela, réapparurent quand je tendis la main pour reprendre mes cahiers qui me semblèrent lourds et frustes, comme s'ils étaient chargés de boue. Car l'astuce, qui avait tant fait rire Betinha, m'apparut alors comme une impardonnable infamie : j'avais repris des vers et des idées tirés des poèmes à Julia la Vénézuélienne pour les dédier à la vaporeuse Isabel et la douleur des élégies écrites en partant de Caracas était feinte car, en vérité, je me réjouissais d'échapper à cet enfer. J'eus envie de disparaître sous terre à l'instant même, devant cet homme qui, en cinq minutes, avait prédit tout ce qui m'arriverait au long de ce triste roman qu'a été ma vie.

– Oui, ça a tout l'air d'un miracle. Le docteur Mendoza tapota avec les jointures de ses doigts le papier d'un jaune délavé, plein de pliures. Personne ne sait comment ces fameuses caisses sont arrivées aux Archives nationales.

– Alors, maintenant vous croyez aux miracles, professeur ? lui demanda Álvaro tout en allumant une cigarette.

Le docteur Mendoza sourit.

– Bien sûr, je me souviens encore… Je t'ai dit que tu ne serais reçu au semestre que si un miracle se produisait et finalement tu as réussi à avoir dix.

– Je n'ai jamais autant étudié de toute ma putain de vie. Vous voulez que je vous récite *La Guerre des Gaules ?*… "*Gallia est omnis divisa en partes tres, quarum unam incolunt Belgae, aliam Aquitani, tertiam qui psorum lingua Celtae, nostra Galli apellantur…*"

Fernando sentit monter en lui la marée de la nostalgie, même s'il reconnaissait que le docteur Mendoza ne figurait pas précisément parmi les meilleurs souvenirs de ses années d'université. Le vieil homme était maintenant mince et fragile, avec la peau flasque qui tombait en nombreux plis. Mais à l'époque où il avait leur âge actuel, c'était un homme corpulent qui s'obstinait à leur enseigner à tout prix une langue qui leur semblait absurde. Cependant, l'usure des ans et la certitude acquise avec le temps que Mendoza avait eu tout à fait raison lui inspiraient une chaude sympathie pour le vieux professeur de latin, devenu bibliothécaire de la Grande loge.

Mendoza les avait attendus dans le vestibule du bâtiment où Fernando entrait pour la première fois de sa vie. Il était passé à maintes reprises, en bus ou à pied, devant cette grande masse de béton, couronnée d'une boule représentant le monde, sur laquelle étaient posés un compas et une équerre encadrant une lettre G brillante qui invoquait le dieu générique des francs-maçons. Fernando avait toujours éprouvé une curiosité mystique pour ce que pouvait signifier cette sorte de haut commandement cubain du mystère maçonnique. Mais, comme elle portait les stigmates d'une institution déclarée rétrograde et bourgeoise, il en était venu à considérer la franc-maçonnerie comme une tribu préhistorique en voie d'extinction inéluctable. C'est peut-être pour ça qu'il l'associait à un ghetto obscur où se réfugiaient quelques vieux – il les imaginait toujours en costume cravate –, s'obstinant à conserver un idéal et des rites qui finiraient par être balayés, comme la religion, par les bourrasques des temps nouveaux. Finalement, après avoir fait preuve d'une foi insolite en leur fraternité et d'une capacité de résistance opiniâtre, les francs-maçons, comme les religieux, avaient réussi l'exploit de survivre au prix d'innombrables transfigurations et dissimulations sociales.

– Professeur, laissez-moi vous poser une question... Vous étiez déjà franc-maçon quand vous nous faisiez cours?

Mendoza fixa Fernando, puis il baissa les yeux vers les feuilles qui pouvaient conduire au roman perdu de Heredia.

– Pendant vingt ans, j'ai cessé d'aller à la loge. J'étais "en sommeil" selon notre expression... A cette époque-là, je n'avais pas d'autre alternative, il fallait que je choisisse entre la loge ou l'université.

– Oui, je comprends... Et pourquoi l'apparition de ces caisses avec des documents est-elle si miraculeuse?

– Parce que les documents des loges sont conservés dans les loges ou, quand il y a une raison particulière, ils aboutissent ici où se trouve le registre central. A un moment donné, entre 1932 et 1933, quelqu'un a dû mettre ces documents aux Archives nationales et par la suite il les a oubliés ou il n'a pas pu les en sortir, allez savoir pourquoi! Le plus curieux c'est qu'ils n'ont pas été enregistrés à leur entrée et ce sont des liasses et des actes de tenues isolés, comme s'ils avaient été choisis au hasard... Moi, mon impression c'est que la personne qui a préparé cette caisse voulait que cet acte, et justement celui-ci, ne risque pas de se perdre. Dans les autres caisses, il n'y a rien d'important, juste de la routine maçonnique. Mendoza prit le feuillet dactylographié et l'observa, comme s'il le voyait pour la première fois. Le plus bizarre c'est qu'il soit dactylographié sur une feuille volante.

– Pourquoi ?

– Parce que les actes se trouvent dans les registres qui sont écrits à la main, comme vous pouvez l'imaginer. Pour compliquer encore l'histoire, j'ai vérifié que cet acte, ou plutôt, l'original dont celui-ci est une copie, se trouve toujours dans le registre correspondant… mais ils ne sont pas identiques. Celui-ci contient des détails qui n'apparaissent pas dans l'autre.

– Je n'y comprends rien, avoua Álvaro.

– C'est comme si quelqu'un avait tout fait pour qu'on sache ce qui s'est passé cette nuit-là, dit Fernando.

– Exact. Je vous ai fait faire des photocopies, mais je veux vous dire une ou deux choses. La première, c'est que vous devez aborder cette histoire avec prudence. Derrière tout ceci, il y a quelque chose de vraiment sérieux…

– Je continue à ne rien comprendre, professeur, reconnut Álvaro. Pourquoi avec prudence ?

– Eh bien, voilà. J'ai déjà consulté la loge "Fils de Cuba", de Matanzas et là-bas personne ne sait rien de ces documents. Si les maçons les ont eus un jour parce que le fils de Heredia les leur a confiés, pourquoi ne sont-ils pas dans la loge, pourquoi personne n'en a reparlé, pourquoi sont-ils encore cachés ou perdus ? Il doit y avoir quelque chose de très particulier dans ces papiers. C'est pour ça que je ne crois pas que ce soit un roman…

– C'est possible que ce ne soit pas un roman, admit Fernando. Pour autant que je sache, personne ne sait ce qu'il y a dans ces papiers, s'il s'agit bien de ce que je pense. La seule chose connue, c'est une lettre de la femme de Heredia dans laquelle elle parle d'un manuscrit qui ne devait pas être publié. L'histoire selon laquelle Heredia était en train d'écrire un roman sur sa propre vie vient d'un journaliste mexicain qui a affirmé cela après la mort du poète.

– Un roman que ce journaliste n'a jamais vu. Maintenant souvenez-vous d'autres choses, et il commença à compter sur ses doigts : premièrement, Heredia était poète, pas romancier ; deuxièmement, il était un peu mythomane, comme tout poète qui se respecte ; et pour couronner le tout, il n'existe aucune affirmation de sa part, textuelle et vérifiable, où il se réfère à une chose qu'il est supposé avoir écrite avant sa mort… Et si c'était un simple roman, pourquoi tant de mystères ? Pourquoi l'a-t-on caché pendant tant d'années ?

Fernando Terry commença à marcher avec nervosité. Il ne connaissait que trop les évidences utilisées par Mendoza, mais les années d'étude de la vie de Heredia, la paternité du poète, discutée mais possible du roman *Jicoténcal*, ses commentaires éclairés et visionnaires sur le roman historique, avaient toujours alimenté les soupçons de Fernando. Il avait consacré plusieurs années à la recherche d'une piste qui puisse le conduire à ces documents, dont il n'existait que de rares références indirectes qui avaient seulement abouti à de nouvelles spéculations de moins en moins fiables. Mais maintenant, avec la preuve de l'acte maçonnique, pour la première fois on pouvait affirmer l'existence réelle d'un document que personne ne semblait avoir lu et qui, vraisemblablement, pouvait être le roman évoqué, écrit par Heredia entre 1837 et 1839, peu avant sa mort. Fernando tremblait à la seule pensée de pouvoir faire cette trouvaille : ces documents pouvaient devenir le texte le plus révélateur de la littérature cubaine, et c'est pourquoi il insista pour renforcer ses espoirs.

– Si cet acte dit que José de Jesús a confié à la loge des documents écrits par son père qui ne pouvaient pas être publiés, comme vous l'avez dit vous-même, cela doit être quelque chose de très sérieux pour qu'il ne les ait pas vendus, car cet homme aurait vendu sa propre mère s'il avait trouvé un acheteur…

– C'est bien pour ça que je continue à trouver ça bizarre, insista le bibliothécaire.

– Parce que c'est bizarre, professeur, intervint Álvaro après avoir allumé une autre cigarette. Et c'est ça le bon côté de la chose… Dites-moi un peu, qui d'autre est au courant de ce que dit cet acte ?

– J'en ai donné une copie à l'université et une autre à un chercheur des Archives historiques de Matanzas. Et aussi à la loge, bien sûr. Car il ne s'agit pas là d'une histoire privée. Mais j'ai davantage confiance en vous. Vous voulez que je vous dise ? Vous aviez beau être une bande de gamins moqueurs, je n'ai plus jamais eu un groupe d'étudiants comme le vôtre. Dès que j'ai commencé à faire cours, j'ai su que vous n'étiez pas du modèle courant. Qu'est devenue Delfina ?… Quel dommage que Víctor et Enrique soient morts si jeunes et qu'à toi on t'ait fait ce qu'on t'a fait ! affirma-t-il en regardant Fernando.

– Moi, je ne m'en souviens même plus, maître, mentit Fernando impudemment. En fin de compte, je n'étais pas un bon professeur.

– Et de quoi vis-tu à Madrid ?

Fernando hocha la tête en souriant. Ce n'était pas facile de se mesurer au docteur Mendoza.

– Je suis prof.

– J'ai trouvé lamentable qu'on te renvoie de la faculté... Cela m'a paru absurde et je l'ai dit à la doyenne, bien que je n'aie pas osé faire quoi que ce soit. Qu'est-ce que je pouvais faire ? Mais je sens que j'aurais dû faire quelque chose. Tout compte fait, maintenant je suis de toute façon un vieux con, avec une retraite qui ne me permet même pas d'essayer de vivre ; si je bois du lait et si je mange de la viande, c'est parce que le plus jeune de mes fils, celui qui n'a pas fait d'études, a un étal sur un marché à la campagne et qu'il gagne environ cinq cents pesos par jour en vendant de la viande de porc et en volant tout le monde. Il gagne en un jour presque trois fois ma retraite mensuelle...

– Je vous remercie de vous être souvenu de nous quand vous avez trouvé ce document. Fernando se rassit. Vous savez ce que cette histoire signifie pour moi.

– Pourvu que vous trouviez quelque chose, dit-il et finalement il regarda encore Fernando dans les yeux.

– D'après vous, qu'est-ce que nous devons faire ?

Mendoza contempla de nouveau la liasse de feuilles.

– Si tu es venu chercher ces documents de Heredia, eh bien, commence à les chercher ! Le fils de Carlos Manuel Cernuda a été plusieurs fois Vénérable Maître de la loge "Fils de Cuba". Voici son adresse. Il me semble que c'est peut-être un début, tu ne crois pas ?

Carlos Manuel Cernuda donna un coup sur la table de tout le poids du maillet dont le son transmit un ordre en parcourant le temple, depuis l'Orient jusqu'aux Surveillants placés à l'Occident et au Midi, et les quatre-vingt-six hommes se mirent debout. L'œil de la Providence, sur le trône du Très Vénérable Maître, semblait observer depuis le triangle aux sept lumières la décoration allégorique de l'atelier, résumé de l'univers : le plafond en guise de voûte céleste, les quatre points cardinaux et les statues toutes blanches de Minerve, Hercules et Vénus, baignées par la lumière des hautes colonnes torses de la Force et de la Stabilité, éclairées en leur faîte de marbre par des boules de cristal décorées de la sphère terrestre et de la sphère sidérale. Trois cierges ornaient l'Autel des Serments où reposaient les emblèmes les plus importants de la Fraternité : le code maçonnique sur le compas et l'équerre des vieux artistes des coupoles et des ogives. A côté d'eux, une bible, qui est la Loi du Grand Architecte de l'Univers, ouverte au psaume 133, pour que chaque Maître, Compagnon ou Apprenti se souvienne à tout jamais de cette *Chanson des Ascensions*, récitée par David aux jours des origines.

Regardez comme il est bon et paisible de contempler
ces frères qui vivent ensemble dans l'harmonie !
C'est comme l'onction parfumée qui descendit sur la tête,
sur la barbe, la barbe d'Aaron ; qui descendit jusqu'aux
pans de sa tunique. Telle la rosée du Hermon
est l'influence qui descend sur les montagnes de
Sion ; car là-bas Jéhovah a envoyé sa bénédiction,
à savoir, la vie jusqu'à la fin des temps.

Depuis son trône à l'Orient, auquel on accédait par les sept marches de la sagesse – Grammaire, Rhétorique, Logique, Arithmétique, Géométrie, Musique et Astronomie –, Carlos Manuel Cernuda salua de la tête José de Jesús Heredia, assis à sa droite, comme s'il attendait qu'il lui renvoie son salut pour commencer le rituel. Le vieil homme fit un bref signe d'approbation et le Vénérable Maître posa avec précaution le maillet des tailleurs de pierre. Sa voix, d'une gravité quasi caverneuse, parcourut le temple avec l'autorité correspondant à son rang hiérarchique.

– Premier Surveillant, êtes-vous maçon ?

– Mes frères me reconnaissent cette qualité, Vénérable Maître, répondit, depuis l'Occident, Ramiro Junco, premier gardien du temple, un homme sec dont le costume paraissait trop grand avec son tablier de Maître sur le point de glisser de ses hanches.

– Frère deuxième Surveillant, quel âge avez-vous ? s'enquit alors le Vénérable en dirigeant son regard vers le petit promontoire du Midi, d'où lui répondit le second gardien avec son accent de nègre marchand de légumes.

– Quinze ans, Vénérable Maître, dit Cándido Alfonso, se référant à son âge maçonnique.

– Quel est votre premier devoir dans la loge, frère deuxième Surveillant ?

– Protéger le temple de l'indiscrétion des étrangers.

– Veuillez faire votre devoir, ordonna Cernuda et sans attendre, il but une gorgée d'eau contenant des sels biliaires qu'il avait près de lui pour atténuer les effets de l'un de ses excès favoris : il avait mangé au restaurant Neptuno sa morue à la basquaise bien assaisonnée, même s'il connaissait d'avance la réponse vengeresse de sa vésicule.

Pendant ce temps, le second gardien donnait des ordres à ses sujets.

– Frère deuxième Diacre, voyez si nous sommes protégés.

Ricardo Junco, placé près de l'entrée de l'atelier, heurta par trois fois la porte avec le pommeau de sa brillante épée pour recevoir, de l'autre côté de la cloison, une réponse similaire : trois coups secs sur le bois.

– Frère deuxième Surveillant, le temple se trouve dûment protégé, annonça Ricardo Junco, et le second Surveillant, le visage à nouveau tourné vers l'Orient, informa du résultat de l'enquête.

– Vénérable Maître, avec affection et amour fraternel, un frère, l'épée à la main, garde l'intérieur de la porte et, de même, un autre surveille l'extérieur pour que personne ne puisse ni s'approcher ni écouter…

Les quatre-vingt-six hommes, debout, parés des bijoux et des tabliers correspondants à leurs dignités respectives, avaient rigoureusement suivi le rituel d'ouverture de la tenue de la loge maçonnique "Fils de Cuba" du 11 avril 1921. Le zèle infini des francs-maçons s'appliquait à garder, dans l'enceinte de ces murs, les secrets d'une confrérie dont ils faisaient remonter les origines aux jours de la construction du temple de Salomon, le plus sage des rois juifs et le premier dignitaire qui avait craint le pouvoir parallèle de cette confrérie d'hommes libres, assermentés pour obéir aux desseins de leur maître constructeur.

– Asseyez-vous, frères, dit finalement le Vénérable Maître qui se tourna vers José de Jesús comme s'il lui offrait un siège avec une déférence particulière. Le bruit des corps et des sièges s'imposa un instant à l'intérieur des murs du local et le Maître de Cérémonies fut le seul à rester debout sur le promontoire de l'Orient, attendant le retour au silence. Serafín Del Monte était un homme rubicond, avec des traits de paysan, mais il était vêtu d'un costume sur mesure et de ses manches dépassaient la montre, le bracelet et les boutons de manchette en or, en forme de joug.

– Très Vénérable Maître, respectables frères, dit-il puis il fit une pause théâtrale avec un certain plaisir. Le Grand Architecte de l'Univers a voulu que notre loge se réunisse ce soir pour une raison très spéciale. Ici, sur l'Orient, se trouve un des frères qui a donné le plus de prestige à notre institution tout au long de ses soixante années de vie maçonnique. Ainsi, la loge mère, Fils de Cuba, qui vit son initiation en cette lointaine année de 1861, a aujourd'hui le privilège de concéder le grade de Vénérable Maître *ad vitam* au très respectable frère José de Jesús Heredia y Yáñez.

Les quatre-vingt-six hommes se levèrent de nouveau pour lancer une ovation. Carlos Manuel Cernuda descendit alors de la partie surélevée du temple, il s'approcha de celui qui venait d'être ainsi honoré et lui tendit la main avec prévenance. José de Jesús s'appuya sur le bras du Vénérable et, tout en maintenant contre sa poitrine une enveloppe jaune entourée d'un lien mauve, il fit un effort pour se lever et recevoir l'accolade de Cernuda qui, dans un geste de déférence inhabituelle, retira de son cou le bijou réservé aux Vénérables pour le passer au cou du vieil homme: l'équerre d'argent, attachée par un ruban de soie bleu pâle, ornée de sept étoiles également d'argent, brilla sur la poitrine de l'ultime survivant de la progéniture de José María Heredia.

– Respectable frère Heredia, dit Carlos Manuel, je vous demande, en votre qualité de Vénérable Maître *ad vitam* de nous faire l'honneur de présider la tenue de ce soir.

José de Jesús, qui avait été Vénérable Maître pour la dernière fois en 1906, accepta l'offre courtoise et, prenant garde de ne pas être trahi par ses jambes, il monta au point le plus haut de l'Orient maçonnique. Carlos Manuel Cernuda remarqua à cet instant que le fond du pantalon du vieil homme était usé, sûrement par un usage trop prolongé. Une fois installé sur le trône, José de Jesús caressa le maillet qu'il n'avait pas touché depuis des années et il frappa trois coups pour que la tenue pût suivre son cours.

C'est alors que le frère Orateur, un homme grand et fort, d'aspect affable, vint occuper le centre de la place de l'Orient et dirigea son regard vers l'autel, avec sa bible, son compas et son équerre. Cristóbal Aquino, élu de nouveau pour cette charge, démontrerait cette nuit-là à quel point il maîtrisait l'art de la rhétorique maçonnique.

– Vénérables frères: il y a cent ans, dans l'édifice rustique qui s'élevait sur les terrains occupés aujourd'hui par notre respectable et bien-aimée loge "Fils de Cuba", avait lieu une tenue du premier temple maçonnique de la ville de Matanzas, fondé par les dénommés Chevaliers rationnels. En ce temps-là, à Cuba, la franc-maçonnerie moderne faisait ses premiers pas et le pouvoir colonial despotique la considérait comme un ennemi potentiel en vertu des idées démocratiques et libertaires qui ont toujours inspiré notre confrérie. C'est pourquoi, à cette époque, une initiation maçonnique était gardée dans le plus grand secret et on pouvait y entendre de terribles serments de fidélité et de discrétion, car le seul fait d'être franc-maçon faisait courir des risques infinis... Entre ces murs vétustes du temple originel dont nous sommes les légataires, une nuit historique, plusieurs hommes courageux, portant une épée tranchante, se donnèrent la main en signe de fraternité indestructible même dans les pires circonstances. Et l'un après l'autre ils répétèrent le serment que l'époque exigeait d'eux: "Jurez-vous sur cette épée de défendre l'Indépendance et de mourir pour elle?", et les nouveaux initiés dirent: "Je le jure", ce à quoi il leur fut répondu: "Si vous agissez ainsi, l'Amérique vous en sera reconnaissante." Pour la plus grande gloire de notre institution, le hasard voulut que parmi ces initiés se trouvât José María Heredia y Heredia, alors un enfant à peine âgé de dix-sept ans, qui commençait à être célèbre pour ses poèmes brûlants d'amour et de patriotisme et qui dès lors fut habité par l'une de ses plus chères aspirations: la liberté de Cuba. Ce serment, prononcé la nuit du 21 septembre 1822, changerait à jamais la vie heureuse et insouciante de notre jeune poète pour le pousser sur le chemin du plus cruel des destins, ce sentier tortueux qui l'amènerait à subir exil, tyrannies, maladie, mépris et trahisons inqualifiables, mais qui ferait de lui, grâce à la fermeté de son caractère, le grand défenseur des démocraties, l'homme juste qui durant ses années mexicaines soutint avec passion la valeur d'une constitution et, grâce à sa divine sensibilité, le père de la poésie cubaine, l'âme tendre de la patrie et le Poète national de Cuba, l'homme qui, au dire magnifique de notre frère José Martí y Pérez, fut le premier poète d'Amérique, volcanique comme ses entrailles, serein comme ses cimes...

Si peu à peu Fernando avait commencé à reconnaître les pièges de la mémoire, à essayer de vivre avec eux, il ne parvint jamais à guérir de leurs attaques perfides. Au début, elles furent intenses, presque journalières, particulièrement douloureuses. Pendant ces mois où Fernando avait vécu comme un paria, enfermé dans les jardins de l'Orange Bowl de Miami, à supporter une chaleur assassine, les oreilles encore écorchées par les insultes que devait entendre quiconque prétendait quitter Cuba, il avait senti les premières menaces de la nostalgie prêtes à fondre sur lui chaque fois que, parmi les visages de milliers de réfugiés partis de l'île par le port du Mariel, il croyait voir celui d'un de ses amis, embarqué comme lui vers un exil sans retour. Puis, quand sa vie retrouva un souffle presque normal et qu'il travailla autant d'heures que cela lui était possible, les pièges de la mémoire devinrent sporadiques et fugaces ; ils disparaissaient généralement aussi vite qu'ils s'étaient manifestés, peut-être atténués par la fatigue et l'urgence qui poussait Fernando à trouver sa place dans un monde nouveau. Mais au cours des dernières années, alors qu'il pensait être entré dans la phase de guérison définitive, il avait senti que ses souvenirs, toujours prêts à lui décocher des flèches, le guettaient avec une ténacité lancinante.

Il avait subi la dernière agression de sa mémoire à peine quelques jours avant son retour à Cuba. Bien qu'il s'agît d'une vision récurrente, cette fois elle l'avait surpris avec une force qu'il croyait définitivement vaincue : il était à la caisse de Pryca, sur le point de payer la batterie de cuisine qu'il avait décidé d'apporter à sa mère, quand il avait vu Delfina sortir d'une cafétéria et s'approcher de lui. Le coup au cœur lui coupa le souffle et il leva même le bras pour attirer l'attention de cette jeune femme d'une trentaine d'années, cheveux noirs, grands yeux et longues jambes, qui était passée sans s'arrêter, d'une démarche à la fois décidée et élégante, le laissant cloué sur place par les épines empoisonnées de la réalité.

Les fantômes qui lui rendaient visite le plus souvent étaient toujours sa mère et Enrique. Ils lui apparaissaient dans les restaurants, les métros, les parcs, les cinémas, les librairies, mais ses autres amis Merles Moqueurs pouvaient aussi venir à sa rencontre, y compris le défunt Víctor. Même le flic Ramón était capable d'émerger de la brume, pour lui laisser dans la bouche un goût sec et amer. Cependant, de toutes les femmes qu'il avait aimées à Cuba, Delfina, la seule qu'il avait toujours désirée en secret, qu'il n'avait jamais caressée, qu'il s'était imposé d'enterrer avant que l'oubli ne devienne une question de vie ou de mort, était pourtant la seule à revenir avec insistance bouleverser ses souvenirs et lui faire comprendre l'impossibilité de certains renoncements.

Maintenant, devant cette femme, de quarante-sept ans, belle et pleine de vie, Fernando remarqua comment le fantôme jeune, dont le souvenir l'obsédait, pénétrait le corps réel et se fondait à lui, parvenant à une harmonie inquiétante : car Delfina avait toujours des cheveux longs tombant doucement sur ses épaules, ses grands yeux avaient encore leur pureté sombre et les années semblaient ne pas avoir réussi à vaincre la peau de ses bras, comme toujours longs et bronzés. Ce n'était pas la jeune fille de vingt ans qu'il avait connue et évoquée tant de fois dans ces délires capables de faire resurgir toute la jalousie qu'il avait éprouvée devant le triomphe amoureux de Víctor ; ce n'était pas la femme de trente ans qu'il avait vue pour la dernière fois avant de quitter Cuba, mariée avec son ami, mais ce n'était pas non plus une autre femme, plus vieille et usée, comme il se l'était imaginée après tant d'années. Et il lui en fut profondément reconnaissant.

– Mais comment fais-tu pour ne pas changer ? Tu es exactement la même... dit-il et immédiatement il comprit son manque de discernement : fallait-il qu'il la retrouve vieille et parcheminée comme Álvaro, détruit par les années et la vie ? Ou à moitié chauve, avec du ventre et des cernes permanents comme il se voyait lui-même dans ce miroir pervers qu'il se promettait toujours d'enlever de la porte de sa chambre ?

Après avoir revu sa mère, Fernando avait éprouvé le besoin de commencer la restauration de son passé par une visite à Delfina. Il avait même pensé qu'il devait aller la voir avant d'essayer de prendre un café double au Las Vegas et de retrouver certains de ses vieux amis. Mais la peur froide de devoir affronter une image dévastatrice l'avait aidé à maîtriser son envie et à remettre sa visite à plus tard. Deux raisons trop impérieuses le poussaient vers cette rencontre si souvent envisagée depuis qu'il avait décidé d'entreprendre ce bref retour. La première – au moins il essayait de s'en convaincre lui-même – était la mort déjà lointaine de Víctor, en 1981, car lui, il n'avait pu être présent pour offrir l'étrange consolation que les autres apportèrent à cette veillée funèbre d'un cadavre absent qui ne devait revenir que huit ans plus tard dans son pays, transformé en un tas d'os anonymes enfermés dans une caisse métallique, comme ceux d'autre Cubains morts dans les savanes et les forêts angolaises. La deuxième raison était à la fois plus ambiguë et plus élevée, à la fois plus absurde et terriblement réelle : Fernando pensait être encore amoureux de Delfina, comme il l'avait été depuis leur rencontre à l'université, au début de 1969, et comme il continuerait à l'être ensuite malgré son mariage avec Víctor.

Il se demandait encore pourquoi il s'était écarté de cette histoire au point de perdre toute possibilité d'en être le protagoniste. Dès qu'elle était apparue dans leurs vies, Delfina était devenue une sorte d'aimant capable de mettre en émoi les instincts masculins des Merles Moqueurs : alors qu'elle n'était ni la plus belle, ni la plus élégante, ni la plus cultivée des trente-six filles qui avaient commencé les cours, elle était la plus séduisante. Elle avait une façon particulière d'assumer la vie et sa féminité, avec aisance et sobriété ; il émanait d'elle une sensation de réalité qui l'entourait comme un halo magnétique. Dans les conversations extra-littéraires qu'ils échangeaient généralement sur la terrasse d'Álvaro, ils avaient tous avoué l'attirance que Delfina exerçait sur eux. Le bel Arcadio avait dit un soir, comme s'il n'y attachait guère d'importance, car la vie l'avait habitué à avoir le choix, qu'en réalité il aurait aimé s'en occuper un petit moment. Le Guajiro Conrado regretta de s'être mis avec María Victoria, car l'amitié née entre elle et Delfina lui barrait le chemin de La Mecque, mais il reconnut qu'il était passé à l'attaque une ou deux fois, sans succès, car Delfina l'avait affectueusement envoyé se faire foutre. Fernando reconnut qu'elle lui plaisait, mais il n'allait pas se lancer avant d'être sûr : faire un faux pas dans cette chasse de haut vol pouvait être fatal pour l'issue de la poursuite. Tomás, pendant ce temps, pensait que Delfina devait avoir des amours cachées avec un mec génial et c'est pour ça qu'elle se fichait pas mal de tout le monde. El Negro, Miguel Angel, convaincu au début qu'il n'y avait pas de quoi en faire toute une histoire, raconta un soir qu'il avait rêvé d'elle et, avec son honnêteté habituelle, il finit par dire qu'il était sans doute amoureux, même s'il lui semblait que Delfina n'aimait pas "les couleurs de base" du mélange cubain. Álvaro, par contre, dissimulait peut-être quelque ressentiment inavoué et assurait que la jeune fille devait être gouine ou capable d'autres dépravations pires encore : pas une nana ne pouvait être aussi conne, encore moins maintenant, alors que le monde pouvait s'écrouler d'un instant à l'autre et que la seule chose à faire c'était de jouir du sexe car c'était bien connu que la baise faisait grossir et qu'un organe s'atrophiait s'il ne servait pas… Víctor fut le seul à s'abstenir de faire des commentaires et il n'en fit pas non plus après ce soir de septembre, tout au début de la deuxième année de fac, où il arriva chez Álvaro accompagné de Delfina : les Merles Moqueurs avaient été frappés de stupeur en voyant la jeune fille sur leur territoire, mais la surprise avait été décuplée quand ils avaient vu comment Víctor la faisait asseoir à ses côtés et lui prenait la main tandis qu'elle posait l'une des siennes sur la cuisse de l'heureux élu.

Les Merles Moqueurs, pour une fois d'accord, furent cruels et vindicatifs. Avec Fernando en personne à leur tête, qui sournoisement mina le terrain en douce, ils cherchèrent comment faire pour que Víctor ne vienne plus à leurs réunions avec sa fiancée, mais peu à peu ils finirent par se faire à l'idée que Delfina n'allait pas être la femme des mousquetaires – dixit Tomás : une pour tous. Et finalement ils l'avaient admise, comme s'il était possible d'admettre l'inacceptable, tout au moins pour Fernando qui, malgré sa fidélité envers Víctor et ses propres succès amoureux, avait toujours éprouvé une certaine amertume en pensant à elle, jusqu'à admettre qu'il était foutu car définitivement amoureux de cette femme… était-il encore amoureux ? se demanda-t-il après l'avoir embrassée sur les deux joues selon la coutume espagnole. Puis, la tenant par les bras, il fit un pas en arrière pour la contempler à une meilleure distance.

– Mais comment fais-tu pour ne pas changer ? Tu es exactement la même…

Delfina sourit au dangereux compliment du nouveau venu.

– Ah, Fernando, tu es toujours le type le plus menteur que j'aie jamais rencontré !

Leur conversation dura trois heures. Assis sur le balcon de l'appartement, la rue 17 à leurs pieds, ils burent deux fois du café et Fernando fuma dix cigarettes. Ils consacrèrent à peine quelques minutes à Víctor et il pensa que Delfina préférait éviter le sujet, presque une heure au long exil de Fernando en passant par Miami, New York, Madrid, le reste du temps à la vie de Delfina durant toutes ces années. Fernando apprit qu'elle continuait à travailler comme spécialiste en arts plastiques, qu'elle avait écrit un livre sur les peintres cubains des années 80, que sa mère était morte mais que son père vivait encore, disposé à fêter ses mille ans, qu'elle n'avait jamais écrit à Fernando parce qu'il avait exigé que personne ne le fasse, que la couleur de ses cheveux était le résultat d'une teinture car elle avait plein de cheveux blancs, qu'après la mort de Víctor elle ne s'était pas remariée, non par manque de prétendants, et que trois mois plus tôt il lui était arrivé quelque chose d'incroyable alors qu'elle était devant la caisse du Focsa, sur le point d'entrer dans la boutique. La sensation avait été si précise qu'elle avait levé la main pour qu'il la voie…

A cet instant précis Fernando Terry ressentit l'explosion et il vit le monde se désintégrer. Aucune information ne pouvait être plus catastrophique et cruelle, même pas d'apprendre que le roman tant cherché de Heredia était un rêve inaccessible. La certitude qu'au lieu de renoncer à elle il aurait dû se battre le confrontait à une possibilité désolante : il sentait maintenant que cette femme aurait pu être la sienne ; ce balcon, celui de son foyer ; le paysage urbain qu'il contemplait en cet instant, celui qu'il aurait dû voir à chacun de ses réveils. Et l'évidence que l'amour avait filé entre ses doigts lui fit comprendre l'ampleur d'une erreur capable de vider l'univers de tout son sens.

Il me fut donné de vivre une de ces fêtes que me réserverait la vie, telle une évidence de l'existence de Dieu et de sa capacité unique à créer la beauté, lorsque je me rendis pour la première fois à Matanzas, durant l'hiver 1819. Il est vrai que j'ai eu le privilège de jouir du spectacle des merveilles les plus étonnantes de la nature, comme l'embouchure terreuse de l'Orénoque, qu'un seul regard ne peut embrasser et dont les eaux rouges séparent en deux moitiés le bleu de la mer, la pénétrant sur des miles et des miles, tel un poignard taché de sang ; ou ces chutes du Niagara, spectacle d'une puissance incomparable qui ferait naître en moi l'inspiration la plus forte ; ou le panorama singulier du Nevado de Toluca, avec des siècles d'histoire à ses pieds, dont je ferais l'ascension pour découvrir que la source de la poésie s'était tarie en moi. Mais la vallée du Yumurí qui offre au voyageur un prodige à l'exacte échelle humaine, dessinée avec une palette si chaude et colorée, peuplée de majestueux palmiers royaux, de rivières paisibles, de doux champs de canne à sucre, et la vue sublime sur la ville de Matanzas, privilégiée par le hasard géographique de sa vaste baie, furent un cadeau et à la fois une malédiction, car dès le premier instant je tombai éperdument amoureux de ce paysage dont je décrétai qu'il m'appartiendrait à jamais et dont l'évocation constante me serait si douloureuse durant les années de mon exil, vécu dans le froid et la nostalgie.

Mon oncle Ignacio, à qui je devais l'invitation de passer quelques semaines à Matanzas, riait, étonné de mon étonnement manifeste. Il savait que le voyage en suivant le Camino Real nous conduirait jusqu'à ce merveilleux surplomb de la vallée si fertile, où la rivière San Juan s'abîme vers la mer tandis que la ville apparaît aux pieds du voyageur ébahi. Alors, pour porter mon émerveillement à son comble, Ignacio me proposa de faire une halte dans l'immense plantation Los Molinos, propriété de ses amis les marquis de Prado Ameno, qui étaient malheureusement absents de leur propriété, de toute évidence paradisiaque. Cependant, sous le grand portail de cette fastueuse demeure où j'irais me réfugier en des jours plus difficiles, nous bûmes des jus de mammée, tout en observant le splendide panorama, tandis que mon oncle m'expliquait que la ville, plus propre et paisible que La Havane, sagement provinciale et moins contaminée par les vices de l'époque (je savais bien à quoi il se référait, car Ignacio était déjà mon confident), allait tellement me plaire qu'il était convaincu que je ne l'oublierais jamais. Et mon oncle eut raison, comme de coutume.

Ignacio était le plus jeune frère de ma mère et il semblait être né sous le signe de la réussite. Propriétaire d'un cabinet d'avocats à Matanzas et de la plantation de café Jesús María, tout près du district municipal de Colón, Ignacio travaillait pour les familles les plus riches de la région; il aimait la bonne chair, les meilleurs vins et les habits coûteux autant que les bons livres et il me fit cadeau de certains des joyaux de sa bibliothèque pendant ces vacances comme en de nombreuses occasions tout au long de ma vie. Une chose seulement m'intriguait: alors qu'il était jeune et d'aspect agréable, les femmes semblaient le laisser indifférent, il en parlait parfois, se référant à leur beauté ou à leur élégance, mais sans montrer l'intérêt fébrile que provoquaient chez moi toutes les jeunes beautés qui croisaient mon chemin. A cette époque, je fus incapable d'imaginer que cet homme généreux, qui m'aida toute ma vie, devait vivre à tout jamais un drame terrible qui l'obligeait à cacher définitivement ses préférences inverties en matière d'amour et de sexe.

Il me fut facile, grâce aux relations d'Ignacio, d'être accueilli dans le petit monde littéraire de Matanzas. Le peu de poèmes que j'avais déjà publiés dans les revues havanaises avaient été lus par les hommes de lettres de la ville, qui me reçurent tout de suite avec enthousiasme, sans manifester cette méfiance habituelle des écrivains des grandes villes. J'étais pour mes nouvelles connaissances une sorte d'animal étrange, car je leur semblais trop jeune pour cultiver la célébrité d'un poète. Les habitants de Matanzas, orgueilleusement provinciaux selon l'expression d'Ignacio, professaient une belle foi en la poésie et en l'art, et ils assuraient que cette ville ouverte sur la mer et sillonnée par deux rivières paisibles, telle une Venise tropicale, était destinée à devenir un paradis des beaux arts.

Durant mon bref séjour à Matanzas, j'allais vivre deux événements décisifs : durant les matinées tranquilles, j'écrivis, presque d'un trait, ma première œuvre de théâtre, que j'intitulai *Eduardo IV o el usurpador clemente*, qui devait m'assurer la célébrité, aussi prématurée que définitive, à Matanzas, car avec d'autres amateurs de tragédie, nous la portâmes à la scène et avec une témérité juvénile que je ne laisserais plus jamais m'entraîner, j'eus l'audace de monter sur scène sous les traits de mon personnage Guillermo. Et je crois même que je ne fus pas si mauvais.

Le deuxième événement, non moins important, allait se produire durant une de ces journées légères, consacrées aux loisirs, faites de causeries et de promenades accompagnées de quelques bons verres. Ce fut près de l'embouchure du Yumurí, par un doux après-midi de janvier, que je vis descendre d'une barque de promenade cette jeune fille qui deviendrait non seulement ma muse la plus assidue, mais aussi la blessure sanglante, ouverte en mon flanc pour le restant de mes jours.

A cette époque, Isabel était mon amour éthéré et officiel. Je la rebaptisai Lesbia ou Belisa, comme tout poète qui se respecte car les deux noms, comme on le remarquera facilement, étaient des jeux innocents en apparence, destinés à garder secret le nom de la jeune personne. Cependant, mon véritable amour était Betinha, la femme qui dévora ma virginité puis éduqua les ardeurs de l'homme que je venais de devenir. Avec de tels objets de désir, je croyais que ma capacité d'amour était comblée, mais en voyant cette petite demoiselle vêtue d'une robe vaporeuse de lin blanc, qui faisait ressortir la couleur légèrement olivâtre de sa peau, mon cœur ressentit comme une brûlure. Elle était coiffée d'un chapeau de dentelles sous lequel apparaissaient en cascade les boucles de ses cheveux noirs ; sous le décolleté de sa robe pointaient deux seins dressés et la partie postérieure de sa jupe était gonflée par la promesse d'une croupe capable de rivaliser avec celle de Betinha. Mais en voyant son sourire qui naissait avec facilité, débordant de vitalité, sur des lèvres où brillaient de petites gouttes de sueur, je compris que le cœur d'un homme, et plus encore celui d'un poète, est comme un champ fertile où peuvent se mêler la goyave et la mangue, l'ânonne et la papaye, l'œillet et la rose... A l'instant où elle s'apprêtait à descendre de la barque, prenant une de ces décisions inattendues, je m'approchai et lui tendis la main pour l'aider à sauter sur le quai. Ce geste galant, qui révéla le peu de courtoisie des jeunes gens qui l'accompagnaient, me permit de lui arracher un autre sourire et de voir tout près de moi les magnifiques perles cachées dans l'écrin de ses lèvres rouges. Je lui souris également et, ma mission accomplie, je commençais à battre en retraite quand j'entendis sa voix.

– Merci beaucoup, monsieur, murmura-t-elle.

– Ce fut un honneur, mademoiselle…

– Dolores Junco, pour vous servir.

– José María Heredia, à vos pieds.

– Le poète ?

– Votre serviteur.

Dès ce bienheureux après-midi, la voix et le sourire de Lola Junco restèrent gravés dans mon esprit, comme une prémonition d'un avenir qui nous conduirait au-delà de toutes les limites. Personne n'aurait pu imaginer alors ni les moments de jouissance qu'il nous serait donné de vivre, ni l'acharnement de l'adversité qui nous poursuivrait au point de faire de nous les esclaves du malheur.

Il était logique que j'éprouve une grande tristesse en m'éloignant de Matanzas, quelques semaines seulement après mon arrivée. Ma vie aurait peut-être été différente, moins éclatante, mais sans doute moins malheureuse aussi, si mon désir de rester dans cette ville paisible et prospère s'était réalisé à cet instant. Mais je devais me présenter aux examens de ma deuxième année de droit à l'université et je n'avais d'autre solution que de rentrer.

Heureusement, en compagnie de mon oncle j'avais révisé quelques leçons et je passai sans encombre ces examens insipides, à l'issue desquels fut enfin fixé le moment ingrat de notre départ pour Mexico : fin mars nous embarquerions sur le brigantin *Argos* cinglant vers Veracruz, en route vers un mode de vie que je savais bien différent de celui que j'avais connu à Cuba. Mais la santé de mon père ne cessait de s'aggraver, et un phénomène semblable affectait le caractère de ma mère, obstinée à me retenir près d'elle, surtout après la mort prématurée de mon jeune frère Rafael, survenue quelques mois plus tôt. Ce décès, le premier des nombreuses disparitions d'êtres chers que je devrais affronter tout au long de ma vie, me confronta violemment à l'évidence de la fragilité de l'existence humaine : cet enfant, que j'avais vu rire et grandir, avait contracté soudain de terribles fièvres et deux jours plus tard, il n'était plus qu'une dépouille humaine, placée dans un cercueil blanc. La fragilité de la ligne de vie m'apparut aussi dramatique et réelle que les vanités et les prétentions matérielles des hommes pouvaient sembler irréelles.

Par chance, Domingo fut toujours un excellent entremetteur, et même durant les jours où leur humeur était la plus sombre, mes parents n'osèrent jamais me refuser l'autorisation de sortir avec lui, de sorte que je l'utilisais souvent pour fuir l'atmosphère maladive de la maison. Il est certain que parfois – en fait, chaque fois que je le pouvais, pour être sincère – le but de mes escapades était le bordel de *Madame* Anne Marie, mais aussi, souvent, ce fut la maison de Domingo, ou les bancs de la Plaza de Armas et de l'Alameda de Paula, où s'ébauchaient nos projets littéraires.

Je comprends maintenant que lors de ces interminables causeries nous forgions cette merveilleuse chose qu'est la naissance d'un pays, sans imaginer la portée d'une telle entreprise, car à seize ans nous étions plus enthousiastes et irresponsables que réfléchis et visionnaires. Dès lors, une des obsessions de Domingo, qui deviendrait par la suite une sorte de dogme, fut de transformer les sujets typiquement cubains en matière littéraire. Tout comme son amour pour les voitures ou les livres ou son désir de devenir un grand poète, Domingo avait très clairement cette idée en tête, aussi durant nos réunions revenait-il toujours sur le rôle de la littérature de l'île qui devait mettre en la nature et les types humains du pays pour la distinguer de celle qui nous parvenait de Madrid, essoufflée et dépourvue d'émotion. Il est vrai que les poètes qui nous avaient précédés avaient chanté les bienfaits de la nature cubaine, mais ils nous semblaient prosaïques et énumératifs, dépourvus d'émotion, et nous pensions que ce n'était qu'en imposant une vision intime de la vie du pays qu'il serait possible de créer une littérature vraiment nouvelle... Il me faudrait des années pour découvrir l'origine de la source d'où avaient jailli ces idées, dont Domingo n'était que l'écho, quand à Philadelphie, durant l'hiver le plus terrible de ma vie, j'écoutai le père Varela répéter, mot pour mot, les discours appris et usurpés par le grand Domingo.

En ces jours, pour relever les défis lancés par mes compagnons lors de ces réunions littéraires et démontrer de quoi j'étais capable, je m'enfermai plusieurs matinées chez moi et avec la facilité avec laquelle je faisais des rimes, j'écrivis un vaudeville dont le cadre était la campagne cubaine – que j'avais à peine entrevue au cours de mes promenades dans les environs de Matanzas – et je l'intitulai *El campesino espantado**. Mais, avant de lire la pièce à

---

* "Le paysan épouvanté."

mes amis, j'eus l'insolence de la porter au père Varela; je l'obligeai presque à cesser de jouer du violon et je le vis même rire, amusé par certains de mes vers. Cependant son jugement bienveillant fut assorti comme toujours d'un petit mot d'avertissement.

– Cela me semble très bien. Mais tu dois faire attention à deux choses. Il y en a une que tu ne peux pas éviter, c'est ta jeunesse. L'autre, tu dois l'apprendre dès maintenant: la littérature n'est pas une compétition.

Si je n'oubliai jamais ces mots du bon prêtre, je n'ai pas non plus réussi à effacer de mon esprit le visage de Domingo pendant que je lisais le vaudeville: d'une certaine façon, dans la répartition des tâches qu'il avait faite, il était décidé que les thèmes de la campagne et des *guajiros* était sa chasse gardée et il se sentit piqué au vif en m'entendant lire une chose qui dépassait toutes ses possibilités, écrite au fil de la plume, mais capable de susciter l'engouement du reste de mes amis... Ce jour-là, j'étais loin d'imaginer que j'étais en train de me faire un ennemi de cet homme que j'ai tant aimé, et j'étais encore plus loin de soupçonner que le bonheur est un équilibre précaire prêt à se briser avec la même insolence que le cristal le mieux taillé.

Il m'arrive la même chose que ce qui t'est arrivé ou est-ce que je m'obstine à ce qu'il m'arrive la même chose qu'à toi? se demanda-t-il quand la voiture s'engagea dans la longue descente et qu'il se prépara à jouir d'un des spectacles qu'il avait le plus aimés dans sa vie. Dans un monde plein de paysages extraordinaires, quelqu'un d'autre ne lui aurait peut-être rien trouvé de spécial, mais lui, il était toujours ému jusqu'au plus profond de lui-même à la vue soudaine et unique de Matanzas, soudain dévoilée à la sortie d'un virage. La persistance de ses émotions était telle, que pendant les vingt ans durant lesquels il n'avait pas fait ce trajet, des centaines de fois il l'avait reproduit en pensée et souvent il avait fait voyager à ses côtés le jeune Heredia, pour éprouver le plaisir du spectacle qui, à son heure, avait ravi le poète quand il était entré pour la première fois dans la ville où il serait le plus heureux et le plus malheureux. Même si Fernando savait qu'à cette époque le voyage depuis La Havane se faisait par d'autres chemins et que la ville de 1818 était à peine une petite bourgade encore pauvre et paisible, devant la beauté de ce dernier tronçon de la route Vía Blanca, avec au fond la baie et la ville enserrée par les bras de ses deux rivières, douce et comme endormie aux pieds du nouveau venu, il ne pouvait s'empêcher de souhaiter que Heredia ait eu la même expérience visuelle que la sienne, aussi intense qu'inoubliable.

– Ça y est, ça va mieux? lui demanda Arcadio qui conduisait la voiture.

– Il est vraiment incorrigible, regarde dans quel état il se met! fit remarquer Álvaro depuis le siège arrière. Comme si c'étaient les pyramides d'Égypte!

– Ou les chutes du Niagara, admit Fernando sans quitter des yeux le paysage.

En sentant sur le sien le regard romantique de Heredia, qui rendait ses émotions plus profondes et son absence plus douloureuse, Fernando eut l'impression, curieusement ignorée jusqu'à cet instant précis, que le cours de sa vie avait changé pour toujours, justement ce matin trop lointain où il s'était réveillé dans un bain de sueur, le sexe en érection, farouchement persuadé de la nécessité d'écrire un poème d'amour. Fernando avait quatorze ans et pour la première fois depuis qu'il avait découvert les plaisirs du sexe solitaire, il sentit que son désir ne le conduisait pas aux toilettes où il se cachait pour pratiquer ses fréquentes masturbations. Un besoin puissant, capable même d'avoir raison de ses érections, lui mit un crayon dans la main, sans qu'il ait la moindre conscience de ce que cet acte entraînerait: car s'il n'avait pas écrit ce poème, dont il ne pouvait se rappeler aujourd'hui la moindre image ou la moindre rime, et s'il était allé aux toilettes pour se soumettre à l'appel primitif de ses instincts, sa vie se serait peut-être déroulée loin du tourbillon qui lui faisait maintenant ressentir dans sa propre chair, comme un écho immérité, les émotions qu'avait dû éprouver le véritable poète.

– Et maintenant on prend par où? voulut savoir Arcadio quand la voiture pénétra dans le labyrinthe de la ville. J'ai beau venir souvent ici, je me perds toujours.

– Quelle est l'adresse de Cernuda? demanda Fernando à Álvaro.

– 96, rue Contreras.

– Je sais y aller, affirma Fernando. Continue jusqu'au coin et prends à droite. C'est après la bibliothèque.

Tout en observant avec angoisse la détérioration matérielle de l'image qu'il se faisait du lieu, Fernando fut surpris par la précision extrême avec laquelle il avait conservé à l'esprit le plan de la ville.

Bien des fois, durant ses années d'étudiant et de chercheur, il avait flâné dans les rues de Matanzas sur les traces de Heredia, de Domingo Del Monte, de Plácido et des autres poètes qui seraient à l'origine du slogan selon lequel la ville – pleine d'écrivains, de peintres et de musiciens, mais aussi d'esclaves et d'esclavagistes, comme les cités grecques – était "l'Athènes de Cuba". Maintenant, la connaissance intime qu'il avait des rues et des recoins de la ville affleurait à sa mémoire, comme sortie d'un petit tiroir secret de sa conscience et il conduisit Arcadio jusqu'à une vieille demeure avec des grilles aux fenêtres hautes et une énorme porte à double battants en bois sombre.

Les trois amis sortirent de la voiture et Álvaro frappa à la porte. L'excitation du moment s'était emparée de Fernando et Arcadio regardait la maison avec une attention obstinée, comme si elle pouvait lui parler.

Un homme d'une quarantaine d'années leur ouvrit. Il échangea avec eux les salutations d'usage et Álvaro, qui dirigeait toujours les opérations, entama la conversation.

– Nous sommes à la recherche de monsieur Leandro Cernuda… Nous venons de la part du docteur Mendoza, de la Grande loge.

– Je suis son fils, mais… mon père est mort il y a deux ans.

– Et comment Mendoza… ? dit Álvaro sur un ton de protestation, car il lui semblait inconcevable que le professeur ne soit pas au courant. Mais soudain il comprit l'absurdité de la situation et il regarda ses amis. Fernando était livide et Arcadio observait toujours la maison comme s'il l'étudiait.

– Si je peux vous être utile… dit l'homme, peut-être poussé par la curiosité que lui inspiraient ces hommes à la recherche d'un mort. Alors, Fernando s'avança.

– Vous pourriez peut-être bien nous aider. Pouvons-nous entrer ?

La salle, sombre et fraîche, présentait une collection de très beaux vieux meubles en bois. Ils s'installèrent dans les quatre fauteuils et Fernando lui expliqua ce qui les intéressait : ils étaient à la recherche de Leandro, le fils de Carlos Manuel Cernuda, car il était possible qu'il sache quelque chose de l'endroit où se trouvaient des documents reçus par la loge "Fils de Cuba" il y avait presque quatre-vingts ans.

– Je ne crois pas pouvoir vous aider, répondit l'homme. Moi, je ne suis même pas franc-maçon.

– Et n'y aurait-il pas quelqu'un… ? attaqua Álvaro. Parce que la loge existe toujours, n'est-ce pas ?

– Oui, bien sûr. Mais, écoutez, si quelqu'un sait quelque chose, c'est le vieil Aquino. Il a environ quatre-vingts ans et je crois qu'il est franc-maçon depuis sa naissance. Mais il y a un problème…

– Quel problème ?

Álvaro semblait être sur le point de bondir sur l'homme.

– C'est que maintenant il vit à Colón. Son fils l'a emmené là-bas.

– Nous pouvons aller à Colón, intervint Arcadio sans cesser d'inspecter la maison du regard. Vous connaissez son adresse ?

– Ma mère doit la connaître, un instant.

L'homme se leva et se dirigea vers l'intérieur de la maison, tandis que Fernando, Álvaro et Arcadio échangeaient un regard.

– Je paye l'essence, dit Fernando, et Arcadio leva la main, minimisant l'importance de la chose.

– J'adore cette maison… Elle est poétique, non ?

– Ce qu'il ne faut pas entendre ! Álvaro était contrarié et il frappa le bras du fauteuil de sa main. Ce qui est poétique, c'est que nous avons attendu deux ans de trop…

Les deux autres ne purent s'empêcher de rire et Fernando sentit à cet instant la fragilité de la piste qu'ils avaient cru être sûre. Pour commencer, aucun des témoins présents à cette tenue de 1921 ne devait être vivant, à moins d'avoir cent ans ; ensuite, même s'ils trouvaient quelqu'un capable de leur apporter des nouvelles fiables, il n'y avait aucune raison pour qu'ils leur révèlent, à eux, un secret confié au mutisme fondamental des maçons ; et, pour finir, il y avait l'écueil qui, dès le début, lui avait semblé le plus terrible : si les papiers existaient encore, pourquoi leur dépositaire continuait-il à les cacher ? Ces doutes, ajoutés à la nouvelle de la mort de Leandro Cernuda, dressaient entre son désir et sa matérialisation une barrière qui commençait à lui sembler infranchissable, quand une femme sortit de la maison. Elle devait avoir soixante-dix ans, mais elle semblait robuste et active, comme l'indiquait le tablier qu'elle portait.

– Bonjour. Je suis Alma, la veuve de Leandro. Dites-moi, c'est quoi cette histoire ?

Pendant qu'Álvaro avançait dans son récit, Fernando crut découvrir une lueur d'intérêt dans le regard de cette femme qui de bien des façons lui rappelait sa propre mère.

– J'adore ces histoires de francs-maçons, reconnut Alma quand Álvaro eut terminé. Mon mari l'a été depuis l'âge de dix-sept ans jusqu'à sa mort, à soixante-seize ans. Et moi-même j'ai été *acacia*[*]... En fait, je le suis encore, mais cela fait une éternité que je ne vais pas à la loge. La maison, les petits-enfants...

Arcadio s'inclina sur le bord de son fauteuil et la regarda.

– Alma, votre mari ne vous a jamais parlé de ces documents?

– Non, j'en suis sûre. Nous avons été mariés cinquante ans et il ne m'a jamais rien dit de ce qui se passait dans la loge... Vous savez comment sont les maçons pour ces choses-là. Mais ce n'est pas le problème. Ce qui complique tout, c'est que son père, Carlos Manuel, n'a pas pu non plus lui parler de ça. Écoutez, ce que vous me racontez est arrivé en 1921, non? Eh bien, Leandro est né en 1922... et son père est mort en 1929. Alors ce n'est pas par lui, du moins, qu'il a pu savoir quelque chose.

Fernando sentit tout à coup que le rideau tombait. Il fut envahi par une profonde fatigue et un désir infini de sortir de cette maison, de la ville, et de ne s'arrêter qu'à son appartement madrilène pour oublier cette recherche absurde qui l'avait fait revenir sur sa décision de vivre dans l'oubli et de ne jamais rentrer à Cuba.

– Il faut que vous voyiez le vieux Aquino. Lui, il a été orateur et secrétaire de la loge pendant des années et des années, continua Alma. Je ne connais pas l'adresse de son fils, mais je sais que son petit-fils est directeur du musée de Colón. Vous ne pouvez pas vous tromper. Et j'espère bien que vous allez trouver ces papiers, parce que j'adore cette histoire... Vous ne savez sans doute pas que je suis l'arrière-petite-fille de Pepilla Arango. Vous savez que dans la vieille maison de ma famille, qui se trouvait sur ce même terrain, Heredia est venu se cacher avant de quitter Cuba?

– Vous dites qu'elle se trouvait ici même? demanda Arcadio, surpris par la révélation, et comme la vieille dame acquiesçait, tout content il lança à la tête d'Álvaro: je le savais bien que cette maison était poétique!

A nouveau la mer. La mer toujours recommencée. A présent le Mexique alors que Cuba, le Venezuela, Pensacola et Saint-Domingue

---

[*] Signifie que cette femme "a vu l'acacia" qui est le symbole végétal des francs-maçons qui parviennent à être Maître.

appartenaient à mon passé et devant moi à nouveau la mer, toujours en route pour un autre pays. Que me réservait l'avenir ? Telle était la question que je me posais, le bruit de la mer encore présent à mes oreilles, pendant que la voiture attelée nous conduisait vers le 9 de la rue de la Monterilla qui serait notre demeure. Avec une habileté admirable, le cocher évitait les énormes nids de poule et les vendeurs de rue, tout en nous parlant de la terrible violence qui s'était déchaînée dans la ville de Mexico au cours des dernières années. Mais je l'entendais à peine car une vague d'incertitude emplissait de tristesse l'esprit du jeune homme de seize ans qui abandonnait tout à la fois, ses amours, ses amis, ses maîtres à penser, ses projets et ses lieux tant aimés pour entrer dans un monde différent qui à première vue me sembla rébarbatif et fermé, ne pouvant éviter la comparaison avec la ville accueillante et ouverte qu'était La Havane. Car ces deux années vécues à Cuba avaient profondément marqué mon cœur, avec des apprentissages aussi définitifs que l'amitié, l'amour, la fraternité poétique et même la mort d'un être cher ; des liens s'étaient créés que je supposais indestructibles même si je ne pouvais en deviner la force. Pour la première fois, j'avais senti qu'il m'était possible d'appartenir à un endroit, d'avoir un pays et une maison bien à moi, et cette malheureuse île où le hasard m'avait fait naître et où j'étais revenu, à la suite d'avatars imprévisibles, pour effectuer le terrible saut de l'enfance à l'âge adulte, devenait pour moi une nécessité et, je le saurais plus tard, une malédiction à laquelle je ne pourrais jamais me soustraire. Pourquoi n'ai-je pas pu être dominicain, vénézuélien ou mexicain, si dans chacune de ces terres j'ai vécu autant d'années ou plus qu'à Cuba ? Serais-je peut-être le premier à subir l'amère expérience de sentir que cette terre vénale était irremplaçable dans mon cœur ? N'aurais-je pas mieux fait de choisir, pour ma destinée, ma santé, et même pour ma poésie, une autre patrie que cette île qui réunit, au plus profond d'elle-même et au plus haut degré, les beautés du monde physique et les horreurs du monde moral ?

Des réponses, c'était ce dont j'avais le plus besoin à cette époque et le Mexique, sans me révéler son âme comme l'avait fait Cuba, réaliserait le miracle de me donner des convictions car durant les deux années vécues sur la terre sacrée de l'Anahuac, j'achevai de devenir l'homme que j'ai été jusqu'à ce jour. Après avoir tant cheminé par le monde, il ne me reste tout au plus qu'un bien, une certitude et un espoir : ma mémoire, l'idée que l'homme ne peut atteindre son plein épanouissement que dans un état de droit sous un régime démocratique et le lointain espoir que le Seigneur sera bienveillant envers mes nombreux péchés.

Le pays où nous arrivâmes en cette année 1819 vivait, comme l'Amérique entière, dans l'effervescence politique où les factions se débattaient, défendant l'appartenance à l'Espagne ou la nécessaire rupture du vieux cordon ombilical. Moi, fils d'un honnête fonctionnaire du gouvernement métropolitain, je pensais encore que la vieille Ibérie pouvait être la patrie commune à tous les Espagnols des deux côtés de la mer, mais seulement si la politique coloniale changeait et si le système monarchique adoptait définitivement une forme constitutionnelle, avec des lois et des préceptes indispensables pour éviter les débordements tyranniques et le pouvoir personnel. Je l'exprimai dans des vers exaltés, quand Ferdinand VII, le roi félon et calculateur, se vit obligé, par la banqueroute du pays et par les valeureux soldats de Riego, de rétablir la Constitution de 1812, pour le plus grand bénéfice de la métropole et des territoires d'outre-mer. J'étais assez naïf pour penser qu'un tyran est capable d'accomplir des changements qui minent son pouvoir et relâchent les liens qui bâillonnent les peuples... Car le roi espagnol, comme le firent tous les despotes de l'histoire, et comme, j'en suis sûr, le feront tous les satrapes à venir, pratiqua une politique marquée par quelques changements opportunistes destinés à gagner du temps pour réparer les barreaux de son État tyrannique et pour balayer à nouveau les maigres espaces de liberté accordés auparavant.

Avec le recul, je comprends qu'il m'arriva une chose fort curieuse: dès le premier jour, je considérai ce séjour mexicain comme une parenthèse car j'avais décidé de vivre définitivement à Cuba. Je me sentais beaucoup plus en harmonie avec l'esprit cubain, plus ouvert et pragmatique, qu'avec le caractère mexicain, plus difficile, trop renfermé et méditatif à mon avis, au point que son influence parvint à provoquer certains changements dans mon comportement qui, en quelques mois, devint plus posé et réfléchi.

Peu après mon arrivée, je me fis deux bons amis, capables de combler un peu le vide laissé par mes vieux camarades; le noble Anastasio Zerecero et le toujours fidèle Blas de Osés. Comme moi, tous deux faisaient leurs études de droit à l'Université de Mexico, mais ce fut encore une fois la poésie qui se chargea de tisser les liens de l'affection. Grâce à eux je découvris les aspirations des jeunes intellectuels mexicains, presque tous favorables à l'Indépendance, car ils considéraient que le vieux système colonial ne pouvait plus rien apporter à des pays jeunes, désireux de suivre leur propre chemin. Dans ces échanges que nous pratiquions dans les *cantinas*, les parcs et les bancs de l'université, il m'était difficile d'offrir une réponse cohérente quand ils me posaient des questions sur les perspectives séparatistes à Cuba : car rien dans l'île, pour ce que j'en avais connu, ne semblait annoncer l'Indépendance, et quand une telle possibilité était évoquée, le fantôme capable de faire douter le plus intrépide apparaissait toujours : et si les nègres se soulèvent, comme à Haïti ? Ainsi, ni parmi mes jeunes amis, ni parmi leurs riches parents, ni même parmi les Cubains tenus pour les plus libéraux, comme le père Varela, personne ne mentionnait jamais la possibilité d'une guerre d'Indépendance et on faisait davantage confiance à la possibilité d'arranger les choses en famille, pour éviter que le sang ne se transformât en un fleuve dont Dieu seul savait jusqu'où il coulerait.

Je dois à la gourmandise d'Anastasio – son seul péché avéré – la profonde sympathie qu'éveilla en moi la cuisine mexicaine et le penchant que j'ai depuis lors pour l'avocat, bien que je sois un défenseur passionné de la cuisine cubaine, en particulier de la *malanga* bouillie et assaisonnée avec de l'ail et du jus d'oranges amères, le *quimbombó*, encore plus savoureux avec de la viande de porc et des bananes mûres, et l'*ajiaco* où se retrouvent tous les légumes et les viandes possibles, pour que de leur chaud mélange se dégage la saveur rehaussée de l'essence même de chaque ingrédient. Disposant de ressources économiques bien supérieures aux miennes, Anastasio matérialisait la gratitude qu'il éprouvait après m'avoir écouté réciter des poèmes en invitations à déjeuner et à boire du *pulque** dans les endroits les plus divers de la ville, des plus chers et raffinés aux plus populaires de certaines *colonias* de la périphérie où les hommes mangeaient avec leurs revolvers sur la table, capables d'en faire usage, comme cela arriva une fois, pour une simple question de piment plus ou moins piquant demandé au garçon.

Pendant ce temps, grâce à Blas de Osés, je fis une singulière expérience qui orienterait pour toujours le destin de ma vie et de ma poésie Je venais de recevoir le plus dur des chocs de ma courte

* Alcool d'agave.

existence : mon bon père, le magistrat juste, le fidèle sujet de la couronne espagnole, le père de famille exemplaire, était mort le 31 octobre, et comme résultat de son exemplarité, de sa justice et de sa fidélité, il nous avait laissés, ma mère, mes sœurs et moi, dans la misère la plus absolue. Sa mort, bien qu'attendue, fut un triste événement mais ce fut encore plus affligeant de découvrir qu'il ne fut possible de donner une sépulture digne et chrétienne à un homme si intègre, qui avait travaillé quarante ans durant au service de l'empire, que grâce à une collecte organisée par ses compagnons et amis. Notre situation familiale, déjà critique, devint désespérée, car la pension de neuf cents pesos qui nous fut allouée suffisait tout juste à nous empêcher de mourir de faim. Blessé, j'écrivis un poème, *A mon père, en ses jours*, et presque aussitôt, furieux, je rédigeai une biographie du fonctionnaire Francisco de Heredia, qui vécut dans la vertu et mourut dans l'indigence et l'oubli, comme unique récompense de ses services zélés et des sacrifices de toute une vie au service d'un roi de plus en plus lointain. Dès lors nous devions affronter un terrible dilemme, et la première initiative de ma mère, lorsqu'elle prit en main les rênes de la famille, fut d'écrire à l'oncle Ignacio, lui demandant si sa bonté irait jusqu'à offrir un toit à une veuve avec trois filles jeunes et un adolescent au beau milieu de ses études universitaires.

Et ce fut pendant que nous attendions la réponse d'Ignacio – je priais toutes les nuits pour que nous puissions retourner à Cuba – que Blas de Osés eut l'idée de m'offrir quelque distraction et un dimanche matin, durant l'aimable hiver mexicain de 1820, nous fîmes une excursion aux ruines de l'autel des sacrifices des Aztèques connu comme le Teocalli de Cholula, près de la ville de Puebla de los Ángeles.

Si en partant de Cuba je n'étais guère qu'un apprenti versificateur, capable d'écrire dix poèmes d'amour par jour ou de décrire en vers des événements et des situations quotidiennes, je pense que les hauteurs géographiques, historiques et humaines que je connus au Mexique provoquèrent un changement notable sur ma vie et sur ma poésie… Ce fut surtout un des premiers poèmes rédigés, presque à notre arrivée, qui me révéla la mesure de mes véritables possibilités : je l'intitulai *Au Popocatépetl.* Il renfermait déjà une dose de réflexion et d'identification à la nature, au temps et à l'histoire qui exploseraient comme ce même volcan, lorsque, assis par terre, un soir de ce mois de décembre, mon père décédé, ma famille ruinée et dépendant tous d'une faveur, je compris la véritable leçon que nous donnait la terrible pyramide des sacrifices de Cholula.

J'ai déjà fait référence à l'attirance que les paysages ont exercée sur moi. Mais peu peuvent être comparés à celui que mon regard embrassa ce jour-là, ému aux larmes : le champ fertile, avec la moisson d'épis à peine agités par la brise du soir ; la pyramide muette, avec ses entrailles durcies par le sang des innocents immolés par la superstition, la tyrannie et la démence humaine ; et au fond, telles d'autres pyramides éternelles, les trois grands volcans mexicains, l'Iztaccihuatl, l'Orizaba et l'inconstant Popocatépetl, endormis mais pas morts, avec leurs cimes recouvertes de neiges provocantes, jamais foulées par l'homme. La vie, la mort et l'éternité en trois plans successifs, inquiétants, révélateurs : de l'éclat de la pyramide et de ses rois bâtisseurs il ne restait maintenant que la mémoire en pierre de leur cruauté sans limites, exercée dans les sacrifices d'innocents auxquels on arrachait le cœur encore palpitant avec des couteaux de silex pour s'assurer la bienveillance des dieux et voir s'accomplir les désirs des gouvernants. Mais eux aussi périrent, eux qui "*llamaban/eternas sus ciudades, y creían/ fatigar a la tierra con su gloria./Fueron : de ellos no resta ni memoria*" – "disaient/ leurs villes éternelles et croyaient/fatiguer la terre de toute leur gloire. / Ils furent : il ne reste rien de leur mémoire", tandis que la vie suivait son cours au niveau de la terre et que l'éternité veillait depuis ses hauteurs immaculées.

En cet instant lumineux, alors que le poème s'ébauchait dans mon esprit altéré, je compris la folie des prétentions humaines de transcendance, d'orgueil, d'autorité et je jurai, devant la lune qui venait de se lever et pour l'apaisement des âmes en peine des hommes sacrifiés par la fureur humaine, que si la vie me le permettait, je consacrerais toutes mes forces physiques et mentales à combattre le pire que l'homme avait créé pour satisfaire sa plus méprisable volonté de pouvoir : l'esclavage et la tyrannie.

– Toujours rien ? avait-il demandé pour respecter la routine, mais en entendant la réponse de sa mère il eut une sensation de vertige et désira, du fin fond de sa conscience, que la réponse ait été celle de tous les jours.

– Non, mon petit, aurait dû lui dire Carmela, en répondant comme d'habitude à la question que chaque soir Fernando lui posait en rentrant à la maison. Et elle aurait essuyé ses mains sur son tablier, avant de vérifier que la cafetière avait bien commencé à filtrer le café.

– Le café est presque prêt, aurait-elle dit après si à la question purement formelle de Fernando elle n'avait pas répondu ce à quoi il s'attendait le moins :

– Enrique est là, sur la terrasse. Cela fait presque deux heures qu'il est arrivé…

Si comme tous les soirs à la même question avait suivi la même réponse, Fernando aurait pris la tasse et il serait allé sur la terrasse, savourant le plaisir de l'odeur du café qu'il buvait toujours à petites gorgées tout en enlevant ses chaussures et ses chaussettes, une cigarette aux lèvres et le regard perdu sur les arbres du patio : cette séquence était presque devenue un rituel sans variante ou, s'il s'en produisait une, elle n'était jamais due à la réponse faite à la même question car la lettre, le mémorandum, l'avis, l'acte sauveur qu'il attendait n'arrivait toujours pas. Durant toute sa journée de travail, tout en manœuvrant le monte-charge des entrepôts aux rotatives, transportant les bobines de papier que le journal dévorait, Fernando était pris du violent désir de rentrer chez lui pour savoir si l'une de ses réclamations et requêtes avait eu une réponse et si "Quelqu'un" lui annonçait que sa situation avait été clarifiée ou, tout au moins, si on lui précisait sa punition et la durée de la condamnation qu'il devait purger.

Cela faisait un an et demi qu'il ne travaillait plus à l'université. Pendant tout ce temps, Fernando n'avait pas perdu l'espoir que quelqu'un étudierait son cas et comprendrait qu'il avait été accusé, jugé et condamné pour un délit inexistant. Cependant, pour rendre plus évidente sa conviction d'une rectification nécessaire et dans sa volonté de surmonter ses possibles faiblesses idéologiques, il avait décidé qu'il ferait chaque jour deux heures supplémentaires de travail volontaire, et en plus de participer comme personne à toutes les activités politiques, sociales, syndicales qui auraient lieu à l'imprimerie, il se chargerait de la mise à jour du panneau syndical et de la rédaction des discours respectifs du secrétaire du Parti, du secrétaire de la Jeunesse et de l'administrateur.

En réalité, durant les mois qui suivirent son expulsion de l'université, plusieurs réponses à ses lettres lui parvinrent : une du recteur qui lui expliquait que son dossier était entre les mains du ministre ; deux du bureau du ministre dans lesquelles on l'informait, premièrement que son cas serait étudié, et ensuite que tout avait été transmis à une Commission ministérielle qui le convoquerait en temps voulu; une de la Délégation du ministère de l'Intérieur où on lui rappelait que sa sanction était administrative, ce qui ne relevait pas de leur compétence; et deux autres, des accusés de réception du Bureau du Conseil d'État par lesquels on lui confirmait que sa requête avait été transmise par les voies hiérarchiques… La dernière de ces notifications était arrivée huit mois auparavant et le silence des gens qui tenaient les rênes de son destin commençait à le désespérer, même s'il conservait sa foi en une rectification réparatrice qui arriva seulement un mois et demi après le début de son exil.

Tout aurait été prévisible et décourageant si sa mère lui avait fait cette réponse déjà attendue, mais la nouvelle que Enrique était venu chez lui fut finalement pire que les limbes où on semblait l'avoir propulsé peut-être pour le restant de ses jours.

– Mais ce pédé… commença-t-il quand une expression sévère de sa mère l'obligea à se taire.

Depuis le début, Fernando avait rendu Enrique responsable de tous ses malheurs. Mais la conversation inévitable arrivait avec un an et demi de retard, un an et demi sordide et irritant, pendant lequel il avait eu recours à diverses stratégies pour soulager son anxiété croissante et déjouer la sensation que le temps s'écoulait, insolent et vide, vers un puits sans fond. Malgré la fatigue physique, Fernando avait essayé de maintenir sa discipline d'études et chaque nuit il consacrait un peu de temps à ses lectures sur le XIXe siècle cubain. Pendant qu'il traquait des suppositions qui se transformaient en certitudes, comblait des lacunes et découvrait des vérités perdues, il s'échappait de la réalité et prenait plaisir à imaginer un retour gratifiant à l'université, car il serait mieux préparé, plus cultivé et capable, il connaîtrait son domaine comme s'il avait été un contemporain de Heredia, Varela, Saco, Del Monte, Plácido, Manzano, Suárez y Romero, Echevarría, Tanco et le jeune Villaverde: chaque histoire occulte, chaque motivation, chaque intention expresse ou pressentie de ces ardents défenseurs de la cubanité littéraire en vinrent à faire partie de sa vie, de ses connaissances de l'île et de l'image spirituelle et poétique qu'ils avaient transformée en image d'un pays non écrit jusqu'alors, et auquel ils avaient donné un visage et une parole, des symboles et une mythologie propres.

Mais au cours de ces nuits, une chose se refusait à lui: la poésie. Il est certain que durant les dernières années, pendant qu'il rédigeait sa thèse et s'initiait au professorat, c'est à peine s'il avait écrit quelques poèmes. Les impératifs du travail prenaient trop de temps et il consacrait rarement quelques heures à ses poèmes, mais une certitude consciente que la poésie n'avait pas disparu et palpitait, endormie dans son esprit, prête à jaillir dès qu'il déciderait de mettre en marche les mécanismes insondables de la création, lui donnait une confiance rassurante dans ses possibilités. Cependant, depuis son expulsion de l'université, un de ces mécanismes semblait s'être atrophié : il avait beau s'obstiner, s'imposer des buts, s'obliger à écrire, son esprit avait été incapable de créer un seul vers et les idées s'évanouissaient avant de prendre corps dans la lettre écrite. Mais le plus inquiétant fut la sensation de haine et le désir de vengeance qui commença à s'emparer de lui de plus en plus fréquemment. Même si l'image dominante était celle d'un Enrique tout tremblant, qui l'accusait de complicités et de l'écriture d'une poésie dont la filiation politique semblait douteuse comme le policier Ramón le lui avait lancé en pleine figure, il était également tourmenté par la jalousie évidente provoquée par l'ascension apparemment irrésistible d'Arcadio, qui commençait à recevoir des prix, à se rendre à des congrès et à des foires, par la constance de Miguel Angel engagé dans l'écriture de son premier roman, par la chance de Víctor promu assistant metteur en scène de courts métrages, tandis que lui gâchait ses journées comme chauffeur de monte-charge en imaginant les couleurs d'un futur réparateur qui n'en finissait pas d'arriver. Jour après jour, Fernando se sentait devenir une autre personne, différente de lui, avec cette rancœur amère dans le regard, la déception comme sentiment récurrent et la tristesse comme état d'âme quasi permanent. Si la lettre rédemptrice arrivait, serait-il encore capable de recouvrer le rire, la poésie, la légèreté avec laquelle il avait vécu l'amour ?

Ce soir-là, Fernando avait fait voler sa routine en éclats et il avait bu le café dans la cuisine pour allumer la cigarette avant de suivre sa mère qui était sortie, une autre tasse de café à la main, vers la terrasse où se trouvait Enrique.

A la vue du traître, il avait senti renaître son ressentiment : dans le fauteuil il vit un homme amaigri, la tête presque rasée et le visage marqué de points rouges. D'une main qui dénonçait ses tremblements, Enrique essayait de porter la tasse de café à ses lèvres. Il sembla à Fernando que les dix-huit mois passés sans le voir avaient été dix-huit ans dévastateurs pour son ancien ami, au point qu'il se dit qu'en d'autres lieux et d'autres circonstances, il n'aurait peut-être pas fait la relation entre Enrique l'excentrique et cette silhouette usée qui finalement lui adressait la parole.

– Comment ça va, Fernando ? dit Enrique sans oser se lever ni finir son café.

– Là, tout de suite, je ne sais pas, avoua Fernando et il regarda sa mère.

– Tu as fini, mon fils ? Carmela alla débarrasser Enrique et il but la dernière gorgée avant de lui tendre la tasse.

– Merci, Carmela… il était très bon.

– Bon, je vais faire les courses, indiqua la femme, et elle lança à son fils un regard qui l'exhortait à être patient.

Un instant, Fernando refusa de regarder Enrique : il attendait que l'autre commence à s'expliquer, mais il fut surpris, car au lieu de la haine et du désir de vengeance, il se sentit envahi par une sensation inattendue de pitié. Enrique, le regard cloué au sol, n'osait pas non plus le regarder : il avait besoin d'un geste d'encouragement pour briser la tension. Finalement Enrique céda :

– On nous a trompés tous les deux, dit-il, et Fernando découvrit que sa voix récupérait son ancienne vitalité, comme si Enrique était à nouveau Enrique et que ses mots énonçaient une simple vérité.

Fernando Terry aurait préféré entendre n'importe quelle insulte ou même être agressé, plutôt que d'entendre ça. La fureur le domina à nouveau, d'une façon brutale, et provoqua l'explosion de la rancune, du désespoir et des désirs de vengeance enfouis durant un an et demi. La cigarette qu'il tenait entre ses doigts vola en l'air et les veines de son cou s'emplirent d'un sang vénéneux.

– Faut vraiment que tu sois pédé ! On nous a trompés, mes couilles, oui ! C'est toi qui m'as dénoncé ! C'est toi qui leur as dit que je savais que tu voulais quitter Cuba et qui leur as raconté toute cette merde sur moi… C'est de ta faute s'ils ont foutu ma vie en l'air. Mais qui nous a trompés, bordel ? C'est toi qui m'as trompé ! J'ai cru que tu étais mon ami, mais tu ne peux être l'ami de personne, de personne, tu es trop pédé pour ça !

Dans son fauteuil, le regard perdu entre ses jambes, sans faire la moindre tentative pour préparer sa défense, Enrique laissa les accusations tomber sur lui comme une pluie brûlante.

Tout en allumant une autre cigarette, Fernando observa le triste spectacle. Le fait d'avoir vomi sa rage sur le principal coupable de ses malheurs le libérait un tant soit peu. Car en cet instant de catharsis il n'imagina même pas la façon dont ses insultes, l'image de Enrique anéanti, la satisfaction de se sentir déchargé du poids de la haine, et les deux syllabes définitives du mot *pédé* allaient le poursuivre, comme l'un des actes les plus moches qu'il ait commis dans sa vie. C'est moi qui l'ai poussé sous le camion ? se demanderait-il par la suite, inlassablement, tout au long de ces années.

– On nous a trompés tous les deux, répéta l'autre, et enfin il le regarda en face : dans ses yeux il y avait une humidité inquiétante et un défi affirmé.

Fernando se sentit capable de l'agresser. L'insistance de Enrique sur cette idée de tromperie provoquait chez lui une exaspération homicide, mais l'allure si vulnérable de son ancien copain le retint.

– Qu'est-ce que j'avais à gagner en mentant ? Dis-moi un peu, qu'est-ce que j'y gagnais puisque de toute façon ils allaient m'arrêter ?... Je ne t'ai accusé de rien. Mais eux, par contre, ils m'ont dit que toi, tu leur avais dit que j'écrivais des choses qui n'étaient pas très révolutionnaires et que...

– Qu'est-ce que t'es en train de me dire ?

Fernando fit un bond quand il sentit comme un coup de poignard dans le côté.

– Tu le sais très bien : tu es le seul à avoir lu une partie de la *Tragi-comédie cubaine*. Et d'après eux, tu leur as dit que c'était l'œuvre de quelqu'un hostile à la politique.

– D'où tu sors toute cette merde ?

Fernando se leva lentement.

– Mais de ce qu'ils m'ont dit, putain ! cria-t-il et il se leva à son tour. Soudain, la prudence et la honte de Enrique semblèrent partir en fumée. Mais tu ne comprends toujours pas ? Ils nous ont trompés, ils nous ont baisés tous les deux. Écoute-moi bien, Fernando : ou bien ils nous ont tendu un piège ou quelqu'un qui savait ce que j'étais en train d'écrire m'a dénoncé et ce même quelqu'un t'a dénoncé aussi...

– Arrête d'inventer des histoires, Enrique, tu n'arriveras pas à me convaincre...

– Si, je vais y arriver, insista-t-il, comme si sa seule mission dans la vie était de convaincre Fernando. Parce que je suis peut-être pédé, mais quand il le faut, je peux en avoir plus que toi, et tu sais très bien ce que l'amitié signifie pour moi. Moi, je ne t'aurais jamais accusé et je suis sûr que tu ne m'aurais jamais accusé non plus, n'est-ce pas ?

Fernando sentit que son estomac faisait un saut périlleux vers une autre cavité lointaine de son corps. Quelque chose dans ce que disait Enrique le faisait douter de la certitude qui avait été la sienne un an et demi durant, car c'était le délateur présumé qui lui révélait maintenant sa propre faiblesse : Enrique savait-il que lui, Fernando, l'avait accusé devant le policier Ramón ? Mais il dit :

– Bien sûr que non…

– Écoute, Fernando, un jour je te raconterai ce que j'ai enduré pendant que j'étais prisonnier… Tu ne peux même pas l'imaginer. Mais j'ai eu du temps à revendre pour réfléchir, et maintenant je sais qu'ils nous ont trompés tous les deux parce que quelqu'un nous a dénoncés. Et ce quelqu'un a un nom.

– Qu'est-ce que tu me chantes maintenant, Enrique ?

– Mais, putain, tu comprends pas ? Entre El Negro, Conrado, Varo, Arcadio, Víctor et Tomás se trouve celui qui t'a accusé de savoir que je m'en allais.

– Alors je dois douter d'eux et te croire, toi ?

Enrique le regarda avec un aplomb qui semblait venir de ses tripes. Dans ce visage brûlé par le soleil, prématurément ridé, les yeux étaient comme deux flammes sombres, dans lesquelles Fernando Terry commença à voir l'évidence d'une vérité déchirante.

– Fais comme tu veux, Fernando. Ne me crois pas et fais confiance aux autres. Mais un jour tu sauras la vérité. C'est dommage…

Il dit ces mots presque à voix basse, et il rentra dans la maison, cherchant la sortie. Fernando regarda le fauteuil où Enrique s'était assis : putain de sa mère, pensa-t-il tandis qu'il sentait l'ombre du doute planer sur l'existence commode d'un coupable qui avait tellement apaisé sa conscience mal en point.

Avec une anxiété croissante, il écouta le panégyrique de Cristóbal Aquino, consacré au poète patriote qui avait enduré les tourments d'une vie orageuse. Il avait si souvent entendu exalter ce personnage sans tache que son esprit en était arrivé à élaborer un portrait pétrifié d'un homme dont il n'avait pu garder aucun souvenir réel, car son père était mort le lendemain du jour de ses trois ans.

Longtemps l'absence de souvenirs personnels avait été remplacée par les éloges et les discours comme ceux-ci, qui avaient embelli les descriptions faites par sa grand-mère et sa sœur Loreto, auxquelles s'étaient ajoutées les histoires lues au fil des ans. Jusqu'au jour où, soudain tout avait pris un sens, et en cet instant précis José de Jésus Heredia fut le seul homme au monde à connaître la véritable humanité de l'homme qui avait été son père, si différent de cette statue immaculée, faite de mots, d'évocations et de vers récités par cœur.

Depuis lors, quand il parlait de son père, José de Jesús était capable d'étonner son auditoire en évoquant, avec force détails, des épisodes ponctuels de la vie du poète, souvent très antérieurs à sa propre naissance. Cependant, parmi tous les événements possibles, une prédilection vengeresse le poussait à raconter les derniers jours du paria condamné à l'oubli, sans argent, sans gloire, sans amis, là-bas dans la maison de l'ancienne rue de l'Hospicio de San Nicolas, à Mexico : la douleur de Heredia pouvait être si vive dans ce récit que parfois ceux qui l'écoutaient en vinrent à penser que cela ressemblait plus à une expérience personnelle du fils qu'à la somme d'histoires entendues depuis l'enfance sur son père.

A plus forte raison ce soir-là, José de Jesús s'apprêtait à relater la triste histoire de son père brûlant de fièvre dans son lit de tuberculeux, dictant à son épouse Jacoba ses souvenirs d'homme emporté par les tourmentes de son époque. Le vieil homme se proposait d'avoir recours à tous les détails capables de donner plus d'éclat, de vraisemblance et d'humanité à son évocation : la couleur terne des cheveux de sa mère, dénoués dans l'intimité de la maison ; les effluves amères des remèdes que buvait son père et des emplâtres sombres que l'on posait sur sa poitrine brûlante ; la lumière des lampes à huile allumées toute la nuit ; le froid mordant de cet ultime hiver mexicain de Heredia, qui avait ravivé comme jamais son éternelle nostalgie de la chaleur cubaine ; et la révélation dramatique du moment où le poète, déjà moribond, l'avait appelé, Bichí, comme il l'avait toujours nommé, pour lui mettre autour du cou ce petit escargot attaché à un ruban, dont José de Jesús ne s'était jamais séparé comme son père le lui avait demandé. Irait-il jusqu'à montrer le coquillage pâli, dérobé à la mer plus d'un siècle auparavant ?... Le vieil homme savait qu'il lui fallait faire son meilleur discours pour que les détails de cet épisode et l'importance du secret restent gravés de façon indélébile dans la mémoire de ces hommes, les seuls au monde qui avaient prouvé leur fidélité inébranlable à leur serment d'être discrets jusqu'à la fin des temps et que cette vertu lui avait fait choisir pour être les gardiens du document le plus caustique et le plus révélateur de ceux que José María Heredia avait laissés inédits ; des vieux papiers qui, son fils le savait fort bien, pouvaient atteindre un prix tentant sur le marché des détrousseurs de passés.

Même dans les moments de plus terrible misère, José de Jesús n'avait pas osé confier ce document à d'autres mains. Il avait eu du mal à repousser les assauts et les offres de l'impertinent Figarola qui insistait sur le fait que la Bibliothèque nationale ne lui achèterait la série de manuscrits de Heredia proposés par José de Jesús, que s'il incluait dans le lot la lettre de 1823 dans laquelle le poète se rétractait et niait sa participation à la conspiration indépendantiste des Soleils et Rayons de Bolívar, ainsi que les papiers qui renfermaient une sorte de mémoire ou peut-être un roman qu'aucune personne connue n'avait jamais vu mais dont Figarola ne mettait pas l'existence en doute depuis qu'il avait trouvé, lui-même, une note manuscrite de Jacoba Yáñez, cachée entre les pages de l'un des rares livres qui avaient été récupérés de la bibliothèque personnelle, malheureusement dispersée, du poète. Sur ce petit papier, Jacoba rappelait que *le roman de sa vie* devait rester inédit, selon le désir exprès de son époux. De plus – Figarola ne cessait d'insister –, José de Jesús devait savoir que l'existence de ces papiers étranges avait été corroborée par le chroniqueur mexicain Gerardo Arreola, l'un des rares amis qui avait rendu visite au poète moribond. Ce journaliste, dans une évocation écrite peu après la mort de Heredia, avait parlé d'un long texte, peut-être un roman, écrit par le Cubain dans les derniers mois de sa vie... Que pouvait bien être ce texte si ce n'était *le roman de sa vie* mentionné par Jacoba ? lui demanda-t-il, ou plutôt se demanda l'ingénieux Figarola. Mais José de Jesús se refusa à reconnaître l'existence de ces documents, et il mit sur le bureau du bibliothécaire averti deux lettres explosives de Heredia, écrites durant son exil nord-américain et adressées à Domingo Del Monte, dans lesquelles il l'accusait pratiquement d'avoir dénoncé la conspiration indépendantiste de 1823. De plus, José de Jesús offrait une sentence exécutoire de son ancêtre le Marquis de Mieses rédigée par son père et d'autres documents divers qui éclairaient davantage la vie mexicaine du poète.

Ces deux lettres envoyées à Del Monte, mentionnées par plusieurs érudits mais inconnues jusqu'alors, semblèrent calmer la voracité du bibliothécaire, qui les caressa de la pulpe des doigts, comme si elles étaient gravées sur la peau d'une femme. On savait que Heredia avait écrit plusieurs missives à Del Monte, mais le destinataire en avait seulement conservé quelques-unes et, bien sûr, aucune de celles que le poète lui avait adressées entre 1821 et 1823, toutes exclues de l'exhaustif *Centón epistolario* qu'avait préparé Del Monte en personne avec les nombreuses lettres qui lui avaient été envoyées pendant plus de vingt ans... Mais voyons un peu – Figarola était obstiné –, disons que ces papiers n'existent pas, mais on a eu connaissance de la lettre par laquelle votre père se disculpait en 1823, elle a été en partie diffusée, alors quelqu'un doit bien avoir l'original...

Bien que ce ne fût pas la première fois que José de Jesús vendait des papiers de son père, peu de fois il s'était senti aussi misérable que ce matin du 6 août 1917, face à un homme qui employait sur lui son malheureux pouvoir de bibliothécaire rêvant de gloire dans un pays où personne ne semblait se soucier des bibliothèques, ni des vieux papiers, ni des poètes, ni du pardon de Dieu. Mais il avait besoin d'argent, comme son père dans les pires moments de l'exil mexicain quand, pour essayer de conserver sa dignité, il avait perdu les faveurs du pouvoir et ne percevait même plus les maigres salaires que lui devait le gouvernement: alors, pour que sa famille continuât à dormir sous un toit, il avait dû avoir recours à n'importe quel travail, à des prêts familiaux, à la mise au mont-de-piété de ses rares bijoux affectionnés et même à la vente de sa bibliothèque.

José de Jesús lui raconta alors quel avait été le destin de l'original de cette lettre que son père avait écrite à Francisco Hernández Morejón, juge d'instruction du procès des conspirateurs de Matanzas, avec la claire intention de justifier sa fuite de Cuba et de rejeter l'accusation d'avoir participé à des projets indépendantistes. Un ami, dont il ne révélerait jamais l'identité, avait remis l'original à José de Jesús après l'avoir soustrait du dossier du procès. Et le vieil homme, honteux, murmura qu'il avait brûlé la lettre pour tenter d'effacer de la mémoire des hommes l'épouvantable faiblesse dont Heredia avait fait preuve en ce dramatique moment de sa vie. Ce qu'il ne raconta pas à Figarola, c'est que s'il avait su de son père ce qu'il savait maintenant, il n'aurait jamais détruit une missive dans laquelle le poète s'était consciemment exposé au jugement de la postérité dans une tentative désespérée pour conserver l'espoir de vivre un grand amour et de serrer dans ses bras un fils qu'il ne connaîtrait jamais...

Finalement José de Jesús avait accepté la somme misérable que Figarola lui avait payée pour le lot de documents et il conserva en lieu sûr ce *roman de sa vie* qui, protégé dans une enveloppe de Manille nouée par un cordon mauve, l'avait accompagné durant son voyage depuis La Havane, dans l'intention de la placer sous la protection de la loge "Fils de Cuba". Le dernier des enfants de José María Heredia sentit son cœur se serrer en se souvenant qu'il ne recevrait pas un centime pour ces papiers qui, bien des nuits, auraient pu lui éviter la terrible épreuve de se coucher la faim au ventre.

– Alors... ? Tu es aussi ému qu'à Matanzas ?

Álvaro sortit sa flasque et but un coup de rhum puis il alluma une cigarette et se laissa aller sur le siège arrière... La voiture peinait tout en évitant les ornières, les chiens, les personnes insouciantes ou peut-être suicidaires qui marchaient dans la rue, et un océan de vélos et de carrioles tirées par des chevaux et des bœufs qui circulaient de façon anarchique dans la rue principale du village.

– On dirait un western, dit Arcadio en riant et il tourna à droite avant d'arrêter la voiture dans une rue latérale.

– Ouais, mais un western de l'Ouest lointain, complètement paumé... murmura Álvaro, les yeux fermés. Merde ! Qu'est-ce qu'il est moche, ce bled !

Si La Havane lui avait semblé étrangère et Matanzas toujours belle dans sa décadence, l'entrée dans Colón produisit sur Fernando la sensation d'avoir atterri dans un lieu égaré dans le temps. Les années de crise avaient effacé les charmes éventuels que ce village de l'opulente plaine de Matanzas avait pu avoir autrefois et la laideur définitive que ses yeux contemplaient créait chez lui un état d'esprit proche de la dépression. Il en vint à se demander, pendant qu'Arcadio se renseignait sur l'adresse du musée, si cela valait la peine d'être venu jusque-là.

– Réponds-moi franchement, Varo, tu crois que c'est possible de retrouver ce manuscrit ?

Álvaro leva les yeux comme s'il sortait de sa torpeur.

– Pourquoi tu me demandes ça ? Je pense comme toi : que maintenant il y a une piste qu'on n'avait pas avant. De là à ce que les documents existent encore, c'est une autre histoire... Quant à les retrouver, ça va être une autre paire de manches... Mais qu'est-ce qui te prend ? Tu regrettes déjà d'être venu ?

– Vraiment je ne sais pas...

– Tu vois, ça a toujours été ton problème : tu n'as jamais rien su. Regarde bien Arcadio, pour lui tout est clair : son truc, c'est d'être poète et tout le reste c'est de la merde ; Conrado est capable de mettre la moitié de l'île à feu et à sang pour arriver à ses fins ; Tomás se contrefout de tout et il le sait, il l'assume et en jouit... Mais toi, tu n'as jamais su si tu voulais être poète, si tu voulais être prof, si tu allais écrire un livre sur Heredia, si Delfina te plaisait, si tu voulais partir, si tu voulais revenir...

– Et pourquoi tu me balances tout ça maintenant, mon vieux ? Où tu vas comme ça ?

– C'est que je te vois venir, Fernando, je te vois venir, et je te connais. Rends-toi compte à quel point tu ne sais pas, tu n'as même plus les couilles de pardonner. Tu préfères oublier que pardonner, pas vrai ?

– D'accord, mais ce n'est pas une question de couilles...

– Bon, dit Álvaro comme si ça l'avait fatigué, console-toi en continuant à penser comme ça, mais tu sais que tu te trompes : parce que tu ne vas jamais rien oublier, tout au moins tant que tu joueras au martyr et que tu continueras à penser que l'un de nous t'a cloué sur la croix... Pourquoi tu ne te décides pas à remuer la merde, hein ?

Et il alluma une cigarette sans plus regarder Fernando quand il remarqua qu'Arcadio revenait.

– J'ai du flair. Le musée se trouve au prochain coin de rue, informa Arcadio en se penchant à la fenêtre de la voiture tout en indiquant le bout de la rue.

Le musée avait l'air accueillant. Il avait été installé dans une vieille demeure en bois, avec un grand toit de tuiles françaises, de grandes baies vitrées blanches et des murs peints en vert brillant. La surveillante de la première salle leur confirma que le directeur était dans son bureau et leur demanda ce qu'ils voulaient. Le bel Arcadio, convaincu d'être bien connu des milieux culturels et féminins de l'île, tenta de préparer le terrain en donnant son nom et la recommandation des Cernuda.

Pendant que la femme se dirigeait vers le fond de la maison, Fernando, Álvaro et Arcadio se mirent à observer les reproductions de tableaux célèbres accrochées aux murs du local. C'étaient des copies de qualité qui faisaient du musée une sorte de condensé des meilleures œuvres du Louvre, du Prado, d'Orsay, du MOMA et de l'Ermitage. Devant des Menines miniatures, Fernando se souvint de l'émotion qui l'avait cloué sur place, lors de sa première visite au

Prado, quand il s'était retrouvé devant le chef d'œuvre de Vélazquez. Puis, plusieurs dimanches de suite, il avait profité de l'entrée gratuite au palais madrilène pour contempler à son aise ce tableau majestueux qui lui livrait peu à peu ses secrets. A chaque visite, il était resté plusieurs minutes à observer le visage de l'autoportrait de Vélazquez, cherchant dans ce regard peint par lui-même la pupille privilégiée d'un homme qui contemplait le monde depuis son époque et de toute la hauteur de son génie. Et maintenant, à tellement de kilomètres de distance de l'original et tant d'années après sa dernière visite au Prado, la rencontre avec cette copie lui insuffla peu à peu une sensation de paix si dense qu'elle parvenait à s'imposer au malaise causé par les paroles d'Álvaro. Fernando crut alors découvrir dans les yeux du peintre une étincelle ironique et redoutable qui lui parlait de la fugacité du temps et de toutes les vanités.

La surveillante les informa que le directeur les attendait et leur indiqua le chemin jusqu'au patio intérieur de la maison où poussaient le basilic, le jasmin et le *galán de noche,* parmi les orangers, les figuiers et les goyaviers. Roberto Aquino les reçut à la porte de son bureau et salua Arcadio avec une déférence particulière : il connaissait sa poésie et à son avis elle faisait partie de ce qui s'écrivait de meilleur dans l'île, dit-il tandis que Fernando observait la réaction d'Arcadio, qui promenait son regard à travers la pièce comme s'il n'entendait rien ou comme s'il y cherchait aussi de la poésie, jusqu'au moment où Aquino lui fit un compliment.

– J'ai été enchanté par votre dernier livre, dit-il et il reçut les remerciements et le sourire condescendant du poète.

Roberto Aquino avait quelques années de moins que ses visiteurs. Il se montra affable et en plus ils découvrirent qu'il était incroyablement au courant de ce qui se passait dans le domaine de la culture, non seulement à Cuba mais dans une bonne partie du monde. Sur sa table était ouverte la volumineuse biographie de Camus, d'Oliver Todd, et tout son bureau était tapissé de livres, du sol jusqu'à des hauteurs hors de portée, mais il leur confia qu'il gardait là uniquement les volumes qui risquaient le moins d'être volés : les joyaux de sa bibliothèque se trouvaient chez lui et il ne les prêtait qu'à quelques amis triés sur le volet.

– Et c'est la pire chose que l'on puisse faire… les amis sont justement ceux qui ne rendent pas les livres car on ne les prête pas à ses ennemis…

Quand Fernando lui raconta la raison de leur voyage, Roberto Aquino l'écouta en silence, dans l'expectative mais sans étonnement.

– J'ai bien connu Leandro Cernuda. C'était un grand ami de mon grand-père et de mon père qui est aussi franc-maçon.

– Et serait-il possible de parler à votre grand-père ?

Fernando posa finalement la question la plus importante et il attendit nerveusement la réponse.

– Bien sûr. Grand-père a déjà quatre-vingt-douze ans mais il a l'esprit plus clair que nous tous... Mais laissez-moi vous poser une question qui me semble importante : vous saviez qu'en 1932 la loge "Fils de Cuba" fut fermée par le gouvernement de Machado ? Plusieurs francs-maçons furent accusés de conspiration et la loge resta fermée jusqu'à ce que Machado soit renversé, en 1933... D'après mon grand-père, la police fit fouiller la loge et emporta beaucoup de papiers qu'on n'a jamais revus...

La stupeur, la déception, la pâleur visible sur les visages de ses visiteurs conduisirent Roberto Aquino à interrompre son récit.

De toute évidence, le professeur Mendoza ne devait pas non plus avoir connaissance de cet incident.

– Il vaut mieux que vous parliez avec mon grand-père, car l'histoire est encore plus compliquée... proposa-t-il et il ferma la biographie de Camus.

Comme chaque après-midi, depuis le portail de sa maison, le vieil Aquino contemplait la vie qui s'écoulait, profitant de son oisiveté dans un fauteuil d'acajou, un éventail en carton dans la main droite, un énorme cigare dans la gauche et un chapeau de paille en piteux état sur la tête. C'était un homme solide malgré les années, avec de grandes mains noueuses et une volumineuse tête de taureau, serrée entre deux oreilles en chou-fleur d'où jaillissaient quelques poils épais. Bien qu'il ne fasse pas chaud, il continuait à s'éventer le visage en suivant le rythme que ses jambes imprimaient aux balancements de son siège. Son petit-fils s'approcha et, après l'avoir embrassé sur la joue, lui expliqua à voix haute qui étaient ses visiteurs. Le vieux immobilisa le fauteuil et l'éventail, et scruta longuement les nouveaux venus, tandis qu'il tirait plusieurs fois sur son énorme cigare.

– Et vous êtes venus de La Havane ? cria le vieil homme, peut-être affecté d'une certaine surdité.

– Oui, nous sommes partis ce matin et nous sommes passés par Matanzas, expliqua Arcadio sur le même ton.

– Et vous allez rentrer aujourd'hui à La Havane ? cria de nouveau le vieux.

– Oui, bien sûr, continua Arcadio.

– Robertico ! Aquino se tourna vers son petit-fils : sors des fauteuils pour ces jeunes gens.

– Je vais t'aider, proposa Álvaro et il suivit Roberto.

– Et où allez-vous manger ce soir ?

Aquino poursuivit son interrogatoire après avoir lancé un crachat obscur vers un coin du portail.

– Ça n'a pas d'importance, Aquino, n'importe où...

Roberto sortait un fauteuil quand son grand-père se retourna pour le regarder.

– Robertico... dis à ta mère de tuer une paire de poulets pour inviter ces jeunes gens.

Arcadio y Fernando commencèrent à chercher un prétexte, mais le vieil homme ne semblait pas les écouter.

– Vous avez une tête à aimer le riz au poulet, comme moi. Si on me laissait faire, je mangerais tous les jours du riz au poulet, commenta-t-il, perdu dans ses goûts alimentaires, tandis qu'il faisait un geste à son petit-fils pour qu'il transmette l'ordre.

Dubitatif, Fernando tenta d'inventer un nouveau prétexte.

– Mais le problème, Aquino, c'est que nous...

– Écoutez-moi, jeune homme, ne vous précipitez pas, le temps est plus long que la vie. Et je vais vous dire deux choses : si vous me rendez visite chez moi, vous devez accepter mon invitation, sinon, je vais être très fâché... Attendez, attendez, je n'ai pas terminé. Parce que la deuxième chose que je veux vous dire, c'est que j'ai été initié franc-maçon en 1924, à dix-huit ans, et j'ai commencé comme secrétaire de la loge en 1930. Ça fait un paquet de temps, pas vrai ? Et j'ai vu de mes yeux les sbires de Machado qui fouillaient la loge en 1932 et emportaient tout ce qu'ils trouvaient.

– Et qu'est-ce qui est arrivé aux documents ?

– Je ne sais pas, mais ça ne fait rien, parce qu'ils ont emporté des choses sans importance, trois fois rien.

Fernando perçut l'ironie palpable dans la voix du vieux et il vit poindre une lueur d'espoir au détour d'une des péripéties de cette histoire.

– Ils n'ont pas emporté tout ce qu'il y avait dans la loge ?

– Je viens de vous dire que c'étaient des broutilles. De vieux papiers, des factures d'électricité et d'eau, quelques livres, des diplômes...

– Et les autres papiers de la loge?

– Ils n'y étaient plus, nous savions bien que la police allait venir... Voyons un peu si vous me suivez... Le vieil homme recommença à s'éventer. Vous saviez que Machado était franc-maçon et qu'il a été expulsé de la franc-maçonnerie? Non? Ça ne m'étonne pas... Ce qui s'est passé, c'est que les francs-maçons ont demandé à Machado de renoncer à la présidence, parce qu'il était devenu un dictateur et personne n'en voulait plus à Cuba. Entre nous, il y a eu des discussions à cause de cette lettre, car ce grand fils de pute avait rempli les loges d'espions, et la franc-maçonnerie est censée ne pas intervenir en matière de politique, mais il est aussi évident que la franc-maçonnerie doit lutter contre la tyrannie. Et c'est ce que nous avons dit à Machado dans la lettre que nous lui avons envoyée. Mais il n'était pas disposé à abandonner le pouvoir, et le considérant traître aux principes de la fraternité, nous avons décidé de l'expulser.

– El les papiers de la loge? intervint Álvaro tout en allumant une cigarette avec le mégot de celle qu'il venait de fumer.

– Ceux que vous cherchez n'étaient pas dans la loge... ni au secrétariat ni dans la Chambre secrète des Maîtres qui est le seul endroit où ils pouvaient être rangés. Et vous savez pourquoi? Parce qu'à nous deux, mon père et moi, nous avons sorti les archives de la loge. Ça faisait dix caisses.

Arcadio et Fernando se regardèrent, tandis qu'Álvaro se levait. La question était dans l'air et Álvaro devança ses amis.

– Et où les avez-vous emmenées?

– A la bibliothèque de Matanzas. Nous les avons cachées dans une cave, parmi d'autres vieux papiers. Le directeur de la bibliothèque était franc-maçon et il les a gardées jusqu'à ce que la tempête soit calmée.

– Et vous savez si parmi ces papiers se trouvaient les documents que José de Jesús Heredia avait confiés à la loge?

– Moi, je n'ai jamais vu ces documents, toutefois j'en ai entendu parler. José de Jesús les avait remis en grand secret...

Fernando fit un signe à Álvaro pour pouvoir intervenir et il s'avança sur le bord du fauteuil, le plus près possible du vieil homme.

– C'était quoi, ces documents?

– Je ne sais pas. Quelque chose sur la vie de Heredia, je crois...

– Mais si vous étiez le secrétaire et que ces papiers de Heredia étaient dans la loge, vous deviez le savoir, n'est-ce pas?

– Bien sûr que je devais le savoir, dit Aquino avec autorité, et c'est pour ça que je vous dis que dans les caisses que nous avons sorties en 1932, ces papiers n'y étaient pas, pas plus que parmi ceux que nous avons laissés dans la loge pour que la police les emporte. Je suis aussi sûr de ça que je m'appelle Afortunado Salvador Aquino Romagosa.

Fernando sentit que son cœur voulait exploser dans sa poitrine.

– Et vous n'avez aucune idée de l'endroit où pouvaient se trouver ces papiers ou si quelqu'un les avait déjà sortis de la loge?

Le vieux sourit et accéléra le rythme du balancement.

– Que ces papiers ont existé, j'en suis certain. Mon père, Cristóbal Aquino, était l'orateur de la loge et c'est lui qui a fait l'éloge de Heredia et de José de Jesús en 1921... Évidemment, cela vaudrait la peine de savoir d'où Mendoza a sorti la copie de cet acte, parce que je commence à penser que c'est celle que nous avons laissée dans les archives au cas où la police viendrait, parce que ces papiers n'ont plus jamais réapparu... Mais, bon, le fait est que dans la loge tout le monde savait que personne ne pouvait lire le manuscrit de Heredia, ni même en parler avant 1939, parce que José de Jesús avait demandé, non seulement que les documents soient gardés mais que le secret de leur existence le soit aussi. Ces documents devaient contenir quelque chose d'important, vous ne croyez pas?... Ce dont je suis sûr c'est qu'en 1930, quand j'ai terminé l'université et que j'ai commencé comme secrétaire, ces documents n'étaient déjà plus dans la loge. Maintenant, qui les en a sortis, pourquoi il les a sortis et où il les a mis, ça alors je n'en sais rien.

– Et vous n'avez jamais soupçonné personne?

Arcadio lâcha la question dans un cri qu'on dut entendre deux pâtés de maison plus loin.

Le vieil homme allait tirer sur son cigare quand il s'aperçut qu'il s'était éteint. Durant une bonne minute, il observa son havane comme si cette trahison était impossible puis, avec conviction, il le jeta dans la rue.

– Maintenant j'ai faim. On parlera après. Parce que c'est beaucoup mieux avec le ventre plein, n'est-ce pas?... Lucrecia!

Je me suis mille fois demandé ce que ma vie aurait été si cette lettre porteuse d'une si heureuse réponse ne nous était jamais parvenue. “Ma très chère sœur María: ma maison sera toujours la tienne et celle de mes nièces bien-aimées, et je n'aurai de cesse que José María, que j'aime comme un fils, devienne un jour avocat, comme l'avait toujours rêvé son noble et défunt père." Que Dieu ait son âme ! Aurais-je été un éternel assistant dans une étude de notaires parmi toutes celles que comptait Mexico ? Soldat dans les rangs royalistes, comme mon père l'aurait désiré, ou dans ceux des indépendantistes, comme mon cœur l'exigeait déjà ? Journaliste peut-être, comme ceux qui écrivent des pamphlets tous les jours et rêvent de disposer d'un peu de temps pour écrire une œuvre personnelle qu'ils n'écrivent jamais ? Mais surtout : aurais-je été plus ou moins heureux ? Aurais-je connu, à ces degrés extrêmes qui m'étaient réservés, la satisfaction de me sentir utile et célèbre, et le martyre de me savoir méprisé et oublié ?

Aucune de ces questions ne pouvait me traverser l'esprit quand l'oncle Ignacio, pour mes dix-sept ans, nous fit le cadeau attendu en nous ouvrant les portes de l'espérance : nous commençâmes à préparer le retour dans l'île. Cette fois, l'idée de traverser de nouveau la mer m'excitait au plus haut point, et seul le fait d'abandonner mes amis mexicains mêlait une goutte de tristesse au fleuve bouillonnant de joie que le retour à Cuba faisait naître en moi.

Nous partîmes dans le froid des derniers jours du mois de janvier 1821 et nous arrivâmes à La Havane dans la tiédeur d'un mois de février, quand la lumière du doux hiver cubain donne une étrange profondeur aux choses qui ensuite s'aplanissent durant les longs mois de chaleur dont mère nature a comblé l'île. Sur le port nous attendaient l'odeur unique de la ville et aussi l'oncle Ignacio, qui, après m'avoir installé dans une pension de la rue des Marchands, partit sur-le-champ avec le reste de la famille vers Matanzas où l'attendait un travail intense.

La voiture à chevaux avait à peine tourné au coin de la rue après un ultime geste d'adieu à mes sœurs, que je partis en courant vers le séminaire de San Carlos où les cours étaient sur le point de se terminer. Une joie difficilement contenue coulait dans mes veines, car la sensation de liberté dont je jouissais pour la première fois de ma vie me rendait euphorique.

Les retrouvailles avec Domingo, Silvestre, Cintra, Sanfeliú et le reste de la troupe furent émouvantes et bruyantes. Par une brève annonce dans la presse, ils avaient appris la mort de mon père, et dans une lettre écrite par Silvestre et signée par plusieurs amis, les condoléances du groupe m'étaient parvenues à Mexico avec la nouvelle que don Leonardo, le père de Domingo, était mort, à peine deux mois avant le mien, comme le signe d'une tragique volonté divine, obstinée à mettre en parallèle la vie de Domingo et la mienne jusqu'au jour de l'amère divergence.

Mais aucun d'entre eux ne s'était imaginé, ne serait-ce qu'un instant, qu'un bel après-midi je leur ferais la surprise de les retrouver, encore vêtu d'un épais costume de drap anglais, porteur de la nouvelle que je leur annonçai aussitôt : je revenais disposé à rester pour toujours.

Nous fêtâmes nos retrouvailles dans un des nombreux commerces qui s'étaient ouverts durant mon absence, dans la zone proche du Paseo del Prado. Celui-là s'appelait *L'Ananas argenté* et il était à la mode parmi les jeunes, car c'était le seul qui disposait de sorbetières et vendait des glaces aux fruits et des jus pressés avec de la glace, qui attiraient fort les beautés de La Havane. De plus, le lieu était animé par un trio de guitaristes, deux nègres et un mulâtre svelte qui chantait avec une voix de velours de très belles chansons d'amour. Après avoir fait honneur à la crème glacée de mammée, nous passâmes à des choses plus sérieuses. Nous jetâmes l'ancre dans la taverne la plus proche et nous demandâmes du vin. Plusieurs pichets d'un fougueux vin portugais rendirent l'âme sur notre table, à laquelle vint se joindre à un moment donné un jeune Colombien, maigre, vif, apprenti poète, le trait d'esprit toujours prompt, du nom de Félix Tanco, vivant depuis quelques années à Matanzas. Tout en buvant, ils comblèrent mes lacunes quant à l'ambiance havanaise, qui avait beaucoup changé ces deux dernières années. Et même si deux questions me brûlaient les lèvres, je préférai les remettre à plus tard, car Domingo, devinant mes intentions, avait déjà décidé que cette nuit-là je dînerais avec lui chez son frère, où il vivait désormais.

Au milieu de tant de nouveautés je parvins à savoir que la plus grande cause d'allégresse pour mes amis était le vent de liberté qui soufflait sur l'île depuis l'institution du système constitutionnel. Une véritable effervescence politique s'était emparée de la vie havanaise et de sanglantes altercations s'étaient même déjà produites entre constitutionnalistes et absolutistes. Une chose me semblait incompréhensible : comment les riches créoles défendaient-ils encore l'éternel régime absolutiste ? Mais d'après Silvestre, la raison de cette obstination politique des riches cubains était liée au fait qu'ils obtenaient du roi tout ce qu'ils voulaient, et les nouvelles lois pouvaient mettre en danger leurs nombreux privilèges.

– Et vous, vous êtes quoi ? Absolutistes ou constitutionnalistes ? osai-je demander, craignant de passer pour un imbécile car derrière certains de mes amis et des amis de mes amis se tenaient quelques-unes des plus grandes fortunes de l'île. Mais mon expérience me faisait penser qu'ils penchaient pour la démocratie constitutionnelle qui avait toute ma sympathie.

Heureusement, il s'avéra qu'ils étaient constitutionnalistes et libéraux, encore plus depuis que, quelques semaines auparavant, ils s'étaient inscrits en masse au cours surchargé de droit constitutionnel qui, par décision de l'évêque de La Havane en personne, avait été créé au séminaire et dont la chaire avait été attribuée ni plus ni moins au père Varela.

La nuit tombait quand nous nous séparâmes pour suivre nos chemins respectifs. Domingo, qui habitait maintenant dans la rue San Ignacio, me prit par le bras et, au lieu de m'emmener chez lui, il me conduisit vers le Paseo del Prado où nous trouvâmes un banc libre.

Là il me raconta combien sa vie avait changé depuis la mort soudaine de son père. Sa mère, doña Rosa, avait vendu aux enchères les propriétés de don Leonardo et investi l'argent dans la création d'une modeste raffinerie de sucre sur des terres achetées près de Matanzas. Dorénavant, le but de mon ami, obligé de mener une vie austère, était de terminer ses études au plus vite pour commencer à gagner quelque argent.

– Apprendre à être pauvre, c'est ce qui a été le plus terrible. Tu me comprends ? Tu ne peux pas imaginer cela, José María, me dit-il, mais il se trompait : non seulement je l'imaginais, mais je le savais. Domingo, placé au centre du monde, ne pensait qu'à lui, car au sein du groupe d'amis, il sentait qu'il n'avait plus le rôle du protagoniste que son aisance financière lui avait assuré auparavant, lui permettant d'être le premier à inviter et à gaspiller l'argent. Je te l'ai déjà dit et maintenant je te le répète : je serai riche, quoi qu'il m'en coûte, envers et contre tous. La misère et moi, nous ne faisons pas bon ménage.

– Et la poésie ?

– Bien, bien, mais pas autant que la tienne. J'ai trouvé extraordinaire ce poème, *Al Popocatepetl.*

– Tu joues toujours ?

– Parfois… moins qu'avant.

– Et tu ne vas plus chez *Madame* Anne-Marie ?

– Seulement quand quelqu'un m'invite, tu te rends compte !

– Allons-y cette nuit.

– D'où vas-tu sortir l'argent ?...

– J'en ai pour acheter des livres. Mais si tu me prêtes les tiens...

Il était près de neuf heures quand, munis des indispensables lanternes, nous arrivâmes au portail de la maison la plus accueillante de la ville. En chemin, tout en riant, nous parlâmes du peu de cas qu'avait fait de moi la jeune Isabel, à qui, Domingo, par l'intermédiaire de sa propre sœur, avait fait parvenir quelques-uns de mes poèmes d'amour. D'après mon ami, Isabel était maintenant la belle jeune femme qu'elle promettait d'être trois ans plus tôt et quelques mois auparavant, elle avait été officiellement fiancée à un commerçant de Málaga qui avait le double de son âge, mais aussi de sa fortune, ce qui n'était pas rien s'agissant d'une Rueda y Ponce de León. L'heureux homme était un certain Pedro Blanco Fernández de Trava, l'un des plus féroces artisans de la traite esclavagiste, un négoce qui était devenu particulièrement lucratif depuis qu'avait commencé le compte à rebours vers l'interdiction officielle, selon le pacte conclu entre l'Espagne et l'Angleterre en 1817.

En apprenant ma présence au bordel, mes amies de petite vertu furent transportées d'allégresse et plusieurs sortirent de leurs chambres, au beau milieu de leur travail, pour me congratuler et m'embrasser : d'après elles j'avais grandi, j'étais plus fort, plus beau garçon, et elles se réjouirent sincèrement de mon retour. Ma chère Betinha, discrète et souriante, resta en retrait pour que ses compagnes me fassent fête, avant de profiter finalement d'une pause pour me demander de l'attendre, car elle aurait terminé en vingt minutes.

Jouant son rôle de matrone inflexible, Anne-Marie frappa deux fois dans ses mains et renvoya tout le monde au travail. Elle frappa de nouveau deux fois dans ses mains pour appeler Elizardito, le mulâtre qui l'aidait, et elle lui demanda d'aller chercher à la cave une bouteille du meilleur vin de Bordeaux.

– C'est un plaisir de t'avoir ici, mon cher, me dit Anne-Marie de sa voix toujours aussi belle et gutturale. Je n'exagère pas si je te dis que tu nous as manqué, même si ton ami Domingo est resté fidèle et actif... Il a été la consolation de Betinha en ton absence.

Je perçus avec acuité la sournoiserie de ce commentaire. Avec une étrange force de caractère, dans ma relation avec Betinha, j'avais réussi à faire abstraction de son métier et rien de ce qu'elle faisait dans son travail ne pouvait m'affecter, mais la nouvelle que Domingo la fréquentait me laissa un mauvais goût dans la bouche, heureusement emporté par l'excellent vin que nous offrit la généreuse *Madame*.

Toute la passion que durant ces deux ans j'avais à peine apaisée avec mes pratiques solitaires s'enflamma cette nuit de mon retour à La Havane. Elizardito vint me chercher car Betinha m'attendait déjà, à peine sortie toute parfumée de son bain, étendue nue sur le lit. Deux grosses bougies aromatiques donnaient une teinte magenta à son corps doré, où brillait, en son centre, la forêt sombre de sa féminité, légèrement ouverte vers moi, comme une blessure prodigieuse.

Excité et sûr de moi, j'avançai vers le lit près duquel se trouvait, enveloppée dans un voile bleu et rose, l'effigie marine de Yemanjá dont le petit visage me sembla faire un signe de satisfaction. Quand j'allais m'étendre sur le lit, Betinha m'arrêta. Sa main se posa sur ma poitrine, avec la fermeté de qui sait diriger les opérations. Elle avança alors pour s'installer au bord du lit, ses jambes ouvertes enserrant les miennes et elle caressa mes tétons de ses mains tandis qu'elle posait ses lèvres sur mon ventre pour me faire ressentir une chaleur tellurique, qui augmenta au rythme de sa langue, qui descendait, caressait, fuyait, glissait, jusqu'au moment où sa bouche devint une grotte propice qui dévora ma virilité… Et maintenant je crois que si cette nuit-là je ne mourus pas, comblé par les excès de la jouissance, ce fut seulement parce que le destin se préparait déjà à me faire payer par des peines infinies la témérité de croire que j'étais devenu l'être le plus heureux de la terre.

En quelques jours j'apprendrais à vivre en jouissant de la liberté toute nouvelle à Cuba et en savourant l'agréable indépendance avec laquelle je décidai de mes actes. Il s'agissait là d'un état encore inconnu de moi et jamais comme en ces moments-là, je ne compris les avantages souverains du libre arbitre. Cependant, je ne tarderais pas à apprendre aussi que la liberté a généralement l'anarchie pour compagne, et celle-ci semblait maintenant se répandre dans l'île. Dans les innombrables journaux, surgis à la faveur de la liberté de presse, tout était pratiquement publiable, mais le plus courant était l'agression à visage découvert de ce qui pouvait être considéré comme contraire aux intérêts du groupe qui finançait le libelle. On écrivait désormais noir sur blanc les insultes les plus impressionnantes, dans une guerre sans merci entre les dizaines de factions existantes.

Mais avec la liberté, la politique, qui est souvent le fléau de la poésie, entra dans ma vie : elle se glissa dans mon existence d'une façon si harmonieuse qu'elle me laissa supposer que, depuis toujours, mon sang avait été prêt à l'accepter comme une de ses composantes vitales. Comme la plume au vent, je fus emporté vers la politique, et je me laissai entraîner avec plaisir, sans imaginer que j'avais fait le premier pas vers un destin qui me dépasserait, ne m'épargnant ni les tourments ni les défaites.

Pendant que je préparais la thèse pour obtenir le titre de bachelier en droit de la très scolastique Université de La Havane, le reste de mes occupations consistait à partager mes après-midi avec mes amis que j'accompagnais parfois au séminaire pour écouter les ardentes leçons du père Varela, et à passer presque toutes mes soirées dans la cuisine de la maison de *Madame* Anne-Marie, où, sur l'ordre de mon amie française, on m'offrait des repas, du vin et des bougies, pour que je puisse me consacrer à l'écriture de mes poèmes, dans l'attente du départ du dernier client, qui – Dieu soit loué ! – me laissait la voie libre vers la chambre de Betinha.

Le thème de conversation le plus fréquent dans notre groupe tournait autour des élections toutes proches des députés aux Cortès, car les créoles avaient mis tous leurs espoirs dans la victoire de leur triade de candidats, menée par le père Varela que son mentor, l'évêque de La Havane, avait encouragé à se présenter. Les deux autres candidats étaient le riche havanais Leonardo Santos Suárez et le commerçant catalan Tomás Gener, établi à Matanzas depuis de nombreuses années, homme aux multiples relations mercantiles dont certaines, selon les mauvaises langues, lui permettaient d'importer des esclaves…

Les grands espoirs suscités par cet événement révéleraient bien vite notre candeur politique. On espérait que les voix cubaines aux Cortès garantiraient la promulgation de lois adéquates et que la dépendance politique de l'île cesserait d'être une entrave pour le développement et pour la vie même de ceux qui étaient nés dans le pays. C'est pourquoi, avec de nombreux créoles, tout heureux, nous fêtâmes le triomphe de Varela, Santos Suárez et Gener, sous le regard renfrogné des autorités coloniales qui observaient avec suspicion la naissance d'un ferment nationaliste dont les conséquences futures étaient imprévisibles.

Le bon prêtre Varela, devenu particulièrement belliqueux, s'était avéré constitutionnaliste et libéral opiniâtre. Depuis sa chaire, il avait maintenant pour habitude de lancer des attaques de plus en plus directes contre le gouvernement monarchique, l'État centralisateur et les diverses formes de tyrannie, tout en expliquant et en paraphrasant la Constitution espagnole avec des commentaires relevés par la saveur piquante de mots si peu habituels à Cuba tels que *indépendance*, *démocratie* et *souveraineté*.

Sous prétexte de lui faire lire mes nouveaux poèmes, plusieurs fois je lui volai un peu de son temps mais il me reçut toujours avec plaisir dans sa cellule du séminaire. En diverses occasions, Domingo et Silveste m'accompagnèrent et les discussions poétiques dérivèrent toujours vers l'actualité politique. Dans l'attente du départ imminent du père pour Madrid, nous eûmes une ultime rencontre, à laquelle assistèrent aussi Cintra, Sanfeliú, Tanco et un jeune homme de Bayamo dont j'avais beaucoup entendu parler mais dont je fis la connaissance seulement à cette occasion : cet homme, le plus intelligent que j'aie jamais rencontré, s'appelait José Antonio Saco, Saquété pour ses amis et, malgré sa jeunesse, il occuperait bientôt la chaire de philosophie laissée vacante par Varela.

Je me souviens que ce jour-là il ne fut pas question de poésie : nous abordâmes le sujet, ou plus exactement, nous entrâmes dans le vif du sujet car, lorsque Domingo demanda au père Varela ce qu'il espérait obtenir aux Cortès espagnoles, en faveur de Cuba, il nous fit une réponse inquiétante.

– Rien, dit-il et il retira les lunettes qu'il utilisait désormais et qui accentuaient son expression de jeune homme prématurément vieilli. Ce pays ne peut rien attendre des Cortès ni du gouvernement de l'Espagne, sinon continuer à être administré et tyrannisé par des lois absurdes.

– Et pourquoi avez-vous accepté d'être député ? lui demandai-je, car quelque chose n'allait pas entre sa réponse et sa décision.

– Parce que le mieux que l'on puisse faire aujourd'hui, c'est de démontrer que les Cortès ne feront rien pour Cuba. Quand on vit dans l'oppression, il est très important de savoir ce qu'il est possible de faire et de dire à chaque instant mais aussi ce qu'il est impossible de faire et de dire. Il est salutaire de ne rien obtenir du gouvernement afin de voir si les Cubains parviennent à comprendre que le seul chemin possible est celui de l'indépendance telle qu'elle est en train de s'instaurer dans toute l'Amérique.

Ces réflexions, exprimées sans la moindre prudence, nous obligèrent à échanger des regards. Même si le thème de l'émancipation surgissait parfois dans nos conversations, le mot indépendance était toujours prononcé à voix basse, et l'entendre de la bouche de Varela, formulé si ouvertement, lui donnait une force qui fut décuplée quand le prêtre, ayant de nouveau chaussé ses lunettes, nous regarda les uns après les autres avant de nous demander :

– Ce n'est pas là votre opinion ?

Et ce fut ce brave Silvestre, parfois si simple et si naïf, qui nous confronta à notre réalité avec une question presque murmurée, prononcée comme s'il était à genoux devant la grille d'un confessionnal.

– Mon père, l'indépendance de Cuba est-elle possible ?

– Oui, mais pas pour l'instant… La vertu et la tragédie de ce pays c'est qu'il est au centre du monde et il y restera pour longtemps : aujourd'hui l'Espagne, l'Angleterre et le Mexique voudraient gouverner Cuba. Demain, ce sera la France ou les États-Unis, ou n'importe quelle autre puissance. Et ensuite il y a les prétextes : aujourd'hui c'est Haïti l'exemple de ce qui pourrait arriver si une guerre d'Indépendance éclatait, après ce sera un autre désastre qui fournira d'autres prétextes pour ne pas changer les choses : et entre les menaces et les prétextes, ils vont toujours s'arranger pour qu'il semble préférable de ne rien changer. Tant pis si des milliers d'hommes sont réduits à l'esclavage, si d'autres meurent de faim, si des femmes se prostituent : tout est bon pour qui veut conserver le pouvoir, et quand le constitutionnalisme aura cessé d'être à la mode, dit-il – et je me souvins d'avoir entendu cette phrase sur d'autres lèvres –, vous verrez si j'ai raison ou pas.

– Et que peut-on faire ? demandai-je, convaincu que je ne trouverais pas au monde meilleur oracle quant à l'avenir de Cuba.

– Rien. Ou beaucoup, si l'on a suffisamment de courage pour brûler sa propre vie sur l'autel de la patrie, sans attendre la moindre récompense et encore moins la victoire.

– Vous êtes pessimiste, aujourd'hui, mon père, commenta Saco qui avait suivi la conversation en silence, attitude qui ne lui était pas du tout coutumière car je découvrirais par la suite ses dons de polémiste subtil.

– Disons plutôt que je suis réaliste, Saqueté.

En ce matin historique du 28 avril 1821, nous nous rendîmes tous au port de La Havane, comme en procession, pour faire nos adieux au prêtre et à ses compagnons députés aux Cortès. La jeunesse havanaise se pressa aux alentours de l'Alameda de Paula pour les voir monter sur le bateau qui les conduirait vers la Péninsule avec la mission de représenter les intérêts cubains. Au milieu de la foule, mes yeux suivaient les pas de ce prêtre à la silhouette fragile qui m'avait tant fait réfléchir au cours des dernières semaines. Une fois à bord, Varela se retourna et, la main gauche sur son cœur, il fit avec la droite le signe de la croix pour nous bénir ; et je fus soudain assailli par la certitude d'être en train d'assister à un dernier acte. Je ne sais toujours pas pourquoi, mais quelque chose me disait, avec une véhémence douloureuse, que cet homme bon, si épris de son pays, nous faisait ses adieux pour aller purger une condamnation impitoyable qui l'empêcherait à jamais de revenir sur la terre qui l'avait vu naître.

Les yeux de Fernando Terry, Álvaro Almazán et Arcadio Ferret brillaient d'incrédulité devant le spectacle de Salvador Aquino avalant sa troisième assiette creuse remplie d'un riz au poulet en sauce, agrémenté de poivrons rouges. Avec la première il avait attaqué un blanc, avec la seconde une cuisse et un blanc, et arrivé à la troisième il s'en prit aux quatre ailes des deux poules sacrifiées pour satisfaire la gourmandise du vieillard qui mangeait avec une cuillère énorme, d'une couleur foncée comme le bronze, et accompagnait le plat principal d'une salade d'avocats et de plusieurs pichets d'une limonade abondamment sucrée. Son petit-fils et les trois visiteurs se limitèrent à une assiette, servie à ras bords, capable de satisfaire toutes les exigences gastriques du commun des mortels.

– Dommage qu'il n'y ait pas de crème pour le dessert, commenta-t-il tout en se nettoyant les mains avec un linge, après avoir sucé la quatrième aile de poulet et lancé les os à son chien Sultan, aussi prédateur que son maître. C'est dur de trouver du lait maintenant…

Pendant qu'ils buvaient le café, servi par Lucrecia dans les tasses de porcelaine chinoise réservées aux visiteurs, Fernando s'aperçut qu'il était presque neuf heures et qu'il fallait encore qu'ils rentrent à La Havane. Il avait vu Arcadio bâiller une ou deux fois et il essaya une fois pour toutes d'orienter la conversation.

– Bon, Aquino, alors finalement qui a bien pu sortir ces papiers de la loge ?

Le vieil homme fit attendre sa réponse pour allumer son sixième et dernier cigare de la journée. Il contemplait le bout brûlant de son havane et semblait perdu dans ses réflexions.

– Ça fait soixante-dix ans que j'y pense, et soixante-dix ans, c'est plus que suffisant pour penser à une chose, pas vrai ? La première possibilité, c'est que le fils de Heredia n'a jamais remis ces papiers et c'est pour cela qu'on ne les a pas trouvés dans la loge…

– Mais enfin c'est lui qui est allé les remettre… trancha Álvaro, de plus en plus désespéré par les chemins scabreux qu'empruntait cette histoire…

– Il est allé les donner, mais pour autant que je sache, personne n'a vérifié s'il les avait vraiment remis. Et qui dit qu'il n'a pas voulu que tout le monde pense que les papiers étaient dans la loge alors qu'en réalité ils se trouvaient ailleurs…

Arcadio regarda Álvaro et Fernando.

– Ce n'est pas très logique mais c'est possible, non ?

– Bien sûr, insista le vieux. Et l'autre possibilité, c'est que les papiers étaient dans la loge et que quelqu'un les en a sortis avant les embrouilles avec le gouvernement. Si oui, ce ne pouvait qu'être que le Vénérable ou le premier Surveillant car ce sont les seuls à avoir les clefs de la niche de la Chambre des Maîtres où les papiers devaient être enfermés.

– Alors c'est Cernuda, conclut Fernando, avide de trouver la piste perdue.

– C'est possible, Aquino tira deux fois sur son cigare, mais il y a eu d'autres Vénérables pendant ces années-là. A cette époque, cela se faisait beaucoup de réélire les Vénérables, ce n'est pas comme maintenant, au bout de deux ans dans la franc-maçonnerie, ça les démange tous et ils veulent déjà être assis tout en haut pour frapper les coups avec le maillet… Voyons un peu : Cernuda a été Vénérable en 1921. En 1922 et en 1923, ce fut Ramiro Junco, celui qui avait été premier Surveillant de Cernuda. Puis, de 1924 à 1926 ce fut à nouveau Cernuda et en 1927, en 1928 et en 1929 ce fut mon père. Si je suis sûr d'une chose, c'est que lui, il n'a jamais pris ces papiers ; il ne les avait même pas lus bien qu'il m'ait parlé d'une enveloppe jaune, attachée avec un cordon violet qui était longtemps restée dans la niche de la Chambre des Maîtres.

Le vieil homme appuya ses paroles d'un hochement de tête, tout en fumant son cigare avec délectation.

– Il y a quelque chose que je ne comprends pas, intervint Arcadio, à nouveau intéressé et agitant les mains comme s'il avait besoin de se faire un espace physique dans le dialogue. Je ne sais pas sur quoi tout ça va déboucher, mais ce que j'aimerais savoir c'est pourquoi vous nous racontez quelque chose qui a eu lieu dans la loge et qui est supposé être un secret, et je ne comprends pas non plus pourquoi vous ne l'avez raconté à personne d'autre avant…

– Tout dépend de l'angle sous lequel on regarde les choses, philosopha le vieux. D'abord, parce que ce que je vous raconte là n'est pas un secret maçonnique, d'ailleurs si on me torturait on ne me tirerait pas un mot sur un secret maçonnique, c'est clair ? Je parle de choses qui sont arrivées dans la loge comme elles auraient pu se produire dans une église sans que le prêtre révèle pour autant le secret de la confession. Mais rappelez-vous que ces documents auraient dû être publiés il y a soixante ans, et que tout le monde les aurait déjà lus… Et ce n'est pas vrai que je ne l'ai raconté à personne avant, et il commença à compter sur ses gros doigts, noueux comme de vieilles branches d'arbre. Voyons, j'en ai parlé avec l'historien de Matanzas, parce qu'il cherche aussi ces papiers ; j'en ai parlé avec un autre jeune qui fait des recherches sur la vie de Domingo Del Monte ; et j'en ai aussi parlé à mon petit-fils Roberto et nous avons même une théorie. Le vieillard se tourna vers son petit-fils. Allez, Roberto, cela a pu être lequel des deux ? Junco ou Cernuda ?

Le jeune homme sourit, il avait visiblement rougi. Apparemment, son grand-père le mettait dans l'embarras et il n'aimait pas ça.

– Laisse tomber, grand-père. Tu sais bien que je n'en sais rien.

– Allez, Robertico…

– D'accord grand-père, accepta-t-il et manifestement mal à l'aise il se tourna vers les visiteurs. C'est qu'en parlant de ça avec lui, je lui ai dit que n'importe lequel des deux avait pu prendre les papiers, s'il s'agissait bien de ce que je pense.

– Attendez, attendez, je suis de nouveau perdu, admit Álvaro. Et pourtant aujourd'hui c'est à peine si je me suis rincé la gorge.

– N'oubliez pas que tout ça n'est qu'une supposition…

Soudain Fernando sentit un courant électrique parcourir son corps. Non, se dit-il : l'idée qui venait de lui traverser l'esprit n'était pas possible, mais dans cette histoire, les absurdités envahissaient de plus en plus la réalité, alors il demanda :

– Ramiro Junco… Il appartenait à la famille des Junco de Matanzas ? De la famille de Lola Junco, la jeune fille dont Heredia tomba amoureux ?

Roberto jeta un coup d'œil dans la direction du vieil Aquino qui avait commencé à se balancer dans son fauteuil, le regard perdu dans le temps.

– C'est ce que je crois.

– Alors, il était bien de la famille ?

La curiosité brûlait Fernando.

– Oui, et c'est là le problème, admit Roberto. La logique que je vois dans cette histoire, c'est que si Heredia a écrit quelque chose avant de mourir et s'il a demandé que cela ne soit publié que cent ans après sa mort, c'est parce que cela concernait des gens qui étaient vivants, et il ne voulait pas faire de tort à certains d'entre eux. Cela me fait aussi supposer qu'il attaquait d'autres personnes. Vous me suivez ? – et il se tourna vers Álvaro qui acquiesça en silence. Heredia avait une passion pour l'histoire, et dans sa poésie, la mémoire, la transcendance apparaissent à plusieurs reprises…

– Oui, dans *Le Teocalli de Cholula*, l'*Ode au Niagara*, *A la grande pyramide d'Égypte*. Fernando prit au hasard les exemples qui lui revenaient en mémoire et il cita :

"Todo perece
Por la ley universal. Aun este mundo
Tan bello y tan brillante que habitamos
Es el cadáver pálido y deforme
De otro mundo que fue…"

"Tout périt
Selon la loi universelle. Même ce monde
Si beau et si étincelant où nous vivons
N'est que le cadavre pâle et difforme
D'un autre monde disparu…"

Je crois même qu'il était trop concerné…

– C'est pourquoi je pense que ce manuscrit n'était pas un roman comme cela a parfois été dit, mais plutôt des mémoires ou quelque chose de ce genre. Mais ce qui est important, c'est que la famille Junco a eu beau s'efforcer de cacher la chose, à Matanzas le bruit a couru que Lola avait eu un fils avant d'épouser Felipe Gomez…

– On disait beaucoup de choses de Heredia, protesta Álvaro. Par exemple qu'il couchait avec la mulâtresse Luisa Montes, et que son mari l'avait poignardée en l'apprenant…

– Je connais cette légende, bien que ceci soit différent, surtout parce qu'on en a peu parlé… Mais le petit garçon supposé être le fils de Lola est né en janvier 1824, trois mois après le départ de Heredia de Cuba. Alors il avait dû être conçu en avril 1923…

– En avril ? demanda Fernando, mais en réalité il se parlait à lui-même. A cette époque, il était à Matanzas…

– En juin la famille a éloigné Lola de la ville en l'emmenant vivre sur la plantation Miraflores qui se trouvait par ici, très près de Colón, et Heredia ne la revit jamais. D'après l'acte de baptême, l'enfant était le fils de Rubén, le frère aîné de Lola, et ils l'ont appelé Esteban Junco. Et Esteban était le père de Ramiro. Si les rumeurs sont justes, alors Esteban était le fils de Lola Junco et Ramiro était son petit-fils…

– Et tu penses que Ramiro était aussi le petit-fils de Heredia, acheva Fernando, quand il sentit que la cigarette, oubliée entre ses doigts, commençait à lui brûler la peau.

– Si le manuscrit contient des mémoires, continua Roberto, et s'il est arrivé ce que nous supposons, si Ramiro les a lus, il est plus que probable qu'il ait trouvé cette histoire le concernant. Alors, tout ce que sa famille avait tenté de cacher pendant un siècle allait se savoir quand les documents apparaîtraient au grand jour.

– Ça doit être ça, c'est sûr, insista Arcadio.

– Déconne pas, Arcadio, on dirait un feuilleton de la télé mexicaine, commenta Álvaro.

Roberto Aquino, comme s'il ne les entendait pas, continuait à exposer ses déductions.

– Le plus intéressant, c'est que Ramiro Junco, déjà vieux et malade, se soit obstiné à être Vénérable de la loge. Pour moi, il n'y a qu'une réponse : il voulait avoir ces papiers.

Fernando Terry écouta cette affirmation en fixant les yeux bleus de Roberto Aquino et il vit une lueur fuyante au fond de ce regard.

– Excuse-moi, Roberto, c'est moi maintenant qui ne comprends pas… Avec toutes ces informations que tu as, tu n'as jamais eu envie de chercher les papiers de Heredia ?

Roberto Aquino sourit. Sa réponse se fit attendre, comme s'il lui était difficile de trouver les mots précis.

– J'y ai consacré plusieurs années, surtout quand je travaillais comme professeur à Matanzas. Mais j'ai abandonné quand j'ai été convaincu que ces mémoires de Heredia, s'ils ont un jour existé, n'avaient jamais été dans la loge. José de Jesús, qui mourait de faim, a soudain commencé à avoir de l'argent peu de temps avant de mourir. Et son unique capital, c'était les manuscrits de son père qu'il vendait partout, petit à petit. N'est-ce pas, grand-père ?

Tous tournèrent leurs regards vers le vieux, qu'ils avaient oublié pendant qu'ils écoutaient l'inquiétante démonstration qui bouleversait toutes les pistes logiques suivies jusqu'à ce moment. Mais du fauteuil du vieillard leur parvint à peine la respiration paisible d'un homme qui, un havane à moitié consumé entre les doigts, dormait du sommeil tranquille de ceux qui sont en paix avec la vérité et avec la vie.

Il me semble incroyable qu'au milieu de l'agitation politique et des débordements sexuels dans lesquels je vivais depuis mon retour à La Havane, j'ai eu le temps et la lucidité nécessaires pour rédiger ma thèse universitaire, que j'intitulai *Servis heredis legari, non potet.* Pour la soutenance, Domingo me servit de parrain. Il est presque superflu d'évoquer l'air réprobateur avec lequel m'accueillirent mes professeurs, dominicains et scolastiques : ce vieux thème de la jurisprudence romaine semblait hautement subversif dans un pays où la servitude, sous la forme douloureuse de l'esclavage humain, survivait comme un fléau bien qu'il fût antérieur à l'ère chrétienne. Mon intention, plus romantique que pragmatique, était de dévoiler les visages les plus infâmes de l'esclavage depuis l'optique de l'absence de droits dans laquelle vivaient des êtres violemment arrachés à leur patrie, éloignés de leurs familles, frappés, animalisés et dépouillés de tous les privilèges civils et humains qui étaient le fondement de la démocratie moderne.

Mais en vérité, mon projet le plus cher en ces moments, celui auquel je consacrais le plus clair de mon temps, était la publication d'une revue pour entreprendre, depuis ses pages, la rénovation de la littérature cubaine, si éloignée de ce qu'on aurait pu espérer d'une ambiance économique et politique si active. Dès le début Domingo et Sanfeliú furent les plus enthousiastes défenseurs de ce projet, mais le plus difficile était de parvenir à nous accorder sur le type de publication à laquelle nous rêvions.

Domingo, convaincu que la presse devait ébranler la société, la voulait incendiaire, aussi bien pour traiter les thèmes littéraires que politiques, auxquels il désirait réserver une large part. Sanfeliú, quant à lui, la voyait plus pensée, presque philosophique, ce qui correspondait à sa propre personnalité. Entre ces extrêmes, mon meilleur allié se trouva être Silvestre, que je parvins à faire adhérer à mon projet : mêler réflexion et légèreté, polémique et subtilité, mais en ne faisant pas la moindre concession quant à la qualité des textes poétiques. De la sorte, je pensais que nous pouvions atteindre un public plus vaste qui, intéressé par des thèmes moins transcendantaux, deviendrait un habitué de la revue et lui apporterait son soutien économique.

Le sort voulut qu'au mois d'avril, mon ami Blas de Osés arrivât à La Havane, éloigné du Mexique par son père qui craignait pour la vie du jeune homme, sympathisant déclaré de la cause des indépendantistes mexicains. Je dois admettre que la fortune et la bonté d'Osés étaient inversement proportionnelles à ses aptitudes poétiques, ce qui veut dire qu'il était immensément riche et l'un des hommes les plus généreux que j'aie connus. Fervent adepte de tous mes projets, il me fut facile de le convaincre d'apporter l'argent nécessaire et je l'engageai comme coéditeur de ma revue. Deux nuits avaient suffi pour obtenir son accord : deux nuits fort plaisantes chez *Madame* Anne-Marie – ma secrète complice dans cette embuscade qui mit à ma disposition du vin et des femmes – et pour cette raison, en l'honneur de cette dame et de ses aimables filles, Osés, Silvestre et moi décidâmes de donner à la revue en herbe le nom de *Biblioteca de Damas*.

Le labeur fourni pour sortir le premier numéro se fit dans la fébrilité. Mon inexpérience me conduisait à être trop ambitieux, mais la collaboration désintéressée de mes compagnons me déchargea de nombreuses tâches et je pus me consacrer avec plus d'ardeur à la traduction d'auteurs étrangers dont la poésie pouvait servir de phare pour éclairer les goûts des Cubains, très mal informés sur ce qui s'écrivait dans le monde. De plus, parallèlement à la revue, je ne pouvais éviter de travailler quelques heures par jour dans l'étude d'un notaire afin d'effectuer les deux années de stage indispensables pour être habilité à exercer le métier d'avocat. Comme si ce n'était pas encore assez, telle une méduse tropicale, je multipliais mes têtes et je poursuivais mes rencontres habituelles avec Betinha, tandis que je renouais avec mes amours poétiques, plutôt délaissées, il est vrai, pour ma muse Isabel, dont les fiançailles avaient été rompues pour une question de désaccords économiques. Il faut croire qu'en guise de sang, c'était le feu qui coulait dans mes veines !

Précisément le 21 mai de cette magnifique année 1821, le premier numéro de *Biblioteca de Damas* vit le jour dans l'imprimerie havanaise des Díaz de Castro. La certitude que notre revue provoqua une explosion de lumière dans l'obscur panorama de cette époque ne doit rien, je le jure, à mon habituelle vanité en matière littéraire. Elle suscita des commentaires sur toutes les lèvres et les amateurs de littérature se rendirent aux différents points de vente, en particulier à la pharmacie centrale du père de Sanfeliú, pour faire l'acquisition de la revue et nous féliciter. Dans le même temps, Tanco et mon oncle Ignacio se chargèrent de sa diffusion à Matanzas. Je fus heureux d'apprendre que plusieurs clients de la maison de *Madame* Anne-marie, poussés par elle, allèrent se procurer la revue, même si j'ai des doutes quant à l'usage qu'ils en firent... Mon unique erreur de calcul fut de croire qu'au-delà du cercle des initiés et des obligés, il y avait à Cuba des lecteurs pour une revue décidée à créer un espace pour des poètes excellents, certes, mais inconnus. Et comme les disponibilités du brave Osés n'étaient pas infinies, au bout du cinquième numéro nous dûmes chanter le requiem pour notre *Biblioteca de Damas*.

Il me fut douloureux d'assimiler cet échec : comme je me croyais prédestiné à triompher en toutes choses, j'éprouvai du dégoût pour une société qui ne laissait aucune place à la poésie, et je me résolus à oublier cette entreprise vaine et à consacrer plus de temps à mon œuvre délaissée qui était, en définitive, la principale source d'intérêt de ma vie. Pour y parvenir je décidai de prendre mes distances et après avoir pris congé de mes amis et de mes maîtresses réelles et fictives, avec mon vieux costume de drap et ma malle de livres je pris la diligence qui me conduisit à Mantanzas où j'allais grimper définitivement sur la corde raide de mon destin.

Si j'avais trouvé La Havane changée en à peine deux ans d'absence, je fus ébloui par l'effervescence du progrès à Matanzas. Des demeures fastueuses, des places animées, des marchés débordant de tous les biens rêvés par l'imagination la plus audacieuse émerveillaient maintenant le nouveau venu, tandis que des bateaux battant cent pavillons se disputaient les eaux de la baie, chargés de caisses de sucre, de sacs de café et de lots de bois précieux. La prospérité avait sans doute touché de sa baguette magique la Venise de Cuba, même si ce n'était un secret pour personne que la véritable origine de cette richesse était le trafic et le travail des "sacs de charbon".

Grâce à la générosité de l'oncle Ignacio et à la somme que représentait, dans une ville comme Matanzas, les neuf cents pesos que ma mère continuait à recevoir, la famille s'était installée dans une maison vaste et aérée de la rue O'Reilly, sur le trottoir de droite, presque au bord de la rivière San Juan. Au fond de la maison, avec une porte et des fenêtres donnant sur le patio central, la chambre que l'on m'avait attribuée me fit l'effet d'un palais, comparée à celle de la pension où j'avais vécu à La Havane. Là je pourrais de plus écrire en toute quiétude, loin du salon où ma chère sœur Ignacia passait de longues heures à jouer du piano.

Ma mère eut beau tenter, comme toujours, de m'imposer une discipline et des horaires quasiment martiaux, elle comprit bientôt qu'elle avait perdu la bataille. Entre les heures que je devais passer dans le cabinet d'avocats d'Ignacio pour parfaire ma formation et les nombreuses activités mondaines auxquelles on me fit participer dès mon arrivée, c'est à peine si j'apparaissais à la maison et, si je le faisais, c'était pour m'enfermer, de nouveau décidé à écrire des poèmes.

Je dois avouer qu'à peine arrivé, j'appris, pour ma plus grande déception, que la belle Lola Junco était courtisée, avec succès disait-on, par un certain Felipillo Gómez, fils d'un richissime planteur. Sans raison, j'avais nourri l'espoir d'une possible rencontre avec cette nymphe et maintenant je me sentais blessé dans mon orgueil viril et surtout confronté à l'évidence que je n'étais guère qu'un orphelin pauvre, sans aucun espoir d'être admis dans le clan de l'opulente famille Junco.

Mais une autre question me harcelait avec encore plus d'insistance et réclamait toute ma réflexion, c'était l'idée de plus en plus obsédante que Cuba devait suivre le même destin que toute l'Amérique : devenir indépendante de l'Espagne. La nouvelle qu'à Madrid l'élection des députés cubains aux Cortès avait été contestée et qu'ils devaient maintenant attendre un an avant de prendre leurs fonctions me faisait penser combien le père Varela avait eu raison de ne rien espérer de cette instance politique. Les augures étaient sombres, car on savait que le rusé Ferdinand VII avait accepté la Constitution à contrecœur, mais qu'à n'importe quel moment il sortirait ses griffes pour rétablir l'ancien régime. Et que pouvait-on espérer pour le futur ? En vérité, le joug espagnol serait-il préférable au risque de tout lancer par-dessus bord avec un soulèvement d'esclaves ? Les rumeurs d'une expédition envoyée par Bolívar pour obtenir notre indépendance et nous intégrer à la Gran Colombia* étaient-elles fondées ?

Ce fut Silvestre Afonso, dans l'une des fréquentes lettres que j'échangeais alors avec mes amis restés à La Havane, qui m'apprit la mauvaise nouvelle. Entreprenant comme je l'étais et croyant que j'avais perdu toutes mes chances avec Lola, je lui avais demandé s'il savait ce que devenait ma muse Isabel. La réponse fut fracassante : "José María, m'écrivit-il, oublie à jamais la dame car maintenant ton heure est bien passée. Sais-tu qui la courtise et avec de grandes chances de succès ? Eh bien, notre Lundi** commun..." En éprouvai-je de la douleur ? De la rage ? Ou simplement de la déception ? De la jalousie, non, pour sûr, car je n'aimais pas et n'avais jamais aimé vraiment Belisa à qui j'avais dédié tant de poèmes. Mais je me demandais pourquoi, parmi tant de femmes, Domingo décidait justement de s'approcher de celle-ci ? Il devait y avoir quelque chose de malsain dans cette intrigue, et la lettre que Domingo m'envoya m'apporta fort peu d'apaisement. Il m'y expliquait comment le père d'Isabel, vieil ami de son propre père, avait été l'instigateur d'une relation qu'il n'aurait pu imaginer, mais devant mon désintérêt croissant pour Isabel et au fait de mes véritables sentiments, il avait fini par accepter... Mais il omettait, bien sûr, de me dire qu'en réalité le père d'Isabel avait toujours été étranger à ses prétentions, comme me le confirma Silvestre, et que le mariage avec une Rueda y Ponce de Léon, comme je ne le savais que trop, suffisait pour sortir de la misère, non pas un, mais tous les Dimanches et les Lundis de l'année et même du siècle. Ma réponse, affligée et naïve, fut un long poème intitulé *A D. Domingo, de la campagne* dans lequel, après lui avoir reproché sa trahison, je lui accordais aussi mon pardon car c'est le privilège des âmes nobles et je supposais que telle était la mienne. C'était la première fois que je pardonnais Domingo.

---

* État créé par Simón Bolívar qui réunissait ce qui seraient la Colombie et le Venezuela.

** Jeu de mots pour se référer à leur ami commun Domingo, Dimanche.

En plus de Tanco, l'éternel curieux de tout, je m'étais fait trois nouveaux camarades à Matanzas ; j'essayais avec eux de remplacer, en partie, les amis indispensables et l'affliction causée par l'inconstant Domingo. Tous trois étaient plus âgés que moi, en particulier Antonio Betancourt, le beau-frère des frères Pablo et Juan Aranguren. Ils appartenaient à de vieilles familles commerçantes de Matanzas et ils étaient tous passionnés de poésie et déjà mordus par le serpent de la politique, comme nous l'étions presque tous. Grâce à eux, je fus de nouveau introduit dans la bonne société de Matanzas, car à cette époque l'oncle Ignacio était accablé de travail et apparemment empêtré dans une de ses mystérieuses histoires d'amour. En compagnie de ces nouveaux amis j'assistai aux fêtes, aux réunions littéraires, aux promenades, et grâce à eux je fis la connaissance du docteur Juan José Hernández, considéré comme un homme radical et politiquement dangereux. Il était craint tout autant par les autorités espagnoles que par les riches Cubains, au point qu'ils en étaient arrivés à s'allier pour lui barrer l'accès à un siège de député aux Cortès, lors de l'élection où ils lui avaient préféré Gener. A l'époque où je fis sa connaissance, le docteur était un fou passionné, capable d'admirer et de partager les convictions des philosophes français de la Révolution, de consacrer plusieurs heures par jour à soigner les pauvres, à distribuer des médicaments dans les bas quartiers, à s'occuper des chiens errants et à proférer des imprécations contre la traite et l'esclavage. Cet être passionné était de la race des martyrs chrétiens, et je commençai d'emblée à éprouver pour lui une admiration magnétique, car quelque chose me disait qu'il était capable de mettre en pratique ce qu'il affirmait. C'est pourquoi je pense que s'il ne me restait que deux pas à faire pour devenir un indépendantiste convaincu, ce fut lui qui me fit soulever la jambe et l'avancer pour faire le premier pas. Le deuxième, je le fis moi-même, de façon irresponsable.

Je passai des heures intenses avec le docteur Hernández, Tanco et les autres amis à converser sur la situation de Cuba. Antonio Betancourt semblait convaincu de la nécessité de chercher des voies pour parvenir à l'Indépendance, car il affirmait que une fois l'esclavage aboli, les nègres n'auraient plus de raison de se révolter, ce dont les frères Aranguren étaient beaucoup moins sûrs, comme tous les riches cubains dont les plans n'incluaient jamais celui de renoncer à la fortune investie dans leurs lots d'esclaves. Pour sa part, le docteur était davantage tourné vers l'avenir : si pour l'heure il y avait à Cuba autant de blancs que de nègres, dans les prochaines années ceux-ci seraient beaucoup plus nombreux, car la traite illégale et le sucre étaient les deux grands négoces du moment. De plus, il pensait que l'essor du libéralisme, ajouté à l'affaiblissement militaire de l'Espagne, épuisée par les guerres sud-américaines, rendait le moment particulièrement propice. Pour nous convaincre, il nous parla finalement de certaines connexions avec Bolívar en personne, qui avait envoyé des agents secrets dans l'île pour assurer les Cubains de tout son appui si nous décidions de nous lancer dans la guerre : il garantissait l'envoi de troupes et d'armes pour vaincre les Espagnols et pour pacifier le pays, si cela s'avérait nécessaire.

Par une chaude nuit d'août, le docteur nous invita à dîner chez lui et nous fit la surprise d'un merveilleux *ajiaco*. Au moment de prendre le café, il nous dit que, nous considérant dorénavant comme des partisans éprouvés de l'émancipation, il désirait nous révéler l'arrivée prochaine d'un messager spécial de Bolívar, dont la mission était de mettre en marche le mouvement indépendantiste, et il mentionna alors, à voix basse, un nom jusqu'alors inconnu de moi, mais dont je me souviendrais maintes fois tout au long de ma vie : José Francisco Lemus.

A La Havane il était courant de considérer que derrière n'importe quel nouveau venu en provenance d'Amérique du Sud se cachait un agent indépendantiste, mais au dire du docteur Hernández, Lemus n'était pas un simple agitateur, car il arborait le grade de colonel des armées de Bolívar et recevait ses ordres directement du grand général. Lors de son passage à Cuba, l'année précédente, il avait fondé une loge secrète, qu'il avait appelée "Les Soleils de Bolívar", dont des filiales seraient bientôt créées dans toute l'île. La conspiration était en marche et son souffle mystérieux enthousiasma mon esprit, alors si attiré par tout ce qui était chapelles d'initiés et conjurations. Aussi, quand le docteur nous demanda si nous étions disposés à entrer dans la loge qui allait être fondée à Matanzas, je fus le premier à accepter, tandis que Betancourt et les Aranguren hésitèrent et que Tanco dit que, selon lui, tout cela n'avait aucune chance de succès.

Désireux d'avoir une conversation avec Domingo, après la nouvelle de sa soudaine passion amoureuse, je me disposai à faire un saut à La Havane. Mes maigres finances, qui me permettaient de vivre avec une certaine facilité à Matanzas, suffiraient à peine pour subvenir à mes besoins durant un bref séjour dans une ville où les prix du logement, des repas et des fiacres augmentaient toutes les semaines. Je me souviens que, trois jours avant la date fixée pour le voyage, Pablo et Juan Aranguren m'invitèrent à la fête qui était donnée pour l'anniversaire d'une cousine éloignée dans une des meilleures salles de bal de la ville. Pablo et moi étions de taille et de stature comparables, ce qui me permit d'assister, convenablement vêtu, à la soirée qui serait animée ni plus ni moins que par le fameux orchestre du maestro Ulpiano, que l'on avait fait venir de la capitale spécialement pour l'occasion. Deux choses d'une extrême signification pour moi se produisirent en cette nuit de musique et de réjouissances. La première fut qu'en entrant dans le salon où se tenait la fine fleur de la société de Matanzas, je vis que de nombreuses têtes se tournaient vers moi et j'entendis murmurer à voix basse: "Voila Heredia, le poète" et l'admiration brillait dans de nombreux regards. Ce soir-là, ma vanité déjà grande toucha à la démesure, et la sensation de n'avoir qu'à lever la main pour toucher le ciel submergea mon ego et m'insuffla le courage de réaliser ce qui, avec le temps, serait une des actions les plus importantes de ma vie: avancer vers le groupe de jeunes gens parmi lesquels je venais de découvrir Lola Junco, m'arrêter à une distance correcte, et sans dire un seul mot, regarder la jeune fille droit dans les yeux, durant un temps qui frisait l'insolence, jusqu'à ce que, vaincue, elle baissât son regard tandis qu'un sourire naissait sur ses lèvres.

Une de mes grandes limitations dans la vie m'empêcha de progresser dans les tentatives d'approche auxquelles je venais de me livrer avec une véhémence si insolente: je n'ai jamais su danser. Disons plutôt que je n'ai jamais su bien danser, et celui qui est affligé de ce malheur doit s'abstenir de danser dans un pays où danser mal et oser le faire en public est la pire des sottises. Mais je disposai d'une arme particulièrement puissante dont je fis usage le lendemain: je m'assis, la plume à la main et j'écrivis un poème d'amour désespéré. Je l'intitulai, comme par discrétion, *A..., au bal* et j'accumulai les comparaisons, les métaphores et les adjectifs auxquels – comme le disait Betinha – les oreilles d'une femme peuvent difficilement demeurer insensibles: palme gracieuse, ange céleste, plus belle que la blanche lune, lui disais-je, et je célébrais ses yeux divins, ses lèvres de rose, son regard serein et son rire cristallin.

Dans la diligence qui me conduisait à La Havane, je priai le cocher de nous arrêter devant la maison de Donato Junco, le père de Lola. Avec une enveloppe parfumée contenant mon poème, avec l'irrévérence de mes dix-sept ans et la vanité exaltée par ma renommée croissante, je frappai à la porte de la maison. Quand l'esclave ouvrit, je lui confiai l'enveloppe, en lui demandant de la remettre, en mains propres, à mademoiselle Dolores.

A peine étais-je arrivé à La Havane que je laissai mes bagages dans la chambre qui fut mise à ma disposition dans la fastueuse demeure de Silvestre Alfonso et, presque sans prendre congé, je courus comme un beau diable vers le bordel de *Madame* Anne-Marie, pressé de libérer mes désirs accumulés. Mais quelle ne devait pas être ma surprise en découvrant que la maison la plus joyeuse de La Havane était fermée. Abattu, et même irrité, je m'approchai pour lire le panonceau, accroché à la rampe du perron, qui annonçait la vente de l'immeuble au bénéfice de la municipalité de La Havane. Sur les murs, jadis d'un blanc immaculé, apparaissaient maintenant des taches jaunes, rouges, noires, traces indélébiles de projectiles divers lancés sur la demeure ainsi que des écriteaux improvisés où l'on avait griffonné les pires insultes avec de la peinture ou du charbon.

Un tremblement incontrôlable s'empara de mes jambes, m'interdisant tout mouvement pendant quelques minutes. Quelque chose de terrible s'était produit en ce lieu pour qu'il ait subi un pareil outrage. Je n'étais plus que l'ombre de moi-même quand je revins sur mes pas. La nuit commençait à peine à tomber quand j'arrivai à l'Alameda, sûr d'y trouver mes amis et une réponse à ce qui était arrivé chez *Madame* Anne-Marie. Domingo, Silvestre et Sanfeliú me serrèrent dans leurs bras. Domingo fut particulièrement expansif, ce qui me rappela sa récente déloyauté, mais en cet instant j'étais submergé par l'inquiétude.

– Mais au nom du ciel, que s'est-il passé ?

– On l'a accusée d'être une espionne, me dit Domingo. Une espionne française, tu me comprends ?

Et je sentis ces mots résonner à mes oreilles tandis qu'il me racontait que la police spéciale du capitaine général avait découvert que *Madame* Anne-Marie faisait parvenir des informations secrètes au roi de France, décidé à rétablir l'absolutisme en Espagne et à Cuba. Sans réfléchir au côté absurde de l'accusation, je me préoccupai du destin de ces femmes, parmi lesquelles devait se trouver Betinha.

– Ils en ont fait un grand spectacle, José María, affirma Sanfeliú, caustique comme toujours. On leur a dit de préparer leurs bagages et de s'en aller. Elles n'ont même pas reçu un ordre légal.

– Mais où sont-elles ?

– Elles se sont embarquées pour la Nouvelle-Orléans…

– Et Betinha, elle est partie… ?

– La foule a été organisée pour les insulter, leur lancer des œufs et des tomates pourries. Les gens qui criaient recevaient trois réaux. Ils se sont acharnés sur Elizardito, il a été frappé et couvert de crachats… dit Silvestre et il me regarda dans les yeux. J'ai aidé Betinha à porter ses affaires et elle m'a donné cette lettre pour toi.

Je lui arrachai des mains, plus que je ne pris la petite feuille où, d'une écriture hésitante et avec des fautes d'orthographe, Betinha me disait : "Cher José María, j'espère à l'avenir lire beaucoup de tes poèmes. Je n'oublierai jamais qu'un jour je fus la muse du plus grand poète qu'ait donné cette île que je quitte avec tant de chagrin. Mais je sais que nous nous reverrons : ma mère Yemanjá dit que même la mer n'est pas infinie et que le dieu du ciel est généreux, même avec les poètes et les prostituées. Je t'aime et je t'embrasse. Betinha."

Avec ce papier plié contre ma poitrine, il est facile de déduire qu'à peine assis dans la taverne, ma main se leva trop souvent pour appeler le serveur et je finis dans un épouvantable état d'ébriété.

– Hier tu en as fait de belles, me dit Domingo, à peine avais-je ouvert les yeux le lendemain matin. Je sentais ma tête pleine d'une brume pesante et après avoir fait ma toilette et bu le café que Silvestre m'apporta aimablement, je pus enfin m'informer sur ce qui était arrivé, et j'appris que, entre autres extravagances, j'avais fait le parcours de la taverne à la maison en criant des imprécations contre le capitaine général.

– Tu es devenu comme fou, José María, renchérit Domingo.

– Le vin t'a fait du mal, dit Silvestre pour ma défense. C'est que tu n'as rien mangé depuis hier. Allons, viens déjeuner.

Quand nous entrâmes dans la salle à manger, je sus qu'il était onze heures du matin et que j'avais dormi dix heures d'affilée. Mon estomac malmené accueillit avec plaisir les jus et les fruits que je dévorai. Une seconde tasse de café à la main, je sortis avec Domingo dans le patio intérieur et nous nous assîmes sous un oranger chargé de fruits amers pour attendre le retour de Silvestre qui était allé jusqu'aux bureaux de son père pour essayer de lui soutirer quelque argent.

– Alors, Domingo, comment vont les choses avec Isabel ?

Ce jour-là, pour la première fois, je le vis perdre son flegme de joueur : mais nous avions alors dix-huit ans et il nous restait encore à franchir l'étape la plus difficile de notre existence. Aussi, le regard rivé au sol, il me dit :

– Pardonne-moi. Je sais que j'ai mal agi.

– Tu m'as menti deux fois, l'attaquai-je, ayant peut-être tort d'enfoncer le clou dans du bois tendre.

– Tu veux entendre la vérité ?

– J'ai toujours préféré cela. Ma vérité quant à Isabel, tu la connais. La tienne, je ne peux que l'imaginer.

– Ne sois pas cruel, José María, me dit-il. Je sentis qu'en réalité mes reproches étaient exagérés et, en même temps, que quelque chose en moi se dénouait. Les bribes de mon ressentiment, ravivées peut-être par ce qui était arrivé à Betinha et à ses amies, s'évanouirent à mesure que je l'écoutais parler : tu n'aimes pas Isabel et tu ne l'aimeras jamais, mais moi, oui. Et tu sais pourquoi ? Parce qu'avec elle je peux obtenir tout ce que je veux. Et l'amour est plus compliqué que ne le disent les poètes. L'amour est un besoin, dans tous les sens du terme. Tu me comprends ?

– Pas très bien, en vérité, dis-je en réponse à son éternelle question rhétorique qui, en certaines occasions, parvenait à m'exaspérer.

– Alors écoute-moi bien : il faut que j'aime une femme belle, mais il faut également que cette femme m'aide à échapper à la pauvreté, parce que je ne supporte pas de vivre ainsi. J'ai de moins en moins d'argent et dans les cabinets d'avocats, on paye une misère. Ils nous exploitent, tu le sais bien. Car même quand nous pourrons exercer, personne ne peut garantir que nous gagnerons suffisamment d'argent. Et si j'aime une femme qui en a… Tout n'est-il pas plus facile ? Écoute, je sais qu'elle m'aime : je le sais depuis longtemps. Et je sais aussi que son père était un ami du mien parce que cela lui convenait. Mon père avait obtenu du gouvernement que des affaires soient confiées à ce monsieur Rueda ; il l'aida même à avoir la voie libre avec les services des douanes, il lui obtint des adjudications avec l'armée, et c'est pour cela que monsieur Rueda était son ami. Mais monsieur Leonardo, mon père, une fois mort… qui s'intéresse à son fils, un pauvre avocaillon ? Tu sais qu'ils ont essayé de marier Isabel à un négrier répugnant… Mais l'affaire a échoué, et cette fois je ne permettrai pas qu'Isabel m'échappe, tu me comprends ?

Comme ma capacité de pardonner Domingo pouvait être infinie, le lendemain soir, redevenus les amis de toujours, nous étions à nouveau réunis pour élaborer le projet d'une nouvelle revue. Et ce soir-là, à cause de Cayetano Sanfeliú, je m'aventurai sur le chemin sans retour d'un dangereux mensonge.

Sanfeliú pensait que publier une revue seulement pour disposer d'un espace d'expression ne résoudrait pas les problèmes que nous devions affronter. Selon lui, disciple de Varela, la solution la plus adaptée serait un magazine qui ne ferait ni dans l'extrême des positions incendiaires et américanisées de *Argos*, ni dans la poésie de ma *Biblioteca de Damas*, mais serait capable de passer avec aisance des thèmes politiques aux thèmes littéraires, sans oublier les sujets philosophiques, et qui essayerait, avant tout, de créer un esprit cubain.

Comme à l'accoutumée la discussion de cette nuit-là fut longue. Domingo, Silveste, Sanfeliú et moi avions des opinions politiques parallèles mais distinctes, signe révélateur de ce que, finalement, nous étions déjà cubains : car rien au monde ne parviendrait à nous mettre d'accord, sauf si l'un d'entre nous se proclamait dictateur, comme Domingo se chargerait de le prouver. C'est pourquoi, las de la discussion et convaincu que si j'insistais je l'emporterais de haute lutte, je m'élançai sur un chemin que ma vanité et mon amour propre ne me permettraient jamais de rebrousser.

– Je crois que le problème de Cuba ne peut plus être résolu par des revues ou des poèmes, ni avec des revendications aux Cortès…

– Et que vas-tu faire ? demanda Sanfeliú avec son sérieux habituel.

– Je vais devenir franc-maçon. Dans une loge de conspirateurs pour la liberté de Cuba.

– Comment peux-tu en être si sûr, Fernando ?

– Qui a dit que j'étais sûr de quelque chose, Delfina ?

– Il ne vaudrait pas mieux que tu oublies tout ça ?

– C'est ce que j'ai essayé de faire… Mais je sais bien que je ne peux pas. Surtout quand je pense que la mort de Enrique n'a pas été un accident.

– Mon Dieu, mais qu'est-ce que c'est que cette histoire ?

– Au fond, c'est peut-être moi qui l'ai poussé sous le camion.

– Tu es fou, tout ça n'a pas de sens. Bien sûr que c'était un accident. Il faut que tu te sortes ça de la tête. Cela doit être terrible, non ? Plus de vingt ans à penser à la même chose.

– Ç'a été la pire des punitions.

La tombée du soir était habituellement un soulagement. Fernando aimait ce moment imprécis, à mi-chemin de tout, comme sa propre vie. La chaleur intense ouvrit une brèche et une brise poisseuse, chargée des effluves des oléagineux de la baie, parvint jusqu'à la vieille avenue, l'Alameda de Paula.

Sans la moindre hésitation il avait accepté l'invitation de Delfina et à cinq heures, arrosé de son meilleur parfum, il passa la chercher. La situation étrange, frapper à la porte, l'embrasser sur la joue, s'asseoir dans le salon en attendant qu'elle finisse de se préparer, la voir sortir de la chambre, parfumée elle aussi, faisant tinter ses bracelets, l'entendre demander comme si elle l'avait déjà fait par le passé s'il avait vu où elle avait mis la maudite clef, elle la perdait toujours, et l'aider à chercher cette maudite clef pour découvrir qu'elle l'avait laissée sur la serrure, et sourire ensemble, comme si tout était drôle, tout cela lui fit retrouver la sensation oubliée et inquiétante de se trouver au début de quelque chose, même s'il savait qu'il n'était pas en condition de commencer quoi que ce soit : ce saut périlleux pouvait entraîner de fortes doses de souffrance.

Pendant qu'il descendait la rue Obispo avec Delfina, en direction du cœur de la vieille ville, Fernando avait découvert un visage inattendu de la vie havanaise. La vieille artère commerciale, décadente et animée de ses souvenirs, l'avait toujours plongé, comme par magie, dans une atmosphère éthérée de poésie qu'il sentait tapie dans l'air, insensible à la progression de la ruine physique que ses yeux lui révélaient. Alors, Fernando ne pouvait éviter de penser que l'absence de beauté de cette ruelle étroite avait été compensée par le passage d'esprits tutélaires qui lui donnaient son véritable sens. Bien des fois, dans cette rue, avaient déambulé Heredia, Del Monte, Saco et Varela qui y avait même habité. Au bord de cette rue d'apparence vulgaire, Julián Del Casal avait conçu son monde oriental, parfumé et fragile. Martí l'avait arpentée bien des fois durant ses années de jeune poète, déjà habité par la fièvre de sa plus grande obsession, l'indépendance de Cuba. Lezama et Gastón Baquero s'y étaient promenés davantage pour satisfaire leurs exigences sexuelles que pour des raisons poétiques comme Lorca qui, dans un de ses bars, était tombé amoureux fou d'un irrésistible docker mulâtre qui exhibait sans pudeur ses bras musclés et l'enchevêtrement de poils noirs, bouillonnant comme les vagues de la mer, qui remontaient de sa poitrine jusqu'à son cou.

Fernando était ému en sentant que les maîtres de la poésie avaient marqué de leurs empreintes et de leurs élans un lieu, dans ses souvenirs, aussi populaire, sale et délabré. C'est pourquoi il avait été étonné de constater que la rue Obispo corrigeait ses défauts et commençait une nouvelle vie en dansant au son métallique et pas du tout lyrique du dollar : les vieilles boutiques, les bars, les cafétérias, les librairies avaient rouvert leurs portes oxydées, fermées pendant des années, pour révéler une surprenante abondance de produits, non soumis au rationnement, qui s'offraient cruellement contre des dollars. Delfina lui expliqua que durant des années les boutiques qui par un moyen ou un autre vendaient leurs produits en dollars – la monnaie maudite dont la simple possession par un citoyen cubain avait constitué un délit passible même d'emprisonnement – avaient masqué leur abondance derrière d'épais rideaux qui privaient même du plaisir de voir l'inaccessible. Mais un beau jour les rideaux étaient tombés, sans fracas, et les boutiques en dollars se multiplièrent alors dans toute l'île, vendant facilement et en toute liberté ce qui n'avait existé que dans les rêves les plus fous des Cubains : téléviseurs japonais, vêtements de marque, parfums de qualité, chaînes hi-fi sophistiquées et même de la nourriture : viande de bœuf, chorizos espagnols, pâtes italiennes, bonbons, chocolats et même les chewing-gums qui durant des années avaient symbolisé la vacuité et la suffisance nord-américaine. Avec un incroyable naturel, le paysage cubain s'était peuplé de cet univers dont l'unique frontière ne pouvait être franchie que si l'on possédait ces terribles billets verts.

Et maintenant, il était possible d'acheter des bijoux, des fleurs exotiques, des arbres de Noël, guirlandes comprises, des meubles et des livres en dollars, bien que Fernando ait trouvé particulièrement douloureux de découvrir une boutique pour chiens, avec des offres de coupes, de toilettage et de shampooings, également en dollars, dans une ville qui regorgeait de chiens errants, malades de la gale et du mépris.

Comme une conséquence de ce dramatique subterfuge économique, la beauté occulte de la vieille ville, murée par l'abandon et la crasse séculaire, avait commencé à affleurer dans les coins les plus inattendus. Quelque peu perplexe, Fernando put observer que sa propre ville lui semblait changée et restait pourtant la même, décrépie et renaissante, tandis qu'il découvrait que, là où il gardait à peine le souvenir d'une tache obscure, s'élevait maintenant un petit palais du début du XIXe siècle ; là où s'alignaient des colonnes sales, surgissait un ancien commerce havanais, décoré d'azulejos portugais et de marbres italiens quasiment sauvés par l'intervention divine ; là où s'étaient accumulées des tonnes d'immondices historiques avait réapparu un bâtiment avec blason, gargouilles, bois précieux taillés au XIXe siècle à la pointe du ciseau et des grilles en fer, forgées par les plus grands artistes du métal.

Ce mélange de contrastes, qu'il essayait encore d'assimiler, l'avait empêché d'apprécier sans préjugés l'exposition d'œuvres de jeunes artistes, montée par Delfina dans l'un des palais de La Havane sauvés d'une mort certaine. Trop de snobisme, des doses excessives de post-modernité forcée, un besoin évident d'être encore plus à l'avant-garde que les centres créateurs de l'avant-garde voilaient le regard de peintres plus parisiens, new-yorkais ou milanais que cubains, avec lesquels il n'était pas parvenu à établir une communication et encore moins une empathie.

Sous prétexte de fumer il était sorti dans la rue, pendant que Delfina en finissait avec le rituel du vernissage. Cela lui faisait presque mal de voir cette femme, si souvent rêvée et si réelle, vêtue de cette robe blanche en fil indien, avec sa peau plus brune, ses cheveux plus noirs, maîtresse d'un espace et d'un monde qu'elle s'était forgé avec les années et dont Fernando se savait terriblement éloigné. Elle avait eu beaucoup de mal à surmonter la mort de Víctor, mais son attachement forcené à la vie lui avait permis de regarder vers l'avenir plus que vers le passé, et Delfina semblait avoir refait son existence d'une façon qui la satisfaisait ou tout au moins qui ne la tourmentait pas. C'est pour cela, une fois assis sur un banc de la vieille Alameda de Paula, tandis que le soir envahissait la ville, que Delfina refusait d'admettre l'histoire obsessionnelle d'une trahison et d'une mort qui avaient poursuivi Fernando pendant plus de vingt ans, le long des chemins d'une vie dont il pensait de plus en plus qu'elle lui avait échappé car il était convaincu d'avoir fait fausse route.

– Je n'aurais pas pu vivre comme ça, dit-elle en regardant fixement la mer.

– Je n'ai pas choisi de vivre comme ça. Et comprends-moi bien, je n'ai ni rancœur ni désirs de vengeance. Je crois que je ne peux même pas éprouver de la haine. Mais quand je me souviens de tout ce qui est arrivé, je pense que je dois réclamer le droit de savoir. Le droit de condamner un coupable et surtout de pardonner à des innocents, car parmi Álvaro, Tomás, Arcadio, Conrado, Miguel Angel et Víctor un seul m'a trahi…

– Et Enrique ? Tu lui pardonnes parce qu'il est mort ?

– Non, je lui pardonne parce que c'est lui qui a été le grand perdant dans toute cette histoire, et même si j'ai eu du mal à m'en convaincre, je pense qu'on l'a trahi lui aussi. Enrique avait peur, mais pas la même peur que les autres. Il savait que cela ne le sauverait pas de m'accuser. Mais il se sentait coupable de ce qui m'était arrivé.

– Et c'est pour ça qu'il s'est tué ? Enfin, Fernando, tu ne crois pas que tu exagères ?

– La dernière fois que j'ai parlé avec lui… commença-t-il, mais il comprit que cette histoire continuait à le dépasser…

– Maintenant dis-moi une chose, et sois sincère avec moi. Pendant toutes ces années, tu as cru que c'était qui ?

– Tous, dit-il. Par moments j'ai pensé que c'était Álvaro, puis que c'était Arcadio, et finalement chacun d'entre eux…

– Je ne crois pas que Víctor ait été capable de faire quelque chose comme ça.

– Moi non plus. Tout comme je ne crois pas non plus qu'Álvaro ou Arcadio ou les autres en aient été capables, et c'est pour ça que j'ai essayé d'enterrer cette histoire. Mais je ne peux pas m'empêcher de penser que c'est l'un d'entre eux et ce qu'il a dit de moi et de Enrique, tu vois ce qu'il nous en a coûté.

– Tu me fais pitié, tu sais…

– Moi aussi je me fais pitié, mais ça ne résout rien… Souviens-toi que si ce n'est pas Víctor, celui qui nous a trahi est encore vivant, même si Álvaro dit que nous sommes tous morts. J'ai dîné il y a quelques jours avec cinq hommes, encore bien vivants, qui m'ont parlé, m'ont embrassé, se sont intéressés à ma vie… Celui qui nous a trahis, comment a-t-il bien pu vivre toutes ces années en sachant qu'il avait tué Enrique et moi aussi, de bien des façons, et aussi l'amitié qu'il y avait entre tous les autres ? Celui-là a brisé ce que tous ensemble nous rêvions d'être. Mais lui aussi il a eu son châtiment, pire que le mien… parce qu'il a dû continuer à vivre avec le dégoût de lui-même.

– Et tu dis que tu n'as ni rancœur ni désirs de vengeance? Tout cela me semble assez parano… Dis-moi, tu ne ris jamais, tu ne te soûles pas, tu n'envoies pas tout au diable et tu ne jouis jamais des deux ou trois bonnes choses de la vie?

Fernando sourit et acquiesça: il y avait encore de bonnes choses?

– Je vais te raconter quelque chose... Nous avons tous fait notre possible pour que Víctor ne t'amène plus aux réunions des Merles Moqueurs. Et ce n'était pas par machisme, mais à cause de quelque chose de moins absurde et de beaucoup plus terrible, que Víctor ne t'a peut-être jamais raconté...

– C'était quoi alors?

– Parce que nous étions tous plus ou moins amoureux de toi.

– Je n'ai jamais pensé que vous étiez si intransigeants et que la chose était sérieuse...

– Maintenant je suis content que nous ayons été si radicaux. Cela te sauve en évitant que j'aie pu aussi te soupçonner de nous avoir trahis. Cela aurait été horrible d'avoir une muse collective et en plus traîtresse.

– Alors je dois vous être reconnaissante de m'avoir exclue du groupe!

– Pas reconnaissante... c'est, je ne sais pas, d'être restée... propre... C'est vraiment con ce que je te dis, Delfina, vraiment je fais dans le pathétique. Pourtant permets-moi de te dire que de temps en temps je prends une cuite et je vais même jusqu'à rire...

Ce fut elle qui sourit et elle prit le paquet de cigarettes qui traînait sur le vieux banc de pierre.

– Je ne me souvenais pas que tu fumais.

– Je ne fume presque jamais. Mais ça m'a rendue triste de t'écouter. Tu es trop obsédé par tout ça, par ton départ, et tu ne peux rien voir d'autre que cette ombre. Et ce n'est pas juste, et pas bon non plus... On peut changer de sujet? Je ne sais pas, dis-moi où tu en es avec le fameux roman de Heredia...

Il regarda vers la mer qui ressemblait maintenant à un manteau noir.

– Oui, le fameux roman introuvable... Mais avant je vais te dire quelque chose, parce que je ne veux pas vivre les trente prochaines années en gardant ça pour moi: écoute, Delfina, même si ça a l'air ridicule et triste, la vérité c'est que je suis toujours amoureux de toi. C'est vraiment une connerie de dire à quarante-neuf ans ce que l'on aurait dû dire à dix-neuf, mais c'est encore plus con de mourir à soixante-dix-neuf ans sans l'avoir jamais dit.

Surpris par l'aveu qu'il venait de faire, Fernando découvrit qu'il se sentait libéré d'un fardeau humide, très lourd, et qu'il ne s'attendait pas lui-même à un tel soulagement de son subconscient.

– Je croyais que cela ne se faisait plus, dit-elle après un long silence. Malgré l'obscurité qui les avait surpris et l'angoisse qui l'envahissait, Fernando parvint à deviner une humidité brillante dans les yeux de la femme et il perçut une lointaine lassitude dans sa voix. Maintenant les gens font la cour avec les mains. Ils t'invitent à dîner, au cinéma, à prendre un verre, et tout à coup tu te retrouves avec une main dans le dos ou sur une cuisse si c'est quelqu'un de respectueux, ou avec la main aux fesses si c'est un impulsif.

– J'imagine que pendant toutes ces années un millier de types ont dû s'approcher de toi.

– Neuf cent quatre-vingt-dix-neuf, dit-elle avec un sourire triste et elle ordonna plus qu'elle ne proposa : marchons un peu, allez, viens, j'ai envie de marcher un peu... Je crois que la majorité de mes prétendants étaient plus amoureux de mon appartement que de moi, tu te rends compte ? Tu sais qu'ici les gens adorent les maisons et les voitures. Elles sont plus difficiles à trouver qu'un mari ou une femme.

– Dans ton cas, je n'en suis pas si sûr. Tu as toujours exercé une fascination sur les hommes.

Elle sourit, spontanément cette fois.

– Tu parles d'une fascination... Tu veux que je t'avoue quelque chose ? Mais elle n'attendit pas la réponse. Cela fait trois ans que je ne couche avec personne. Après la mort de Víctor, je suis restée très longtemps sans avoir de relations, et c'est à ce moment-là que les hommes m'ont le plus tourné autour. C'est une réaction plutôt nécrophile chez vous, les hommes : s'il y en a un qui meurt, un autre, bien vivant, peut prendre sa place.

– Tu peux prendre ça sous un autre angle, proposa-t-il tandis qu'ils entraient dans la zone où autrefois se trouvaient les bars les plus renommés du port, presque tous disparus, comme le vieux cabaret et le café Las Vegas. Tu avais trente ans, c'était ton plus bel âge. A cette époque-là, moi j'étais complètement foutu et quand je te voyais avec Víctor j'en mourrais de jalousie...

– Il s'est passé trop de choses, Fernando.

– Et il va s'en passer d'autres, Delfina. Je ne sais pas si elles seront pires, mais il va s'en passer d'autres, et tu es une femme qui plaît encore à n'importe quel homme.

– Heureusement que tu as dit *encore*… Viens, je t'invite à manger une glace.

La cafétéria vendait ses produits en dollars, mais Delfina insista pour payer. Fernando se demanda d'où elle pouvait bien sortir de l'argent pour des dépenses aussi superflues. Avec leurs gobelets de glace à la main, ils allèrent vers la table la plus proche de la mer.

– Je pensais à ce que tu m'as dit, commença-t-elle après avoir goûté à sa glace, parce que j'ai parfois la sensation que je suis déjà vieille. Tu te rends compte que notre vie est en train de nous échapper, Fernando, que nous sommes déjà sur la pente descendante ? Tu te souviens de Miriam, la paysanne aux gros seins qui était arrivée de l'université de Santiago ? Elle est morte d'un cancer il y a environ un an… Et de Sindo, le super militant ? Eh bien il a eu une thrombose et ce n'est plus qu'une loque : il marche avec une canne, en traînant sa jambe. Et mon amie María Victoria, celle qui était la fiancée de Conrado ? On lui a enlevé l'utérus et son mari l'a quittée pour une autre… Et en plus de Víctor et Enrique, Oscarito et Mirta Cabañas sont morts eux aussi… Quand je fais le compte, et surtout ne va pas croire que je le fais tous les jours, je suis prise de panique mais, au fond, ça me donne surtout des forces. Car la seule chose dont je suis sûre, c'est qu'il faut vivre, et ni la haine ni le ressentiment ni la frustration n'aident à le faire. J'ai eu beaucoup de mal, mais j'ai décidé que je devais continuer à vivre.

Elle s'interrompit le temps de porter la cuillère à sa bouche et de faire fondre la glace avec ses lèvres et sa langue, savourant le parfum comme si c'était une des bonnes choses de la vie.

– Pour toi ç'a été encore plus dur…

– J'ai essayé d'enterrer Víctor et j'ai eu plusieurs relations dont deux assez longues. Mais j'ai eu beau faire, cela n'a jamais été pareil. Quelque chose me disait que cela aurait pu durer toute la vie avec ces hommes, mais que j'allais toujours avoir la sensation que ce n'était pas ce que je cherchais.

– J'ai passé ma vie à cela, reconnut-il. Ici et là-bas. A Madrid j'ai eu plusieurs amies mais il manquait toujours quelque chose.

– La seule chose que je regrette parfois, c'est de ne pas avoir eu d'enfant, murmura Delfina en regardant fixement sa glace… J'ai pensé en avoir toute seule, mais ça m'a semblé égoïste pour le petit… ou la petite. Je crois que tout le monde doit vivre avec son père et sa mère. Peut-être parce que j'ai eu beaucoup de chance avec les miens.

– On dirait que nous avons tout raté, non ?

– C'est ce que tu n'arrives pas à comprendre, Fernando : il nous est arrivé à tous de bonnes et de mauvaises choses, parfois plus de mauvaises que de bonnes, c'est vrai, mais on ne peut pas passer son temps à se plaindre comme tu le fais, insista-t-elle. A qui la faute si Álvaro est un alcoolique et n'écrit plus, et si Arcadio écrit, lui, et publie ses livres ? A qui la faute si Tomás est un cynique et Miguel Angel un ingénu ? Si au moins Dieu existait…

– Et Il n'existe pas ? demanda Fernando à voix basse.

– Quelle heure est-il ?… Il faut que j'aille préparer le repas de mon père. Allons-y, ordonna-t-elle de nouveau et ils sortirent dans la rue.

– Quand je te vois, je ressens quelque chose de très bizarre, dit-il en allumant une cigarette. Parmi toutes les personnes que je connais ici, il n'y a que toi et ma mère que je trouve égales à vous-mêmes. Les autres, je les reconnais à peine.

– Tu te trompes. Moi aussi, j'ai changé. Le monde a changé. Regarde ton ami Conrado… On t'a dit qu'il était devenu *santo* ?

– Non ! Déconne pas, Delfina !

– Il ne l'a dit à personne, mais je connais son "parrain", par son fils qui est peintre. Il est devenu disciple d'Ochún et tous les ans il donne une fête incroyable chez son parrain… C'est là qu'il garde sa *cazuela de santo*[*].

– Ce sacré paysan roublard ! et il ne put s'empêcher de sourire. Et le revirement de Miguel Angel ? Je peux à peine y croire.

– Eh bien, tu peux parce que lui, il y croit… Et ce que tu m'as dit, pour toi et moi, Fernando, tu es sûr que ce n'est pas un caprice ? Ce n'est pas pour ne pas rester avec ce doute toute ta vie ? demanda-t-elle sans le regarder quand elle vit le bus arriver.

– Personne ne peut plaire à l'autre pendant tant d'années et finalement n'être qu'un caprice. Ma vie a été foutue, Delfina, j'ai dû partir d'ici alors que je ne le voulais pas, tout ce que j'aimais est parti en fumée, et toi, tu es la seule qui peut sauver mon passé… Bon, va voir ton père, mais pense que ça vaut peut-être la peine d'essayer, lui dit-il et il l'embrassa sur la joue presque à l'instant où elle montait dans le bus.

---

[*] Dans la *santería,* récipient où sont placés les attributs magiques qui représentent le saint ou orisha qui intervient dans la cérémonie d'initiation de la personne qui devient *santo.*

Sur le trottoir, pendant qu'il regardait le bus s'éloigner, Fernando Terry eut la conviction qu'il ne s'était pas trompé : si ce voyage ne lui servait pas à établir la vérité quant à la vie de Heredia, peut-être lui servirait-il à trouver quelques vérités concernant la sienne.

Ce fut sans doute sa grand-mère, María de la Merced, qui affronta cette épreuve définitive. Pour lui, cette femme qu'il avait connue déjà âgée était restée l'image même de la détermination. C'est peut-être pourquoi il se la rappelait avec sa canne noueuse à la main, vêtue d'une robe noire fermée jusqu'au cou, même en été, comme insensible à la chaleur, assise dans le patio où flottaient les odeurs des figues, du jasmin et des fleurs d'oranger, dans la maison d'Ignacio Heredia à Matanzas où elle avait trouvé refuge et où, à peine quelques années après la mort de son père, José de Jesús, avec ses sœurs, Loreto et Julia, et sa mère Jacoba moribonde, avait aussi jeté l'ancre. La grand-mère n'avait jamais dû sentir ses jambes trembler comme cela était arrivé si souvent à Heredia tout comme à José de Jesús ; ce dernier se leva avec difficulté au moment où il allait perdre la propriété exclusive de l'enveloppe jaune qu'il tenait encore entre ses mains. La grand-mère, armée d'une réponse en toute circonstance, capable de résister à chacun des coups infligés par la vie, n'aurait certainement pas été assaillie par le doute, à l'inverse de son petit-fils ; en cet instant définitif, elle aurait su quel était le meilleur choix, comme le jour où Jacoba était arrivée à Cuba et lui avait remis ces documents pour qu'elle les fasse parvenir à leurs destinataires.

A peine trois jours plus tard la douce Jacoba Yáñez, vieillie et usée, prenait congé de ce monde, peut-être victime de la même fatalité qui avait marqué le destin du seul homme de sa vie. Alors tout avait été plus simple pour María de la Merced Heredia y Campuzano : après avoir lu le témoignage caustique et déchirant de son fils, qui, sans aucun doute, lui révéla des secrets et des souffrances jamais imaginés, elle décida sommairement que ces papiers devraient être rendus publics à un moment donné et elle décida de les conserver malgré la volonté expresse du poète, selon laquelle ils devaient être remis au fils qu'il n'avait jamais connu. La grand-mère María de la Merced, qui se flattait de connaître la nature humaine, estima que si ces documents parvenaient à leurs véritables destinataires ceux-ci les feraient disparaître comme ils avaient effacé d'autres évidences et même des identités : elle pensait que la mémoire de son fils méritait un autre sort, même si pour cela il fallait violer les dernières volontés du défunt.

N'écoutant que son courage, la vieille dame s'était arrangée pour inviter Lola Junco à lui rendre visite et, après lui avoir remis la dernière lettre que Heredia lui avait adressée, elle lui avait fait part de sa décision de rendre publiques les mémoires du poète dans lesquels son fils évoquait aussi les avatars de sa vie amoureuse. Par sa sœur Loreto, unique témoin de la conversation, José de Jesús apprendrait bien des années plus tard que la destinataire expresse et première de ce document demanda à le lire, mais sa grand-mère ne l'y avait pas autorisée bien qu'elle lui ait fait en même temps une promesse solennelle : ni elle ni son fils ne devaient s'inquiéter du contenu du manuscrit, car en ce même instant, María de la Merced avait décidé qu'il ne pourrait être publié que cent ans après la mort du poète. De ce jour, María de la Merced conserva ces documents dans son armoire personnelle, accompagnés d'une lettre par laquelle elle fixait les moindres détails de leur destinée.

Si avec le temps la grand-mère avait changé d'idée, elle aurait même pu détruire tranquillement les documents, car après la mort de Lola Junco, durant plusieurs années elle fut la seule à connaître leur existence... Mais cette femme aux décisions inébranlables les avait conservés jusqu'au moment où, sentant sa mort proche, elle les avait confiés à sa petite-fille Loreto à qui elle fit jurer de les protéger des lectures indiscrètes et, le moment venu, de les remettre entre des mains sûres jusqu'à leur publication, à l'expiration du délai fixé par elle et promis à Lola Junco.

Cependant, José de Jesús, après avoir livré tant de batailles pour arranger la biographie de son père, essayant même d'en effacer les moments de faiblesse et de doute, en était arrivé à penser que le silence pouvait être préférable à la révélation d'une confession dévastatrice qui ne ferait qu'altérer, en partie, un passé dont le visage se faisait de plus en plus aimable, à ébranler ce que les ans avaient établi, à faire tomber certains héros de leur piédestal et à mettre à nu la part la plus triste de la nature du poète que l'histoire, laborieusement, avait enfin placé sur un petit autel qui sans son personnage serait resté vide à tout jamais.

José de Jesús avait consacré de longues années à cacher les zones d'ombre et à polir les meilleures facettes de la biographie de son père, alors qu'il ignorait encore l'existence dangereuse de ces mémoires. Il avait dû lutter contre l'oubli officiel, dû à la foi indépendantiste du poète dans un pays qui resterait une colonie durant encore tant d'années, auquel s'était ajoutée la négligence dont firent preuve, de façon mesquine, les premiers qui se servirent de la poésie de Heredia comme d'un hymne et d'un drapeau pour des intérêts divers et qui, une fois passé le moment d'utilité immédiate de l'homme et de ses poèmes, décidèrent de le reléguer, de le tuer par l'oubli, pour que l'évidence de sa grandeur ne fasse pas ressortir la présence de tant de médiocrité poétique. La gloire personnelle que Heredia s'était forgée, au-delà des frontières étroites de l'île, était devenue un stigmate, et des torrents de jalousie et de frustration essayèrent d'occulter une œuvre qui aurait dû être l'orgueil et le triomphe de tous. L'indigente solitude dans laquelle devait s'achever la vie du grand romantique, ses funérailles de pauvre et la tombe d'un miséreux où fut enterré l'homme qui avait tenu la gloire entre ses mains n'avaient rien à voir avec l'univers des salons magnifiquement illuminés et décorés, les services à thé en porcelaine chinoise, les dîners où des mets exquis étaient servis à une foule de convives, les bibliothèques de livres reliés en peau, et la réussite sociale dont certains de ses amis cubains avaient réussi à jouir, grâce au calcul et aux fortunes faites sur le trafic d'esclaves. Peut-être pour cette raison aucun de ces vieux compagnons de rêves poétiques ne répondit aux appels de María de la Merced à l'époque où elle s'acharnait à réunir les fonds nécessaires à l'achat d'une nouvelle sépulture au Mexique, pour empêcher le transfert des ossements du poète dans la fosse commune du cimetière de Tepellac où finalement ils furent jetés, comme ceux de n'importe quel pauvre de la terre, là où aucune inscription sur une tombe ne peut apparaître. Ce dernier acte avait été terrible et maintenant personne ne savait où se trouvaient les restes mortels d'un homme condamné à errer tout au long de sa vie et à se perdre dans des sépultures anonymes après sa mort.

Ce ne fut que lorsque certains des hommes qui avaient côtoyé et fréquenté Heredia cessèrent d'user de leur influence, de leur voix et même de leur argent dans leur acharnement à étouffer les échos de la grandeur du poète, que José de Jesús put obtenir de maigres réparations et satisfactions. La plus importante était peut-être venue, de façon inattendue mais logique, de l'homme qui, dans sa lumineuse grandeur, avait su reconnaître la stature jumelle de Heredia. José de Jesús regretterait toujours de ne pas avoir entendu de vive voix ce chant prophétique, entonné par José

Martí, autre Cubain passionné également condamné à l'exil, quand il avait affirmé tel un défi que Heredia avait été le premier poète d'Amérique, la forêt sauvage et indomptable de la poésie cubaine et qu'il lui avait attribué la magnifique place d'honneur qu'il devait occuper en tant que père inimitable de la cubanité poétique. Puis vint la difficile récupération de la maison où son père était né, dans une rue de Santiago qui fut rebaptisée du nom du poète. Plus tard, il fut reconnu comme la première voix poétique de la patrie quand le blason de la nouvelle nation rêvée par lui grava parmi ses symboles le palmier et l'étoile de Cuba qu'il avait chantés, avec sa prémonition de fondateur.

Et maintenant, tout ce que José de Jesús avait obtenu en luttant contre la perte de mémoire d'un pays où les vrais poètes mouraient de faim, d'oubli ou d'une balle dans la poitrine pourrait être affecté par les révélations déchirantes d'un homme qui avait fait ses adieux au monde, disposé à détruire son propre piédestal pour affirmer son attachement à une chose que personne ne voulait savoir : la vérité... Après tant d'années, une terrible erreur de calcul, que n'avaient prévue ni Heredia ni María de la Merced, apparaissait soudain comme une évidence à José de Jesús qui, sans l'avoir demandé ni espéré, devait décider du destin ultime du poète. Désormais aucun de ses calomniateurs ou de ses censeurs, aucun de ceux qui l'avaient utilisé ou avaient dénigré son nom, ne faisait vraiment partie de la mémoire collective et aucun d'entre eux ne méritait qu'il prît le risque de leur sacrifier l'image de son père. José de Jesús savait que la peur, la déception, le doute, les mesquineries et le désespoir de Heredia pèseraient plus que sa gloire poétique, plus que tous ses poèmes, et alors la dérision l'emporterait sur la compréhension.

Aussi insista-t-il, à plusieurs reprises, tout au long du véhément discours adressé à ses frères francs-maçons, pour exiger leur discrétion : personne ne devait évoquer, en dehors des murs sourds de ce temple sacré, le caractère de cette tenue ; personne avant 1939 ne devait lire ces documents qu'il confiait à sa loge mère ; et, pour le plus grand étonnement des présents, il conclut sa requête en exigeant que l'enveloppe, telle qu'il la remettait, fût placée dans la niche de la Chambre secrète des Maîtres et que, au moment d'accomplir la dernière volonté de son père, dit-il tout en désignant le premier Surveillant, il faudrait demander au frère Ramiro Junco quel devait être le destin final des documents dont il se séparait, convaincu de l'imminence de sa mort.

– Mes frères, je place toute ma confiance en vous, comme mon père le fit à son heure. Je remets à votre protection sûre ces vieux documents dans lesquels ceux qui auront le privilège de les lire trouveront quelques-unes des vertus qui sont les fondements de notre institution : la foi en la vérité, l'amour de la justice, la défense de la démocratie. Entre vos mains et protégés par votre sagesse, je place l'esprit de mon père et mon propre cœur.

Après ces dernières paroles, une atmosphère de solennité et de conspiration, si appréciée des francs-maçons, continua à régner dans la loge. Dominant le tremblement de ses jambes, le vieillard se leva ; sans un dernier regard pour Ramiro Junco, il serra l'enveloppe jaune contre sa poitrine et descendit les sept marches de la Sagesse pour se placer sur le plan de l'Orient où l'attendait Carlos Manuel Cernuda. Les quatre-vingt-six francs-maçons convoqués à la tenue observèrent en silence José de Jesús qui remettait le paquet énigmatique entre les mains du Vénérable Maître et lui rendait sur-le-champ les insignes en argent de la vénérabilité. Cernuda regarda alors le vieil homme dans les yeux et sut que ce dernier était sur le point de pleurer. Pour ne pas voir ce douloureux spectacle, il se retourna, l'enveloppe entre les mains, et descendit de l'Orient en se dirigeant vers l'autel des serments. Là, sur la Bible, le Code maçonnique, le compas et l'équerre des premiers constructeurs de cathédrales, il déposa l'enveloppe et il ajouta sans lever les yeux :

– Moi, Carlos Manuel Cernuda, Vénérable Maître de la très respectable loge "Fils de Cuba", je jure de garder avec zèle, comme un secret maçonnique, la nouvelle de l'existence de ces documents qui reposent sur les symboles les plus sacrés de notre fraternité. A partir de ce soir, et pour respecter la volonté de notre cher frère José de Jesús Heredia y Yáñez, notre loge mère devient la gardienne de la mémoire du très illustre frère José María Heredia y Heredia, initié aux secrets de la franc-maçonnerie il y a cent ans, sous le serment de combattre jusqu'à la mort pour l'indépendance de l'Amérique. Chaque frère ici présent fera le serment solennel de garder ce secret, comme en son heure il fit librement le serment de garder les secrets de notre fraternité.

Les hommes commencèrent à défiler devant l'autel et prononcèrent à voix basse le vœu exigé par leur Vénérable Maître. Depuis le promontoire de l'Orient où il était resté seul, José de Jesús les vit passer devant l'esprit vivant de son père et il respira, soulagé, quand ce fut le tour de Ramiro Junco qui le regarda un instant avant de dire : je le jure. Il se sentit enfin libéré du poids d'une mission qui le dépassait, et il respira, fier de lui-même, car il avait vaincu ses propres misères et l'appel implacable des tentations.

Toute une année allait s'écouler, longue et désespérément paisible, entre ma décision de devenir franc-maçon et le jour où, les yeux bandés et la poitrine découverte, j'entrai dans l'enceinte, une épée à la main, pour prêter serment de fidélité à l'antique confrérie des initiés aux secrets des proportions et de l'équilibre.

Le tourbillon de ma vie semblait s'être calmé durant ces mois où s'installa une routine qui faisait naître en moi l'ardent désir que tout changeât et, en même temps, que cette paix fût durable. Mais, comme l'avenir se chargerait de me le prouver, j'étais fils de l'Histoire et, même si je m'étais caché, elle serait venue frapper à ma porte. Pourtant, je pressai le destin en décidant moi-même de franchir le seuil au-delà duquel il n'y avait plus aucune possibilité de retour.

Quelques jours avant la fin de l'année 1821, Domingo me fit la surprise d'une visite : il venait à Matanzas pour fêter avec moi mon dix-huitième anniversaire. Grande fut ma joie en le voyant et non moindre celle de recevoir de ses mains un bel exemplaire de l'*Émile* de Rousseau, assorti de plusieurs conseils – il ne pouvait s'en empêcher – sur le caractère de la poésie et la finalité du drame. Durant ces fêtes de Noël gaies et insouciantes, notre amitié atteint son plus haut degré. Chaque nuit il me parla de ses amours contrariées mais latentes avec Isabel. Chaque jour je lui parlai de la cour que je faisais à Lola et des sourires de plus en plus fréquents dont la jeune fille me gratifiait.

Sur sa demande nous passâmes le nouvel an à la plantation de Céres, achetée par sa famille avec l'argent légué par son défunt père, et là nous pûmes jouir de l'incomparable paysage de la campagne de Matanzas, en compagnie de sa mère et de ses frères et sœurs. En réalité j'avais accepté de me rendre en cet endroit éloigné parce que Lola avait fait un voyage similaire vers l'une des plantations de sa famille et sans elle, la ville semblait perdre tout son charme. D'une certaine façon, ce qui avait commencé comme un jeu galant avait su trouver le chemin de mon âme et quelques mois plus tard, je me sentais absolument et irrémédiablement amoureux de cette femme si belle.

Dès l'aube du 2 janvier nous partîmes en flèche pour Matanzas, désireux de profiter, en compagnie de nos amis, de la fête qui se prolongeait jusqu'au jour des Rois. Peu de fois comme en ces jours, j'éprouvai la chaleur de l'amitié et la valeur de la complicité. Oubliant un moment les discussions politiques, nous consacrâmes davantage de temps à nos intérêts littéraires communs et à nos passions personnelles: celle de Domingo pour le jeu – il dépensa presque tout ce qu'il possédait en deux combats de coqs dans les enclos de Pueblo Nuevo –, celle de Tanco pour le vin – qu'il pouvait boire en quantité infinie – et la mienne pour le sexe – grâce à la fougueuse et malheureuse Luisa Montes, une belle mulâtresse qui habitait sur la colline de Jesús María et qui, abusant son mari de mille manières, s'arrangeait pour disposer du lieu et du temps nécessaires à nos ébats amoureux.

Quand Domingo repartit pour La Havane, je ressentis durement le vide qu'il laissait. Bien sûr j'avais de bons amis à Matanzas mais aucun n'était si cher à mon cœur. J'occupais les matinées au travail fastidieux dans le cabinet d'avocats; je passais certains après-midi à calmer mes ardeurs avec Luisa Montes et je consacrais mes nuits à écrire avec une passion et une facilité que je ne connaissais plus depuis les jours fébriles de mon adolescence. En quelques semaines, je terminai ma version de la tragédie *Atreo* d'après l'original de Crébillon et la première eut lieu dans un hangar transformé en théâtre, le 16 février, avec Antonio Hermosilla, alors très jeune mais déjà très talentueux, comme acteur principal. Bien qu'écrite à l'eau de rose, cette tragédie, centrée sur les dangers de la tyrannie, sembla trop osée pour la bonne société de Matanzas et telle une vague, elle provoqua une polémique car malgré le peu de spectateurs, mon travail fut l'objet de nombreux commentaires et me rapprocha encore du sommet de ma gloire littéraire.

En même temps j'écrivis plusieurs poèmes d'amour, parmi les plus enflammés que j'aie conçus, tous dédiés à la Nymphe du Yumurí, qui les reçut ponctuellement. J'écrivis avec une ardeur particulière celui que j'intitulai *A Lola, le jour de son anniversaire.* Ce fut mon cadeau pour son dix-septième anniversaire, mais aussi le héraut qui brisa, enfin, la barrière des sourires: la flamme de mes espérances se transforma en brasier quand Antonio Betancourt me remit, deux jours plus tard, la gracieuse missive en forme de triangle signé d'un L: "Merci, cher monsieur. Je n'espérais pas un si beau cadeau d'anniversaire. De ce fait, j'excuse votre hardiesse et vous permets, dorénavant, de me considérer comme votre amie." Et sur une ligne à part, elle ajoutait la meilleure nouvelle : "J'espère vous voir à mon retour de La Havane."

Il est superflu de dire à quel point les semaines qui s'écoulèrent jusqu'à son retour furent interminables et terribles. Presque chaque jour j'envoyai des lettres à Silvestre et à Domingo pour leur demander des nouvelles de Lola, tout en dissimulant cet intérêt débordant par des commentaires sur nos projets littéraires. Domingo, très enthousiasmé par ses débuts imminents dans le journalisme, m'expliqua qu'il préparait déjà, en compagnie de Cintra et avec l'appui de Saco et Sanfeliú, la publication d'une revue qui dans un premier temps serait plus littéraire que politique, mais comme l'exigeait son nom – *El Americano libre* – elle prendrait parti sur des sujets plus profonds dont nous avions maintes fois parlé : il devenait indispensable, selon mes amis, de commencer à tirer sur la corde pour voir jusqu'où elle résisterait.

La lettre la plus douloureuse et surprenante que je reçus en ces jours me fut envoyée depuis le Mexique par Blas de Osés qui me mettait au courant de la triste tournure des événements de sa patrie. Il me racontait par le menu la trahison d'Agustín Iturbide, vieil officier royaliste, devenu général indépendantiste ; traître et opportuniste, comme tout bon renégat, il avait réussi à s'emparer du pouvoir du nouveau pays pour y instaurer une tyrannie inattendue et se proclamer rien de moins qu'empereur. La situation du Mexique était si macabre, après douze années de guerre, qu'elle prêtait presque à rire. Mais cet épisode était porteur d'un terrible avertissement : la fièvre du pouvoir, les désirs de gloire et la soif de transcendance pouvaient engendrer la trahison des idéaux et des causes les plus justes ; l'autoproclamation impériale d'Iturbide n'était que le prélude aux multiples tyrannies que nous devrions supporter, nous les jeunes peuples hispano-américains, et toujours pour le soi-disant bien de tous, afin d'assurer un meilleur avenir à la patrie.

Ma réponse aux événements du Mexique fut catégorique et plus que révélatrice de la foi que j'avais alors en la poésie car, pauvre naïf, je la croyais capable de changer les choses. Dans cet état d'exaltation j'écrivis *Ode au peuple de l'Anáhuac*, un nouveau cri en faveur de la démocratie et de la liberté, contre le despotisme. Sur-le-champ, je l'envoyai à Osés pour qu'il tentât de la publier à Mexico et à Domingo pour qu'il la fît paraître dans une revue de La Havane. Je reçus très vite une réponse affolée de

Domingo, dans laquelle il me demandait si je n'étais pas devenu fou ou si j'avais l'intention d'être arrêté ou proscrit car la publication de ce poème ferait de moi un partisan déclaré de l'Indépendance. Je lui répondis que je l'avais écrit avec mon cœur plus qu'avec mon cerveau, que j'assumais tous les risques et je lui réitérais mon désir de le voir confier mon poème à des mains capables de le diffuser.

Avec l'été, Lola revint et ma vie tourna de nouveau autour des expectatives de l'amour. Plusieurs après-midi, en compagnie de Silvestre qui était venu un temps à Matanzas, j'allai jusqu'au paisible embarcadère du Yumurí dans l'espoir de la rencontrer dans ce lieu doté d'un charme magique. Telle fut mon insistance qu'un dimanche après-midi, la rencontre se produisit enfin; quand je m'approchai d'elle et baisai sa main, sa peau brûlante me dit qu'une passion réciproque submergeait la jeune fille et je sentis en cet instant que ma vie prenait enfin tout son sens.

Entre l'effleurement pudique de sa main et le premier baiser sur les lèvres que nous échangeâmes, Lola et moi laissâmes stupidement passer des jours, des semaines et des mois que nous aurions dû consacrer à l'amour. Discret, je n'osai pas forcer le rythme chaste et irritant que notre relation était supposée suivre selon les normes de la décence et j'acceptai le défi de l'attente tandis que je continuais à calmer mes désirs dans le lit adultère de la complaisante Luisa Montes. Cependant, les promenades avec Lola sur la rivière, les bals où je l'accompagnais et où nous parlions autant que la bienséance nous le permettait, les flâneries dans les parcs et sur les places de la ville, et même les représentations théâtrales auxquelles nous assistions ensemble et les réunions littéraires où on réclamait ma présence me comblaient de bonheur grâce à la simple compagnie de cette femme, la première que je désirais de toute mon âme et de tout mon corps.

Cependant, même l'amour qui dévorait alors le plus clair de mon temps et de mes forces ne fut pas capable de m'éloigner des réunions et des discussions politiques car je continuais à fréquenter mes amis partisans de l'Indépendance, en particulier le docteur Hernández. Notre groupe, qui se réunissait pour parler de toutes ces questions et les discuter, commença à se donner rendez-vous chez don José Teurbe y Tolón; en plus de mes amis Aranguren et Betancourt, divers personnages venaient régulièrement, parmi eux un prêtre bavard et un peu fou, de Saint-Domingue comme mes parents, appelé Federico Ginebra, qui parlait de descendre le

Christ de sa croix et de le promener dans les baraquements d'esclaves des plantations de Matanzas. Ces conversations, nuancées bien souvent par la diversité des critères, où nous discutions de tout ce qui nous venait à l'esprit, fonctionnaient comme une sorte de *tertulia* – de cénacle – si bien que nous finîmes par appeler nos conclaves, justement *La Tertulia.*

Au cours de conversations plus privées que celles du Cénacle, où la présence d'agents du gouvernement ne faisait aucun doute, le docteur Hernández m'annonçait que les événements allaient bientôt prendre un tour nouveau. Il me confia, peu après, que le colonel José Francisco Lemus, revenu récemment à Cuba, avait relancé les activités de la loge "Les Soleils de Bolívar" à La Havane, car il était porteur d'instructions pour donner l'impulsion définitive à la sédition et les francs-maçons des loges qui se ramifiaient dans presque toute l'île, regroupées en deux confréries parallèles, celle de "La Chaîne" et celle des "Soleils", seraient les artisans de la conspiration.

– Et toi, José María, es-tu disposé à en faire partie?

Je me souviens que le docteur Hernández avait une voix douce qui, comme par enchantement, réalisait le miracle d'être autoritaire.

– Vous savez bien que oui, docteur.

– Sais-tu à quoi tu t'exposes, mon petit?

– Je crois que oui…

– Que nous triomphions ou que nous soyons vaincus, tu ne dois attendre en retour que l'ingratitude des hommes. Mais avant, nous pouvons mourir, être emprisonnés, ou proscrits… Même dans ces conditions tu persistes? demanda-t-il et en voyant que j'acquiesçais, il me prit par les épaules… Eh bien, prépare-toi car une nuit prochaine je vais venir te chercher. Tes poèmes peuvent être aussi précieux que tes bras pour l'indépendance de Cuba.

L'orgueil en ébullition j'attendis avec fébrilité l'appel du docteur Hernández tandis que je continuais à me promener avec Lola, à me battre avec les dossiers et les plaideurs et à écrire des vers, jusqu'au mois de septembre de cette année 1822 où un cyclone s'abattit sur Matanzas et sur ma vie.

Dès midi le ciel s'était assombri, et un vent chaud et lourd commença à souffler en rafales intermittentes jusqu'au crépuscule où des torrents de pluie se joignirent au concert, balayant les rues. Le docteur Hernández arriva chez moi avec le début de la pluie et ma mère le fit entrer dans ma chambre après lui avoir offert une serviette. Les vêtements de l'homme étaient trempés mais son regard était de feu. À peine avions-nous échangé les salutations d'usage qu'il m'annonça sans autre préambule le motif de sa visite intempestive : dans la nuit du 21, s'il restait encore un mur debout dans cette ville, aurait lieu l'initiation des conspirateurs dans la loge des Chevaliers Rationnels. Le rendez-vous était fixé à dix heures du soir, dans l'entrepôt de don Manuel Ríos, et ma discrétion, comme celle de tous ceux qui étaient convoqués, était encore plus importante que ma présence.

Une fois le docteur parti, je sentis dans ma poitrine la palpitation de la peur et le poids d'une responsabilité qui me dépassait. Le temps des mots et de la poésie s'achevait alors que commençait celui de l'action et des armes. L'imminence de ce saut définitif qui, jusqu'à ce jour, m'était apparu encore lointain et même improbable, me causa une profonde agitation qui se traduisit par un sentiment d'enfermement entre les quatre murs de ma chambre. Alors, comme un possédé, je sortis de la maison sans écouter les remontrances de ma mère ni les supplications de mes sœurs.

Les rues étaient fouettées par un vent devenu furieux, qui faisait voler les tuiles et les poutres. Mais une chaleur comme sortie des entrailles de la terre rendait l'atmosphère plus brûlante sous un ciel traversé de nuages échevelés, qui brillait d'une clarté malsaine. Je marchais en offrant au vent ma propre énergie libérée et mes pas me conduisirent devant la maison, barricadée comme cela était prévisible, de ma bien-aimée Lola, pour me diriger ensuite vers l'embarcadère du Yumurí qui avait vu naître et grandir mon amour. Là, attaché à un poteau de bois, je découvris un taureau énorme qui bramait sa terreur. Sans plus réfléchir, je libérai la corde qui retenait l'animal captif et pour ne pas être emporté par une nouvelle rafale de vent je dus m'agripper au poteau. L'animal enfin libre essaya de traverser la rivière en crue mais il revint et, très près de moi, commença à labourer la terre de ses pattes puissantes comme s'il voulait creuser sa propre tombe. Avec le taureau terrorisé pour toute compagnie, je sentis venir la fin du monde : la lumière pâle qui un instant auparavant avait jailli du ciel s'évanouit et un manteau impénétrable s'étendit sur nous, alors que l'air rugissait comme excité par des légions de démons, la pluie crevait la surface de la terre, le paisible Yumurí sortait de son lit et les vagues de la mer proche se lançaient à l'assaut, disposées à en finir avec tout ce qui était humain ou divin. Cette nouvelle expérience, le spectacle de la force déchaînée par la mère des tempêtes, me fit comprendre, une fois de plus, l'absolue petitesse de l'homme face aux puissances du ciel et de la nature et l'absurdité de toutes les vanités, les prétentions de transcendance et les peurs terrestres parmi lesquelles, pauvres hommes, nous consumons nos jours. Mais, comme si cette terrible confirmation n'était pas suffisante, soudain se produisit le véritable miracle : de façon inattendue le calme se fit pour une durée étrangère au temps mesurable des horloges ; un rayon de lumière immaculée se fraya un passage depuis le ciel et tomba à mes pieds. Le taureau, comme prévenu par quelque voix intérieure, cessa de creuser, leva la tête vers le firmament lumineux où j'avais, moi aussi, dirigé mon regard. Mes bras exténués et vaincus lâchèrent le poteau et je tombai à genoux devant la lumière tandis que des larmes chaudes ruisselaient sur mon visage couvert de pluie. Fut-ce l'imagination d'un poète ou le cauchemar d'un homme physiquement épuisé ? Fut-ce la conviction que ma vie allait bientôt changer de façon radicale ou bien une hallucination née de la peur ? Ou fut-ce réellement le visage du Seigneur que je vis palpiter devant moi durant une fraction de seconde, brillant de cet éclat sidéral, juste avant que reviennent la pluie, le vent, les nuages déchirés dans une explosion dévastatrice et que je vois voler, de mes propres yeux, le gigantesque taureau, soulevé comme une plume ténue, lancé vers l'immensité infinie des océans ? Pourquoi cet animal lourd et innocent et pas moi ?... Encore aujourd'hui, alors que je me remémore les jours de ma vie, je ne sais si en cette nuit terrible, je fus victime d'une hallucination ou si je fus choisi pour assister à l'un des prodiges insondables de Notre Seigneur.

Même si la vie de Fernando Terry avait été détournée vers des chemins scabreux depuis le matin où le policier Ramón l'avait fait venir au bureau de la faculté, à l'instant où il écouta l'administrateur, qui parlait le cigare à la bouche, de la revue *TabaCuba,* il commit l'erreur de croire qu'il subissait la pire des humiliations mais il la ravala sans respirer, écartant toutes les réponses qui lui venaient à l'esprit, fermement décidé à démontrer qu'il n'était pas l'homme que son dossier l'accusait d'être.

Fernando était arrivé à la revue débordant d'enthousiasme, pensant à sa possible réhabilitation. Il avait été absent de l'imprimerie un mois durant, à cause d'un déchirement d'un muscle dorsal qu'il s'était fait en essayant de retenir une bobine de papier qui était tombée au moment de l'installer sur la rotative. A la fin du congé prescrit par le médecin, dont il avait profité, tout heureux, en lisant et même en écrivant une demi-douzaine de poèmes, il s'était présenté de nouveau à l'imprimerie, mais le gérant du moment l'avait appelé avec l'intention de lui annoncer une bonne nouvelle: apparemment son sort allait changer car on l'envoyait travailler dans une revue. Puis il lui avait donné l'accolade tout en lui disant qu'il avait été heureux de connaître un homme comme lui. Ensuite, dans le bureau du chef du personnel, Fernando avait reçu, avec joie, la lettre qui officialisait son transfert à la revue *TabaCuba* où il devait commencer immédiatement.

En le recevant, l'administrateur de la publication, un mulâtre, ancien administrateur d'une exploitation de tabac qui avait un jour gagné le titre d'Avant-garde Nationale de l'Émulation Socialiste, avait parlé de façon tranchante et précise: l'unique emploi vacant était celui de correcteur et si on l'admettait à ce poste, c'était parce que Quelqu'un l'avait recommandé mais au moindre faux pas, il le mettrait dehors à la vitesse grand V, comme un boulet de canon… Comme s'ils n'avaient pas déjà assez de problèmes pour en plus employer des gens avec une tonne de merde dans leur dossier! Alors qu'il se le tienne pour dit, à la première occasion, il savait où se trouvait la sortie et lui, Teodoro Zaldívar, irait même jusqu'à lui donner le demi-peso pour le bus…

Même si au début il s'en était remis à une sorte de résignation chrétienne, incongrue étant donné son athéisme viscéral, il avait même essayé de voir les bons côtés de son nouvel emploi, mais les bons côtés étaient restés cachés et tout devait finir d'une façon honteuse et dévastatrice. L'administrateur l'avait bien prévenu: il devait se limiter à vérifier les épreuves, sans plus de prérogatives que de corriger les coquilles, les doublons et les fautes d'orthographe, ce qui l'obligeait à se taper quatre ou cinq fois tous ces articles et interviews terriblement mal écrits sur la production et la culture du tabac dans lesquels les auteurs prenaient plutôt leurs désirs pour des réalités… Mais la punition la plus raffinée parmi celles qu'on lui infligeait consistait à rester huit heures au bureau de la rédaction, même si cela faisait des lustres qu'il avait terminé son travail.

Il vécut les premiers mois de son nouveau labeur dans une tension absolue, en guerre permanente contre les coquilles et les fautes d'orthographe. Parallèlement, pour prouver son intérêt pour le travail, il commença à utiliser ses nombreuses heures libres à préparer un rapport minutieux pour le directeur, dans l'intention de lui soumettre un projet de création de normes de rédaction, de présentation et de typographie plus modernes et adaptées.

Quand il rentrait chez lui, Fernando était encore plus épuisé qu'à l'époque de l'imprimerie où il passait dix heures à actionner le monte-charge et à effectuer n'importe quel travail nécessaire, l'esprit obsédé par les bons syndicaux pour le Meilleur Travailleur du mois, du trimestre, du semestre, de l'année et même le Diplôme d'Honneur pour le meilleur employé du siècle, si un jour ils décidaient de délivrer ce brillant certificat. Maintenant l'épuisement était mental, mais lui causait un malaise qui envahissait tout son corps et l'obligeait à rester chez lui, assis sur la terrasse ou devant n'importe quelle émission de télé, jusqu'à ce que la fatigue l'emporte. Alors c'était le pire moment de la journée : l'envie de dormir s'envolait dès qu'il se laissait tomber sur son lit et pour trouver le sommeil il avait eu recours d'abord aux infusions de tilleul préparées par Carmela, puis aux exercices de relaxation et enfin aux comprimés qui lui assuraient un sommeil agité, souvent peuplé d'épreuves, de coquilles et de cigares sautillants.

Fernando travaillait depuis sept mois à la revue quand il termina une minutieuse analyse, brillant par son objectivité ; par l'intermédiaire de la chef de bureau, il demanda enfin un rendez-vous au directeur. Tapé à la machine, avec un original et deux copies parfaites, il avait préparé ce rapport où au lieu de critiques il faisait des suggestions, évaluait et proposait prudemment ce qui permettrait, pensait-il, d'améliorer la présentation et la rédaction de la publication et prouverait l'intérêt qu'il manifestait pour son travail. Méfiant, il avait préféré ne pas parler de son rapport au rédacteur ni au dessinateur de la revue, et la seule à être au courant de ses efforts était la femme de ménage, une grosse femme un peu marginale, surnommée Chochín, qui avait un don dans la vie : elle faisait un excellent café. A cause d'elle, il avait été sur le point d'en venir aux mains avec le dessinateur, un après-midi où ce dernier essayait d'obliger la malheureuse à lui sucer la queue dans le placard aux balais. De ce jour, Chochín était devenue son alliée et Fernando avait le privilège de prendre le premier café qu'elle préparait.

Le directeur, qui deux ou trois fois par semaine faisait de rapides apparitions à la rédaction, fixa le rendez-vous trois jours plus tard, un vendredi, à six heures de l'après-midi. Les nerfs à fleur de peau, Fernando attendit l'entretien. Bien que son horaire de travail se termine à cinq heures, il avait attendu, toujours discipliné, jusqu'à six heures et demie. En le voyant arriver souriant, marchant à pas lents et en l'entendant dire: "Putain, cadre, j'avais oublié que mon correcteur étoile m'attendait!", il comprit tout de suite que l'homme avait bu. Avant ce jour, mis à part les directives pour le travail, c'est à peine si Fernando pouvait compter les occasions où il l'avait entendu lui dire bonjour.

– Allez, cadre, entre là d'dans, lui dit-il en entrant dans son bureau, où l'air conditionné qui marchait sans arrêt, fit trembler Fernando. Regarde-moi l'heure qu'il est, et tou-jours au boulot...

L'homme chercha le meilleur spécimen dans un humidificateur en bois précieux, doté d'un régulateur d'humidité orné de coins d'argent cloutés. Finalement il trouva le havane qui lui sembla le plus approprié, un grand corona d'un marron prometteur, brillant, sans veines, et il le porta à sa bouche tout en se servant une tasse de café d'une Thermos posée sur une petite table d'appoint. En vain, Fernando attendit une invitation à se servir. Le directeur, concentré sur ce qu'il faisait, coupa la pointe du havane avec une guillotine puis il examina le résultat de la mutilation d'un air critique. Il replaça le cigare entre ses lèvres et l'alluma avec une longue allumette en cèdre. Il allait s'asseoir quand quelque chose l'arrêta.

– 'ttends une minute, cadre, j'vais aux toilettes.

Le directeur sortit du bureau; Fernando s'approcha de l'humidificateur et souleva le couvercle. Sur la face antérieure, gravé dans le bois, il trouva le nom du premier propriétaire de ce joyau de marqueterie, ce qui ne l'étonna pas, car il se souvenait qu'en d'autres temps, ce nom maintenant effacé de la mémoire du pays équivalait à plusieurs millions de pesos, investis dans des champs de tabac et des plantations de cannes à sucre avec leurs raffineries. Alors il regarda les trois dossiers qui contenaient son rapport et il fut pris d'une terrible envie de pleurer.

Dix minutes après le directeur revint, mais accompagné de l'administrateur qui observa Fernando comme on regarde un ornythorinque et s'assit, sans dire un mot, avec son éternel cigare malodorant à la bouche.

– Voyons ça, cadre, quel est ta problématique?

Fernando fut sur le point d'inventer n'importe quelle excuse pour expliquer le motif de la réunion: qu'il avait besoin de vacances, qu'il allait être opéré du cœur, qu'il tombait de sommeil, mais il décida de franchir le pas définitif.

– C'est que je voulais vous remettre ceci... un rapport...

– Un rapport ? s'étonna l'administrateur.

– Un rapport sur la rédaction, continua Fernando. J'ai fait une analyse de la revue et je vous propose, pour que vous puissiez les évaluer, la possibilité de faire quelques changements dans la présentation, le style, la typographie, des petites choses comme ça, pour améliorer la revue.

Le directeur regarda l'administrateur tout en tirant sur son cigare. Le mulâtre regarda à son tour Fernando et lui demanda :

– Parce que toi, tu trouves que la revue est mauvaise, hein ?

– Non, ce n'est pas ça, mais c'est que si...

– Laisse ton rapport ici, cadre, l'interrompit le directeur et il s'inclina davantage dans son fauteuil pivotant. C'est bien, ça, que tu t'inquiètes de la qualité de la revue. Je dirais plus, ça me plaît, et il regarda l'administrateur. C'est comme ça que les gens doivent être, Zaldívar, ils doivent s'intéresser à leur travail. Le problème, cadre, et il regarda alors Fernando, c'est que c'est pas ton travail : ton boulot, c'est les épreuves et les coquilles, et je crois que le camarade Zaldívar te l'a bien expliqué, pas vrai ?

– Moi je le lui ai dit, protesta Zaldívar et il mordit fortement son cigare.

– Je peux m'en aller, murmura Fernando en se demandant s'il serait capable de se lever. Ses jambes ne tremblaient pas, c'était pire, elles avaient cessé d'exister, et il pensa que sortir en rampant de ce bureau ne serait pas particulièrement dégradant pour un type comme lui, transformé en un méprisable reptile au ventre humide qui avait des idées aussi brillantes que celle de rédiger des rapports.

– Oui, cadre, va-t'en *embora*, dit le directeur avec la formule qu'il utilisait généralement pour rappeler à tout le monde qu'il avait fait la guerre d'Angola, où il avait appris à dire *ficar sozinho*, *ir embora* et *vocé está maluco*, tout en tirant plus de coups de feu et en abattant plus de noirs *unitas*[*] que personne dans la compagnie du capitaine Macho Couilles.

Fernando déposa ses dossiers sur le bureau et, en s'aidant des accoudoirs du fauteuil, il parvint à se mettre debout. Il avait fait

---

[*] En portugais dans le texte. Combattants dans les rang de l'UNITA (Union nationale pour l'Indépendance totale de l'Angola).

un pas vers la porte, quand il entendit de nouveau la voix du directeur.

– Écoute, cadre, tu sais qui adore cette revue ? Le camarade ministre. Tu crois pas que c'est un peu dingue de lui dire qu'on va la lui changer parce qu'un petit futé qui travaille ici dit que c'est de la merde ? Écoute, cadre, je crois que t'es foutu, mais alors complètement foutu.

– Je peux m'en aller, redemanda Fernando en fixant le sol.

– Je t'ai déjà dit qu'oui, va-t'en *embora,* va-t'en *embora...*

Il manqua juste un claquement de la langue pour qu'il soit foutu dehors comme un chien. Quand il sortit du bureau, la honte et le retour soudain de la chaleur lui donnèrent des nausées. Il sortit enfin dans la rue où la nuit commençait à tomber. Appuyé sur le mur où brillait la plaque qui indiquait *Revista TabaCuba,* il regarda des deux côtés de la vieille avenue, comme s'il avait besoin de se repérer. Tandis que la sueur inondait son corps, les nausées cessèrent peu à peu, ses jambes récupérèrent leur capacité à marcher et il se souvint qu'il était dans la vieille Calzada de la Reina, celle-là même qui un siècle et demi plus tôt avait été élargie et modernisée pour la gloire d'un tyran, le satrape Miguel Tacón, avec qui José María Heredia avait eu un entretien peut-être tout aussi dégradant que celui qu'il venait d'avoir avec le directeur. Seulement Heredia était un grand poète et Tacón un génie de la tyrannie.

Sans savoir où il allait, il descendit le long de la rue Reina vers le parc de la Fraternité. En chemin il trouva une cafétéria où il demanda un café double et il acheta un paquet de cigarettes. Son esprit bouillonnait d'idées, mais une chose devenait évidente : il ne pouvait pas revoir la tête du directeur. Il arriverait peut-être à vivre en traînant cette humiliation, peut-être serait-il capable de trouver un soulagement à la pensée qu'il était le principal coupable de toutes ces absurdités, il était même possible qu'il arrive de nouveau à dormir sans avoir recours aux somnifères, mais ce qui était impossible, c'était de devoir regarder de nouveau cette tête et de l'entendre dire "cadre". Non, ça jamais plus. Sa décision pouvait lui coûter très cher. Il ne pouvait pas se retrouver sans travail, car même si sa mère le faisait vivre, il prenait des risques encore plus grands, il s'exposait à de vieilles lois sur l'oisiveté et aux nouvelles lois sur la dangerosité, et s'il s'écartait du chemin que Quelqu'un avait tracé pour sa régénération, il ne recevrait peut-être jamais la lettre, la notification, la sentence explicite qu'il espérait encore, et il perdrait toute chance de revenir à l'université. Mais il pensa que si la voie de son salut passait par cette revue, eh bien il était préférable, tel un nouvel Indien Hatuey*, de mourir dans le brasier et d'aller en enfer.

Sans avoir conscience de la direction où le conduisaient ses pas, il traversa le jardin du Capitole, puis l'avenue du Prado, il marcha jusqu'au Parc central et quand il passa sous les arcades toujours empestées de l'odeur d'urine du vieux Centre asturien de La Havane, il le vit, appuyé à une colonne, en train de parler avec un petit jeune en uniforme de boursier. Cela faisait plus d'un an qu'il ne l'avait pas revu et Fernando ne pouvait imaginer qu'il le voyait pour la dernière fois, cette nuit-là, avant de commencer plus tard à se demander : c'est moi qui l'ai tué ? Je l'ai poussé sous le camion ?

Enrique semblait encore plus maigre que quand il était sorti de la ferme, après la rééducation, il n'avait presque plus de cheveux et les points rouges sur son visage étaient devenus des taches sombres, enkystées. A trente ans il semblait usé, sans éclat, il n'était que le lointain écho du jeune homme qui autrefois débordait d'excentricité et d'énergie positive. Sans penser à ce qu'il faisait, Fernando s'arrêta pour l'observer, satisfait peut-être de le voir encore plus défait qu'il ne l'était lui-même, jusqu'au moment où Enrique tourna la tête, se sentant observé. Le boursier, nerveux en présence d'un intrus, profita du moment d'inattention pour s'éloigner, craignant peut-être que Fernando ne soit un amant jaloux.

– Je t'ai cassé la baraque ? lui dit-il en s'approchant.

– Oui, on dirait, reconnut l'autre, et il alluma une cigarette.

– Comment vas-tu ?

– Tu le vois pas ? Et toi ?

Fernando fut sur le point de dire qu'il allait bien. S'il avait dit ce mensonge, tout aurait-il été différent ? Peut-être.

– Il vient de m'arriver la chose la plus terrible de ma vie...

– Pire que... ? Tu veux qu'on parle ? Viens, on va voir si on trouve du rhum.

Le bar où ils échouèrent était bondé, c'était un troquet minable qu'on avait baptisé avec plus de rancœur que d'imagination La Bananeraie. Ni glace ni rafraîchissement, du rhum brut

---

* Cacique indien, tué par les espagnols à Cuba au moment de la conquête.

à gogo dans des verres en alu. Par chance, le patron laissait ses clients sortir dans la rue avec leur verre à la main. Chacun avec un rhum double, ils s'installèrent contre la porte d'une taverne qui avait été fermée ; de l'intérieur, les rats passaient la tête pour observer l'agitation de la rue.

Trois doubles rations plus tard, Fernando avait raconté à Enrique ses avatars des dernières années ; il s'était déchargé sur lui de son désespoir, de sa honte, et lui avait annoncé sa décision de ne pas retourner à ce travail, quoi qu'il arrive. Enrique le laissa se libérer de tout ce poids et lui promit qu'un jour il lui raconterait sa propre histoire.

– Toi, tu peux encore espérer quelque chose, Fernando, mais moi tout ce qui me reste c'est ça, et il fit un geste vers les rues sales et décrépies, particulièrement sordides dans ce coin de la ville. S'ils m'attrapent en train de vouloir monter encore une fois sur un bateau, ils peuvent me jeter en prison pour je ne sais combien d'années. Si je présente un livre dans une maison d'édition, on ne me le publiera pas quand on saura qui je suis. On ne me donnera jamais un travail qui corresponde aux études que nous avons faites. Moi je ne sais vraiment pas vers où me tourner et je n'ai même pas une âme de martyr. Et en plus, comme je suis homo et que je ne m'en cache plus… je suis prisonnier entre les quatre murs de cette île. Et je crois que tout compte fait, je le mérite : ma *Tragi-comédie* se passe dans une île perdue dont personne ne peut partir. C'est presque sympathique, non ? A tellement faire chier avec la littérature, elle finit par se venger. Et en plus, bordel, tu penses encore que je suis coupable de tout ce qui t'est arrivé, pas vrai ?

– Ça n'a plus d'importance… finalement, dit Fernando : dans le trou noir où il était tombé cela ne valait pas la peine d'essayer de se maintenir à flot en s'accrochant à la culpabilité des autres, à des raisons salvatrices ou à des excuses réparatrices.

– Mais si, ça a de l'importance, Fernando, parce qu'on a foutu ta vie en l'air ! Écoute, je ne sais pas quoi faire pour te convaincre que je ne t'ai pas accusé de quoi que ce soit. Ce flic qui nous a interrogés le sait très bien. Tout ce que je peux te donner, c'est ma parole, même si je sais que tu n'as pas confiance dans la parole d'un pédé.

– Ça n'a rien à voir avec…

– Si, ça a quelque chose à voir, parce que ce jour-là, chez toi, tu me l'as crié et… parce que j'ai entendu l'enregistrement fait par le flic Ramón dans lequel tu as dit que j'étais pédé, que c'étaient des conneries de pédé...

– Ce fils de pute... ?

– C'était son travail, et il l'a bien fait. Il t'a tendu la perche et toi-même tu as dit ce qu'on voulait t'entendre dire. Mais remarque bien une chose : il ne t'a fait entendre aucun enregistrement de moi !

Fernando sentit qu'une honte corrosive l'empêchait de regarder Enrique en face : non pas à cause de l'ignominie de la vexation, mais du fait qu'il avait été indigne en accusant un innocent présumé. Il comprit que les excuses étaient inutiles, tandis qu'il recomposait en esprit un puzzle dans lequel, en effet, la pièce de Enrique commençait à être en trop.

– Mais alors qui c'est, bordel de merde ?

Enrique sourit pour la première fois. Il posa son verre de métal sur le sol crasseux et ouvrit les mains comme un jeu de cartes.

– Tu as pourtant le choix. Conrado, Álvaro, Víctor, Miguel Angel, Tomás, Arcadio... Mais tu sais ce qui est le pire ?

– Ah ! Parce qu'il y a encore quelque chose de pire ?

– Oui, du moins pour moi. Ça fait trois ans que tu penses que je t'ai baisé. Et tant que tu ne sauras pas la vérité, tu vas toujours avoir un doute. Tu vas toujours penser à moi. Et c'est foutrement dur de vivre comme ça, avec une faute que je n'ai pas commise mais dont au fond je suis responsable, parce que si je n'étais pas monté sur ce bateau, le reste ne serait pas arrivé. N'est-ce pas ? J'y ai pensé des tas de fois, mais je te jure sur la tête de ma mère que je n'ai pas cru qu'en faisant ça j'allais baiser quelqu'un, et surtout pas toi !

– Ne prends pas les choses comme ça, ça n'a pas de sens !

– Si, je les prends comme ça, parce que ce qu'on t'a fait aujourd'hui c'est pire que tout ce que j'ai subi dans la ferme, et tu n'imagines pas ce que ça a été... Mais aujourd'hui ce qu'on t'a fait, c'est presque du viol et cette merde tu vas t'en souvenir toute ta vie... Et bien que je ne t'aie accusé de rien, tout ça continue à être de ma faute, non ?...

Quatre mois plus tard, en apprenant la nouvelle qu'un camion KP3 avait déchiqueté Enrique en pleine avenue du Malecón, Fernando aurait ses propres raisons de commencer à se demander : pourquoi fallait-il qu'il meure, justement lui ? C'est moi qui l'ai tué ? Je l'ai poussé sous ce camion ?

A l'instant où on me banda les yeux, le tremblement de mes jambes disparut; conduit par le bras, j'avançai pieds nus, calme, vers l'intérieur du local, en sachant qu'en cet instant je faisais les pas les plus décisifs de ma vie. Mais je marchai sans peur, avec une certaine jubilation. Près de moi, les yeux bandés également, se trouvaient une vingtaine d'hommes de tous âges, dont certains m'étaient connus parce qu'ils venaient au Cénacle ou habitaient la ville. Combien d'entre eux éprouvaient la joie calme que je ressentais à ce moment? Combien étaient assaillis par la peur, le doute, le désir peut-être de se trouver loin de là? Qui serait le futur traître dans un pays où chaque acte secret engendre une délation?

Nous avions été reçus par le docteur Hernández et, à ma grande surprise, par le prêtre Federico Ginebra, que je supposais capable de beaucoup de choses, bien que je ne l'imaginasse point mêlé aux péripéties de cette aventure si étrangère aux chaires et aux prières. A mesure que nous arrivions, le docteur répétait à chacun de nous la même question et nous répondîmes tous que nous confirmions notre décision. Puis, dans une petite dépendance du magasin où nous devions nous défaire de nos vêtements, à l'exception de la chemise et du pantalon, le docteur et le prêtre avaient attendu l'arrivée de quelques retardataires, jusqu'au moment où, finalement, on nous banda les yeux pour nous conduire vers la salle où commencerait la cérémonie.

Des pas lourds, comme chaussés de cuir grossier, résonnèrent en parcourant le local où il faisait très chaud, comme pour reconnaître les lieux. Nous entendîmes ensuite un bruit de métaux qui s'entrechoquent, puis le vide d'un silence insupportable, enfin brisé par un ordre.

– Enlevez-leur leurs chemises!

Des pas, provenant de divers angles, s'approchèrent de nous et, quant à moi du moins, des mains de fer m'arrachèrent les boutons de ma meilleure chemise, la laissant tomber sur mes hanches. L'ordre accompli, les pas s'éloignèrent de nouveau.

– Messieurs, tonna la voix que j'avais déjà entendue, ceci est une cérémonie secrète et rien de ce qui sera dit ou vu ici ne peut être divulgué. Une déloyauté coûterait la vie à de nombreuses personnes. Pour la dernière fois je le demande: l'un d'entre vous veut-il se retirer? Dans ce cas, qu'il lève la main gauche.

Le silence se fit de nouveau et peu après, des pas: ils s'approchaient, s'arrêtaient un peu avant d'arriver à moi et rebroussaient chemin.

– Quelqu'un d'autre ? demanda la voix et le silence aigu retomba jusqu'à ce que retentisse un nouvel ordre : les frères, derrière les néophytes !

Je perçus les pas de plusieurs hommes et la sensation d'une présence dans mon dos, qui devint plus nette quand je sentis sur ma nuque le souffle d'une respiration. La sueur commença à mouiller mon bandeau.

– Ce soir, chers frères, nous initions dans cette loge que nous avons baptisée "Les Chevaliers Rationnels", vingt et un nouveaux membres. A partir d'aujourd'hui ils auront le premier grade de Rayons ; en accord avec leurs convictions et usant de leur libre arbitre, ils se joignent, dorénavant, à ceux qui luttent pour l'indépendance de l'île, un conflit qui ne s'achèvera que lorsque sera constituée la République libre et démocratique de Cubanacán. Et la voix fit une pause. Ils jureront d'être fidèles à notre cause et de protéger nos secrets. Ils feront le serment d'être disposés à lutter pour l'indépendance de Cuba et de toute l'Amérique. Ils feront partie des Rayons et Soleils de Bolívar. Découvrez-les.

Deux mains saisirent mon bandeau et l'ôtèrent. Devant mes yeux, d'abord éblouis, s'offrait enfin le spectacle solennel : des dizaines de bougies disposées sur le sol conféraient un éclairage particulier à la vaste salle, très haute de plafond, hermétiquement fermée. Au centre, face à nous, des épées brillantes étaient pointées en éventail sur nos poitrines. Derrière les épées, entre cinq cierges disposés en forme d'étoiles, je remarquai un gros livre que je supposai être une bible, flanqué d'un compas, un fil à plomb, une équerre et un crâne humain. Derrière le livre, debout, se trouvait un homme mince au teint olivâtre et au regard inquisiteur, vêtu d'un uniforme chargé de broderies, de médailles, de courroies et d'un large ceinturon de cuir d'où pendait un sabre au pommeau doré et un fourreau incrusté d'or. Derrière lui, suspendu au mur du fond, flottait un immense drapeau bleu, avec un soleil levant rouge d'où jaillissaient seize rayons jaunes dirigés vers le bord supérieur de l'étoffe.

– Mon nom est José Francisco Lemus, dit l'homme olivâtre, maître de la voix écoutée jusqu'alors. Je suis colonel des armées du Libertador Simón Bolívar et, sur son ordre, généralissime de l'armée de la République de Cubanacán. Pour vous, je serai, de plus, le Soleil Dirigeant de notre mouvement. Et en ma qualité j'ai désigné comme Premiers Soleils de cette confrérie des

Chevaliers Rationnels les frères don Manuel Madruga, don José Teurbe y Tolón et le docteur Juan José Hernández. Les personnes mentionnées qui se trouvaient derrière nous avancèrent alors, vêtues d'uniformes militaires semblables à celui de Lemus mais moins décorés. Je les suivis des yeux car si le grade conféré au docteur Hernández et à Teurbe Tolón n'était pas fait pour me surprendre, par contre je le fus pour Manuel Madruga, capitaine des Milices nationales, que je tenais pour une personne fidèle au régime. Les trois hommes, alignés à la suite du généralissime, se découvrirent et, au même instant, tous les quatre dégainèrent leurs épées et les pointèrent sur la bible. Puis ils se prirent par la main et Lemus déclara :

– Un maillon seul peut être fort mais il ne mène à rien. Pour tracer la ligne dont nous avons besoin, seule la chaîne est efficace, mais une chaîne qui ait démontré la force de chacun de ses maillons. Nous serons cette chaîne et nous travaillerons pour parvenir à nos fins. Aujourd'hui, notre premier labeur est de tendre une chaîne à travers toute l'île pour pouvoir, demain, commencer la bataille définitive. Chacun d'entre vous, accepté comme Rayon, parviendra au grade supérieur de Soleil quand il aura donné les preuves de son amour et de sa fidélité envers la confrérie, et quand il aura amené en son sein sept nouveaux rayons.

Puis, en chœur, les quatre Premiers Soleils crièrent :

– Union ! Intégrité ! Courage !

Aujourd'hui, presque vingt ans après avoir participé à cette vibrante cérémonie, durant laquelle nous fûmes vingt et un hommes, l'épée à la main, à jurer de défendre l'indépendance de l'Amérique et même de mourir pour elle, j'entends encore dans ma poitrine les échos de l'émotion qui me submergea. Je respirai, non sans orgueil car j'avais finalement franchi la frontière ardente de ce qu'il était possible de faire comme nous le disait le père Varela, et j'étais le seul de tous mes amis écrivains à avoir pénétré dans ce dangereux univers. Et je n'ai pas honte de dire que je me sentis supérieur.

Une des premières décisions prises cette nuit-là fut que tous les nouveaux Rayons, et ceux qui les rejoindraient bientôt dans cette chaîne fraternelle, s'incorporeraient sans plus attendre au corps des Milices nationales de la ville pour profiter de l'entraînement militaire que nous offrirait gracieusement la couronne d'Espagne contre laquelle nous devrions nous battre un jour. Ainsi, avec des uniformes neufs et rutilants, et sous le prétexte de nous préparer à défendre la Constitution, nous nous rendîmes chaque semaine à un Champ de Mars improvisé dans le nouveau quartier de Versailles où nous découvrîmes les secrets des armes à feu et nous habituâmes au poids tranchant des épées de combat. Avant la fin de l'année, dans mon escadre d'entraînement se trouvaient les sept hommes que, grâce à mon prosélytisme, je conduisis au sein de la conspiration et grâce auxquels je pus être admis au grade supérieur de Soleil. Parmi mes protégés se trouvaient mes vieux amis Juan et Pablo Aranguren et leur beau-frère Antonio Betancourt qui, au cours des entraînements, démontra bientôt qu'il était le plus habile de nous tous dans le maniement des instruments militaires.

Il me fut difficile et même plus que difficile, voire impossible, de garder le secret de ma nouvelle et dangereuse filiation. L'orgueil de me savoir enrôlé dans la première grande aventure libertaire de l'île, avec laquelle je sympathisais comme poète et à laquelle je participerais bientôt comme soldat, m'empêchait de garder le silence sur cette appartenance capable de me hisser vers l'Olympe des poètes guerriers dont l'existence me semblait alors indéniable. Lola, mon aimée, fut en toute logique ma première confidente, en cet inoubliable après-midi de dimanche durant lequel, à bord d'une petite barque, nous remontâmes la paisible rivière Yumurí jusqu'à des lieux que nous n'avions encore jamais explorés au cours de nos promenades.

Je me souviens – comment l'oublier! – que nous étions en plein mois de décembre, mais la température était légèrement chaude et le soleil se reflétait dans le courant. Quelques jours plus tôt, je m'étais rendu à La Havane en compagnie de Tanco pour assister à la sortie de *El Americano libre*, la nouvelle revue éditée par Domingo et Cintra, et aussi pour prendre quelques exemplaires du livre explosif *Bosquejo ligerísimo de la revolución de México desde el grito de Iguala hasta la proclamación imperial de Iturbide**, dont l'auteur était "Un véritable Américain" et où apparaissait aussi, dans les pages finales, sans signature non plus, mon *Ode au peuple de l'Anáhuac*, que Domingo avait heureusement fait parvenir à Vicente Rocafuerte, un des éditeurs du livre.

Pour une étrange raison tous ceux qui me connaissaient dans la capitale savaient que j'étais l'auteur de ces vers patriotiques qui

* « Esquisse très rapide de la Révolution du Mexique depuis le Cri d'Iguala jusqu'à la proclamation de l'empereur Iturbide. »

encourageaient les Mexicains à renverser la dictature impériale. Mon aveuglante vanité me fit croire que c'était là un des prix possibles de la renommée, car j'estimais que l'on me reconnaissait déjà à ma façon particulière d'écrire et même d'exprimer une pensée politique favorable à la cause indépendantiste. Cependant, à ce moment-là je n'osai pas confier à mes amis, même pas à Domingo et à Silvestre, mon appartenance à la loge des Chevaliers Rationnels, bien que je parlasse avec eux de l'existence quasiment sûre d'une conspiration en marche et, comme il fallait s'y attendre étant donnée ma fonction de Soleil du mouvement, je leur demandai si éventuellement l'un d'entre eux serait disposé à participer à la sédition. Pour leur inspirer confiance je leur dis que quelques personnes bien informées m'avaient fait part de l'intérêt de Bolívar pour l'indépendance de Cuba et de la situation militaire de plus en plus vulnérable de l'Espagne. Je n'hésitai pas à leur affirmer de nouveau que j'étais moi-même disposé à me lancer dans cette geste nécessaire. Et tous, y compris Tanco qui disait tant aimer la justice et tant détester l'esclavage, d'une façon ou d'une autre refusèrent de participer à la sédition et dans leurs justifications je remarquai une dangereuse coïncidence : les nègres n'allaient-ils pas se soulever ? Seul Domingo, dans un aparté, à la sortie d'un tripot où il avait joué aux dés, revint sur la question et me demanda de le tenir au courant de la création de tout mouvement séditieux car il commençait à croire que cette voie était la seule possible pour changer le destin du pays.

Le lendemain de mon retour à Matanzas, avec la ponctualité à laquelle l'amour nous oblige, je courus retrouver Lola sur notre embarcadère. En cet après-midi elle me parut plus divine que jamais quand, accompagnée de Tita, cette esclave belle et discrète qui la servait depuis que toutes deux étaient fillettes, elle accepta de monter sur la barque avec laquelle nous ferions notre premier voyage au paradis.

Durant plusieurs minutes je ramais en remontant le fleuve pour atteindre le beau paysage du Havre du Yumurí, où la montagne s'ouvre en deux pour céder le passage au lit du fleuve. Je ramais tout en parlant de sujets très généraux : mon voyage à La Havane, les salutations que lui envoyaient mes amis, en particulier Silvestre qu'une vieille amitié unissait à Lola et la nouvelle mode des jupes boutonnées sur le devant, confectionnées dans une délicate étoffe anglaise récemment arrivée dans l'île. Ce fut seulement quand nous remontions Le Havre et que nous naviguions dans des territoires interdits par les bonnes mœurs, que je lui proposai d'aborder sur une berge tranquille pour parler en privé d'un sujet de la plus haute importance.

– Si important que Tita ne peut pas l'entendre ? Souviens-toi toutes les lettres de toi qu'elle m'a apportées…

– C'est trop important, Lola, lui répétai-je en la regardant dans les yeux et finalement elle accepta.

Nous laissâmes la discrète Tita sous un manguier luxuriant, déjà couvert par les premières fleurs de la nouvelle saison, et Lola et moi nous nous enfonçâmes dans la vallée. L'éternel tremblement de mes jambes se manifesta, non pas à cause de la révélation que j'avais à l'esprit, mais parce que j'avais calculé que je pourrais peut-être faire tomber une muraille qui me permettrait de la conduire au-delà de l'étape frustrante des baisers sur les mains et des bras qui se frôlent. Assis sous un majestueux *júcaro*, sûrement centenaire, je lui parlai enfin de ma participation à la conspiration, de la raison de mon engagement dans les milices et lui racontai même, avec force détails, la cérémonie d'initiation à laquelle j'avais participé et lui montrai la petite cicatrice gravée à la hauteur de l'épaule droite, fruit d'une coupure que l'on m'avait faite à l'instant du serment. Pendant que je parlais, le visage de la jeune fille commença à refléter son inquiétude et en observant l'éclat trop humide de ses yeux, je lançai mes troupes à l'assaut : je lui parlai d'un prochain soulèvement, à partir duquel je m'engagerais dans la révolution et je resterais peut-être longtemps sans la voir.

– Et il est même possible que nous ne nous revoyions jamais… La mort est une des cartes avec lesquelles on joue dans une guerre.

– Que Dieu en dispose autrement ! murmura-t-elle et elle me regarda dans les yeux. Tu me fais mourir de douleur, José María.

– Et toi, d'amour.

Le chagrin sincère de cette jeune fille, embellie par la rougeur que le soleil peignait sur ses joues et par l'inquiétude provoquée par les dangereuses décisions que j'avais prises, eut l'effet d'un cyclone qui, sans autre préambule, me jeta sur ses lèvres charnues. Existe-t-il un plus grand privilège que de sentir la maladresse de l'initiation dans la réponse à un baiser d'amour ? Y a-t-il une chose plus sublime dans l'échelle des valeurs des hommes que de savoir que notre main est la première, acceptée par amour, à caresser le visage tiède et soyeux d'une jeune fille ?

Est-il possible d'imaginer plus beau cadeau que l'explosion d'un cœur contre notre poitrine, emporté par la force d'une passion enfin libérée ? Je jouissais de ces sensations uniques tout en me demandant si je n'étais pas entré dans cet univers de danger et de mort uniquement pour impressionner cette femme qui me rendait fou et avec laquelle je désirais franchir toutes les limites... Employant l'art transmis par ma gentille Betinha et récemment pratiqué dans le lit de Luisa Montes, je commençai à effleurer sa bouche de mes lèvres, vainquant les premiers refus, les craintes pudiques, et canalisant ensuite ses impulsions inexpertes, quand une chaleur intérieure sembla l'étouffer. Je préparai soigneusement le terrain pour passer à de plus grandes satisfactions et je fis pénétrer ma langue dans l'écrin merveilleux de sa bouche pour caresser la sienne, l'éveiller et la faire participer à un jeu amoureux qui libéra peu à peu les tensions, délia des mains qui ne s'opposaient presque plus, emporta les préjugés, puis, dans une progression téméraire, dénuda les corps pour baiser des seins blancs et tièdes, couronnés d'une fleur rouge au pistil enflammé, parvenir à caresser un duvet lisse et sombre qui exhalait un parfum doux et acide comme la vie et, enfin, avec une ardeur irrésistible, forcer le divin cadenas de Lola Junco où je pénétrai comme une pointe d'acier démesurée pour déchirer ce mouchoir de soie...

Pour quelqu'un qui se targuait d'être un expert en amour, une chose inconnue se produisit en cette seconde : avec une totale clairvoyance, je sus que je venais, seulement en cet instant, de découvrir ce qu'est l'amour à son degré le plus sublime et le plus satisfaisant... J'apprendrais bientôt, grâce à cette même femme et aux sentiments qu'elle m'inspirerait, ce qu'est la certitude que l'on peut mourir d'amour et être pourtant incapable de l'exprimer dans un poème.

Sur un nuage d'amour et de poésie j'eus bientôt dix-neuf ans et je passai de l'heureuse année 1822 à la terrible année 1823, me sentant toujours le roi de l'univers et le plus heureux des hommes sur la face de la terre, car en vérité je le fus : cette fois-là n'avait été que la première, quoique la plus mémorable, de toutes les rencontres amoureuses qui nous réunirent, Lola Junco et moi, au cours des mois suivants.

A cette même époque, ma renommée de poète atteindrait peut-être son zénith à Cuba, quand Domingo publia dans la revue à laquelle je collaborais désormais, l'annonce explosive et fausse de l'édition prochaine de mes poèmes. Début mars, quand

El Americano libre disparut à son tour, Domingo commença à écrire dans *El Revisor político y literario,* une revue dont le nom proclamait le programme que soutenaient des signatures comme celles de Sanfeliú, José Antonio Saco, Anacleto Bermúdez, Cintra et Domingo en personne. Mais peu de temps avant, son nom avait commencé à être cité dans les cercles littéraires et mondains quand il suscita des commentaires courroucés à cause d'un petit article sur l'ambiance juvénile de la Alameda de Paula. Le hasard voulut que le texte vît le jour tandis qu'il était en visite à Matanzas, ce qui me permit, à peine l'avais-je lu, de discuter avec lui des intentions qui l'avaient poussé à écrire ce fait divers où il jetait l'anathème sur certaines coutumes des jeunes, qui étaient, selon lui, contraires à la morale et à la décence. Pour la première fois, il y faisait étalage publiquement de sa vocation d'oracle et de moraliste, en attaquant les jeunes gens qui copiaient des modes étrangères et surtout ceux qui, selon ses dires, s'adonnaient à des vices et à des plaisirs de bas étage.

– Tu parles là de toi et de moi, non, Domingo ? lui demandai-je, plus déconcerté que gêné, quand nous nous rencontrâmes.

– J'essaye d'entrer dans la société, José María, me dit-il, et je crois qu'il était sincère. Chacun fait comme il peut : toi, tu provoques l'admiration avec tes poésies et tu scandalises avec tes œuvres de théâtre. Moi, je vais le faire avec le journalisme, car c'est par là que je peux réussir. Oublie ce que je dis : la seule chose importante, c'est de sonner les cloches à toute volée pour se faire remarquer… Et ne sois pas si vaniteux ; tu n'es pas le seul à courir les putes, pas plus que je ne suis le seul à jouer jusqu'à ma chemise. Tu me comprends ?

– Je commence à te comprendre, lui dis-je, et l'esprit dangereusement échauffé par le vin, je me pris à lui dire que je me sentais désormais capable de réunir mes poèmes pour publier un volume. Je lui avouai alors que la raison de ce désir était que ma vie pouvait changer d'un moment à l'autre… Trois verres après je lui racontai mes aventures comme conspirateur…

Avec une stupeur palpable, il commença à me poser mille questions auxquelles je répondis point par point avec sincérité. À la fin, après avoir beaucoup parlé et bu, je l'écoutai dire quelque chose que je pris pour l'extravagance d'un homme ivre.

– Tu sais une chose, José María ? Tu vas être ma perdition. Tu fais tout ce que je voudrais faire et tu es tout ce que je voudrais être. Tu écris les poésies que je voudrais écrire, tu aimes les femmes que je voudrais aimer et tu crois en des choses auxquelles je voudrais croire. Parfois j'aimerais te détester pour toutes ces raisons, mais je ne le peux pas : je t'aime trop…

Et sans crier gare, il se livra à un acte qui, à juste titre, me fit trembler des pieds à la tête : il s'inclina vers moi, me soutint par les revers de ma veste et, sans que je pusse l'éviter, il déposa un baiser sur mes lèvres.

Je mis sur le compte du vin cette explosion qui conduisit Domingo à mettre à nu son intimité devant mes yeux stupéfaits et je lui interdis de continuer à boire. Je crois que jamais, ni avant ni après, le tremblement de mes jambes ne fut si intense qu'en cette froide nuit de janvier.

Deux mois plus tard, alors que je jouissais de mon amour effréné pour Lola, oublieux de mon attente enfiévrée du soulèvement séparatiste et plongé dans l'écriture ardue d'une tragédie centrée sur le héros mexicain Xiconténcatl, j'appris que Domingo avait remis à *El Revisor* un article où il annonçait sur un ton caustique la publication prochaine d'un volume de mes poèmes. Dans cette annonce, publiée sans signature, en plus de me présenter comme le premier poète de l'île qui avait fait chanter "la lyre cubaine avec des accents délicats et nobles", il commit l'impertinence de me confronter aux autres poètes en exercice, en les discréditant et en les rabaissant, comme si la véritable finalité de l'article était d'attaquer les autres et non de saluer mon éventuel recueil de poèmes. La réaction, prévisible, ne se fit pas attendre, et les versificateurs les plus connus se lancèrent à l'attaque, se demandant quels mérites et quels lauriers garantissaient ma supériorité. Le scandale, soudain, me transforma en célébrité, défendu par certains, vilipendé par d'autres, mais cela servit pour que "L'auteur de l'annonce", comme Domingo signa sa réplique aux attaques des offensés, devienne une voix autorisée et même considérée comme courageuse dans le petit monde littéraire de l'île. S'appuyant sur ma célébrité, Domingo s'était ouvert la voie qui le conduirait à sa propre gloire, à son prestige de prophète et à la splendeur de la richesse matérielle… Il me faudrait attendre bien des années, alors que je traversais à nouveau la mer, m'éloignant à jamais de Cuba, pour être capable de séparer le métal pur de ses scories et comprendre la véritable portée de cet acte juvénile, alors incompréhensible pour moi, mais digne du sombre génie de Machiavel.

En cent ans, ce fleuve modeste et paisible avait-il beaucoup changé ? Bien sûr, ses eaux devaient être plus troubles aujourd'hui, comme il advient peu à peu de tant de choses, mais pour l'essentiel son aspect devait à peine avoir évolué : cent ans, c'est si peu pour l'existence d'un fleuve alors que c'est trop pour la vie d'un homme. De ce que son père avait vu, sur ce vieil embarcadère du Yumurí, il restait le fleuve et la mer proche où il allait mourir. Cependant, l'abandon et le délabrement s'étaient emparés de ce que les hommes avaient construit pour embellir ce lieu, jadis coloré et joyeux, fréquenté par le poète amoureux ; de l'embarcadère n'avaient survécu que les planches pourries du quai et les poteaux qui avaient soutenu le kiosque où les jeunes de Matanzas s'abritaient du soleil en attendant la barque qui les promènerait vers l'amont du fleuve, avec l'apparente innocence de ces temps-là. Aucun des protagonistes de ces jours lumineux et turbulents n'était encore de ce monde : en réalité, c'est à peine s'il en restait le souvenir. La confluence de ce qui est éternel, œuvre du Grand Architecte de l'Univers et de ce qui est périssable, né de la main de l'homme, révéla à José de Jesús la vanité absurde de ses propres intentions : en réalité à qui cela importerait-il de savoir qui fut aimé et à quel point par un poète triste et oublié ? Qui fut détesté et à quel point par cet homme fragile et malheureux qui se trompa au moment d'évaluer sa capacité de résistance à la douleur et ses forces pour affronter l'adversité ?

Il se dit que tout serait plus facile si, au lieu de questions si embarrassantes, il avait une simple réponse. Et il pensa que c'était précisément à la recherche d'une réponse et de la libération qu'elle lui apporterait qu'il était venu ce matin jusqu'à cet embarcadère vétuste dont s'approchait l'oracle qu'il avait lui-même convoqué et qui l'empêchait maintenant de fuir ou de se taire. Vraiment, se dit-il, il était anormal que son père, qui avait fui tant de fois dans sa vie, l'ait conduit jusqu'à cette situation imprévisible.

José de Jesús vit s'approcher Ramiro et, comme il le faisait depuis qu'il connaissait les origines de cet homme, il chercha dans ses traits quelque évidence physique capable de corroborer les affirmations de son père. Car si Esteban Junco était le fils de José María Heredia et de Lola Junco, comme l'assurait le poète, Ramiro était son petit-fils et aussi le propre neveu de José de Jesús. Mais Ramiro Junco était, avant tout, l'unique et véritable propriétaire de ces mémoires, destinés selon le vœu de Heredia à être lus par le fils qu'il n'avait jamais connu. Aussi, le sort ultime des documents qu'il avait déposés la veille au soir sous la protection de la loge "Fils de Cuba" allait dépendre de la conversation qu'il aurait avec l'homme qui le saluait, en lui serrant la main et en faisant le signe de reconnaissance de la fraternité.

Ramiro avait environ vingt ans de moins que José de Jesús, même s'il semblait avoir presque le même âge. L'ardeur avec laquelle il s'était consacré au travail avait fini par marquer profondément son aspect physique, car il s'était acharné, comme s'il y allait de son honneur, à reconstituer la fortune familiale balayée par le désastre de la dernière guerre et les fraudes financières qui s'étaient succédées sous l'occupation nord-américaine. En s'asseyant près de José de Jesús, il soupira de soulagement et attendit quelques instants que ses os et ses muscles trouvent une position acceptable.

– Qu'est-ce que c'est que cette histoire des manuscrits de ton père ? Pourquoi doit-on me demander mon avis à moi ? s'enquit Ramiro tout en allumant une de ses fines cigarettes.

José de Jesús pensa que le mieux était de passer sur les événements annexes et d'entrer dans le vif du sujet. Il contempla le fleuve, les restes de l'embarcadère, les piliers du kiosque où était née cette malheureuse romance et il dit :

– Les documents de mon père sont l'histoire de sa vie, ou comme il le disait, le roman de sa vie, mais ce roman a beaucoup à voir avec toi et je voulais que tu le saches…

Et il commença à lui donner quelques détails sur le contenu des papiers.

– D'après mon père, Esteban Junco était le fils de Lola Junco et non de son frère don Rubén, malgré ce qui s'est toujours dit… L'enfant naquit avant son mariage avec Felipe Gómez et tu sais ce que cela pouvait signifier ici à Matanzas. La vérité c'est qu'Esteban, ton père, était le fils de Heredia et de Lola – et il reprit son souffle pour terminer –, alors Lola Junco est ta grand-mère… et tu es Ramiro Heredia.

En cet instant, José de Jesús éprouva un sentiment de honte infinie à cause d'un acte qui lui était étranger et dont il n'était ni ne pouvait s'être rendu coupable. D'un seul coup il venait de déséquilibrer la vie d'un homme, en sapant les fondements de son existence logique et assumée, pour le précipiter dans le vide de l'incertitude. Une fois de plus, il se demanda s'il avait agi au mieux. A ses côtés, se trouvait maintenant un homme pâle, déconcerté, dans l'esprit duquel devaient défiler les images des soixante ans d'une vie qui était la sienne tout en ne l'étant pas, d'un long passé qui lui appartenait mais qui en même temps avait été bâti sur un gigantesque mensonge capable de l'anéantir... Ramiro Junco, Ramiro Heredia: cela devait être difficile, à la fin de sa vie, de découvrir que l'on est un autre et pas celui qu'on a toujours pensé être...

– Tu me connais depuis longtemps et tu sais comment je vis: ces papiers ont de la valeur, et bien que mon père y raconte des choses qui ne sont pas toujours en sa faveur, c'est aussi à cause de toi que je ne les ai pas vendus. Et parce qu'en vérité, ces documents sont à toi. Il a écrit ces mémoires pour que Lola les remette à son fils Esteban. Ma mère les a apportés du Mexique pour les lui donner, mais quand elle est morte, ma grand-mère a refusé de les remettre à qui que ce soit. Elle affirma que si les Junco recevaient ces documents, jamais personne ne connaîtrait la véritable vie de Heredia... Cela fait des années que je pense à tout cela et je crois que tu dois savoir. Maintenant c'est à toi de décider du sort de ces papiers: tu peux les sortir de la loge et en faire ce que tu veux, car je te le répète, ils étaient destinés à ton père et donc, ils sont à toi. L'unique faveur que je veux te demander, si tu penses les conserver, c'est de ne pas les publier avant 1939, car telle est la condition qui fut imposée par ma grand-mère...

Ramiro Junco regardait le fleuve, si paisible que son cours semblait suspendu, comme si l'eau ne coulait pas dans son lit. Cet instant de sa vie devait être semblable à cela: devait-il suivre la direction connue qui conduisait à la mer ou celle qui remontait le courant jusqu'à la source où se trouvait l'origine de sa vie, comme semblait l'exiger cette révélation soudaine et absurde?

– Quand ces papiers seront publiés, je serai mort, dit-il enfin, toujours sans regarder José de Jesús. Il reste encore combien d'années? Presque vingt? De toute façon, je ne tiendrai pas jusque-là. Alors la honte ne rejaillira pas sur moi – si tant est que je doive me sentir honteux de quelque chose – mais peut-être sur mes enfants, mes petits-enfants, la mémoire de mon grand-père Rubén et de tante Lola... je ne sais pas.

– J'imagine ce que tu dois éprouver. Moi-même j'ai découvert ces documents il y a seulement dix ans. Toute ma vie j'ai eu une image de mon père qui m'a aidé à créer celle que j'ai de moi. Quand j'ai lu ces papiers, j'ai compris qu'il n'avait pas été le personnage que l'on étudie maintenant à l'école. Ce fut un pauvre homme qui se fourvoya dans des situations qui le dépassaient et à qui il arriva tout le bonheur et tout le malheur du monde, bien que le malheur ait nettement dominé.

– Tu cherches à justifier quelque chose ou à me consoler ?

– Je suis en train de te dire ce que j'ai ressenti, Ramiro.

– Personne ne peut savoir ce que je ressens. Ni toi, ni personne, affirma-t-il, et il se leva avec une vigueur étrange. Ici, à Matanzas on a toujours parlé de Lola et de Heredia. Les poèmes de ton père sont là… Mais je suis Ramiro Junco, et cela aucun papier ne peut désormais le changer. La vérité de Heredia est sa vérité et la mienne m'appartient. Je ne veux rien lire de tout cela. Je ne veux même pas voir ces documents. Fais ce que tu crois devoir faire, ce que ta conscience te dictera, ce qui te semblera le plus juste, mais ne compte pas sur moi : je ne vais pas m'immiscer dans cette histoire et je ne vais pas non plus faire taire Heredia. Je n'ai le droit d'arranger aucune vie, ni celle de ton père, ni celle de personne, quant à la mienne il n'y a plus rien à y faire. Excuse-moi si je ne te remercie pas de m'avoir raconté tout cela…

De son pas lent, Ramiro Junco prit le chemin du retour vers la ville. Il semblait peut-être plus voûté, mais José de Jesús pensa que c'était le fruit de son imagination. Quand l'homme disparut de sa vue, il se concentra à nouveau sur le fleuve et il pensa que, lorsque Ramiro et lui mourraient, le fleuve serait toujours là et ce pour des siècles si le Grand Architecte de l'Univers en décidait ainsi, lui qui faisait les montagnes et les fleuves mais pouvait aussi les détruire. Alors, que ne serait-il capable de faire, avec une chose aussi infime que le destin d'un homme ?

Ces noms avaient la saveur d'un passé dense et prometteur : Anselmo de la Caridad Junco y Ponce de León, fils de Ramiro et d'Alfonsina, né à Matanzas en 1894, mort à La Havane en 1982, apparaissait encore comme le propriétaire de la maison située dans la rue D, au numéro 120, dans le quartier du Vedado. C'est là que vivaient ses filles et légitimes héritières, Hortensia Agraciada et Carmen Alodia Junco y Vélez de la Riva, en plus d'une famille nombreuse que les relations bureaucratiques de Conrado ne se donnèrent pas la peine de préciser.

Loin de trouver une demeure ancienne, comme ils s'y attendaient, Fernando et Álvaro découvrirent un édifice moderne de deux étages avec de nombreuses fenêtres aux vitres brillantes et intactes. Un mur avec des grilles semblait avoir été ajouté récemment à la maison et un écriteau confirmait sa toute nouvelle existence : Palmar de Junco, Paladar*. Ouvert de 12 heures à 14 heures.

– La vieille bourgeoisie cubaine vient reprendre ses privilèges, dit Álvaro et il appuya sur la sonnette installée sur la grille.

– C'est pas l'argent qui a manqué, ici ! commenta Fernando tout en essayant d'apercevoir à travers les barreaux la maison havanaise d'Anselmo Junco.

– Bonjour, vous voulez déjeuner ?

Ils furent surpris par la jeune fille d'une vingtaine d'années, blonde et souriante, qui leur ouvrit la porte.

– Non, pas précisément… nous voulons voir Hortensia ou Carmen Alodia.

– Entrez… dit-elle, le visage assombri par l'appréhension… Vous êtes inspecteurs ?

Fernando et Álvaro échangèrent un regard.

– Dites-leur que nous sommes journalistes. Nous cherchons des informations sur la famille Junco de Matanzas, improvisa Álvaro.

– Ah… un instant s'il vous plaît.

Et la jeune fille les laissa au pied d'un escalier dont les quelques marches de marbre menaient à un palier où s'ouvraient deux portes. Entre la grille et l'escalier, et tout le long du côté gauche de l'édifice, s'étendait un jardin touffu avec un sentier de dalles hexagonales qui serpentait vers une pergola sous laquelle plusieurs personnes déjeunaient, assises à de fausses tables coloniales en fer forgé, couvertes de nappes marron. Un morceau pour piano de Ernesto Lecuona, juste au volume exigé par le bon goût, leur parvint depuis le restaurant quand la jeune fille ouvrit une des portes du perron.

– Venez, dit-elle, grand-mère Carmencita va vous recevoir.

Ils avaient à peine franchi le seuil du vaste salon, éclairé par plusieurs fenêtres qu'ils tombèrent dans le tourbillon de ce qu'Álvaro appellerait ensuite “le dernier bastion de la défunte oligarchie cubaine”. Fernando, abasourdi, observa la décoration et pensa que ce lieu avait tout pour figurer dans un catalogue

---

* Restaurant privé, chez l'habitant.

d'installations surréalistes : sur un vieux piano à queue étaient réunis, se disputant l'espace, un four *à micro-ondes* dont la porte manquait, un grand vase en porcelaine chinoise, l'antenne moustachue du téléviseur, une montagne de revues et le volant d'une voiture, tandis que deux cageots de tomates occupaient le tabouret du pianiste.

Depuis le sofa où pour s'asseoir ils avaient dû écarter quelque chose qui ressemblait à un peignoir et ce qui était sans doute un sac avec deux choux à l'intérieur, Fernando et Álvaro virent sortir la jeune fille et avec un enthousiasme quasi intellectuel, ils continuèrent à faire l'inventaire de cette foire aux objets insolites réunis par la négligence. Tout était possible dans le salon des dames Junco où, en plus du piano, de valeur sans aucun doute, leur attention fut particulièrement attirée par les deux bustes en marbre abandonnés dans un coin qu'ils parvinrent à identifier, grâce aux enseignements du docteur Mendoza, comme étant ceux de César et Cicéron. Il y avait aussi parmi ce qui était encore récupérable deux fauteuils à haut dossier, en bois et en cuir, avec de pâles incrustations de nacre, datant sans aucun doute du XIXe siècle, étant donné leur style. Sur un mur était accroché le portrait à l'huile sans signature connue de quatre jeunes gens, deux femmes et deux hommes, beaux et frais, vêtus de blanc et assis dans un jardin avec une pergola au fond.

– On dirait le jardin là-dehors, non ? commenta Fernando.

– Mais oui, dit une voix, et tous deux se retournèrent pour observer la femme âgée d'un peu plus de soixante ans qui ressemblait de toute évidence à une des dames du tableau.

– Enchantée, je suis Carmencita Junco.

Álvaro et Fernando se présentèrent et retournèrent s'asseoir sur le sofa.

– Ce tableau a environ cinquante ans. Il a été peint en 1937, quand j'avais vingt-six ans. Celle qui est à droite, c'est moi.

Fernando regarda de nouveau la peinture et il pensa que quelque chose ne collait pas. Si les dates données par la femme étaient justes, ses comptes lui disaient que Carmen Junco était plus près des quatre-vingts ans que des soixante et des poussières qu'elle semblait avoir.

– Les hommes sont mes frères, Cuco et Pepito. Cuco est mort il y a quatre ans et Pepito vit à Miami depuis 1960. L'autre jeune femme, c'est Hortensita, ma sœur.

– Mais cette maison n'est pas de 1937 ?

– Non, Cuco l'a fait construire en 1956, mais nous avons conservé la pergola du jardin qui existait déjà et vous voyez à quoi elle sert, tant d'années après. A l'époque de mon père c'est là que nous donnions des fêtes et, sauf Batista, qui était un noir assassin – pardon pour le noir... qui était un assassin, tous les personnages importants de ce pays ont dîné ici à partir de 1934, quand nous avons acheté la vieille maison, et jusqu'en 1959... Grau, Prio, Eddy Chivás, Jorge Mañach, Tony Guiteras... et aussi Gabriela Mistral, Josephine Baker et Pedro Infante quand ils sont venus à Cuba. Caruso non, lui, il a dîné dans notre maison de Matanzas, comme Sarah Bernhardt et Paderewski, à l'époque où nous vivions encore là-bas.

Pendant que Carmen Junco évoquait les anciennes splendeurs socioculturelles de sa famille, Fernando eut la prémonition qu'il se trouvait enfin sur le chemin capable de le conduire vers une authentique réponse. Si le manuscrit de Heredia racontait l'histoire d'amour présumée entre Lola Junco et le poète, parmi les personnes vivant dans les années 20 et ayant eu accès aux documents, Ramiro Junco devait être celui qui avait le plus intérêt à éviter sa divulgation.

– Et pourquoi êtes-vous venue à La Havane alors que votre famille était l'une des plus anciennes de Matanzas ?

Carmencita sourit avec une délicatesse élégante.

– Pour une question d'argent, quelle autre raison pouvait-il y avoir ? A la mort de mon grand-père Ramiro, mon père, qui s'appelait Anselmo – que Dieu ait son âme – et son frère Ricardito ont eu des différends à cause de l'héritage. Oncle Ricardito était ce que l'on appelle vulgairement un requin. C'est pour ça qu'à l'époque de Machado* il a réussi à devenir gouverneur de la province de Matanzas et il s'est dépêché d'en profiter au point de multiplier sa fortune par dix. Cette fameuse Route centrale lui a rapporté je ne sais combien d'argent ! Jusqu'au jour où mon père en a eu assez des problèmes avec son frère et pour prendre ses distances, il a acheté cette maison à des cousins Ponce de León et nous avons déménagé en 1934.

– Mais la famille de votre oncle Ricardo n'habite plus Matanzas, n'est-ce pas ? demanda Álvaro, craignant d'avoir fait fausse route.

---

* Gerardo Machado, général, dictateur de Cuba de 1924 à 1933.

– Non, des vieux Junco de ma famille il ne reste à Matanzas que quelques cousins éloignés. La famille d'oncle Ricardito est partie à Miami en 1959. Ils n'ont pas pu tout emporter, mais ils s'en sont bien sortis, croyez-moi ! Et là-bas ils vivent comme des rois, pendant que nous, vous voyez, nous nous débrouillons grâce au *Paladar*. Heureusement que mon frère Pepito nous envoie un peu d'argent de temps en temps, mais il le fait à contrecœur. D'après lui, tous ceux qui sont restés à Cuba sont communistes et il ne nous pardonne pas d'avoir vendu les tableaux de valeur qui se trouvaient dans cette maison… Mais ce n'est pas ce que vous vouliez savoir ou est-ce que je me trompe ?

Fernando et Álvaro firent un sourire timide quand, venant de l'intérieur de la demeure, ils virent entrer une femme noire, peut-être aussi âgée que Carmen Junco, armée d'un plateau avec trois tasses de café.

– Merci, Pepa, dit la maîtresse de maison à la femme qui venait d'entrer, puis se tournant vers les visiteurs : je suppose que vous prendrez un café…

Álvaro prit une tasse puis la vielle femme s'approcha de Fernando, et enfin de Carmen.

– S'il y a une chose qui ne s'est pas perdue dans cette maison qui a tout d'un asile de fous, c'est la coutume d'offrir un café. Même s'il fallait aller le chercher sous terre…

– Il est excellent… dit Fernando.

– C'est du café Pilón, de Miami. C'est là-bas qu'on boit le meilleur café cubain.

– Est-ce que la fumée vous dérange ? demanda Álvaro.

– Non, bien sûr que non. Mon père a toujours été un grand fumeur, et moi, je fume parfois. Merci, Pepa, dit Carmen en rendant les tasses à la femme qui repartit vers l'intérieur de la maison.

– En réalité, doña Carmen…

– Carmencita…

– Doña Carmencita…

– Sans le *doña*…

Fernando rit franchement et s'installa plus confortablement sur le sofa.

– Carmencita… je vous disais que la famille Junco nous intéresse de façon indirecte. Ce que nous cherchons a peut-être à voir avec vous et vos parents, car votre grand-père Ramiro a pu être en rapport avec…

– Grand-père Ramiro ?…

Fernando raconta ses démarches à la recherche des documents perdus de Heredia jusqu'au vieil Aquino et, même s'il préféra éviter de mentionner la fameuse relation entre Lola et Heredia, il insista sur le fait que Ramiro Junco était un des rares hommes ayant pu avoir accès aux manuscrits du poète. Plus il avançait dans l'histoire, plus le visage de la femme reflétait un intérêt grandissant. Ses yeux, de ce même noir profond que les poèmes de Heredia avaient célébré dans le regard de Lola Junco, brillaient de vivacité et Fernando découvrit que le secret de son apparente jeunesse venait de ces yeux.

– Qu'est-ce que c'était que ces papiers ? Enfin, si vous le savez…

– Nous croyons que ce sont les mémoires de Heredia, ou une sorte de roman, dit Fernando. Nous n'en sommes pas sûrs, parce que personne ne semble les avoir lus…

Carmen Junco respira profondément et jeta un regard vers le piano qui à l'époque où le clan était à l'apogée de sa gloire avait peut-être vibré sous la caresse des doigts d'Ignacio Paderewski.

– Il y a une chose que vous savez et que vous n'avez pas dite par courtoisie, et je suppose que c'est la raison qui vous fait penser que grand-père Ramiro a pu prendre ces documents, n'est-ce pas ?

– Eh bien, oui. Fernando regarda Álvaro, avant de se lancer dans la seule direction possible. Vous devez savoir ce qui s'est dit, il y a longtemps, à propos de Heredia et de Lola Junco…

– Qu'Esteban Junco n'était pas le fils de Rubén mais de la tante Lola et de Heredia.

– C'est ce qu'on nous a dit… mais nous ne savons pas ce qui se disait dans la famille.

– Dans la famille ? On n'en parlait pas, mais si l'on entendait quelque rumeur, eh bien, évidemment on la démentait, vous imaginez, une Junco avec un enfant hors mariage ! Mais au fond, je crois que les racontars ne les dérangeaient pas beaucoup, parce que ce n'est pas rien d'être le fils de Heredia… D'un musicien mulâtre, cela aurait été une autre histoire… mais du poète Heredia… Le bon côté de la vie ce sont ces vengeances : maintenant personne ne veut être un poète mort de faim et tout le monde voudrait avoir un fils mulâtre et musicien, qui voyage à l'étranger, qui ait une voiture neuve et qui gagne des dollars.

– Ça c'est bien vrai, confirma Álvaro et il alluma une autre cigarette.

– C'est pour ça que les gens envient tellement ma petite-fille Maricela, la petite blonde qui vous a reçus. Son mari est musicien. Mon frère Pepito dit que c'est la plus grande honte de la famille, mais lui, il n'a jamais rien compris à la vie.

– Ce sont des choses qui arrivent… commenta Fernando qui essayait de ne pas désespérer. Alors, ces papiers… ?

– Voyons un peu. D'après ce que vous me dîtes, vous supposez que mon grand-père a pu cacher les mémoires de Heredia pour qu'on ne sache pas jusqu'où était allée sa relation avec Lola, et parce que l'on pouvait découvrir qu'en réalité il était le petit-fils de Heredia.

– C'est une possibilité.

– Non, d'après ce que je sais de mon grand-père, je ne le crois pas. S'il y avait quelqu'un qui se moquait de ce que les gens pouvaient penser, c'était bien lui. Vous savez, avec la guerre de 1895, ma famille s'est retrouvée sans un centime. Entre ce que mon arrière-grand-père Esteban a donné aux indépendantistes, ce que les Espagnols nous ont confisqué et ce qui a brûlé ou a été perdu pendant la guerre, nous avons été pratiquement ruinés. Après, le peu qui nous restait est parti en fumée avec les faux bons du Trésor que les Américains avaient introduits à Cuba. Et c'est grand-père Ramiro qui a en partie refait la fortune de la famille, en travaillant comme un fou. Quand je suis née, les Junco avaient à nouveau de l'argent, mais pas comme avant, à l'époque de Lola. Mon père a alors commencé à réunir un capital car il était le meilleur avocat de Matanzas, même si pour donner des fêtes il dépensait ce qu'il avait et même ce qu'il n'avait pas, et c'est pour cela que les personnalités qui venaient à Cuba et celles qui vivaient ici défilaient à la maison. Je vous ai parlé de Caruso ? Oui, mais pas de Nat King Cole ni de Anna Pavlova… De son côté, oncle Ricardito s'est fait beaucoup d'argent sous le gouvernement de Machado, mais grâce à la politique plutôt qu'en travaillant ou en faisant des affaires. C'est pour ça que je ne pense pas que Ramiro Junco ait eu peur qu'une vérité de ce genre éclate au grand jour, parce qu'entre les vieux Junco et lui, il y avait une guerre, une fortune qui n'existait plus et presque cent ans.

– Mais à cette époque-là… commença Fernando.

– L'argent effaçait tout, comme à n'importe quelle époque, et la famille avait à nouveau de l'argent.

Álvaro, nerveux, écrasa le mégot de sa cigarette dans un cendrier en verre bleu.

– C'est du cristal de Venise, dit Carmencita. Le cendrier… J'en ai acheté cinq à Venise quand j'ai fait un voyage en 1952… c'est le seul survivant.

– Il est très beau, reconnut Álvaro.

– Alors, vous n'avez jamais entendu parler de ces documents ? Et votre sœur, et vos frères ? demanda Fernando, sans s'intéresser au cendrier vénitien.

– On a toujours beaucoup évoqué Heredia dans la famille, mais ces papiers dont vous me parlez…

Tandis que Carmen Junco faisait non de la tête, Fernando Terry sentit ses espoirs s'écrouler. Encore une piste qui commençait à s'effacer quand aucune lumière n'était visible à l'horizon.

– Et vos parents qui sont à Miami ? demanda-t-il, cherchant à insuffler un peu de vie à ses espoirs moribonds.

– Je suis sûre que mon frère Pepito ne sait rien. Mais je ne peux rien dire des cousins du côté de Ricardito. Nous ne savons pas grand-chose d'eux depuis qu'ils sont partis…

Álvaro regardait fixement le piano et finit par poser la question que depuis le début Fernando et lui avaient en tête.

– Et vous et les vôtres, Carmencita, pourquoi vous n'avez pas quitté Cuba ?

– Nous, partir ? Et pourquoi ? Souvenez-vous que les Junco, les Ponce de León et les Vélez de la Riva, nous sommes cubains depuis trois siècles et que nous n'avons pas toujours été riches mais nous avons continué à vivre. Celui qui veut partir, qu'il s'en aille, mais moi, du moins, qui suis cubaine à cent pour cent, il faudrait me mettre dehors, sinon je ne m'en irai nulle part ! Ah, et si au lieu d'être une Junco, j'étais une Heredia, à plus forte raison…

Álvaro et Fernando se regardèrent, émus par la déclaration sans appel de la vieille dame, mais également persuadés que les documents de José María Heredia étaient une chimère aussi perdue que l'orgueil et la splendeur passée de la famille Junco.

Je me souviens de ce mois d'avril 1823 comme du moment de calme qui précède la fureur du cyclone. Ma renommée de poète se propageait comme les effluves d'un parfum lourd et mes vers étaient sur les lèvres des jeunes gens amoureux ou épris de politique. Je tirais de cette importance une vanité qui me nourrissait autant ou plus que les aliments eux-mêmes. Pendant ce temps, Lola Junco et moi, en proie à une excitation permanente, nous

nous adorions comme deux êtres instinctifs qui ne trouvent un apaisement à leur exaltation que dans l'acte d'amour auquel ils consacrent leurs meilleures énergies. Les mois d'apprentissage et de pratique avaient fait de nous des amants parfaits, qui se complètent et se satisfont avec une même capacité de jouissance et de don de soi, aussi chaque minute de séparation semblait-elle un siècle alors que les heures partagées et l'amour n'étaient que des instants fugaces. Nous entourions notre relation du secret le plus absolu – même pour mes plus proches amis – et nous attendions avec impatience le moment de présenter mon dossier, car avec la possibilité d'exercer comme avocat, nous pourrions officialiser notre relation et fixer rapidement une date pour notre mariage. C'est pourquoi, jour après jour, une pensée hantait mon esprit avec impertinence : je devais avoir une conversation avec le docteur Hernández et lui avouer ma décision de me retirer de la conspiration qui n'en finissait pas de prendre forme, tandis que la chaîne souhaitée par le généralissime Lemus arrivait à peine à réunir les maillons nécessaires pour aspirer au succès, car pratiquement aucun des Cubains influents et puissants ne s'était rallié à la sédition, fournissant des excuses comme celles de mes amis pour ne pas s'engager dans une aventure dont le chemin débouchait toujours sur la même question sans réponse : et les nègres ? Seul l'aspect sinistre de cette situation l'empêchait d'être risible ; les nègres amenés d'Afrique pour être réduits en esclavage à Cuba asservissaient à leur tour la volonté de leurs maîtres, qu'ils attachaient à leurs propres chaînes et dont ils castraient la liberté.

L'orgueil m'empêchait de me livrer à une si honteuse rétractation et le fait de savoir que Lola et mes amis me considéraient comme un héros me coupait toute retraite quand, en vérité, mon désir était, à cette époque, de rester à Matanzas près de ma bien-aimée pour écrire des poèmes et des tragédies en gagnant grâce à mon travail l'argent nécessaire pour une vie paisible. Avec ce projet en tête, je pris la route de La Havane pour embarquer sur une goélette qui me conduirait à Port-au-Prince, siège de la cour de justice, convaincu qu'à mon retour tout se résoudrait, car si je me refusais à une chose, c'était bien à entraîner Lola dans une aventure faite de tourments et de douleur : et si mon destin politique était irréversible, j'étais disposé à m'arracher le cœur, comme Œdipe s'était arraché les yeux, et à laisser Lola en dehors de ma vie qui, pour toute garantie, ne pouvait lui offrir que le danger et la misère.

La Havane quand je la retrouvai à l'occasion de ce voyage était une ville au bord du chaos où la violence était chaque jour plus grande, plus nombreuses les tables de jeux et les maisons de rendez-vous, plus fréquentes les ventes aux enchères publiques d'esclaves, comme si le nouveau gouvernement du capitaine général Dionisio Vives avait décidé d'empoisonner avec une plus forte dose d'infamie et de mollesse le sang d'une société déjà malade. En même temps, les nouvelles d'Espagne et les réactions qu'elles suscitaient à Cuba firent monter la température politique à des degrés jamais atteints auparavant. Mes amis s'étaient rangés du côté de l'incendie apparemment incontrôlable. Le premier coup de canon de cette guerre sourde retentit quand on apprit que les troupes de la Sainte Alliance, organisées par le monarque français, étaient cantonnées dans les Pyrénées, disposées à envahir la péninsule pour en finir avec le mauvais exemple du constitutionalisme grâce auquel, ce même jour, tel un second coup de canon, s'était produit un événement qui dans un autre contexte nous aurait remplis d'espoir : sortant ses griffes, Varela, disposé à franchir les limites du possible, avait présenté aux Cortès un audacieux projet d'abolition de l'esclavage et d'autonomie politique pour Cuba.

La gravité de la situation poussa mes amis étudiants du séminaire de San Carlos à rédiger un manifeste d'appui au constitutionalisme qu'ils rendirent public dans les colonnes de la revue *El Revisor político y literario*. Domingo, spécialement doué pour l'élaboration de ce type d'article, resta dans l'anonymat, bien qu'il apparût parmi les nombreux signataires d'un document qui parlait ouvertement de liberté, de souveraineté, et qui attaquait les traîtres à la Constitution. Mes amis ignoraient en publiant leur ardente proclamation que depuis une semaine déjà l'invasion de l'Espagne avait commencé, une Espagne vulnérable et acéphale, trahie par ses chefs militaires et par son propre roi. Alors Varela, Gener et Santos Suárez, comme bien d'autres députés, jouèrent leur destin avec la plus dangereuse des cartes : ils déclarèrent Ferdinand VII déchu de ses droits à régner sur le pays et ses colonies, et ils transférèrent les Cortès à Séville puis à Cadix, pour parvenir seulement à prolonger l'agonie d'un système politique condamné à mort.

Si dans un premier temps l'orgueil, la vanité et une certaine dose de superbe m'empêchèrent d'aller trouver le bon docteur Hernández et de lui demander mon exclusion du mouvement indépendantiste, désormais l'attitude de mes amis, l'exemple de

Varela et des autres députés, m'interdisaient toute possibilité de faire marche arrière, en supposant qu'une telle possibilité existât encore.

Dans cette ambiance exaltée, une nuit où nous avions bu plus de vin qu'il n'est raisonnable, et après avoir discuté pendant des heures sur les issues possibles de la crise du moment, je décidai, presque sans y penser, de défier davantage mes amis et je leur révélai finalement mon appartenance aux "Rayons et Soleils de Bolívar". En plus des habitués, je me souviens que cette nuit-là Saco se trouvait aussi parmi nous, car, sous la pression des récents événements, il était devenu membre, lui aussi, d'un groupe où il trouvait un écho à ses idées et à ses prises de position.

Tandis que Domingo me fixait du regard scrutateur de ses yeux myopes et soufflait la fumée d'un de ces cigares qu'il s'était soudain mis à fumer à cette époque, les visages de Silvestre, Cintra, Sanfeliú et même Saco se figèrent de stupeur en apprenant mon appartenance au mouvement séditieux. Comme il fallait s'y attendre, le commentaire le plus éloquent fut celui de Domingo qui, sans ôter le cigare de sa bouche, murmura :

– Tu es devenu fou. Tu me comprends ? Et il ajouta avec franchise, me sembla-t-il et bien malgré lui : tu te lances toujours la tête la première mais cette fois tu vas trop loin.

Loquace et téméraire comme je l'étais quand je buvais, je leur parlai de l'appui de Bolívar, des loges, de la chaîne, de la présence à Cuba de Lemus et d'autres militaires venus d'Amérique du Sud, jusqu'au moment où Saco mit de nouveau le doigt dans la plaie toujours vive :

– Et les nègres, poète ? Que va-t-il arriver quand ils se soulèveront ? Tout ce que tu viens de dire est bien joli mais si tu n'as pas une réponse à cette question, ne compte pas sur les gens influents qui ont un pouvoir de décision à Cuba.

– Mais l'Indépendance... dis-je en protestant.

– Aujourd'hui, c'est une chimère. Tu vois tes bons amis ? Et il me montra d'un geste mes compagnons. En ce moment ils envient même ton courage, mais demain, quand ils seront riches, car ils vont tous l'être, ils diront que tu étais un illuminé. Laisse le temps au temps et tu verras, poète.

Deux jours après, avec mes doutes et une grande tristesse pour tout bagage, je montai à bord de la goélette qui me conduirait à San Fernando de Nuevitas, débarcadère le plus proche de Port-au-Prince. Mais, dès mes premiers pas dans les rues, je découvris que ni le développement et la vitalité de Matanzas, ni le chaos et la vie dissipée de La Havane n'avaient atteint cette ville, terriblement provinciale et comme arrêtée dans le temps. Les rues non pavées et fort mal éclairées connaissaient une certaine animation tout au long de la journée, mais à huit heures du soir, comme par ordre du roi, toute activité cessait. Alors les habitants fermaient leurs portes, les boutiquiers accrochaient leurs volets de bois et le silence s'emparait de la vieille ville qui avait autrefois connu ses jours de gloire et de prospérité grâce à la pratique effrénée de la contrebande. Un solide ennui, à couper au couteau, était perceptible dans l'atmosphère, alors, à peine arrivé, je fus pris du désir de m'en aller.

Ma situation économique précaire m'obligea à accepter l'hospitalité du juge José Eugenio Bernal, vieil ami de mon père, que j'accompagnai durant plusieurs soirées pour rendre visite à ses parents et amis, pour converser sur les sujets les plus insipides et me trouver dans l'embarras, obligé à réciter quelques-uns de mes poèmes, trop osés pour les goûts traditionalistes et bigots de mon auditoire réuni dans les fort beaux patios de leurs demeures.

Les quatre semaines, consacrées à la paperasse aussi infinie qu'inévitable pour valider mon titre, me semblèrent éternelles et tout fut sur le point d'échouer quand on découvrit que je n'avais pas terminé les deux ans de stage nécessaires entre l'obtention du diplôme et la titularisation. Heureusement, pour un Cubain quand tout semble impossible, il y a toujours une solution : grâce à l'influence de Bernal et de son ami le magistrat Campuzano et à la somme de trente pesos que me prêta le juge pour les remettre entre les mains adéquates, la durée réglementaire de stage figura sur les papiers et le 18 juin 1823 j'étais un jeune avocat disposé à fuir cette ville insupportable…

Dès mon arrivée à Matanzas, début juillet, je courus vers la Plaza de la Vigía et je me postai au coin de la maison de ma bien-aimée, presque sans avoir écouté ma mère qui m'informait de la présence en ville de Silvestre. Au cours des mois précédents, à chaque fois que je devais ou que je désirais joindre Lola, je préparais un message et j'attendais que Tita ou l'une des esclaves de la maison – toutes étaient nos alliées – sortît à un moment ou un autre pour lui confier mon billet. Mais cet après-midi-là, personne ne sortit de la demeure, qui semblait barricadée. Alors que les heures s'écoulaient et que la nuit tombait, la fatigue, la soif, la faim et l'envie d'uriner eurent raison de moi.

A neuf heures passées je mangeai quelques bouchées froides du *quibombó* à la viande que ma mère avait préparé pour célébrer mon titre d'avocat et je m'enfermai dans ma chambre. Il devait se passer une chose étrange et j'avais le pressentiment qu'elle ne serait pas agréable. Je fus finalement vaincu par la fatigue et je m'éveillai seulement quand je sentis quelqu'un me secouer par une jambe: en ouvrant les yeux, un rayon de soleil blessa ma vue.

– Il est déjà dix heures du matin, merde! disait une voix que j'identifiai soudain comme étant celle de Silvestre Alfonso. Allez, va te laver avant de prendre ton café. Il faut que nous parlions.

– Mais que se passe-t-il?

– Commence par te réveiller, insista-t-il. Je t'attends au salon. Mais lave-toi bien, tu empestes.

Quand j'entrai au salon, Silvestre buvait une tasse de café et il m'en servit une. Sans dire un mot, il me tendit un papier rose. Je goûtai à peine au café, je lus le billet dont je connaissais déjà l'expéditeur: "Nous avons dû quitter la ville. Je t'écrirai sous peu. Je t'aime plus que jamais. Ta Lola."

– Ils sont partis de manière inopinée, me dit-il en voyant ma stupeur. Tita m'a passé ce billet… Et moi qui t'ai cru quand tu m'as dit qu'il n'y avait rien entre vous, que tu ne voulais pas entraîner Lola dans ta vie de martyr…

Silvestre, qui pouvait parler pendant des heures sans reprendre son souffle, préféra cette fois s'abstenir pour ne pas frapper un homme à terre, averti, peut-être, par l'expression de mon visage, qui devait refléter le désarroi provoqué par cette situation inattendue.

Soudain, avec l'absence de Lola, la ville et ma vie perdirent tout leur attrait. En ces jours je pus apprécier la force véritable de mon amour, sans imaginer que le pire n'était pas encore arrivé.

Je n'eus que peu de temps pour m'abandonner à mon affliction car un deuxième événement, terrible lui aussi, vint me prévenir de l'approche de la tempête inévitable. Le 1er août au matin, de bonne heure, le docteur Hernández se présenta chez moi; je pensai que l'unique raison devait être le début de la rébellion et je me lamentai parce qu'elle allait se produire alors que je ne désirais qu'une chose: poser ma tête sur l'aimable giron de Lola. Mais la nouvelle fut tout autre et elle s'avéra désolante.

– Tout a été découvert, me dit-il et je sentis que cet homme bon et courageux était capable de pleurer.

La police spéciale du capitaine général avait infiltré la cellule havanaise de la conspiration à partir de la délation d'un esclave qui travaillait dans l'imprimerie où étaient préparés les manifestes que Lemus devait distribuer au début du soulèvement… Les premiers détenus avaient raconté tout ce qu'ils savaient.

– Alors n'est-ce pas le meilleur moment pour nous soulever? demandai-je, car je savais que si la police tenait un bout du fil elle arriverait bientôt à l'écheveau et je supposais qu'après des années de travail la mise au point de la conspiration devait être fin prête.

– Ce que je vais te dire est très triste, José María: depuis décembre tout était prêt pour le soulèvement, mais un problème demeurait en suspens…

– Les nègres, dis-je. Et le docteur acquiesça.

– Il n'y aura pas de solution tant qu'il y aura des esclaves. Personne ne veut nous appuyer… c'est le piège de Cuba.

– Et qu'allons-nous faire?

– Pour l'instant, attendre. Peut-être ne vont-ils pas remonter jusqu'à nous. Mais s'ils y parviennent, je te conseille de quitter Cuba.

– Je ne peux pas partir! dis-je, presque en criant.

– Sais-tu ce qui est le pire? La honte que j'éprouve à parler de cela avec un homme comme toi. Je me sens responsable de t'avoir entraîné dans cette folie… J'ai été naïf en croyant que ce pays était capable de changer le cours de son destin. Mais il en est incapable et il le sera pour longtemps, peut-être pour toujours. Un pays qui préfère une tyrannie plutôt que d'affronter les risques, quels qu'ils soient, mérite toutes les tyrannies.

Quinze ans ont passé depuis le jour où j'entendis ces mots et je ne parviens toujours pas à les effacer de ma mémoire. Comme je ne peux pas non plus oublier l'image finale que me laissa cet homme qu'une telle foi avait habité: il était vaincu et honteux quand je le vis sortir de chez moi, sans même me dire au revoir…

J'en fus hébété pendant plusieurs jours, brûlant de jalousie et préoccupé par les événements qui se précipitaient à La Havane, où était instruit le procès des conspirateurs, tandis que les délations conduisaient chaque jour à de nouvelles arrestations, y compris celle du généralissime Lemus, arrêté avec tous ses uniformes, décorations et manifestes, mais sans avoir dégainé l'épée. Le bon docteur Hernández tomba à Matanzas après Lemus et l'évidence de la délation fit trembler le reste des conspirateurs. Pour ma part, pour donner l'impression que ma vie suivait son cours prévisible, je me présentai à la mairie, disposé à faire valider mon titre d'avocat même si je ne commençais pas à exercer, et peu m'importait que *El Revisor* publiât mon poème sur l'insurrection des Grecs avec son chant à la liberté... Dans la chaleur infernale de ce mois d'août, quand ma vie tenait à un fil, dépendant du silence improbable de mes frères Chevaliers Rationnels, je commençai à préparer, avec l'aide de Silvestre, un voyage jusqu'à la plantation Miraflores où résidaient les Junco. Mon intention était d'exiger de Lola une explication quant à son silence et, une fois clarifiée la situation entre nous, de la demander en mariage, car il n'y avait que deux possibilités et aucune n'était pire que l'incertitude: ses parents m'accepteraient ou m'éconduiraient et alors je vivrais heureux ou je me lancerais dans le combat.

Je me disposais à entreprendre le voyage quand je reçus un message du docteur Hernández, envoyé depuis la prison où il avait été confiné. Le texte concis était un ordre: "Pars." Et en guise de signature apparaissaient les rayons d'un soleil. Mais je ne pouvais tout simplement pas m'en aller sans avoir parlé à Lola et en cet instant je compris l'étendue de mon erreur, car si je m'étais rendu à la plantation des Junco, je n'aurais fait que l'impliquer, elle et sa famille, dans mes aventures politiques. Mais je devais absolument la voir... Sur les instances de Silvestre, en attendant d'y voir plus clair dans mes idées, nous décidâmes alors que le meilleur endroit pour me cacher était justement La Havane.

Fin août, nous quittâmes Matanzas alors que l'on procédait à de nouvelles arrestations et que le maire, Francisco Hernández Morejón, homme célèbre pour sa cruauté, était désigné comme juge instructeur de cette affaire. Pour continuer en apparence à vivre selon mes habitudes, je logeai chez Silvestre, validai mon titre à la mairie de la capitale et commençai à travailler dans le cabinet d'avocats de José Franco, un autre des vieux amis de mon père, qui exerçait comme conseiller du Consulat royal.

Une chose me sembla surprenante: Domingo avait disparu de l'horizon des *tertulias* et autres réunions de mes amis. D'après Cintra, devenu une sorte de page de Domingo, la raison en était que, très affecté par la rupture définitive de ses relations avec Isabel, notre ami était parti pour Matanzas précisément quand je prenais le chemin de La Havane. L'histoire que nous raconta Cintra était qu'Isabel était de nouveau demandée en mariage par le négrier don Pedro Blanco. Désespéré, Domingo avait alors renoncé à ses projets littéraires et accepté l'emploi de conseiller juridique que lui avait proposé le maire du petit village de Guane, à l'extrémité occidentale pratiquement inhabitée de l'île.

Mais avant de partir, il avait voulu faire ses adieux à sa mère et à ses frères et sœurs.

Domingo ne revint à La Havane qu'à la mi-septembre et, pour diverses raisons, il ne vint pas me voir avant son départ pour Guane. Cet inexplicable contretemps me laissa un goût amer, d'autant que les nouvelles provenant de Matanzas me faisaient penser de plus en plus sérieusement à la solution douloureuse que m'avait ordonnée le docteur Hernández… Mais mon esprit mettrait des années, une fois en possession d'autres révélations, à établir tous les liens pour passer des soupçons à la compréhension réelle des véritables raisons de l'étrange attitude de Domingo.

Disposé à me cacher dans un endroit sûr, je me séparai de mes amis. J'étais loin d'imaginer que je voyais Sanfeliú pour la dernière fois, que Saco serait pour un temps mon compagnon d'exil et le défenseur le plus pertinent de mes poèmes, que je ne reverrais Silvestre que dans la froide New York et que Tanco, Cintra et Bermúdez refuseraient de me saluer quand nous nous reverrions. Cette nuit-là, tout en buvant un vin triste et en parlant du tragique destin de l'île, je cessais d'appartenir à un groupe d'amis qui, à tout jamais, laisseraient un vide définitif dans mon cœur.

En arrivant à Matanzas, je passai subrepticement chez mon oncle Ignacio et après avoir vérifié qu'il n'y avait aucune nouvelle des Junco, j'appris l'arrestation de mes amis de Matanzas que j'avais introduits dans la conspiration. Les frères Aranguren et leur beau-frère, Antonio Betancourt, étaient en prison depuis trois jours et avec eux, plusieurs membres de la *Tertulia* et des Chevaliers Rationnels. Qui les avait dénoncés ? Comment était-il possible que moi, on ne me cherchât pas ? Seule la force de caractère du docteur Hernández pouvait avoir assuré ma liberté, mais maintenant mon sort dépendait des derniers détenus.

Sur les instances de mon oncle, qui prépara tout, je partis à la plantation Los Molinos, celle-là même d'où j'avais découvert la vue sur Matanzas pour la première fois. Là, je fus reçu par la marquise Reina María, veuve de Prado Ameno, grande admiratrice de ma poésie. Dans ce lieu privilégié de la nature, au bord de la rivière San Juan, mais en voyant, chaque matin, le triste départ des esclaves vers les champs de canne à sucre, je vécus à l'ombre magnifique de l'une des grandes fortunes cubaines et je compris définitivement l'impossibilité de compter sur les planteurs pour mettre en marche une révolution : ils ne mettraient pas en danger tout ce luxe, tout ce pouvoir et cet argent pour un changement politique qui, en fin de compte, ne leur rapporterait pas de plus grands bénéfices, et encore moins maintenant avec un roi fantoche à nouveau sur le trône d'Espagne ; un roi qui dépendait de l'argent cubain pour manger et s'habiller. Pour ces riches créoles, l'esclavage d'autres hommes était un mode de vie si naturel qu'une femme cultivée et mondaine comme celle qui m'offrait maintenant sa protection pouvait être la même personne qui, plusieurs années auparavant, s'était employée à étouffer avec une cruauté exemplaire le talent inné pour la poésie du jeune esclave Juan Francisco Manzano, né sur sa propriété, qu'elle fit martyriser parce qu'il prétendait écrire des vers et les publier. Pour la marquise, comme pour tous ceux de son rang, un nègre était moins qu'un chien, il était donc inconcevable qu'il pût lire ou écrire.

Je m'évanouis presque le matin où cette femme m'annonça qu'elle s'absenterait quelques jours car elle allait rendre visite à ses amis les Junco dans leur propriété de Miraflores. J'étais sur le point de lui demander à genoux de me laisser l'accompagner mais je compris l'absurdité de mon intention, et je la priai alors de me rendre un service en remettant un billet à mon amie Lola.

– Amie ! Allons donc ! dit la marquise dans un sourire. A Matanzas tout le monde dit que vous êtes plus que des amis. Donne-moi la lettre, je la lui porterai.

Quinze, vingt, mille fois je commençai et terminai la missive pour la déchirer autant de fois. Le doute m'empêchait de trouver le ton juste pour une lettre qui pouvait être d'amour, de colère, de jalousie… Et finalement je choisis de supplier Lola de me donner de ses nouvelles et de me faire savoir la raison de son silence. En l'absence de la marquise, mes jours furent tourmentés par l'inquiétude : c'est à peine si je dormis, si je mangeai, si je pensai même à ma situation. Et quand je la vis arriver, je courus sans honte aucune vers la calèche pour lui demander des nouvelles de Lola.

La marquise me remit une enveloppe rose. Le cœur battant à tout rompre, je m'éloignai vers l'ombre d'un amandier, tandis que mes doigts, plus maladroits que jamais, essayaient de déchirer l'enveloppe. Mais ces palpitations de mon cœur n'étaient rien à côté de ce que j'éprouvai quand je commençai à lire les quelques lignes que j'ai de nouveau sous mes yeux aujourd'hui, quelques mots destinés, ce jour-là, à me confronter subitement à l'une des plus grandes tragédies de ma vie : “Mon très aimé José María, m'écrivait

Lola : Dieu a entendu mes prières ! J'ai enfin des nouvelles de toi et je sais que tu es libre et en lieu sûr. J'espère qu'il ne t'arrivera rien, pour ton bien et celui de notre enfant. Oui, mon amour, je suis enceinte de cinq mois et c'est la raison pour laquelle mes parents m'ont amenée à la plantation, car ils désirent cacher mon état. J'insiste sur le fait que le mieux serait de m'autoriser à me marier avec toi, mais ils s'y opposent, et encore plus en sachant dans quelle situation tu te trouves. Je continue à prier Dieu pour que tout s'arrange, que tu restes en liberté et, avec l'aide de saint Esteban, que nous puissions enfin nous marier et avoir notre enfant en paix. La marquise te donnera davantage d'explications car maintenant je dois conclure. Souviens-toi que mon amour pour toi est intarissable, comme la source de la montagne où naît le fleuve Yumurí, près duquel nous avons conçu le plus grand miracle de la vie. Je t'embrasse mille et mille fois, ta Lola."

– Finalement, on a combien de bouteilles ?

– J'en ai apporté une, dit Miguel Angel.

– Moi aussi, dit Conrado.

– Moi, une demi. Non, un petit peu plus, rectifia Fernando.

Au fur et à mesure qu'il écoutait les quantités d'alcool disponibles, Álvaro levait les doigts puis il maintint sa main en l'air, deux doigts levés et l'index de l'autre main croisé sur eux.

– Deux et demi, dit-il, visiblement déçu.

– J'ai pas un rond, dit Víctor.

– Moi, c'est même pas la peine de me le demander… ajouta Tomás.

– Moi j'avais prévenu que je n'apportais plus de rhum, dit Enrique.

– Moi aussi je suis fauché, dit Arcadio. Hier je suis sorti avec une petite nana…

– Arrête ton cinéma, coupa Álvaro, agacé. Avec ma demi-bouteille, ça fait trois litrons. C'est pas mal, non ? Et comme maintenant notre petit Enrique ne boit plus…

Les bouteilles furent disposées sur un petit banc de bois, sur lequel se trouvait aussi le plateau avec les verres, une carafe avec de la glace et plusieurs citrons coupés en deux. En guise de nappe, ils utilisèrent le journal de ce soir-là : 23 octobre 1974.

– La Cirrhose de la littérature cubaine, c'est comme ça qu'on va t'appeler ! dit Enrique en observant Álvaro qui servait le rhum dans les verres et les tendait à ses amis. Certains ajoutaient de la glace, d'autres du citron.

– Et regardez-moi ça comme il fait le service… !

– Écoute, sœur Juana*, va te faire foutre ! riposta Álvaro et tous éclatèrent de rire, même Enrique. Dis donc, tu vas nous le lire ou pas, ce morceau de ta *Tragi-comédie ?*

– Non, pas encore. Enrique se tortilla comme s'il était mal à l'aise dans son fauteuil. Tant que je n'ai pas terminé, je ne lis rien. Je vous ai déjà prévenus, non ?

– Écoute, Enrique, tâche que ce machin soit bon, parce que ça fait au moins un an que tu nous bassines avec ça, et tu ne l'as pas encore fini.

Miguel Angel se remit à fumer après avoir dégusté une gorgée de rhum.

– J'en sais rien, peut-être bien que c'est une merde, dit Enrique sans réussir à s'asseoir commodément…

– Tu sais ce que j'en pense, Enrique ? demanda Arcadio. Que tu ferais mieux d'oublier cette *Tragi-comédie* et d'écrire autre chose. Si ça coince tellement c'est qu'il y a une raison…

– Ça coince parce que je veux dire beaucoup de choses et parce qu'il y en a que je ne sais pas comment dire et d'autres dont je ne sais pas si je peux les dire.

– Celles qu'on ne sait pas comment dire sont les plus vaches, intervint Víctor qui n'avait pas encore goûté au rhum : tandis que les autres buvaient comme des dingues, lui, il passait toute la nuit avec un ou deux verres, et il les savourait à petites gorgées. Les autres, dis-les. Il sera toujours temps de sortir les ciseaux, alors ne commence pas à te censurer toi-même.

– Je ne sais pas quel délire vous pousse à vous fourrer dans les embrouilles ? demanda Conrado tout en mettant de la glace dans son verre.

– Je crois que c'est vrai ce que dit ce paysan roublard. Tomás avait déjà bu son premier verre et il soutenait le verre vide retourné dans sa main. Moi je n'aime pas écrire pour écrire. Si j'ai une idée qui peut être risquée, je la note quelque part mais je ne me lance pas à l'écrire. Parce que finalement…

– Quelle bonne idée ! dit Álvaro, comme ça tu ne cherches pas les emmerdes, même pas avec toi-même.

---

* Allusion à sœur Juana Inés de la Cruz, religieuse et femme de lettres mexicaine (1648-1695).

– Tu sais ce que je vais faire dans le roman que je veux écrire? reprit Tomás. Je vais oublier la politique, tout ce qui sent la politique. Parce que ce qui fout en l'air la littérature cubaine, c'est le délire de la politique.

– Ne fais pas l'âne, mon vieux, trancha Miguel Angel, la cigarette aux lèvres. Tout est politique. Bien sûr qu'on peut écrire sur la politique, mais ce qu'on ne peut pas faire, c'est qu'elle passe avant tout.

– Moi j'en ai rien à branler de la politique, dit Fernando. J'écris de la poésie et je m'intéresse aux gens, s'ils souffrent ou s'ils sont amoureux, s'ils ont peur de mourir ou s'ils aiment la mer.

– Et ça, c'est pas une position politique? demanda Miguel Angel.

– Écoute, El Negro (Tomás se resservit du rhum), ton problème c'est que tu bois de l'antiseptique rouge au petit déjeuner et de la betterave au mercurochrome au goûter. Tu es de plus en plus rouge.

– Mais putain, Tomás, tu sais très bien que c'est vrai ce que je dis. Maintenant, que certains écrivains profitent de la politique pour faire carrière, ça c'est un autre problème.

– Non, c'est ça le problème, oui c'est ça, insista Álvaro et il en posa même son verre par terre: y'a un tas d'opportunistes qui se font bien voir grâce à ce qu'ils écrivent...

– Écoute, Varo, t'as déjà oublié tous les gens qui ont été mis hors circuit à cause de ce qu'ils ont écrit et même de ce qu'ils n'ont pas écrit? demanda Conrado.

– Non, je n'ai pas oublié, bien sûr que je n'oublie pas.

– Tu crois que les choses sont faciles, remarqua Arcadio. Mais si un beau jour t'es renvoyé de ton boulot, si on ne te publie plus rien, si tu ne voyages plus...

– Si c'est à cause de ce que j'ai écrit, si je crois en ce que j'ai écrit et si j'ai été sincère en l'écrivant, et bien je vais me faire foutre en silence, affirma Álvaro. Mais je ne baisse pas la tête pour pouvoir de nouveau voyager, publier, être en vue...

– Fais ton petit malin... murmura Tomás.

– Et si tu changes vraiment de façon de penser? Si vraiment tu es convaincu que ce que tu écrivais était nocif et que tu n'aurais jamais dû l'écrire? insista Arcadio.

– Eh bien alors, c'est que t'étais un connard et que tu vas continuer à l'être, trancha Álvaro.

– Conclusion : le mieux c'est de ne pas aller au-devant des emmerdements, comme disait mon grand-père, proposa Tomás.

– Mais si nous n'y allons pas, nous sommes complètement foutus, protesta Enrique. La littérature a quelque chose à voir avec la réalité, et la réalité c'est pas le paradis. La littérature, c'est aussi la mémoire d'un pays et sans mémoire…

– Alors tu crois que l'écrivain est la conscience critique de la société ? demanda sérieusement Miguel Angel.

– Écoute, fous-toi le manuel de marxisme au cul, cria presque Enrique. L'écrivain est souvent un type très paumé, bourré d'angoisses, qui vit dans un pays et écrit sur ce qui s'y passe ou ne s'y passe pas. Et si c'est vraiment un écrivain, il essaye d'être sincère envers lui-même, même s'il écrit sur les martiens.

– Mais enfin, tout le monde écrit seulement sur les événements heureux, et personne ne met le doigt dans la plaie… commença Víctor.

– La littérature c'est de la merde, dit Arcadio en lui coupant la parole.

– Et sur quoi il faut écrire pour faire de la bonne littérature, dit Conrado, entrant dans l'arène. Voyons un peu, vous qui êtes si forts, sur quoi il faut écrire ?

– J'en sais rien, mais je sais parfaitement ce que moi je veux écrire… répondit Fernando : sur les gens, sur l'espoir et le désespoir…

– Ça s'appelle de la littérature intimiste… ou c'est de l'individualisme ? hésita Tomás.

– C'est très simple, Fernando, affirma Miguel Angel. Je crois qu'il faut écrire sur ce qu'on ressent et sur ce à quoi on croit.

– Et si on croit aux miliciens, aux coupeurs de canne et aux alphabétiseurs… ? attaqua Conrado.

– Eh bien, écris sur ça, dit Enrique, pas par opportunisme mais parce que tu y crois. Ce qui est bizarre c'est que pour l'instant personne n'écrit sur un coupeur de canne ou un milicien pédé. Parce qu'il doit bien y avoir des miliciens pédés… d'ailleurs j'en connais quelques-uns.

– Je savais bien que t'allais en arriver là, protesta Arcadio. Si on n'écrit pas sur les homos, on est pas écrivain. Dis-moi un peu, ta *Tragi-comédie* ça serait pas par hasard une histoire de pédés ?

– Peut-être, dit Enrique. Ce n'est pas un mauvais sujet, pas vrai ? Être pédé dans ce pays n'a jamais été facile.

– Et c'est quoi ce que tu n'oses pas dire ? demanda Víctor.

– Écoute, mon vieux, ne me cuisine pas, je ne vais pas en lâcher une, et Enrique sourit.

– Merde alors, vous vous êtes déjà envoyés deux bouteilles, s'exclama Tomás. Vous buvez plus que…

– Moi, au fond, ce que j'aimerais c'est écrire un roman sur le XIXe siècle, dit Miguel Angel. Parce qu'il me semble que le recul permet à l'écrivain d'être plus libre, je ne sais pas, il est moins conditionné par la réalité et il peut…

– On passe de l'intimisme à l'échapatoirisme ! laissa tomber Enrique.

– Non, tu sais bien que non, se défendit Miguel Angel. Ce qui n'a pas de sens, c'est d'écrire sur le XIXe comme un écrivain du XIXe. Il faut voir l'histoire depuis notre perspective.

– Et comme ça tu ne t'autocensures pas ? demanda Víctor.

– Allez ! Remets-nous ça avec la censure ! grommela Conrado.

– C'est qu'il faut toujours qu'elle pointe son nez, reconnut Álvaro tout en caressant une tête de mort imaginaire. Je m'autocensure ou on me censure, telle est la question.

– Mais je ne veux pas écrire sur le XIXe siècle à cause de la censure ou de l'autocensure, c'est justement le contraire. Vous imaginez toutes les choses que les écrivains du XIXe se sont autocensurés ? Sur la politique, le sexe, la religion. Sur le racisme…

– Putain, El Negro, bien sûr que tu cherches à t'échapper, intervint Fernando. Pose-toi la question comme ça : sur combien de choses comme la politique, le sexe, la religion, le racisme et je ne sais plus ce que tu as ajouté, les écrivains d'aujourd'hui s'autocensurent ?

– Là ça me plaît, lâcha Álvaro : nous écrivons sur le XIXe et nous laissons ce qui se passe maintenant pour les Merles Moqueurs de 2074 et eux ils laissent leurs problèmes à ceux de 2174 et comme ça tout le monde vit en paix et écrit ses romans sans s'autocensurer… Ceux de maintenant voyagent à l'étranger, ceux de 2074 vont sur la lune et les suivants sur Pluton.

– C'est vrai qu'on dit que le salon du livre de Pluton est le meilleur de la galaxie, lâcha Arcadio et cela les fit tous rire, sauf Álvaro.

– Si vous le prenez comme ça, vous avez raison, admit Miguel Angel, mais le XIXe m'intéresse parce que j'aime cette époque-là… Être noir à Cuba, cela a été plus difficile que d'être homo.

– Toi, tu aurais été esclave, comme Manzano, et Del Monte ne t'aurait pas sauvé, alors tiens-toi tranquille, l'arrêta Conrado.

– Il reste moins d'une bouteille, avertit Tomás, inquiet.

– Sers-m'en un petit peu avant qu'elle soit finie, demanda Víctor.

– Et qu'est-ce que tu écris, en ce moment, El Negro ? voulut savoir Fernando.

– Une nouvelle. Sur un noir qui actuellement se sent discriminé.

– Aïe ! Comme tu y vas ! s'exclama Arcadio. Et ça se mange comment ça ?

– Je l'ai commencée hier. Je la lirai peut-être la semaine prochaine. Je ne sais pas encore très bien dans quel sens ça va partir mais je sais ce que c'est qu'être noir. Bon, ça se voit !

– Dis-moi ce que tu écris et je te dirai qui tu es, se lança Enrique. Le pauvre noir est nord-américain et il est dévoré par ces salauds de racistes, aux États-Unis.

– Et le noir est pédé ? demanda Arcadio, désignant Enrique avec un mouvement des lèvres.

– Tu sais quoi, Arcadio ? Enrique semblait exaspéré. Tu es tellement obsédé par les pédés que ça ne m'étonnerait pas de te voir un jour baisé par un type, que dis-je, par un noir.

– Arrêtez, arrêtez avec ça, intervint Víctor. Dis-moi, Fernando, et le poème que tu devais nous lire aujourd'hui ?

– Tel qu'il est, il ne me plaît pas encore, se justifia Fernando. Entre les réunions et le travail pour mes cours sur Heredia, je n'ai presque pas pu écrire… Ici, le seul qui n'arrête pas, c'est Enrique.

– Parce que les écrivains écrivent, dit Enrique.

– Alors tu es écrivain ? lui demanda Conrado.

– Moi oui, et toi ?

– Apprenti…

– Moi, je ne sais plus si je veux écrire, ni même ce que je vais écrire, putain… intervint Álvaro. Quand j'aurai fini mes études, je vais travailler comme barman.

– Comme batman ? lâcha Tomás.

– Vous savez, intervint Fernando, en pensant à tout ce dont nous parlons, j'ai soudain eu l'idée que j'adorerais regarder l'avenir par un petit trou, je ne sais pas, pour voir, dans vingt-cinq ans, ce que chacun de nous aura fait, ce que chacun de nous sera devenu…

– Je ne sais pas pourquoi mais j'ai l'impression que tu vas voir des choses très moches… murmura Enrique.

– Peut-être pas, dit Fernando et il promena son regard sur ses amis. Ne sois pas pessimiste, Enrique.

– Moi je crois qu'il faut écrire, maintenant et dans vingt ans. Et vous savez pourquoi ?

Miguel Angel fit une longue pause.

– Pourquoi, El Negro ?

Ce fut finalement Víctor qui posa la question.

– Parce que c'est seulement en écrivant que l'on peut savoir ce que l'on veut écrire, jusqu'où on peut aller, si on veut faire de la politique ou pas avec la littérature, si on est un bon écrivain ou un minable, si on s'autocensure ou si quelqu'un nous censure après. Et on peut avoir des doutes, ne pas savoir comment dire quelque chose, comme cela arrive à Enrique en ce moment. Mais comme Enrique est écrivain, il va continuer à écrire, et ça, c'est le mieux que l'on puisse faire.

– Je suis d'accord sur ça, dit Víctor.

– Si seulement je savais, dit Conrado.

– Et moi… dit Tomás. Merde, y'a plus de rhum !

José de Jesús s'inquiéta quand la lumière disparut. Était-ce la fin ? Déjà ? Tout de suite ? Sans douleur, presque sans angoisse ? Il ne devait rester que trois ou quatre heures avant la tombée de la nuit et jusqu'à l'instant où il avait cessé de percevoir la lumière, il avait cru qu'il aurait le temps. Durant la tournée matinale des médecins il avait observé, sans étonnement et sans peur, le mouvement pendulaire de la tête du chef du pavillon, mais lui, il n'avait pas besoin de ces négations avec un air de il-n'y-a-plus-rien-à-faire pour savoir qu'il n'y avait vraiment plus rien à faire, sauf attendre la venue certaine d'une mort peut-être trop paresseuse. Huit jours auparavant, ses sphincters s'étaient bloqués, et grâce aux démarches de ses frères francs-maçons, il avait finalement été admis à l'hôpital de l'Hospice de la Très Sainte Vierge de Covadonga où, avec des lavements et des sondes, on avait réussi à le délivrer des quelques déchets produits par un corps désormais incapable d'accomplir seul cette fonction. Ses organes, fatigués par tant d'années de travail, mouraient les uns après les autres et chaque mort partielle soulageait l'une des douleurs qui le tenaillaient.

Cependant, pendant qu'il mourait à petit feu, il avait senti une lucidité toute-puissante s'emparer de son esprit. Il avait toujours cru qu'une fois venu le moment de la mort, le mieux était que tout arrivât d'une façon soudaine, pour éviter l'agonie qu'il avait vue chez tant de vieillards qui s'affaiblissaient, incapables du moindre raisonnement, transformés en légumes flétris, dépourvus de volonté au point de ne pouvoir désirer la venue libératrice de la mort.

De sa chambre, au plafond très haut et aux larges fenêtres ouvertes sur un jardin planté de peupliers, de faux lauriers et de flamboyants couverts des fleurs d'été, José de Jesús Heredia avait joui d'une vue privilégiée sur le ciel, au-delà de la cime des arbres, et il avait passé ses derniers jours à observer le passage des nuages, les changements de lumière, l'alternance des couleurs dans une coupole céleste semblable à celle qui couvrait les plafonds des loges maçonniques auxquelles il avait consacré tant et tant de soirs de sa vie. En contemplant les mouvements du ciel, il avait laissé voguer son esprit vers l'unique dilemme qu'il pensait ne pas avoir résolu. Car depuis la nuit de 1921, cinq ans plus tôt, quand il avait remis à la loge "Fils de Cuba", les mémoires de son père, José de Jesús se torturait en se demandant s'il n'avait pas commis une erreur. Bien qu'il ne doutât pas que le lieu et les personnes choisis fussent les meilleurs à sa portée, le refus obstiné de Ramiro Junco de se mêler à cette histoire, qui le concernait tellement, le faisait douter du bien-fondé de sa décision. Maintenant, le destin du document, irrémédiablement entraîné vers sa publication, telle une flamme infatigable embrasait sa conscience et s'obstinait à lui voler la tranquillité de la mort attendue. Après un siècle de mensonges, s'était demandé le vieil homme en observant les lambeaux des nuages gris qui passaient devant la lune, valait-il mieux conserver la face aimable de la fausseté, ou affronter le visage terrible et purulent de la réalité? Son père, homme d'une autre époque et d'une autre trempe, avait toujours cru en la vérité, même s'il ne l'avait pas toujours dite, mais José de Jesús était un malheureux dont la vie s'achevait, protégée par la charité de ses frères maçons et surtout de Ramiro Junco, qui, chaque mois depuis la révélation de son identité, lui avait fait parvenir quelque argent. De plus, tout au long de ses quatre-vingt-dix ans de résidence sur terre – presque trois fois ce que son père avait vécu –, il n'avait laissé en ce monde ni poèmes, ni enfants, ni gloire et, cependant, il avait eu le pouvoir de sauver, par le plus lâche et le plus opportuniste des silences, ce que le temps avait placé dans des eaux dormantes, peut-être moins dramatiques pour tous: même pour Heredia. La torture du doute, avivée par l'approche de la mort, avait accompagné avec obstination la lenteur pesante des heures finales, pendant lesquelles l'unique vision aimable avait été celle d'un ciel où alternaient, depuis l'origine du monde, la lumière et l'obscurité.

Deux jours avant, le curé de l'hôpital, vainquant ses réticences envers un franc-maçon hérétique, l'avait confessé et lui avait administré les saintes huiles après lui avoir lu les prières de l'extrême-onction. Comme la majorité des francs-maçons cubains, José de Jesús était catholique mais, protégé par la liberté de culte et de religion de sa confrérie, il avait toujours été un croyant convaincu bien que discret, qui entrait rarement dans une église et qui ne se confessait plus depuis de nombreuses années. Pourtant, six jours après son entrée à l'hôpital, devant l'évidence de sa mort, il avait demandé les services d'un prêtre et lui avait confessé ses péchés. Pour son plus grand étonnement, le prêtre l'avait béni, lui avait donné l'absolution, et l'avait aidé à réciter les prières de pénitence, ces Credo, Ave Maria et Notre-Père dont le moribond avait irrémédiablement oublié les paroles. Une fois les prières terminées, il avait demandé au prêtre de l'accompagner encore quelques instants et, à voix basse, il avait répété les vers qui étaient devenus ses chants sacrés : sa mémoire délabrée lui avait permis de réciter, sur un ton mineur mais sûr, les vers de *Himno del desterrado*, l'*Ode au Niagara* et surtout *Le Teocalli de Cholula*, ces poèmes qui avaient assuré au pécheur José María Heredia – au moins dans le ciel des hommes – une place glorieuse qui, grâce à l'ultime décision de son fils, pouvait soit conserver les aimables couleurs dont le temps l'avait parée, soit se voiler de sombres nuages chargés d'une électricité blessante.

Cette nuit-là, comme toutes les autres durant son séjour à l'hôpital, il avait reçu la visite d'une délégation maçonnique, chargée de s'inquiéter de sa santé et de s'assurer qu'il ne manquait de rien. L'ambassade de ce jour-là était composée de trois frères maçons qui, après lui avoir demandé comment il allait et ce qu'il désirait, avaient décidé de sortir fumer une cigarette sous le porche du pavillon pour y attendre la fin de l'horaire des visites. De son lit, José de Jesús avait réussi à écouter la conversation des visiteurs, engagés dans une discussion sur les exactions du gouvernement du général Machado, mais un profond tremblement s'était emparé de lui quand la conversation avait pris un tour imprévu et que les hommes avaient commenté la nouvelle de la mort subite du frère Ramiro Junco, survenue la veille à Matanzas. A partir de ce moment, il ne parvint pas à en entendre davantage : une inquiétude douloureuse s'était emparée de lui et, alors que les frères s'apprêtaient à partir, il avait lancé cette demande.

– J'ai besoin d'un service.

– De quoi as-tu besoin, Heredia ? avait demandé un des francs-maçons, penché sur le corps du vieil homme.

– Prévenez Cernuda et Aquino. Je veux leur parler.

– Cernuda et Aquino, ceux de Matanzas ? avait insisté le maçon, qui l'observa comme s'il était en train de perdre la tête.

– Oui… et c'est urgent, bien sûr !

– Nous leur envoyons un télégramme aujourd'hui même.

– Merci, avait dit José de Jesús et il exigea de son corps qu'il résistât jusqu'au moment de la rencontre.

L'assombrissement imprévu, venu du tréfonds de son organisme, le bouleversa comme l'évidence d'une fin de plus en plus proche, mais qu'il devait maintenant retarder jusqu'à la visite attendue de Carlos Manuel Cernuda et de Cristóbal Aquino. Alors il s'efforça de se calmer et se disposa à patienter.

Il calcula que la nuit devait être tombée quand il sentit une présence dans la chambre. L'infirmière était passée, un moment avant, pour lui donner son repas et ses médicaments, mais il avait seulement accepté les sirops et un verre de lait tiède dans lequel il lui demanda de verser deux cuillerées de sucre. Mais maintenant, un bruit de pas, différent de la démarche martiale des infirmières lui fit ouvrir les yeux, bien que l'obscurité persistât.

– Êtes-vous là ? demanda-t-il et il essaya de bouger son corps pour montrer qu'il était encore vivant.

– Oui, Heredia, et il reconnut la voix de Cristóbal Aquino.

– Je ne vois rien, dit-il. Cernuda est venu aussi ?

– Oui, je suis là.

Et la voix de Carlos Manuel Cernuda lui sembla faible, aussi épuisée que la sienne.

– Il n'y a personne d'autre ?

– Non, Heredia, que se passe-t-il ? Tu ne peux plus voir ?

– J'ai appris que Ramiro était mort.

– Oui, le cœur, ajouta Aquino.

– J'ai peur.

Cernuda et Aquino échangèrent un regard.

– Pourquoi, José? demanda Cernuda, tout en approchant une chaise du lit. Il observa le vieil homme avec attention: quelle peur peut-on éprouver en abordant l'ultime rivage de la vie?

– À cause des documents de mon père. Il faut les sortir de la loge.

– Ils y sont en sécurité, Heredia, murmura Cristóbal Aquino en haussant les épaules car il ne comprenait pas ce que pouvait changer la mort de Ramiro Junco.

– Vous ne savez pas ce que renferment ces papiers.

– Est-ce si terrible?

– Oui, c'est terrible, confirma Cernuda sans oser regarder le moribond. Pardonne-moi, José, mais je n'ai pas pu résister et je les ai lus.

– Ce qui serait étrange c'est que tu ne l'aies pas fait, admit José de Jesús en parlant vers l'endroit où il pensait qu'Aquino devait se trouver. Il s'agit en quelque sorte des mémoires que Heredia a laissés à son fils, qui était le père de Ramiro.

– Alors, c'est vrai que... Heredia...?

Aquino se posa la question à lui-même mais l'absurdité d'une telle idée l'arrêta. Un silence épais s'abattit sur la chambre. José de Jesús aurait voulu voir le visage de ses frères, surtout celui de Cernuda.

– Mon père raconte des choses qu'il est préférable de ne jamais dévoiler, dit-il finalement. Sur lui, sur Lola Junco et sur beaucoup de gens... Il y révèle de nombreuses supercheries. Il dit également que Del Monte l'a dénoncé en 1823 et qu'il a toujours été un traître.

– Domingo Del Monte?... Mais, dis-moi, Heredia ne voulait pas que ces mémoires soient publiés?

Aquino, gêné, avait l'impression de ne pas être à sa place et à cet instant il se demanda pourquoi José de Jesús l'avait convoqué pour cette rencontre dans laquelle il ne savait toujours pas quel était son rôle.

– C'était une affaire privée. Estéban Junco devait décider s'il fallait publier les mémoires ou pas, mais ma grand-mère en décida autrement... Et maintenant c'est moi qui décide. Sortez-les et détruisez-les.

La voix de Carlos Manuel Cernuda retrouva alors tout son aplomb.

– Tu délires? Ne compte pas sur moi pour cela, dit-il, et il se leva. Ces documents sont trop importants... Oui, tu dois être en plein délire...

– Non, c'est cela le pire : c'est maintenant que j'y vois beaucoup plus clair et je pense qu'il vaut mieux que l'on ne sache jamais ce que mon père a écrit.

– C'est une folie. Heredia a été beaucoup d'autres choses, en plus d'être ton père… Ne compte pas sur moi, dit Cernuda et sans regarder en arrière il quitta la chambre d'hôpital.

Cristóbal Aquino le regarda sortir et il désira être englouti par la terre à cet instant précis. Il ne comprenait pas ce qui se passait, pourquoi Cernuda réagissait-il de cette façon quant au destin des mémoires d'un homme mort depuis si longtemps.

– Il est parti ?

– Oui, il est parti. Que se passe-t-il, Heredia ?

– Je vais mourir, Aquino. Aujourd'hui ou demain…

– Ne parle pas comme cela.

– Je vais mourir, mais avant je veux que tu me jures que tu vas brûler ces papiers.

– Mais, au nom de ciel, Heredia, pourquoi est-ce que tu ne l'as pas fait toi-même ? Pourquoi Cernuda s'est-il mis dans un pareil état ?

Le vieillard toussa et Aquino pensa que son corps allait se briser. C'était une toux profonde et maligne qui sonnait creux. Quand la quinte passa, les yeux morts de José de Jesús étaient remplis de larmes dont Cristóbal Aquino ne comprendrait la véritable origine que plusieurs mois plus tard.

– Cernuda est dans cet état parce qu'il sait déjà ce que contiennent ces documents et il en a peur… Et moi je ne les ai pas brûlés parce que j'ai toujours pensé qu'à un moment ou à un autre, je pourrais les vendre. Quand j'ai senti que je n'allais plus résister à la tentation et à la faim, j'ai décidé de les apporter à la loge. Alors j'ai révélé à Ramiro Junco ce que mon père disait de sa famille et je lui ai demandé de prendre les documents, car il en était le véritable propriétaire.

– Et lui, qu'est-ce qu'il a dit ?

– Il n'a rien voulu savoir de ces papiers… Mais le mois suivant, il a commencé à m'envoyer de l'argent. C'était mon neveu, tu te rends compte ? Son père était mon frère.

Aquino sentit qu'il ne pouvait pas résister une minute de plus à l'envie de fumer. Il toucha les cigares qui se trouvaient dans la poche de sa *guayabera* de lin, mais il se retint. Il essayait de remettre les choses en ordre à la lumière de ces révélations, mais il sentait qu'elles lui échappaient.

– Moi aussi, je t'aurais aidé, l'argent… tu sais…
– Arrête. Tu ne vois pas que c'est pire ?
– Oui, excuse-moi, admit l'autre.
– Maintenant jure-le-moi, s'il te plaît. Jure-moi que tu vas les brûler. Est-ce que tu es convaincu si je te dis que c'est ma dernière volonté ?

Cristóbal Aquino regarda dehors et découvrit une pleine lune exultante.

– Je vais sortir un moment, il faut que je fume.

Aquino remarqua que l'éclat de la lune empêchait de distinguer les étoiles. Il mordit un de ses cigares et l'alluma tandis qu'il écoutait le retour de la toux sèche et persistante du vieillard. Il avala la fumée avec avidité et l'image de l'homme qui, depuis son lit de mort, lui demandait un serment peut-être absurde qui le dépassait sûrement éveilla une douleur dans son âme. Pourquoi ces choses-là lui arrivaient-elles à lui ? Pourquoi Cernuda était-il parti comme on prend la fuite ? Ce manuscrit devait cacher une histoire trop déchirante pour que José de Jesús l'ait tenu loin des acheteurs et pour qu'après l'avoir confié à la loge, il exige sa destruction. Mais lui, il n'avait rien à voir avec tout cela. Et c'était la dernière volonté de José de Jesús. Il regarda la braise de son cigare et il se dit que plus rien ne pouvait faire de mal au moribond.

– C'est d'accord, Heredia, dit-il en revenant dans la chambre et il découvrit que la tête du vieillard pendait d'un côté, tandis qu'un ronflement sourd et prolongé sortait de sa bouche. D'une main tremblante, Cristóbal Aquino toucha la poitrine de José de Jesús, cherchant un battement, et ses doigts sentirent la douceur d'un petit coquillage marin, suspendu à un cordon sombre sur lequel se trouvait aussi une croix argentée. Et le ronflement cessa, alors que commençait le plus long des silences.

Avant de se réveiller, il sentit le regard. C'était comme une couverture chaude, capable d'absorber la brise du ventilateur. D'abord ce fut comme si on l'obligeait à bouger puis à ouvrir les yeux pour croiser le regard rougi de Miguel Angel, debout devant le lit, une tasse de café à la main. Depuis bien des années, Fernando ne s'offrait le luxe de faire la sieste que certains dimanches ou en période de vacances. Il savait que ses réveils étaient lents et moroses et même après avoir bu deux tasses de café et fumé l'équivalent en cigarettes, ils n'étaient pas définitifs. Mais cet après-midi-là, après avoir mangé deux assiettes de *tamal* à l'étouffée – une surprise que lui avait faite sa mère – son corps lui avait proposé comme le meilleur dessert possible une sieste dans le lit de Consuelo, comme il le faisait généralement aux temps lointains du pré-universitaire. Ces jours à Cuba avaient été longs et intenses et la fatigue se faisait sentir, mais ce qui l'épuisait le plus, c'était l'évidence que tous les chemins parcourus débouchaient sur le néant : ni les documents de Heredia, ni l'identification du traître parmi ses amis, ni la relation désirée avec Delfina ne semblaient voués à une issue satisfaisante. Ce qui le déprimait le plus, cependant, c'était la certitude d'être revenu dans un pays que les autres devaient lui expliquer et où il sentait que ses vieilles références se vidaient de leur sens au point de devenir obsolètes.

– Un petit café pour le gamin, annonça Miguel Angel en voyant ses paupières se soulever et le regard vide qu'il lui adressait.

– Putain, El Negro, alors que c'était si bon de dormir ! protesta-t-il en faisant le suprême effort de s'asseoir dans le lit.

Lentement il leva un bras, prit la tasse de café et sentit qu'à chaque gorgée de café il récupérait quelques-uns de ses neurones.

– Et qu'est-ce qui t'amène ? demanda-t-il une fois debout. Attends, laisse-moi me laver la figure et pisser. Va sur la terrasse.

Même pendant les jours les plus chauds de l'été, la terrasse restait fraîche, protégée par l'ombre d'un goyavier, d'un manguier et de deux avocatiers bien feuillus que son père avait plantés quand Fernando était enfant.

– Ça y est, je suis réveillé, annonça-t-il, les cheveux humides, une autre tasse de café à la main. Il regardait les arbres et il se mit à parler comme s'il s'adressait à eux. El Negro, je tiens à te remercier d'avoir continué à venir ici. Ma mère me le disait quand elle m'écrivait.

– Je venais pour elle et pour le café, pas pour toi.

Fernando finit par le regarder : maintenant Miguel Angel semblait à l'aise et apaisé, tandis qu'il se balançait dans le vieux fauteuil en bois, la cigarette aux lèvres.

– Hier j'ai vu Tomás. Il dit que ta directrice de thèse veut te voir...

– Et comment elle a su que j'étais ici ?

– La *doctora* Santori a toujours tout su, non ?

– Je ne sais pas si je veux la voir... murmura Fernando, l'image de son vieux professeur surgissant soudain de sa mémoire.

– Et sur Heredia, quoi de neuf ?

– Rien. Fernando alla s'asseoir sur une chaise presque en face de Miguel Angel. Je ne trouve rien.

– Eh bien si tu ne trouves rien, tu peux inventer le roman. Del Monte, Echevarría et les autres ont inventé l'*Espejo de paciencia*, alors ici c'est possible d'inventer les livres dont nous avons besoin.

– Tu continues à penser que l'*Espejo* est une invention de ces salauds ?

– J'en suis de plus en plus convaincu. Rappelle-toi seulement que pour inventer la littérature d'un pays il faut avoir une tradition, et ce qui ressemble le plus à une tradition c'est un poème épique. S'ils ont inventé la littérature cubaine et écrit les livres qu'il fallait, tu ne trouves pas que c'est un grand hasard qu'ils aient eux-mêmes trouvé aussi, toujours par hasard, le poème épique perdu depuis deux siècles, dont personne ne savait rien, écrit par un homme disparu comme par magie ? Moi, du moins je n'y crois pas…

– Mais il n'y a pas de preuves. Tu sais que j'ai passé des années à éplucher la vie de chacun d'eux et je n'ai gardé que quelques soupçons. Je te dis qu'il n'existe pas une seule preuve qu'ils l'aient inventé.

– Il n'y en a pas non plus pour prouver qu'ils ne l'ont pas inventé. Personne n'a jamais vu le manuscrit original de Silvestre de Balboa, n'est-ce pas ? On n'a même pas vu la copie qu'ils ont trouvée… Fernando : l'*Espejo* est trop parfait, aussi parfait qu'il le fallait. C'est pour ça que je crois qu'ils l'ont inventé. Ils ont tout bien ficelé, ils n'ont laissé aucune piste, aucun indice, personne n'a parlé… Del Monte avait le génie du complot.

– A ton avis, lequel d'entre eux a pu l'écrire ? demanda Fernando en se souvenant que, dans ses recherches sur le XIXe siècle cubain, le doute sur l'authenticité de ce poème épique, apparemment écrit vers 1608 par un certain Silvestre de Balboa, revenait toujours à la surface, comme un serpent venimeux : le texte était si opportun, si nécessaire et si parfait (comme le disait Miguel Angel), et les mystères liés à sa découverte si nombreux, que l'intelligence de Fernando et celle de nombreux autres érudits ne pouvaient que s'inquiéter à l'idée en rien saugrenue qu'il s'agissait d'une macabre supercherie littéraire.

– Pour moi c'est Echevarría, dit finalement Miguel Angel. Si ça se trouve, Del Monte en personne. Ce défilé de fruits cubains de l'*Espejo* lui va aussi bien que les gants qu'il portait et qu'il devait à son beau-père, Aldama.

– Tu n'as jamais aimé Del Monte.
– Tu sais bien que non. C'était un fils de pute super rusé qui a trompé tout le monde.
– Mais il s'en est pris aux annexionnistes. Et il a organisé la collecte pour acheter la liberté de Manzano…
– Parce que c'était une bonne publicité. Son beau-père n'était plus un négrier. Au contraire, il n'avait pas intérêt à ce que la traite des noirs continue, et ils voulaient se faire passer pour des philanthropes. Alors un esclave noir poète leur convenait parfaitement. Mais Del Monte le traitait comme un petit animal domestique : il lui réécrivait même ses poèmes… et il a perdu la seconde partie de l'*Autobiographie* de Manzano. Pourquoi il perd un livre et il en trouve un autre ? parce que celui de Silvestre de Balboa était utile et celui du nègre Manzano ne l'était pas. Dieu sait ce qu'il pouvait y raconter de sa vie d'esclave.
Fernando sourit : Miguel Angel était égal à lui-même. Quand il croyait à quelque chose, il n'admettait pas le doute, même pas celui des autres, et ses jugements étaient aussi catégoriques que ses adjectifs.
– Finalement Del Monte s'est trompé, continua Miguel Angel, et ça lui a coûté cher. Par la faute des noirs…
– Qu'est-ce que tu crois ? Qu'il a eu peur ?
– Je crois qu'il a été trop loin. Pour se faire bien voir des Anglais et passer pour le plus pur de tous. Mais ici, tout s'est toujours su et quelqu'un l'a dénoncé.
– Mais on n'a jamais pu prouver qu'il était en train de conspirer.
– Parce qu'il n'a jamais conspiré. Avec l'argent qu'il avait et la vie qu'il menait, pourquoi il aurait conspiré ? Pourquoi, bordel, alors qu'il avait tout ? Seulement il a voulu jouer au dur et après il les a mouillées, il a avoué tout ce qu'il savait et… par ici la sortie ! Il ne s'est arrêté qu'en France.
– Et pourquoi il n'est pas revenu, une fois les accusations levées ?
– Mais putain, Fernando, c'est évident : s'il revenait, tout le monde allait savoir qu'il avait révélé les projets des anglais et que par sa faute le soulèvement des esclaves de 1843 avait échoué. Mais à Paris et à Madrid il pouvait dire qu'à Cuba il était poursuivi et même écrire là-dessus dans les journaux… putain, justement à Madrid !
– El Negro, moi non plus je n'aime pas ce personnage, mais il faut bien reconnaître qu'il n'y a pas de preuve qu'il ait dénoncé quoi que ce soit.

– Dis plutôt que nous n'avons pas de preuves mais dans cette histoire, il y a des lettres de lui qui le mettent sur la sellette. Après, on a essayé d'étouffer l'affaire, non ? Avec l'argent qui circulait là-dedans ils pouvaient acheter n'importe quoi.

– Ça c'est vrai.

– Bien sûr que c'est vrai, bien sûr, répéta Miguel Angel, et il se tut, perdu dans ses pensées.

– Et toi, comment ça va ? lui demanda Fernando. Cela m'étonnait que tu ne sois pas venu ici.

– C'est que je ne sors presque pas de chez moi. Je suis en train de terminer mon roman. Je n'arrive pas à penser à autre chose.

– Tu es en train de le terminer ?

– C'est la partie la plus dure. Maintenant là, je suis convaincu que c'est une vraie merde. Je ne le supporte presque plus… J'y ai mis tout ce que j'ai et même ce que je n'ai pas, dans ce roman. Mais ça n'a pas été facile de l'écrire. Ces dernières années il m'est arrivé tellement de choses.

– Tu veux en parler ? demanda Fernando qui avait besoin de se préparer pour entrer dans ce marécage au fond duquel lui et Miguel Angel pouvaient se donner la main.

– Je ne sais pas…

– Attends, je vais chercher du café.

Il revint avec deux tasses et lança un paquet de cigarettes sur la table.

– Fernando, tu te souviens de la fois où on s'est battus à la sortie de l'école ?

Fernando sourit et hocha la tête.

– Ça fait plus de quarante ans… tu m'as dit que j'étais un enfant gâté et moi je t'ai balancé que tu étais un vrai sauvage, un singe noir qui voulait grimper trop haut !

Miguel Angel rit aussi en évoquant cette vieille histoire.

– J'ai toujours été un putain d'intransigeant et j'ai passé ma vie à rivaliser avec tout le monde, surtout avec toi. J'étais convaincu que j'étais le meilleur et en plus il fallait que je le prouve… C'est pour ça que j'ai inventé que j'étais fier d'être noir et je me douchais deux fois par jour, j'étudiais plus que vous tous, je n'assistais jamais à aucun rite de *santería* et je ne vous disais jamais rien quand une petite me plaisait si elle était blanche. Quel sac d'embrouilles j'avais dans la tête…

– Tu sais, je n'arrive pas à me souvenir ? Comment on est devenus copains après la bagarre…

– Moi, oui. On est resté fâchés toute cette année-là. Mais quand on est entrés en sixième, tu m'as proposé comme chef de classe. Et je pensais te rendre la monnaie de la même façon et te proposer toi, mais je n'ai rien dit parce que je voulais être le chef. Ce jour-là on s'est reparlé et même si je n'avais que onze ans, je me suis rendu compte que tu étais meilleur que moi…

– Ah, déconne pas, El Negro ! Je t'ai proposé pour que ce ne soit pas moi, j'ai fait ça pour t'emmerder…

Ils se regardèrent dans les yeux en souriant : sur cette rivalité était née une longue amitié que Fernando avait utilisée comme antidote aux soupçons.

– Sur ce qui m'est arrivé, maintenant il n'y a pas grand-chose à dire, lâcha Miguel Angel. J'ai retourné ma veste, comme dit Varo.

– Dis plutôt que tu as retourné même ton caleçon, El Negro !

– C'est que, tout d'un coup, j'ai trouvé que tout était absurde et j'ai perdu mes illusions… Après j'ai été exclu du Parti, j'ai été renvoyé de mon travail et j'ai fait de l'hypertension. Il y a deux ans, j'ai eu un malaise grave et j'ai failli en mourir.

– Et de quoi tu as vécu ? Je sais que tes deux romans ont été publiés en France.

– Par une maison d'édition merdique qui paye une merde. Mais je suis reconnaissant à Arcadio de me l'avoir trouvée…

– Alors, c'est Arcadio.

– Oui, il a été chic. Mais il m'a demandé de ne le dire à personne.

– Demain il donne un récital de poésie. Tu vas y aller ?

– Non, j'aime mieux pas.

– C'est dingue, El Negro : Varo n'y va pas parce qu'il dit qu'il ne supporte pas Arcadio. Conrado, parce qu'il a beaucoup de travail. Tomás, parce qu'il n'a plus rien à foutre de la poésie. Toi, parce que tu ne veux pas qu'on te voie dans une réunion officielle. Enrique et Víctor parce qu'ils ne peuvent pas… C'est tout ce qu'il reste de ce que les Merles Moqueurs voulaient être ?

– Et toi, tu trouves ça bizarre ? Moi pas. Pour moi, c'est normal. Tout cela était un rêve de gamins et ceci c'est le rouleau compresseur qui s'appelle la vie réelle.

– Oui, ça doit être ça… Et toi, comment tu te débrouilles dans la vie réelle ?

– Avec ce qui se présente. Parfois je fais une traduction d'anglais ou je donne des cours à ceux qui s'en vont aux États-Unis. De temps en temps on me publie une nouvelle au Mexique ou en Espagne. Mais je ne fais le jeu de personne et personne ne me promotionne. Je suis comme un étron dans l'espace.

– Et pourquoi tu as écrit les articles qui ont paru en Espagne ?

– Parce que j'ai pensé que je devais le faire… Si seulement j'avais pu faire comme toi. Si j'étais parti, je crois que je me serais évité des tas de problèmes. Mais n'oublie pas que je suis noir, et quel que soit l'endroit où j'irai, je serai noir. Ici je suis foutu, mais quand je marche dans la rue je suis toujours un être humain. En plus, je crois qu'il ne faut pas partir…

– Je suis parti parce que je n'avais pas d'autre solution. Je n'en pouvais plus. Si cette lettre était arrivée plus tôt… Bon, enfin, tu sais déjà tout ça…

– Bien sûr que je le sais. Ou tu as oublié que j'ai risqué ma carte de militant des Jeunesses communistes le jour où je t'ai accompagné pour que tu partes ?

– Je ne l'ai pas oublié. Il y a beaucoup de choses que je n'oublie pas, El Negro, bonnes et mauvaises, mon vieux.

– Fernando, dis-moi la vérité, tu crois encore que j'ai pu vous balancer, toi et Enrique ?

– Ne me demande pas ça… je ne veux pas en parler.

– Pourquoi ? Tu as peur de me dire oui ? Bien sûr, comme j'étais le communiste le plus enragé du groupe, je dois avoir plus de voix que les autres…

Fernando lança son mégot vers le patio et il regarda Miguel Angel dont les yeux étaient traversés de vaisseaux obscurs.

– Tu sais bien que quelqu'un est responsable. Ce n'est pas tombé du ciel. Le flic avait même lu mes poèmes… Mais je ne peux ni ne veux te soupçonner. Tu as toujours été mon frère…

– Je te comprends, Fernando, et je sais ce que tu ressens. On devient presque parano et on ne fait plus confiance aux frères…

– Si seulement c'était de la paranoïa, El Negro. Le plus chiant, c'est que c'est la vérité. Quelqu'un a…

– Fernando, Fernando, dit Miguel Angel tristement et il alluma une autre cigarette. Il aimait avoir constamment une cigarette au coin des lèvres, qu'il ne retirait que pour secouer la cendre, et ses moustaches avaient pris une teinte roussâtre.

– Écoute, Miguel Angel, une des raisons pour lesquelles je ne voulais pas revenir à Cuba, c'était pour ne pas remuer cette histoire.

– D'accord, mais tu as beau faire, tu ne peux pas oublier… Bien qu'il y ait un moyen de le vérifier…

– Oui… en demandant : El Negro, c'est toi ?

Miguel Angel tira avec avidité sur sa cigarette, mais il soutint son regard.

– Je te réponds tout de suite, proposa-t-il. Mais avant, laisse-moi te dire une chose. Celui qui a fait ça, il a sur le dos le cadavre de Enrique et dans les couilles tout ce qui t'est arrivé à toi. Et tu crois qu'il va te le dire, qu'il va admettre qu'il en a baisé un et détruit l'autre ? Tu sais le seul moyen pour qu'il te dise la vérité ?

– Dis toujours…

– Si tu lui promets de le pardonner.

– Je peux le lui promettre.

– Vraiment ?

– Oui.

– Promets-le-moi.

– Je te le promets.

– Bon. Pose-moi la question maintenant.

– Putain, vieux, ne me…

– Demande-le-moi, bordel de merde ! cria Miguel Angel, et la cigarette tomba sur ses jambes. Alors il se leva, sans quitter Fernando des yeux. Demande-le-moi !

Fernando se leva et il sentit que ses mains avaient commencé à transpirer. C'est toi, El Negro ? se demanda-t-il.

– C'est toi ?

Miguel Angel fit attendre sa réponse, regardant toujours fixement Fernando de ses yeux rougis.

– Non, dit-il. Ce n'est pas moi. Parce que si j'avais fait ça je me serais tué, affirma-t-il tandis qu'il portait une autre cigarette à ses lèvres et qu'il l'allumait. Mais je peux t'aider à savoir qui c'est.

Ceux qui me connaissent, et même ceux qui ne me connaissent pas, me considèrent généralement comme velléitaire et inconstant, et m'accusent d'avoir vécu la vie d'un poète, toujours excessive, frôlant les risques sans oser les assumer jusqu'à leurs ultimes conséquences. Ils ont pour habitude de dire que, pour créer mon personnage, j'ai inventé des amours fictives, des abandons et des jalousies, conçus par ma fébrile imagination de romantique. On a dit, même, que je fus lâche et on a brandi comme preuve la lettre qu'en ce fatidique mois de novembre 1823 j'écrivis au juge instructeur de l'affaire des "Rayons et Soleils de Bolívar" à

Matanzas, un certain Francisco Hernández Morejón. Dans cette missive je rejetais les accusations, je montrais au bourreau mes mains jamais maculées de sang et je lui avouais que je n'avais jamais eu l'intention de me battre pour l'Indépendance, mais tout au plus de créer une atmosphère qui lui fût propice, dans les limites constitutionnelles du pays où j'étais né... Mes juges en vinrent à se demander comment il était possible que, quasiment le même jour, soient nés de la même plume cette lettre de justification et *L'Étoile de Cuba*, considéré dorénavant comme l'un des poèmes patriotiques les plus déchirants qui aient jamais été écrits dans l'île ?

"*Que si un pueblo su dura cadena*
No se atreve a romper con sus manos,
Bien le es fácil mudar de tiranos
Pero nunca ser libre podrá."

"Car si un peuple de ses mains
Ne se risque à briser la dure chaîne,
De tyran il lui sera facile de changer
Mais jamais libre il ne sera."

Mais aucun de ceux qui me condamnent n'imagine toutes les souffrances qui pesaient sur le cœur d'un homme qui, à peine avait-il lu la lettre dévastatrice de la femme aimée, reçut la nouvelle que ses amis, les Aranguren et Antonio Betancourt, l'avaient accusé d'être un Chevalier Rationnel et même d'avoir le grade de Soleil, du fait qu'il les avait initiés, ainsi que d'autres, au sein du mouvement séditieux. La marquise Reina María, dès qu'elle eut vent de la délation, demanda à s'entretenir avec moi en privé. Solennelle comme je ne l'avais encore jamais vue jusqu'à ce jour, elle me dit que dans ma nouvelle situation il lui était impossible de m'accueillir plus longtemps dans sa demeure, ce qui ne voulait pas dire que je devais partir aussitôt, mais seulement quand nous aurions trouvé une alternative sûre. De plus, elle me répéta la requête de Lola, si on commençait à me poursuivre, je devais m'échapper de Cuba par n'importe quel moyen, car ma liberté était préférable à un emprisonnement dont la durée était imprévisible. Nous savions tous fort bien que les représailles contre les conspirateurs pouvaient être draconiennes, et mon aimée me priait de rester libre, en vie, et de faire tout ce qui serait en mon pouvoir pour me ménager une possibilité de retour. Ainsi, les mains liées, presque un pied en prison, je demandai à la marquise de prendre contact avec mon oncle, le seul homme en qui je pouvais avoir confiance, pour qu'il me fît sortir de la plantation et trouvât un moyen de m'aider à fuir vers quelque pays voisin.

La lettre de Lola sous mes yeux, sa supplication résonnant encore à mes oreilles, le cœur blessé par la délation et l'amertume causée par l'inconstance des chefs de la conspiration qui ne fut qu'un grand cirque, confronté à la perspective de passer des années en prison ou de mourir pendu, je m'assis en cette nuit du 5 novembre 1823 dans la chambre que me réservait la marquise et j'écrivis, d'un seul trait, sans honte et sans hésitation, ma lettre adressée au juge d'instruction de Matanzas. Mon propos, en l'écrivant, n'était pas de me sauver ni de me disculper : j'essayais uniquement de sauvegarder la possibilité de revenir à Cuba pour rejoindre la femme que j'aimais et le fruit sacré de cet amour, un enfant qui naîtrait sans que son père se trouvât à ses côtés. Ce sentiment seul pouvait me conduire à affronter l'épreuve d'écrire une chose si infâme qu'une lettre de disculpation, dans laquelle, bien sûr je n'accusai personne, je ne mentionnai aucun nom, pas plus que je n'aggravai la situation de ceux qui étaient détenus. Les risques que j'assumais envers la postérité m'apparurent sans importance, pas plus qu'ils n'en ont maintenant, car la main qui écrivit cette missive était mue par la plus sacrée des impulsions : l'amour.

Le lendemain matin, quand mon oncle se présenta à la plantation, il me remit une copie de l'ordre de détention émis contre moi et je lui confiai la lettre adressée au juge et, avec elle, mon destin. Par chance, avec son efficacité habituelle, Ignacio m'avait déjà trouvé un logement provisoire, dans un endroit absolument sûr : j'irais chez José Arango, un de ses plus proches amis, un des habitants les plus distingués de la ville et, comme tel, respecté par les autorités.

Le voyage à Matanzas, le long de la vallée du Yumurí, prit cette fois l'allure d'une descente aux enfers. J'allais avoir vingt ans deux mois plus tard, et l'homme que les circonstances avaient fait de moi semblait plutôt arrivé à sa fin et non au début de sa vie : amertume, dégoût, désespoir, rage et douleur se mêlaient dans mon esprit et se heurtaient à la peur et la honte qui, une fois la lettre remise, affleurèrent aussi… Seul l'amour, frappé et maltraité, replié dans mon cœur, me maintenait debout et désireux d'en finir avec la folie qui s'était emparée de mon existence, à un âge auquel la plupart des hommes se préoccupent tout au plus de la couleur de leurs chaussettes et de l'éclat de leurs cheveux.

Dans une petite chambre, avec de bonnes bougies, du vin et des livres, huit jours passèrent pendant lesquels je fus l'hôte de don José Arango. Mon oncle, pour sa part, avait remis la lettre aux autorités et il attendait quelque signe favorable, sans cesser, toutefois, d'organiser mon départ de l'île.

Durant mon enfermement, matin et soir, la jeune et aimable fille de don José, l'ineffable Pepilla, qui admirait ma poésie avec franchise, comme savent le faire les femmes, venait dans ma chambre pour me tenir compagnie et me distraire de ma solitude. A cette jeune fille, compréhensive et élégante, je confiai, un soir, tous mes secrets, car j'avais besoin qu'une oreille humaine les abritât, comme si cette condition m'était indispensable pour que mon malheur fût réel. C'est à elle que je demandai de me rendre service en joignant Tanco pour lui dire de venir me voir car je désirais le charger de recueillir mes poésies publiées ; c'est aussi à elle, Pepilla, que je remis la lettre dans laquelle je faisais mes adieux à Lola (de façon provisoire, pensais-je). Des serments d'amour éternel couvrirent ce feuillet où j'exprimai à Lola ce qui était alors mon plus grand désir : vivre paisiblement, éloigné de tout, à ses côtés, dans un lieu où jamais on ne parlerait de politique ni d'esclaves, d'argent ou de rois. Un lieu hors de l'histoire, oublié du monde et de ses convulsions, où mes poèmes ne seraient jamais connus car ils auraient tout juste deux lecteurs : une femme aimée et un enfant chéri.

Dans la nuit du 13, mon oncle me fit parvenir un message me disant de me tenir prêt, car si tout se passait comme prévu, j'embarquerais le lendemain soir sur le brigantin *Galaxy*, à destination de Boston, aux États-Unis. Au lieu de m'apporter le calme, le message me plongea dans un étrange découragement et je me souvins en cet instant des adieux tumultueux mais tristes que nous avions faits, un an auparavant, au père Varela. Incapable de trouver le sommeil, je sortis de ma chambre et je marchai dans le patio de la maison, avec l'impression que l'air et l'espace me manquaient. J'éprouvais du désespoir à m'en aller sans même emporter mes poèmes, la seule chose qui m'appartenait vraiment, et Tanco ne venait toujours pas. Alors j'observai le superbe manguier qui voilait presque le ciel et, sans y penser, je m'agrippai à son tronc et commençai à l'escalader pour me laisser tomber sur le toit de la maison. De là, grâce à la lumière de la pleine lune, j'observai la baie, remplie de bateaux éclairés par leurs fanaux. Je contemplai les toits obscurs des maisons. Les rues désertes. Les montagnes éloignées, comme des animaux au repos. Je vis le courant endormi du fleuve Yumurí, presque à portée de la main et je me demandai alors, des larmes dans les yeux, combien de temps j'allais vivre loin de ce lieu, de ma terre, privé du droit de respirer l'air de mon île et de prendre ma femme dans mes bras. Toutes les réponses que j'offris à mon imagination furent impitoyables mais je fus incapable de deviner, ne serait-ce qu'un instant, que la réalité se chargerait de décupler les châtiments les plus terribles qu'un jeune poète pût concevoir. Le lendemain commencerait mon exil et avec lui j'apprendrais définitivement à quel point le bonheur peut être fugace et la douleur infinie.

II

Les Exils

"... Il est temps que s'achève le roman de ma vie pour que commence sa réalité."

J.M.H., 20 mais 1827

Il avait beau fouiller dans sa mémoire, Fernando Terry ne parvenait pas à se souvenir de la dernière fois où il était monté sur le toit en terrasse de sa maison. Malgré son extrême proximité, ce territoire, qui avait toujours conservé pour lui la mystérieuse saveur d'une île exotique, était devenu bien souvent une sorte de refuge où il pouvait jouir d'une invincible sensation de liberté. Plusieurs voyages vers la terrasse, en grimpant toujours le long des grilles de la fenêtre, aidé par la conduite qui descendait du réservoir d'eau, demeuraient gravés dans sa mémoire malgré les années et l'éloignement, mais une de ces escalades était particulièrement inoubliable: la nuit où il avait choisi cet endroit pour pleurer, seul, la mort de son père. Mais de quand datait sa dernière excursion? Sa mémoire lui faisait défaut, peut-être parce qu'il évoquait avec insistance les moments où, assis sur cette terrasse, il avait lu pour la première fois la dramatique interrogation de José María Heredia qui avait enfin compris, effrayé par le destin fatal qui s'acharnait à le poursuivre, sa condition de personnage romanesque et avait demandé – à qui en réalité? – jusqu'à quand il devrait vivre cette fiction dévorante qu'il n'arrivait pas à fuir...

Ses genoux craquèrent et son dos se raidit pendant l'ascension. Sa respiration s'accéléra car l'espace d'un instant, il craignit que la canalisation ne cède sous son poids. Quand enfin il parvint à se glisser jusqu'à la terrasse brûlée de soleil, il pensa qu'il aurait été regrettable de ne pas tenter cette aventure avant de quitter Cuba. Alors, en parcourant la terrasse, il savoura cette vue privilégiée du quartier. Sa maison se trouvait dans la partie la plus haute de la zone et au loin il parvint à distinguer la coupole du Capitole, l'obélisque gris érigé en l'honneur de José Martí et les structures de certains édifices du quartier du Vedado. Fernando marcha vers l'autre extrémité du toit et observa le paysage familier que lui offraient les arbres du patio, tous plantés par son père, et dans lesquels il avait si souvent grimpé pour attraper des fruits. Sous cette coupole verte et dans le coin le plus éloigné du terrain, il entrevit les tombes des chiens qui avaient été les compagnons de son enfance et de sa jeunesse – Coco, Noiraud, Tondu et Cannelle –, auxquelles étaient venues s'ajouter celles de deux autres habitants de la maison, compagnons de Carmela pendant ses longues années de solitude, et dont Fernando n'avait connu l'existence que par les lettres de sa mère. Ces deux monticules identifiables par les noms de Rinti et Ombre le renvoyèrent à un autre roman interrompu, irrécupérable, qui avait suivi, sans lui, son cours paisible dans cette maison – qui était sa maison – et il comprit qu'il était devenu le simple témoin d'une histoire dont il avait pourtant été le personnage principal.

Le soleil se couchait derrière les arbres quand il s'assit sur le réservoir d'eau et sortit son passeport de sa chemise. Le tampon officiel qui avait permis son entrée dans l'île s'étalait sur l'annotation manuscrite qui indiquait, en lettres noires, la durée de son séjour à Cuba: trente jours. La moitié de son temps s'était déjà écoulée et l'idée du retour en Espagne commençait à le tourmenter. Tout ce qu'il était venu chercher dans l'île flottait encore dans la brume du désir, et à part ce strict sauf-conduit, il avait les mains vides. Et il se demandait comment était celui qu'Heredia avait reçu pour revenir dans sa patrie. Indiquait-il également les jours, les heures, les minutes que durerait son ultime séjour à Cuba?

Fernando sentait que, depuis sa visite aux femmes de la famille Junco, les chemins qui menaient aux papiers semblaient sans issue, mais la conversation qu'il avait eue, quelques jours auparavant, avec Miguel Angel avait touché le point sensible: car si les anciens compagnons de Heredia avaient été capables de monter une supercherie poétique comme l'*Espejo de paciencia*, pour garantir l'existence d'un passé littéraire jusqu'alors vide, de quoi n'étaient-ils pas capables pour protéger le secret de leur imposture? L'inquiétante coïncidence des dates entre le retour du poète à Cuba et la miraculeuse apparition du poème épique attribué au greffier Silvestre de Balboa était la mèche allumée qui mène à la dynamite. Même si personne ne savait, en détail, de quoi Heredia et Del Monte avaient parlé lors de leur dernière rencontre, après l'arrivée de l'exilé en 1837, Fernando supposait que ce dialogue de retrouvailles, chargé des tensions liées à l'instant et aux ressentiments mutuels accumulés, n'avait pas été propice à des confidences impensables de la part d'un homme comme Domingo Del Monte. Mais qu'en était-il des conversations échangées avec Tanco, Echevarría, Blas de Osés, et peut-être avec d'autres de leurs vieux amis? Et que penser de l'attitude ultérieure de Del Monte, refusant d'accorder un nouvel entretien à l'ancien camarade revenu d'exil, le cœur blessé par l'attitude cruelle de l'homme qui avait été un jour son meilleur ami ? S'ils avaient vraiment inventé ce poème épique, d'autres parmi ses amis proches devaient être au courant. Si la conjuration existait et si Heredia l'avait appris par l'un d'entre eux, quelle force pouvait le faire taire et l'empêcher de raconter, dans ses confessions de moribond, la terrible supercherie qui inscrivait ainsi la littérature de l'île dans un passé aussi lointain que nécessaire ? Les injures reçues à Cuba durant ce court et douloureux séjour final, proférées justement par les auteurs de cette possible machination, étaient un motif plus que suffisant pour justifier la vengeance et la dénonciation, mais le silence d'Heredia qui, pour autant que l'on sache, n'avait jamais dénoncé cette dangereuse aventure, condamnait ces évidences à se perdre dans la brume et le silence des années écoulées.

Fernando contempla la lumière éclatante laissée par le soleil et il pensa que la piste facile du nom des Junco avait peut-être occulté la possibilité d'éveiller la méfiance des autres individus qui avaient eu accès à l'intangible manuscrit du poète. Mais d'après le vieil Aquino, seuls quelques rares francs-maçons avaient eu l'occasion de s'emparer du document et, pour ce qu'on en savait, seul Ramiro Junco avait une raison plausible de le faire. Et le propre père du vieil Aquino, n'aurait-il pas eu quelque raison inimaginable, cachée ou même inconnue de son fils ? Ou y avait-il dans la loge quelque descendant de Del Monte, des richissimes Aldama, ou même de José Antonio Echevarría qui s'était fait passer pour l'heureux découvreur du vieux poème épique ?

Il regarda de nouveau son passeport et comprit que les chemins à parcourir étaient si nombreux et si enchevêtrés qu'un profond découragement envahit son esprit déjà dominé par la certitude qu'il n'atteindrait jamais la terre perdue de la vérité. Le mieux était peut-être de laisser les morts et les trahisons dans leurs tombes, scellées par le temps, sans altérer ce qui avait déjà été établi. Mais l'éclat embarrassant d'un avertissement tenace l'empêchait d'accepter paisiblement ces élucubrations égoïstes, car il était convaincu que Heredia désirait que son manuscrit fût publié et si sa volonté n'avait pas été respectée, c'était certainement pour cacher une vérité bien trop infâme.

Tout en marchant sur la terrasse, Fernando tenta d'écarter de son esprit l'idée qui l'obsédait, car au fond, son obstination cachait aussi le désir mesquin de se mettre en avant et de prendre sa revanche, sentiments exacerbés par les cicatrices des frustrations accumulées pendant ses années de marginalisation, d'exil et de renoncement aux espoirs les plus sincères de sa vie. La découverte de ce document, apparemment maudit, serait sa plus grande victoire sur les démons qui avaient changé le cours de sa vie et ce triomphe qu'il exhiberait comme une coupe d'or pourrait peut-être compenser la stérilité de sa vie de poète sans poèmes, l'absence des livres qu'il aurait dû mais n'avait pu écrire, l'amertume fondamentale de son passage anodin et vide sur cette terre. Il se sentait soulagé à la pensée que son univers retrouverait enfin, en partie tout au moins, le sens qui lui avait été volé. Car le reste dépendait de l'élucidation du mystère d'une trahison, de ses retrouvailles avec la poésie mais aussi sa capacité à aimer et à être aimé. Et toutes les histoires désormais irrécupérables dont il avait été exclu ?... Disposées ainsi, en formation de combat, les castrations et les douleurs auxquelles il avait dû survivre étaient si nombreuses et si évidentes que Fernando Terry se sentit étonné par sa propre ténacité, capable de le maintenir debout pendant vingt ans, avec pour seul horizon une lueur ténue comme celle qui lui permit de distinguer, depuis le toit, au coin de la rue, la démarche ondulante et précise d'une femme surgie de l'obscurité qui ne pouvait être que Delfina. Alors il se souvint de la dernière fois qu'il était monté sur le toit de sa maison.

Le 4 décembre 1823, le *Galaxy* accosta enfin dans le port de Boston ; à peine avais-je mis pied à terre que j'eus d'un seul coup la révélation de ce qu'était l'hiver et en ce même instant je fus assailli par le pressentiment que ce froid impitoyable serait ma perdition. Le spectacle d'un fleuve gelé dans une campagne qui semblait avoir été dévastée par un incendie, sans un malheureux brin d'herbe pour réjouir la vue dans cette épouvantable aridité, me plongea dans le découragement. Les rues désertes ressemblaient à celles d'un village saccagé, et les rares personnes qui s'approchèrent du quai paraissaient muettes et tristes, vêtues d'épaisses capotes qui laissaient à peine entrevoir leur visage. Tout était blanc, ou gris, ou noir, sans nuances ni altérations, et un tel panorama me fit comprendre que je ne pourrais pas y vivre longtemps car je ne tarderais pas à mourir d'angoisse.

La traversée fut en quelque sorte le douloureux prélude de ce qui m'attendait, car même les aimables attentions du capitaine Harding, à qui j'avais été recommandé comme un éminent exilé politique – et qui, de plus, avait été payé rubis sur l'ongle –, ne purent me soustraire aux rigueurs d'un temps qui se manifesta sous un jour encore plus terrible que le tourbillon des pensées qui harcelait mon âme. Pour monter à bord du *Galaxy* j'avais revêtu des effets appartenant au capitaine, apportés chez les Arango par ma sœur Ignacia, qui, avec l'aide de l'indispensable Pepita, réalisa le miracle de me faire ressembler à un vieux loup de mer qui aurait essuyé maintes tempêtes. Dans la nuit calme, accompagné par don José Arango, la calèche de la maison me laissa à proximité du port où m'attendait le capitaine Harding pour me conduire au bateau.

Dès que nous fûmes à bord, le capitaine donna l'ordre de lever l'ancre et trois jours durant nous navigâmes sur une mer calme. Je me demandai bien souvent, lors de ces journées, s'il n'aurait pas été préférable de rester à Cuba et d'affronter les rigueurs de la prison, car ainsi je me serais senti plus proche de Lola et de ma famille. Alors, peut-être pour se mettre au diapason de mon âme, la nature démontra combien sa colère pouvait être terrible et nous dûmes faire le reste de la traversée à la merci des vents et des pluies, jusqu'au quarantième degré de latitude où nous fûmes surpris par une gelée si terrible que l'eau de la mer se transformait en glace lorsque les vagues envahissaient le pont.

Grâce à son habileté, le capitaine parvint à nous conduire à Nantucket, où nous prîmes un pilote habitué à ces côtes accidentées. Mais ce dernier s'enivra et nous dûmes à la grâce de Dieu de ne pas être mis en pièces par les récifs sauvages parmi lesquels nous naviguions.

En débarquant dans le port de Boston, je me rendis aux bureaux de Peter Bacon, le commerçant ami de mon oncle Ignacio, auquel je portais des lettres de crédit que, par bonheur, il me changea sur-le-champ. Ce même monsieur Bacon me recommanda la pension de Mistress Mac Condray, à quelques pâtés de maisons de ses bureaux, au numéro 15 de la Battler Street.

Je mis deux jours à me remettre des effets du voyage et à me faire à l'idée de devoir marcher dans les rues avec des bottes, un manteau, des gants et un bonnet de fourrure. Je mis le temps à profit en écrivant quelques lettres ; ainsi naissait la coutume consolatrice de remplacer les dialogues avec les êtres qui m'étaient chers par de longues missives dans lesquelles je leur contais les avatars de ma vie. J'écrirais des centaines de lettres tout au long de ces années, un peu plus de quinze, que durerait un exil qui alors commençait à peine.

En ces jours, l'incertitude quant à mon avenir fut le pire des tourments. Coupé soudainement de ma vie à Cuba où je désirais tant vivre et où j'avais laissé amour, amis, métier, prestige et idéaux, j'avais l'impression d'avoir été poussé dans une espèce de trou sans fond ni parois où je flottais comme une marionnette, sans un lieu précis où diriger mon regard, mes pas, mes attentes. J'étais terriblement seul, dans un pays inconnu dont je ne maîtrisais pas la langue, dépendant de l'argent de mon oncle pour vivre et en butte à un climat capable de me terroriser. Était-ce mieux ou pire que la prison ? Pourquoi l'exil avait-il un visage si amer ?

Le troisième jour, le temps s'améliora et je sortis dans la rue, disposé à trouver quelque attrait à une ville où Dieu seul savait combien de temps j'allais devoir vivre. La première chose qui m'étonna fut la régularité et la propreté de ses rues, larges et bien empierrées, si différentes des voies étroites et sales des villes cubaines. Les fiacres évoluaient avec élégance par ces chemins bien entretenus où les piétons ne couraient pas le risque de se voir couvrir de boue. Je tentai de me leurrer et de croire que j'aimais ces maisons de briques nues qui avaient parfois trois ou même quatre étages, dont les habitants s'obstinaient à faire pousser quelques fleurs aux larges baies. Le quartier le plus central de la ville était plein de monde à ces heures de la matinée et je fus surpris de constater qu'il n'y régnait pas le brouhaha des places et des avenues de La Havane, où mes compatriotes crient plutôt qu'ils ne parlent, s'interpellent d'un balcon à un autre, d'une calèche à une autre, et font du bruit en toute occasion. Il est vrai qu'ici il n'y a pas de vendeurs ambulants noirs comme ceux qui à Cuba vantent leur marchandise à gorge déployée, ni de femmes noires offrant quelque nourriture en attirant l'attention de leurs clients par leur boniment rythmé comme une litanie. La ville, l'une des plus importantes et anciennes de la république nord-américaine, respirait l'ordre et la paix.

Quelques jours plus tard, précisément dans le bureau de Bacon, j'appris la récente arrivée à New York des députés cubains aux Cortès espagnoles. Il s'agissait de Varela, Gener et Santos Suárez, tous fugitifs et condamnés à mort par Ferdinand VII après la dissolution du Parlement. Le fait de les savoir présents dans ce pays allégea mon désespoir. Et point n'est besoin de préciser qu'une fois réglées les questions financières avec Bacon, je montai dans une diligence et fin décembre, peu de jours avant mon anniversaire, j'arrivai à New York pour retrouver ces héros cubains.

Varela était logé dans une modeste pension de la rue Broadway, dans le centre de l'île de Manhattan, où il me reçut avec la plus grande joie. Après l'accolade et la bénédiction dont il me gratifia, le prêtre me conduisit devant le réchaud installé dans sa chambre, où il s'était arrangé pour préparer un café selon le goût cubain : avec beaucoup de poudre, très peu d'eau, servi dans de petites tasses de faïence, avec une délicate dose de sucre, juste pour tuer son excès d'amertume mais pas son amertume naturelle. Alors que je savourais de nouveau cette boisson vivifiante, si différente de l'eau noirâtre et sans saveur que boivent généralement les Yankees, je me sentis transporté vers ma patrie lointaine et déposé au cœur même de toutes les absences que j'endurais alors.

Le prêtre, dont la maison était devenue une sorte d'ambassade où passaient tous les émigrés et voyageurs venant de l'île, me donna des nouvelles fraîches des derniers événements du pays. Il me fut agréable d'entendre que mon ami de Matanzas, Teurbe Tolón, avait réussi à s'échapper, mais mon âme s'assombrit lorsque j'appris que plus de six cents personnes avaient été arrêtées du fait de la conspiration. Et Varela me conta alors que cette tentative de sédition avait été vouée à l'échec dès son début, car les espions du capitaine général Vives et ceux de l'intendant des Finances de La Havane, le macabre Comte de Villanueva, l'avaient infiltrée jusque dans ses moindres ramifications, et on savait maintenant que depuis des mois, ils étaient tenus informés de chacun des plans et des moindres décisions des chefs de la rébellion. La délation et l'espionnage, si fréquents à Cuba avaient fonctionné comme une machine bien huilée, et tout le prétendu secret des loges maçonniques n'avait été qu'un jeu d'enfants irresponsables. Cependant, la conspiration avortée avait créé, à son avis, une atmosphère propice pour encourager une lutte ouverte en faveur de l'Indépendance ; c'est pourquoi il avait accepté la proposition des exilés et d'autres personnes résidant à Cuba de prendre la tête du mouvement indépendantiste. Comme il fallait s'y attendre, ils lui avaient imposé une condition : qu'il ne parlât pas du problème de l'esclavage tant que la victoire ne serait pas acquise. Pour sa part, le prêtre avait demandé à conserver sa liberté d'opinion et refusé les confréries et les loges comme cellules de base de la conspiration. Puis il me confia une chose qui me laissa perplexe et me révéla l'étendue de ma naïveté en matière de politique.

– Tout est fort compliqué, José María : ceux qui ont l'argent et le pouvoir pour soutenir l'Indépendance sont justement ceux qui s'y opposent, encore plus que le gouvernement espagnol. Sais-tu qui est le capitaine Vives ? Et il baissa la voix, comme s'il craignait d'être entendu. Eh bien, c'est un homme de Gener, mon collègue et ami. Non, ne sois pas étonné. Les Cubains riches décident qui gouverne à Cuba, car en réalité, ce sont eux qui contrôlent la vie du pays et financent la monarchie espagnole. Ce qui s'est passé au Parlement ne fut qu'une mascarade, et tu verras que, dans quelque temps, la condamnation à mort de Gener tombera dans l'oubli... Mais je vais profiter de la conjoncture, et je ferai tout ce que je pourrai, si ce n'est pour parvenir à l'Indépendance, du moins pour faire que les habitants de l'île y pensent comme à une alternative viable. Pour le moment, il est impossible de faire plus.

Affecté par une révélation aussi sordide, je demandai au prêtre de me confesser. Varela me dit en souriant qu'il imaginait mal quels pouvaient être mes terribles péchés, mais il alla jusqu'à sa malle et en sortit l'indispensable étole ; il me montra aussi son vieux violon dont il ne se séparait jamais. Assis sur une chaise, il m'en indiqua une autre, mais je préférai m'agenouiller à côté de lui et, sans le regarder, je lui parlai de mon histoire avec Lola, de ma luxure permanente, de mon amour désespéré et de la lettre d'excuses que j'avais laissée entre les mains de ceux qui me persécutaient. Et finalement je lui confiai ma peur de ne pouvoir retourner à Cuba... Varela m'écouta sans m'interrompre et m'ordonna, en sortant de chez lui, de passer par l'église toute proche de San Patricio pour y réciter trois Notre-Père et trois Ave Maria et de beaucoup prier pour la santé de la femme et de l'enfant que j'avais laissés à Cuba. Mais avant, il m'ordonna de m'asseoir, car le pardon de mes péchés pouvait bien attendre et il voulait me faire écouter une belle mélodie espagnole qu'il avait adaptée pour le violon.

Décidé à demeurer à New York, et de plus désireux de participer avec Varela à toute tentative séditieuse, je me logeai dans une pension de famille où pour six pesos et demi par semaine, j'étais nourri et logé dans une pièce chauffée. Comme j'avais à peine le courage de lire et encore moins d'écrire des vers, ma plus grande distraction était de marcher par les rues boueuses de la ville les jours où la neige et la pluie le permettaient ; je parcourais généralement cinq ou six lieues, découvrant les nouveaux quartiers italiens et irlandais, goûtant l'excellente cuisine des premiers et le magnifique whisky des seconds.

Mais bien souvent j'avais la sensation que l'air me manquait. J'eus beau fêter, avec Varela, Teurbe Tolón et d'autres amis, l'anniversaire de mes vingt ans, j'étais rongé par la frustration et dès lors l'idée commença à germer en moi de partir vers le sud, peut-être à Pensacola où j'avais passé plusieurs années de mon enfance ou à la Nouvelle-Orléans, villes dans lesquelles je pourrais, de plus, m'exprimer en espagnol ou en français et non dans cette rude langue anglaise qui m'écorchait tant les oreilles. Mais en ces lieux, la chaleur de l'amitié dont j'avais tant besoin me ferait défaut, tout comme la sensation, que j'aimais tellement, d'appartenir à une confrérie. En janvier, je commençai à recevoir des réponses à mes lettres mais jamais mes confidents – Silvestre et mon oncle Ignacio – ne me donnaient de nouvelles de Lola. Je comptais les jours car je calculais que son accouchement était prévu au plus tard pour ce premier mois de l'année. Aussi attendais-je chaque jour avec anxiété l'arrivée du facteur, l'esprit engourdi par le froid.

La lettre n'arriva que début mars. Elle était écrite de la main de Lola, envoyée dans une petite enveloppe fermée glissée dans une missive de Silvestre qui m'annonçait que le pire était passé. Comme un dément je déchirai l'enveloppe et je vis la chère écriture de ma bien-aimée : mais tandis que je lisais ces mots tant attendus, mes yeux s'emplirent de larmes et mon âme fut mise en pièces comme si les loups les plus féroces se l'étaient disputée. Lola me disait, en quelques lignes brèves et glaciales, que notre fils était mort à la naissance et que ce malheur scellait la fin de notre relation. Ses parents avaient tout arrangé et l'été suivant elle épouserait Felipe Gómez ; en conséquence, elle me priait de ne plus lui écrire et mieux encore de l'oublier.

Il est facile de deviner que le printemps, loin d'être une fête, fut pour moi une époque de deuil. Jusqu'alors si j'avais fort peu écrit – à l'exception d'un long poème dédié à Pepilla Arango – de ce jour je ne repris pas la plume ; des semaines durant je ne rédigeai aucune lettre et cessai d'assister aux réunions à la pension de Varela. C'est à peine si je mangeais, car étendu sur mon lit, je lisais et relisais le billet de Lola, sans comprendre le changement radical de son attitude. Était-ce la même Lola que j'avais aimée, celle qui maintenant me repoussait d'une façon si brutale ? Quelles pressions et décisions terribles pesaient sur elle pour qu'elle mît fin si soudainement à tous nos espoirs partagés ?

Jamais, ni même à présent, je n'ai pensé être si près de la mort qu'en ces jours funestes où j'eus la conviction que ma grande erreur avait été de quitter l'île sans avoir eu une indispensable conversation avec la femme tant aimée. Dans la lointaine et hostile ville de New York, je comprenais, à l'évidence, comment le destin, plus cruel envers moi que je ne le méritais, me réclamait son dû, avec des intérêts fort élevés, pour les feintes peines d'amour qui avaient consacré ma renommée de poète romantique et tourmenté, pour ma légèreté en matière d'amour et pour l'audace dont j'avais fait preuve en brûlant les étapes au lieu de faire, en temps voulu, ce qu'il m'eût été possible de faire. Déjà vaincu comme conspirateur, je l'étais désormais comme amant, et de plus, je me sentais perdu dans un pays où je me savais totalement étranger. Ah, pourquoi alors que la douleur était immense et authentique, un maudit poème ne me venait-il pas à l'esprit? Au bout de plusieurs semaines j'allai trouver Varela et le priai à nouveau de m'entendre en confession. Dans mon malheur, j'avais besoin de parler avec lui pour avoir un confident mais je voulais surtout m'adresser à Dieu et lui dire qu'il est des châtiments pouvant surpasser en cruauté les fautes des hommes.

– Pourquoi m'as-tu fait grimper jusqu'ici?

– Bois ton café et je te le dirai après.

Fernando l'avait laissée debout sur la terrasse, tandis qu'il partait en courant chez les voisins. Il était revenu avec une vieille échelle en bois qu'il appuya contre l'auvent du toit.

– Monte et attends-moi là-haut, lui avait-il demandé, et elle avait obéi, avec l'air de n'y rien comprendre. Puis il apporta sur le toit deux tabourets et un pot de café.

– Ne bois pas tout, laisse-m'en un peu, lui demanda-t-il, tout en la regardant déguster le café, à peine éclairée par la lumière d'un réverbère qui baignait le toit d'une lueur jaunâtre.

– Et comment ça t'a pris de venir ici?

– Je voulais parler d'une ou deux choses avec toi. Ce que je n'avais pas prévu, c'est que ce serait une conversation si "élevée!"

– Tu n'aimes pas cet endroit? demanda-t-il en tendant le bras comme s'il montrait une vallée verte et bucolique.

– C'est pas mal.

– Tu sais ce que j'ai fait la dernière fois que je suis monté ici?... J'étais désespéré et je crois que je suis venu pour ne penser à rien. Alors la voisine d'à côté est montée sur sa terrasse et a commencé à étendre son linge. Et tout d'un coup, je me suis rendu compte que je n'avais pas d'autre solution que de m'en aller et que je ne reverrais jamais cette terrasse… Moi j'adorais venir ici, sur ce toit.

– Il y a beaucoup de choses que tu aimais et que tu ne fais plus. Écrire, par exemple.

Fernando observa son profil avec délice quand elle tourna la tête vers l'univers des réservoirs d'eau, des antennes de télé, des arbres, des pigeonniers et des cordes à linge qui s'étendait autour d'eux. Il comprit qu'il était le seul à qui ce paysage pouvait paraître romantique ou évocateur.

– Si tu veux, on descend.

– On est bien ici. Il fait plus frais.

– Quand je suis arrivé à Madrid, j'ai recommencé à écrire, lança-t-il tout en allumant une cigarette. Après quatre ans aux États-Unis, quand j'ai entendu à nouveau les gens parler espagnol, j'ai pensé que je pouvais encore écrire des poèmes.

– Tu as publié quelque chose?

– Je n'ai pas essayé. J'ai perdu ce genre de vanité en chemin… Je n'ai pas voulu faire la connaissance d'autres écrivains, j'ai décidé d'abandonner mon livre sur Heredia, j'ai préféré enterrer tout ce qu'il y avait en moi, ce que j'aurais voulu être à Cuba. J'ai cherché un travail pour vivre, comme tout le monde…

– Et il fallait vraiment que tu partes?

– Oui, je crois. Du moins je crois que je ne pouvais pas rester.

– Après, les choses ont changé.

– Si j'avais pu prédire l'avenir, j'aurais attendu cette lettre qui est arrivée avec presque deux mois de retard. Je n'ai jamais vraiment su si j'avais bien fait. Mais quand je me souviens de ce que j'ai enduré à cette époque-là, je crois que j'ai eu raison.

– Tu en es sûr?

– Je ne suis plus jamais sûr de rien, Delfina.

– Nous avons tous ce problème à l'approche de la cinquantaine.

– En plus du ventre et de la calvitie, reconnut-il et il essaya d'orienter à nouveau la conversation. Mais tu ne m'as toujours pas dit pourquoi tu es venue ici.

Elle le regarda droit dans les yeux, et Fernando sentit le frisson de la peur: il craignait tout autant l'échec que le succès, car si l'un le laissait totalement démuni, dans un état encore pire qu'à son retour, l'autre le confrontait à un problème peut-être insoluble et beaucoup plus douloureux.

– J'ai pensé à ce dont nous avons parlé il y a quelques jours, elle fit une pause et le silence de Fernando l'obligea à continuer. Et je crois que c'est une folie.

Fernando laissa tomber sa cigarette et l'écrasa sur les dalles du toit.

– Oui, c'est une folie, finit-il par reconnaître. Nous avons presque cinquante ans, tu vis ici, tu as été la femme de Víctor, Víctor était mon ami, et en plus je ne te plais pas.

Elle sourit.

– Tu es sûr de ça au moins ?

Il la regarda.

– Comment veux-tu que je ne le pense pas ?

– Fernando, je me sens vieillir et ça, ça ne me plaît pas du tout. Je vis seule et ça me plaît encore moins. Si ça continue, je vais redevenir puceau et je t'assure que cela ne me fait pas rire non plus ! Pour me sentir mieux je peux coucher avec toi, commencer une histoire d'amour, croire que c'est possible… Et après ?

– Après la vie continuera.

– Ne joue pas les philosophes, ça ne te va pas.

– Tu n'aimerais pas vivre en Espagne ?

– Non, dit-elle sur un ton sans réplique. Je veux rester ici, même si je dois manger des cailloux. Moi, je n'ai absolument pas envie de partir…

– Pourquoi ?

– Parce que je ne veux pas que tu me serves de miroir, parce que je ne veux pas me tromper, parce que je veux rester ici… Fernando, cesse de penser à moi et pense à toi. Après, quand ça ne te démangera plus, si vraiment nous nous décidons, tu imagines dans quel état tu seras quand tu devras partir ?

De façon machinale, Fernando mit sa main dans sa poche et prit une autre cigarette. Il s'était imposé de n'en fumer qu'une par heure, mais son anxiété le trahissait constamment.

– C'est vrai, murmura-t-il. Mais ça me fait chier de penser que je ne peux pas faire de ma vie ce qui me passe par la tête. Que je ne ris plus, que je n'ai même pas le droit d'aimer une femme.

– C'est moche d'entendre ça.

– Et c'est encore plus moche à dire. Et puis ce n'est pas juste. Rien de ce qui nous est arrivé n'est juste : ni la mort de Enrique et de Víctor, ni l'alcoolisme d'Álvaro, ni la médiocrité de Tomás… Tu as su finalement pourquoi Enrique était monté sur cette barque pour quitter Cuba? Il me l'a expliqué la dernière fois que nous nous sommes vus. Il a voulu partir parce qu'il était tombé amoureux: celui qui avait volé la barque était son amant et Enrique a décidé de partir avec lui. Il a voulu partir par amour, tu te rends compte? Nom de dieu de conversation de merde, dit-il et il jeta sa cigarette à moitié consumée.

– Je crois que tu as bien fait de revenir. Tu as vu ta mère, tes amis, tu es monté à nouveau sur ce toit, et même si cela te fait mal, il fallait que tu le fasses. Tu as passé je ne sais combien d'années à essayer d'oublier ce que tu ne pouvais pas oublier et finalement tu n'y es pas arrivé… Car je continue à penser qu'aucun de tes amis ne t'a trahi. Certains n'ont pas été chics avec toi mais aucun ne t'a trahi.

– Pourquoi en es-tu si sûre?

– A cause d'une lettre de Víctor. La dernière qu'il m'a écrite d'Angola. Je l'ai lue mille fois et cette lettre m'a convaincue sur ce point.

– Que disait-il dans cette lettre?

– Il l'a écrite deux jours avant d'être tué. Il me disait qu'il ne voulait pas mourir.

Elle se tut. Fernando s'attendait à voir apparaître des larmes prévisibles dans les yeux de la femme, mais son regard exprimait une douleur assumée et dans ses pupilles il trouva seulement le reflet de la lanterne qui pendait du réverbère. La force de caractère de Delfina le surprenait et faisait naître en lui une certaine jalousie.

– Tu veux vraiment parler de cela?

– Oui, dit-elle. Je dois en parler pour me libérer de tout ça… La lettre, on me l'a remise le lendemain du jour où j'ai appris que Víctor était mort. Tu te rends compte? C'était comme s'il vivait à nouveau, pour mourir une deuxième fois. C'est une longue lettre dans laquelle il me dit des choses dont il ne m'avait jamais parlé. De toi et de Enrique et du fait qu'il se sentait coupable de ne pas avoir aidé davantage Enrique. Il voulait t'écrire pour te demander de lui pardonner de ne pas avoir été plus proche de toi quand tout paraissait foutu dans ta vie et que tu avais besoin, plus que jamais, de tes amis. Chaque fois que je relisais cette lettre et que je me souvenais que Víctor était mort avec cette épine dans le cœur, c'était comme si tout s'écroulait autour de moi. J'ai passé des mois à imaginer comment tout était arrivé, comment était la route, ce qu'il avait ressenti quand la bombe a explosé, s'il avait eu le temps de savoir qu'il allait mourir… Et je me torturais en me demandant pourquoi il avait fallu qu'il meure, lui, justement lui. La chose la plus dure qu'il m'avouait, c'était que souvent il avait eu peur de faire ou de dire des choses ici, à Cuba. Mais en Angola où il mettait sa vie en jeu tous les jours, il avait découvert qu'il le faisait sans peur. Là où il était impossible d'être lâche, il avait découvert qu'il n'était pas un lâche.

Fernando resta silencieux. Cette façon de revivre la mort d'une personne si proche était trop dévastatrice. Tout le côté absurde de la mort de Víctor, qui avait à peine trente ans, transparaissait dans la voix de Delfina cherchant une raison à tout cela. Alors il pensa que ce monologue, provoqué par lui, était un châtiment démesuré et il sentit un désir incontrôlable de la prendre dans ses bras, de la protéger, de lui demander pardon de l'avoir obligée à ressasser un passé avec lequel elle avait dû vivre pendant presque vingt ans.

– Mais plus que tout, c'était une lettre d'amour. C'était sa dernière lettre d'amour… Je l'aimais beaucoup, Fernando. Víctor a été mon fiancé, mon mari, et c'était le meilleur des hommes. Il ne méritait pas de mourir, encore moins en sachant que j'allais souffrir et en pensant qu'il n'avait pas bien agi envers ses amis.

– Mais lui n'a pas…

– Il ne s'agit pas de ce que tu penses toi, mais de ce que pensait Víctor, et il croyait qu'il ne s'était pas comporté comme il aurait dû le faire avec toi et Enrique. Et tu sais bien, Fernando, que tu as douté de Víctor pendant toutes ces années. Mais je peux te dire sans craindre de me tromper que tu peux le rayer de ta liste : il ne t'a pas dénoncé. Víctor était ton ami.

– Merci, Delfina.

– Et puis merde… je n'aime pas me sentir comme ça… mais j'avais besoin de vider mon sac. Tu sais ce que nous sommes en train de faire sur ce toit ? Nous sommes en train d'enterrer Víctor. Cela fait dix-sept ans qu'il demandait qu'on l'enterre une fois pour toutes… Et tant que tu doutais de lui, ce n'était pas possible.

Fernando eut l'impression que la terre tremblait. Peut-être parce qu'il recevait l'esprit libéré de Víctor. Peut-être parce que ce qui l'avait maintenu en vie et debout, tout au long de ces années, commençait à se lézarder. Et il pensa : si ce n'est ni Víctor, ni Enrique, ni Miguel Angel, est-ce qu'il y a vraiment eu un traître ? Il restait Álvaro, Tomás, Arcadio et Conrado le paysan, et ce n'était pas rien. Mais le fait que Víctor ne soit plus en butte à son ressentiment lui apporta une chaleureuse sensation de bien-être.

Pourrait-il un jour effacer aussi le reste des noms de ses copains les Merles Moqueurs?

– Merci pour cette conversation, Delfina. Tu sais combien j'aimais Víctor... J'aimerais lire cette lettre. Pas aujourd'hui, mais un jour.

– Il vaut mieux que tu ne la lises jamais... J'ai pensé des tas de fois te l'envoyer mais je ne me suis jamais décidée. Je n'imaginais pas que pour toi cela aurait pu être si important de savoir que Víctor ne... et sa voix se brisa.

– Tu veux descendre? On va prendre un verre quelque part?

– Après. Pour l'instant je me sens trop mal, je suis effondrée. Mais ça va passer, ne t'en fais pas. Cela fait si longtemps que je me sens veuve, il fallait bien qu'un jour j'arrive à sortir tout ça.

– Ç'a été terrible, dit Fernando et il découvrit, par ces paroles lamentablement creuses, qu'il était incapable d'exprimer toute l'ampleur de ce qu'avait vécu Delfina.

– Maintenant, tu comprends pourquoi je n'ai jamais pu tomber amoureuse à nouveau, pourquoi je n'ai pas été capable de tout recommencer?

– Tu t'es fait trop de mal, tu aurais pu oublier...

– Ça te va bien de dire ça! Toi, le gardien du temple de la mémoire et des rancœurs. Et pourquoi tu n'as pas oublié, toi? Dis-moi un peu!

– J'ai essayé mais je n'ai pas pu. Je suppose que c'est parce que c'était ma vie.

– Et Víctor était une partie très importante de la mienne.

– De la mienne aussi... Maintenant je me sens mesquin. Je n'aurais surtout pas dû insinuer...

– Non. Au contraire. C'est important pour moi de savoir que je te plais et que tu pensais à moi. Cela m'a donné l'impression d'être à nouveau vivante. Je sais qu'avec toi je ne vais pas être un morceau de chair fait pour donner du plaisir, mais que je peux à nouveau être une femme.

– Tu vas me rendre fou! Ma parole, je n'y comprends plus rien!

– Tu n'es pas obligé de tout comprendre, Fernando. Essaye de ne pas te compliquer la vie... ni la mienne! Rien ne t'oblige à tomber amoureux de moi, dit-elle et elle le regarda dans les yeux... Qu'est-ce qu'on fait? On fait l'amour en bas ou on va chez moi?

Et toujours imprévisible, la poésie revint, telle une consolation à tant de calamités. Le printemps était derrière moi, l'été de retour, mais la paix se refusait à visiter mon esprit et j'ignore encore pour quelle raison hasardeuse j'acceptai l'invitation de plusieurs amis cubains avec lesquels j'entrepris l'excursion aux fameuses chutes du Niagara. Maintenant, je ne peux douter que ce fut l'œuvre du Seigneur qui, fatigué d'entendre mes lamentations, regrettant peut-être ses excès envers moi, se disposa à me révéler une de ses œuvres d'art, pour qu'un instant délivré de la paralysie à laquelle la douleur m'avait condamné, j'écrivisse l'ode qui deviendrait le plus célèbre de mes poèmes.

Je me souviens qu'à peine arrivé à Goat Island, du côté anglais de la fameuse cataracte, à défaut de café je bus une tasse de thé bien fort et je m'éloignai de mes compagnons de voyage, disposé à continuer en solitaire, comme l'exigeait mon état d'âme. Au cours des dernières heures nous avions beaucoup parlé de la singularité de ce paysage dont je désirais profiter seul, sans même imaginer les véritables proportions et les qualités du spectacle que mes yeux découvriraient. Je pris alors le sentier jusqu'au pont qui relie Goat Island à la rive américaine du fleuve, et les rapides m'indiquèrent le chemin qui menait au précipice. Tandis que j'avançais le long de la berge, je voyais se précipiter la cataracte anglaise, dite du Fer à cheval, qui me sembla déjà majestueuse et inquiétante. Mais quand je me fus éloigné suffisamment et que mon regard parvint à l'embrasser tout entière, je découvris que je me trouvai au bord de la cataracte américaine, et je ne pus m'empêcher de frémir en voyant que, presque sans m'en apercevoir, j'étais arrivé à quelques pas seulement du formidable abîme.

Je m'arrêtai et durant quelques minutes, en proie à la stupeur causée par le panorama sublime, il me fut impossible de discerner mes propres sensations. Le fleuve impétueux passait en rugissant et, presque à mes pieds, il s'abîmait d'une hauteur prodigieuse : les eaux, dispersées en une vapeur légère, sous l'extrême violence du choc remontaient comme pulvérisées, formant des colonnes qui s'étendaient sur toute la hauteur du précipice et cachaient en partie la scène singulière. Le tonnerre des eaux m'assourdissait et je restai pétrifié, observant l'arc-en-ciel dessiné par le soleil, comme un coup de pinceau magnifique, sur l'éternelle rosée. Je n'avais encore rien vu de tel et ma vie durant je ne verrais rien de semblable. La main même du Créateur devait être présente derrière cette œuvre prodigieuse, si différente des autres, qui, pour diverses raisons, avait si profondément touché mon cœur. Mais là tout était force déchaînée, passion sans limites, mort certaine, et en même temps explosion d'une beauté sublime, douée du pouvoir d'exhumer mes pensées de leur tombe et de les concentrer sur ce que mes yeux leur transmettaient.

Il me serait impossible de calculer combien de temps je passai devant les chutes sans que ma vue parvînt à se rassasier. Par moments, j'avais l'impression que mon corps se vidait et que mon esprit flottait hors de ses limites physiques, libre et allègre, étranger à ma chair transie, abandonnée sur une pierre humide comme les restes d'un pantin inutile. Et à cet instant je pleurai, non de douleur, mais ému par tant de beauté. Je crois que ces larmes libératrices et la sensation qu'il me restait encore des choses à créer eurent le pouvoir de me détourner de l'acte qui, depuis mon arrivée, m'attirait vers le précipice: un seul pas de plus et mon corps ferait partie de cette pluie d'écume, et mes peines, désintégrées, voleraient par les airs, sans plus m'appartenir ni me tourmenter.

En contemplant la chute des eaux et la remontée de la rosée, il me sembla voir dans ce spectacle l'image de mes passions et la tourmente de ma vie; jamais comme en cet instant je ne sentis le poids terrible de ma solitude, le lamentable désamour dans lequel je vivais, l'absurde infini qui marquait les chemins de ma vie, la faisant couler, comme les rapides du Niagara, par des chemins abrupts et fatals. Les yeux humides de larmes et d'eau je me demandai alors pourquoi je n'en finissais pas de m'éveiller de ce songe. Mon Dieu, quand s'achèverait le roman de ma vie et commencerait sa réalité?

En proie à cette exaltation spirituelle et convaincu que mon existence tout entière n'était qu'une erreur, je pris un papier et, après de longs mois d'absolue sécheresse poétique, je sentis qu'elle m'envahissait, comme le fleuve coulant de la montagne:

"*Dadme mi lira, dádmela, que siento*
En mi alma estremecida y agitada
Arder la inspiración. O! cuánto tiempo
En tinieblas pasó sin que mi frente
Brillase con su luz...! Niágara undoso
Sola tu faz sublime ya podría
Tornarme el don divino, que ensañada
Me robó del dolor la mano impía."

"Donnez-moi ma lyre, donnez-la-moi, car je sens
Dans mon âme émue et tremblante

Brûler l'inspiration. Oh! combien de temps
Passé dans les ténèbres sans que sa lumière
N'éclaire mon front!… Niagara opulent
Seule ta face sublime pourrait désormais
Me rendre le don divin que la main acharnée
Et impie de la douleur m'a dérobé."

Toutes les opinions qui par la suite furent émises sur ces vers sont loin d'imaginer le procédé par lequel je tentai de transcrire le drame de mes sentiments sur un morceau de papier. Mon calvaire d'amant éconduit, de père frustré, d'exilé sans retour, marque cet instant lumineux où la poésie revint me visiter pour me donner une seule bonne raison de rester en vie. Et j'appris en cet instant, alors que je venais d'avoir vingt ans mais avec l'impression que des siècles pesaient sur mes épaules, que cela valait la peine de vivre s'il restait encore un poème à écrire… Mais au moment où j'écris ces lignes, que puis-je faire alors que la poésie m'a abandonné?

Avec mon poème, je rebroussai chemin et je commençai à parcourir les bois et les terres en friche de Goat Island pour arriver au bord de la cascade anglaise. Mais j'éprouvais trop de peine pour abandonner ce lieu: avant de m'en aller, je suivis mon impulsion et, au risque de contrarier mes compagnons, je revins au bord de la cataracte américaine. Là, debout sur la même pierre où j'avais écrit mon ode et pendant de longues minutes, je tombai en contemplation devant la chute prodigieuse. Mais quand je décidai de m'en aller, à peine m'étais-je éloigné de la pierre que je la vis se détacher et rouler dans l'abîme: cette pierre, sur laquelle j'avais imaginé ma mort et senti ma résurrection, était tombée là où jamais plus elle ne serait foulée par le pied de l'homme et mon cœur se glaça soudain en comprenant de nouveau la fragilité du fil qui sépare la vie de la mort et la petitesse de la volonté humaine devant les desseins de Dieu.

Grâce à la poésie je me sentais de nouveau vivant et, avec l'aide de l'aimable trêve de l'été, je décidai de reprendre certaines affaires presque oubliées dans le fracas de mes tourments. La première que j'essayai de trancher était en rapport avec Domingo. Par Silvestre je savais qu'une fois l'orage passé, il était revenu des confins de Guane et qu'il vivait de nouveau à La Havane, passant son temps à se lamenter sur la perte de son amour et sa pauvreté matérielle. La lettre que je lui écrivis en cette occasion fut amère et cruelle, surtout causée par le souvenir de sa décision de ne pas me voir à La Havane et de se perdre ensuite à Guane : j'étais de plus en plus convaincu que, craignant les représailles du gouvernement, il avait pris la poudre d'escampette et j'en étais même arrivé à lui dire que j'étais certain de sa collaboration avec les autorités ; comme tant d'informateurs et de traîtres, il avait flirté avec les séditieux, il connaissait les projets de conspiration et l'éloignement dans lequel il avait passé les mois de persécution et de répression me semblait bien étrange.

Au fil des jours cette lettre en vint à me sembler exagérée car à ce moment-là je n'étais aucunement certain que mes accusations pouvaient avoir un autre fondement que mes rancœurs et le soupçon logique que le départ intempestif de Domingo dissimulait autre chose qu'un dépit amoureux. En l'écrivant je fus catégorique et sans pitié, sans imaginer les abîmes que côtoyaient mes reproches : mais la réponse de Domingo, cependant, fut plus éplorée que furibonde. Il me demandait comment moi, "son très doux ami", j'avais pu douter de "la pureté de ses principes politiques", et cru des choses aussi terribles de lui, "franc, pur, adorateur enthousiaste de la liberté", tandis qu'il démentait tout rapport avec les bourreaux sur un ton si douloureux que je regrettai immédiatement mon emportement et, pensant déjà combien j'avais été injuste, une fois de plus je lui pardonnai, et je le lui fis savoir par une nouvelle lettre dans laquelle je retirais mes accusations.

Cherchant à donner quelque sens à ma vie, en juillet je voyageai à Philadelphie où Varela s'était rendu pour commencer l'édition d'un journal, *El Habanero*, ouvertement lié aux idées indépendantistes. Là j'apprendrais que le journal était financé par certaines personnalités cubaines, toujours dissimulées dans l'ombre mais qui, lassées du poids économique imposé par la métropole, étaient maintenant en faveur d'une possible émancipation, planifiée selon le pacte passé avec Varela, c'est-à-dire sans aborder le thème de l'esclavage et sans la participation d'aucune puissance étrangère. Le groupe le plus actif des riches cubains, parmi lesquels se trouvaient la famille de Silvestre et autres propriétaires de sucreries et de grandes fortunes, ex-négriers presque tous, se lançaient à l'attaque en voyant leurs bourses menacées et finançaient le voyage de Saco aux États-Unis, dans le but manifeste de collaborer avec Varela dans cette nouvelle entreprise et dans le but non avoué de placer aux côtés du prêtre irréductible un homme de confiance, ce que Saqueté s'avéra être. Le journal, malgré ses limitations et sa brève existence, fut une des grandes réalisations de ce bon prêtre et durant les semaines que je passai à ses côtés, je l'aidai dans les tâches diverses qu'exige une publication.

Pendant ce temps, une chose étrange se produisait en moi, qui affectait ma perception des États-Unis. Étrange, car pendant les jours que je passais à Philadelphie, je compris combien me dérangeait ce qu'un an auparavant, à Boston, j'avais pris pour des vertus. Maintenant j'étais exaspéré par l'uniformité de cette ville, la régularité de ses rues et la similitude presque parfaite de ses édifices, cloisonnés comme des nids d'abeilles. Je perçus combien j'étais accablé par l'accumulation d'efforts réitérés, l'hypocrisie profonde du protestantisme dominant, tandis que je ressentais combien l'absence de cris dans les rues, de couleurs sur les maisons, de commerces chaotiques et odorants, de gens vulgaires mais vivants m'avertissait que jamais je n'occuperais ici la place qui m'était réservée en ce monde.

L'âme oppressée par ces sentiments, je reçus la nouvelle qu'enfin mon procès allait s'ouvrir à Cuba où j'étais accusé d'avoir conspiré contre la couronne d'Espagne. Peu de temps auparavant, les autorités de l'île avaient fait publier ma lettre de rétractation, dans le but de salir ma réputation, et je ne mens pas si je dis que cela m'importa fort peu.

Je déplorais seulement la disparition des raisons qui m'avaient poussé à écrire cette missive, laissant une terrible blessure dans mon cœur.

De retour à New York je commençai à concevoir sérieusement le projet de partir vivre au sud de l'Union ou même dans un autre pays au climat plus clément. Je pensais au Mexique, à la Colombie, même à Saint-Domingue où j'avais encore de la famille mais, à cette époque, l'aide économique de mon oncle Ignacio faisait de lui le maître de mon destin. Il m'interdit de bouger car il espérait encore un possible acquittement et un voyage vers quelque autre lieu, considéré à Cuba comme un des foyers de sédition, ne pouvait être que néfaste pour l'issue de mon procès. Cependant l'idée de passer là un nouvel hiver me terrifiait, comme si j'avais le pressentiment des conséquences fatales que cela aurait sur ma vie. Contre mon gré, je dus obéir et je trouvai du travail comme professeur d'espagnol à l'académie de Bancel, où je gagnais cinq cents pesos, nourri et logé. Car je n'osais pas faire valider mon diplôme d'avocat ; je savais que les difficultés de la langue et la complication du système judiciaire du pays m'empêcheraient d'exercer cette profession.

Et sur ce, l'hiver arriva et me transperça de ses poignards, avec ses neiges, ses pluies glaciales et son haleine gelée : bien que cette fois mon état d'esprit fût meilleur, mon corps subit des douleurs indicibles durant cette funeste saison. Les refroidissements furent constants, parfois accompagnés de fortes fièvres et de nets symptômes de pneumonie, selon les dires des médecins. J'ignorais alors, avec mon organisme affaibli et mes poumons malades, que je serais contaminé par le germe terrible de cette phtisie qui maintenant me fait prier le Seigneur d'avoir pitié de moi et de me pardonner mes nombreux péchés…

Pour clore cette année lugubre je reçus chez moi la nouvelle de ma condamnation à l'exil à perpétuité. Ma mère, tout en m'informant de l'issue du procès, me disait comment plusieurs des accusés avaient été acquittés ou condamnés à des peines très légères puis rapidement amnistiés, en particulier ceux dont les noms de familles s'appuyaient sur des millions de pesos, des plantations de cannes à sucre ou de café et des entrepôts dans les ports. En revanche, tous les accusés misérables – dont je faisais partie – subiraient la prison ou l'exil. Comme elle croyait encore aux miracles en matière politique, ma mère avait beaucoup parlé avec Ignacio et ce dernier me proposait, étant donné que j'étais un personnage public, de m'adresser au tribunal pour défendre ma cause tout en sollicitant une amnistie, en promettant de ne jamais participer à une nouvelle conspiration.

Avec une tristesse infinie je répondis à la lettre de ma mère. Je me souviens que ce faisant mon corps tremblait, je ne sais si c'était là les effets du froid ou de la fièvre, tandis que mes doigts gourds parvenaient à peine à soutenir la plume. Je commençai par lui dire combien je les aimais, elle et mes sœurs et combien vif était mon désir de retrouver Cuba et son climat propice où sans aucun doute je pourrais recouvrer la santé. J'avais laissé là-bas tout ce que j'aimais, et chaque jour je pensais à ma patrie, sachant que j'apprendrais difficilement à vivre ailleurs, à me sentir tellement comblé, à être vraiment ce que je voulais être, loin de cet infime bout de terre enserré par ses côtes, au milieu de la mer des Caraïbes. Mais je lui dis également que le prix exigé pour un possible retour était trop élevé et que je n'avais pas le courage de revenir amnistié à Cuba tandis qu'un homme comme le docteur Hernández pourrissait en prison et avec lui d'autres qui avaient eu foi en l'Indépendance et en un meilleur destin pour cette île. Si tel était l'unique chemin, je lui dis que je préférais vivre loin et proscrit, plutôt que de revenir à Cuba gracié… Je me souviens que pendant que j'écrivais, dehors soufflait le vent glacial de ce mois de janvier 1825. Je me souviens également qu'au plus profond de mon âme, je sentis se refermer, peut-être à jamais, les portes d'un retour tant désiré sur mon île bien-aimée, ce lieu où j'étais né et où j'avais passé à peine trois ans de ma vie d'adulte. Alors, en cet instant, je compris que j'avais cessé d'être un exilé pour devenir un proscrit.

Cristóbal Aquino ouvrit la porte et respira avec satisfaction les vapeurs légères de la complicité. Bien qu'il l'ait respirée des centaines de fois tout au long de sa vie maçonnique, cette odeur unique de mystère et de mort le renvoyait à son premier contact avec ce lieu, cinquante ans plus tôt. Alors, désireux de traverser, enfin, une frontière qu'il souhaitait ardemment franchir, et même en sachant que c'était la main de son père, don Salustiano, qui agrippée à son bras le guidait depuis l'instant où on lui avait bandé les yeux, le jeune Aquino n'avait pu éviter un profond tremblement en entendant les coups précis frappés d'un côté de la porte et la réponse codée venant de l'autre côté, à son tour confirmée par des coups rythmés sur le bois. Alors il avait entendu le grincement des charnières et tandis qu'il avalait sa salive, dans son nez avait pénétré pour la première fois cette odeur persistante dont il jouissait de nouveau maintenant. L'entrée initiatique dans la Chambre secrète des Maîtres maçons devait être inoubliable pour ces élus au plus haut grade de la fraternité car, plus qu'un trajet d'à peine cinquante pas jusqu'à une pièce de trois mètres sur trois située au fond du temple, ce devait être l'ascension finale vers la révélation des grands mystères – une fois franchis les grades d'Apprenti et de Compagnon – auxquels les Maîtres maçons sont les seuls à avoir accès, héritiers des secrets conservés par la fraternité depuis sa fondation millénaire. Enivré par cet arôme qui allait imprégner toute sa vie, Cristóbal Aquino était passé de la main de son père à celle d'un autre homme qui, avec moins de ménagement, l'avait fait avancer de quelques pas tout en lui rappelant que la discrétion était le premier des ciments sur lequel s'élevait la maçonnerie. Puis, quand on lui avait retiré le bandeau qui l'aveuglait, il avait dû faire un effort pour se situer dans une enceinte dont les proportions se perdaient dans l'obscurité à peine dissipée par les quatre bougies allumées aux angles, et dont la décoration se limitait à la présence des têtes de morts et des épées, destinées à rappeler aux initiés deux principes fondamentaux de la vie : que la mort nous rend tous égaux et que la liberté est le bien suprême de l'homme, pour lequel il doit se battre le moment venu.

Cristóbal Aquino tira sur la chaînette et alluma l'ampoule accrochée au plafond, à peine deux pouces au-dessus de sa tête. Même avec cet éclairage, la pièce était saisissante. Les têtes de morts, les épées et les tissus noirs, rangés sur une petite table en bois, attendaient la prochaine cérémonie, mais il les regarda à peine et alla tout droit jusqu'à la niche encastrée dans le mur, près de la porte. Dans le trousseau il chercha la bonne clef et ouvrit la serrure. Alors il s'écarta pour permettre à la lumière d'éclairer la petite grotte et parmi les livres et les documents il vit la tranche jaune de l'enveloppe remise à la Loge par le défunt José de Jesús Heredia. Aquino allait prendre le paquet, mais quelque chose l'arrêta. Les doutes persistants qui s'étaient emparés de lui depuis qu'il avait accepté de détruire ces papiers revenaient à l'assaut, comme un essaim de guêpes furieuses. Les rares indices réunis lui indiquaient qu'il y avait, dans cette enveloppe, beaucoup plus qu'un ragot familial et d'autres révélations personnelles peut-être atténuées par le temps. L'insistance finale de José de Jesús et le refus de Cernuda de prendre part à cette exécution historique plaçaient Aquino devant un cruel dilemme après la promesse qu'il avait faite. Devait-il lire les documents et décider par lui-même ? Il savait qu'en principe, il n'avait pas le droit de violer la volonté de José de Jesús, mais en même temps il lui semblait que seule la connaissance des documents lui permettrait de rendre justice à la mémoire d'un homme comme José María Heredia : alors il pourrait décider s'il convenait de détruire les mémoires ou de les conserver jusqu'au jour fixé pour leur révélation. Pourquoi faut-il que ces choses m'arrivent à moi ? se redemanda-t-il comme il le faisait tous les jours depuis qu'il avait été convoqué par José de Jesús Heredia moribond.

Avec précaution, il prit l'enveloppe jaune. Sur ses doigts il sentit la pellicule visqueuse de l'humidité et de sa propre sueur. Il referma la niche et, l'enveloppe sous le bras, il tira sur la chaînette et retrouva l'obscurité impénétrable. La lumière du soleil balaya la Chambre secrète quand il ouvrit la porte. Dehors le jour était clair et frais, comme si la porte en bois marquait la frontière entre deux mondes placés aux antipodes de l'univers.

Cristóbal Aquino revint dans l'édifice principal du temple maçonnique. Son malaise des derniers jours s'était mué en angoisse et sa poitrine était tourmentée par une douleur aiguë. Il entra au secrétariat et laissa le paquet sur le bureau, près du flacon d'alcool qu'il avait acheté à la pharmacie pour activer et garantir l'efficacité de l'incinération des papiers qu'il supposait humides étant donné leur séjour prolongé dans la niche. Tout en allumant un de ses cigares, il ne cessait de penser à sa prochaine action. Alors il leva les yeux vers le mur du fond où, sur trois rangées parallèles qui couvraient presque tout l'espace, étaient accrochés les portraits des membres les plus illustres de la confrérie : là se trouvait José Martí, debout, avec son tablier de Maître maçon et son regard d'apôtre ; le général Antonio Maceo, à la silhouette solide ; Carlos Manuel de Céspedes, le père de la Patrie, qui mourut abandonné, même par ses frères maçons ; Calixto García, le plus acharné des généraux cubains ; Ignacio Agramonte, avec cette invincible douceur dans le regard ; et aussi José María Heredia, avec son profil soigneusement rendu par le portraitiste, son regard triste et son aura définitivement romantique. Pour Cristóbal Aquino, cet homme dont il voyait l'image depuis tant d'années, même si avec le temps il avait cessé de l'observer, avait toujours été un être distant, ancré dans un passé lointain, un homme dont l'époque présente ne retenait que les échos de ses poèmes appris à l'école tout comme les histoires de sa participation au premier mouvement indépendantiste de l'île. Mais maintenant les yeux du poète regardaient Aquino comme s'ils le connaissaient. Ce regard jeune, bien que chargé de tristesse, voulait lui dire quelque chose qu'il se sentait incapable de déchiffrer. Serais-je en train de devenir fou ? se demanda-t-il et il détourna son regard du portrait pour le reporter sur l'enveloppe jaune.

Alors il plaça son cigare fumant sur le bord du bureau et ouvrit l'enveloppe. Il en sortit un dossier en carton usagé qui protégeait les feuilles attachées avec un ruban et il observa la calligraphie fluide, écrite à l'encre noire, sur les papiers jaunis, à la consistance poreuse et épaisse. Sans détacher les feuillets, Aquino commença à lire :

"Bien que j'aie mis des années à le découvrir, je suis maintenant sûr que l'odeur de La Havane fait toute sa magie. Qui connaît la ville doit admettre qu'elle possède une lumière qui lui est propre, dense et légère à la fois, et une couleur exubérante qui la différencient de mille autres villes au monde. Mais seule son odeur est capable de lui donner cet esprit incomparable qui rend son souvenir si vivace. Car l'odeur de La Havane n'est ni plus agréable ni pire qu'une autre, elle n'est ni parfumée ni fétide, et, surtout, elle n'est pas pure : elle s'élabore à partir du mélange fébrile suintant d'une ville chaotique et hallucinante."

– Tu sais ce que tu fais, mon petit ?

Sans cesser de le regarder dans les yeux, Carmela lui tendit la petite coupe de flan à la noix de coco couvert de deux fines tranches de fromage blanc.

Fernando évita un instant le regard de sa mère, puis il décida de l'affronter.

– Oui, je crois : je suis en train de me suicider.

Même si l'idée était si ancienne qu'il avait appris à vivre avec elle, la certitude d'être en train d'attenter à sa vie revenait maintenant avec une ténacité amère. Il avait éprouvé cette certitude pour la première fois en 1978, quand il avait décidé de ne plus retourner à la revue *TabaCuba* ; elle lui avait oppressé le cœur en 1980 quand, sans avoir à qui faire des adieux, il traversait la rangée d'excités qui le qualifiaient de vermine antisociale, pour embarquer sur le bateau qui le conduisait vers un exil dont il n'ignorait point qu'il serait sans retour ; il avait de nouveau retrouvé cette sensation à Madrid, quand il s'était rendu au consulat pour demander un visa qui l'autoriserait à revenir dans l'île pour déterrer son passé, plus que celui de Heredia. Mais maintenant la certitude d'avoir posé une bombe sous ses pieds l'accablait avec la même intensité que la sensation de flotter dans un rêve heureux dont il craignait de s'éveiller.

– Pour l'amour du ciel, Fernando, ne parle pas comme ça !

– Allez, assieds-toi un moment, il faut que nous parlions.

– Tu veux vraiment parler ?

Depuis son retour il avait remis à plus tard ce dialogue avec sa mère car il voulait lui épargner ses propres douleurs. Il savait que Carmela avait partagé ses souffrances durant toutes ces années et il pensait que le mieux était de lui éviter de nouveaux chagrins. Mais depuis la nuit, trois jours avant, où il s'était enfermé dans sa chambre avec Delfina, pour faire l'amour avec maladresse et plénitude, comme des pisteurs qui évaluent chacun des pas qui les conduisent vers une terre inconnue, Fernando flottait dans un nuage rose, capable de lui faire oublier certaines de ses obsessions, au point que ce matin même, il s'était réveillé avec le sentiment troublant qu'il avait besoin d'écrire. Il s'était levé avec d'extrêmes précautions pour ne pas réveiller Delfina, endormie les cheveux sur les yeux, la bouche légèrement entrouverte et un sein découvert. Résistant à l'envie d'embrasser ce mamelon sombre, il l'avait observée durant un temps indéterminé, tout en essayant de s'approprier cette vision d'une femme endormie qui était l'image même d'une vie normale. En se couchant, la veille au soir, ils avaient fait l'amour, de façon plus précise, et après toutes ces heures, ses papilles et son odorat conservaient encore les effluves tièdes de la femme. Il avait cherché en silence parmi les papiers de Delfina des feuilles blanches et, un crayon à la main, il s'était assis dans la salle à manger pour écrire un poème sur la résurrection de l'amour. L'espace d'un instant il avait pensé à Machado et à son miracle du printemps, mais il sut trouver son propre chemin au fur et à mesure que les vers prenaient forme sur le papier.

– J'ai toujours été amoureux d'elle. Même avant qu'elle soit la fiancée de Víctor.

– Tu sais que tu vas te compliquer la vie ?

– Oui, bien sûr que je le sais et...

– Alors continue, mais ne regarde pas en arrière...

En finissant, il était allé jusqu'au seuil de la chambre pour vérifier que Delfina dormait encore, et il lui avait écrit un petit mot, lui expliquant qu'il allait chez lui et qu'il reviendrait le soir. Ensuite il avait glissé sous un cendrier le mot et les feuilles de papier pleines de ratures et de pâtés où était écrit un poème sur une femme endormie.

Fernando avait marché sans but précis le long des rues du Vedado, essayant d'adapter son esprit à la nouvelle situation. Ce retour imprévu de l'amour et de la poésie était trop alarmant et le besoin physique et mental d'avoir Delfina à ses côtés lui était douloureux, comme la sensation vivifiante de se tuer à petit feu chaque fois qu'il allumait une cigarette et qu'il emplissait ses poumons de cette fumée maligne et délectable. Fernando savait qu'à l'approche de la cinquantaine c'était, peut-être, sa dernière chance de vivre un amour. Chaque jour de son avenir flou était déjà un pas de plus vers la vieillesse, avec ses terribles cadeaux : l'impuissance, les douleurs, la fatigue...

– C'est que ça fait vingt ans que je remets tout à plus tard, maman.

– C'est pas possible de vivre comme ça, Fernando.

– Je n'ai pas choisi de vivre comme ça.

– Tu en es sûr ?

Ses pas l'avaient conduit aux abords de la faculté des lettres, où un groupe d'étudiants discutaient, assis sur les marches de l'escalier, et Fernando se souvint qu'un rendez-vous l'attendait, fixé par sa directrice de thèse, la vieille *doctora* Santori. Mais il sentait qu'il n'avait pas encore la force de revenir dans ce lieu où il était entré la première fois coude à coude avec Miguel Angel et Víctor, cramponnés aux attestations qui leur garantissaient l'inscription et leur ouvraient le monde doré des beaux arts et des belles lettres. Et il n'était pas revenu à la faculté depuis ce jour de septembre 1976 où il avait attendu en vain tout un après-midi pour parler de son cas avec la doyenne. Dans son souvenir, il associait cet endroit aux portes de l'enfer et il avait essayé de s'en tenir éloigné durant les dernières années passées à Cuba. Mais maintenant, en observant la structure opaque et chaude du bâtiment, patiné par le temps, il avait compris qu'il venait de passer trois jours sans penser à Heredia et encore moins à la trahison qui avait changé le cours de sa vie. Le bain de sexe et d'apaisement dans lequel il s'était plongé le renvoyait à un état antérieur aux grandes tristesses de sa vie, et son subconscient, avide de cette trêve, avait repoussé les évocations douloureuses pour laisser place à la résurrection de l'amour et peut-être même de la joie et du rire, comme Delfina le revendiquait.

– Le plus dur, c'était d'être loin d'ici en sachant qu'il n'y aurait pas de retour… Il faut l'avoir vécu pour savoir ce que c'est.

– J'ai cru que tu t'étais habitué, mon petit.

– Je n'ai pas pu. Je n'ai plus jamais été le même. Les amis que j'ai là-bas ne sont pas comme ceux que j'ai eus ici. Ce que j'aime maintenant ne ressemble pas à ce que j'ai aimé ici… Parfois la personne que j'avais été m'étonnait. Je me reconnaissais à peine.

Seule la nébuleuse de l'avenir ternissait l'horizon de cette sensation de bien-être. Il lui restait à peine dix jours à passer à Cuba et il voulait les boire à petites gorgées, jusqu'à la dernière goutte, pour avoir au moins la consolation de cette compensation qui, il le savait bien, lui ferait payer sa témérité par de nouveaux déchirements face auxquels il se sentait totalement désarmé.

– Quand je sentais que j'allais trop mal, je pensais à Heredia. Deux fois, alors qu'il était déjà en exil, il a écrit qu'il vivait un songe.

– Cette expression : *le roman de ma vie.*

– Tu t'en souviens encore ?… «Quand s'achèvera le roman de ma vie pour que commence sa réalité ?"

– Aïe, Fernando, tu n'imagines pas combien de fois j'ai lu ta thèse. Je crois que je peux la réciter par cœur. Tu étais ce que j'aurais voulu être. Et d'un seul coup, tout s'est écroulé. Ma vie n'a plus jamais été la même.

Parallèlement au besoin de vivre intensément le plaisir à l'ombre de Delfina, il devait aussi terminer ce qu'il avait commencé en revenant pensa-t-il. Y renoncer équivaudrait à tuer sans pitié cet étranger amer qui l'avait accompagné durant les vingt dernières années et il n'avait pas d'autre choix que de liquider sa dette envers le passé, reconnaître les innocents et condamner le coupable. L'idée de repartir avec ces banderilles toujours fichées dans son dos lui semblait aussi grave que de se détacher de l'amour renaissant. Serait-il possible de faire une croix sur tout cela et de repartir à zéro ? Pourrait-il sauter définitivement par-dessus son passé et tomber dans la réalité du présent ? Aurait-il la capacité et les possibilités de redresser le cours du destin pour les dernières années de sa vie ? Serait-il capable d'assumer le changement que ce retour impliquait dans sa vie ?

– Dis-moi une chose, maman, pourquoi tu n'as plus de chien ?

– Tu veux vraiment le savoir ?

– Bien sûr.

– Parce que j'ai peur de mourir un de ces jours… Et si je meurs, qui s'occupera du pauvre animal ?

– Pour l'amour du ciel, maman…

Il avait tourné dans l'ancienne avenue Carlos III, cherchant la rue Infanta. Cette splendide avenue avait été l'une des grandes réalisations du capitaine général Tacón, celui-là même qui avait humilié Heredia en lui accordant un dégradant permis de retour temporaire, soumis à de multiples conditions, et Fernando s'était rendu à l'évidence qu'il n'y avait pas d'échappatoire possible : son passé le guettait, tapi dans tous les recoins de la ville, dans chaque rue, chaque odeur, chaque geste des gens, et ce n'était qu'en satisfaisant les exigences de ce passé qu'il pourrait réorienter sa vie ou, tout au moins, calmer les regrets de sa conscience douloureuse et récupérer la possibilité de commencer quelque chose : non, il n'y avait décidément pas de place pour l'oubli.

– Et toi, qu'est-ce que tu vas faire, Fernando ?

– Ce que je dois faire : résoudre mes problèmes avec la vie et cesser de me cacher.

– Qu'est-ce que tu veux dire ?

– Aujourd'hui, quand je me suis levé, j'ai écrit un poème. Cela faisait plus de dix ans que cela ne m'était pas arrivé.

– J'en suis contente. Mais ce n'est pas le seul problème. Ce n'est même pas le pire. Tu es vraiment disposé à aller au fond des choses et à affronter ce que tu trouveras ?

– J'ai le choix ?

En arrivant dans son quartier et en voyant sa maison après deux jours d'absence, il avait été surpris par la sensation que les retours étaient possibles. Pour Heredia cela n'avait pas été le cas. Pas plus que pour Varela, Del Monte, Saco et tant d'autres Cubains durant presque deux siècles, condamnés à errer éternellement et à laisser leurs os dans des terres lointaines. Martí était parvenu à briser le sortilège : il était revenu, pour mourir, mais il était revenu. Cette immolation était-elle le prix du retour ? Il se suicidait s'il revenait ? A peine dix jours – il les avait comptés de nouveau –, c'est ce qui lui restait de son permis de séjour, et alors il serait obligé de s'éloigner du monde qu'il avait voulu enterrer en vain.

– J'ai voulu tout oublier, mais je n'ai jamais pu. Maintenant je sais que j'ai bien fait de revenir. Oui, je dois faire face, quoi qu'il arrive.

– J'en suis heureuse pour toi, Fernando. Tu sais, pour moi ç'a été très important de te revoir, mais je crois que ce retour à Cuba a été encore plus important pour toi.

– Il fallait que je revienne, maman. Même si c'était pour me suicider.

Durant ces mois froids et terribles, j'écrivis de nombreux poèmes tandis que ma condamnation se matérialisait comme un mur grandissant : le vaste monde était curieusement ma prison car, pour mon malheur, mon espace de liberté et de vie se trouvait sur le territoire de l'île où j'étais né et vers laquelle on m'empêchait de revenir. La nostalgie du proscrit s'acharna sur moi, affectant chaque acte de ma vie et la plupart de mes pensées, et je compris la cruauté d'un châtiment si souvent pratiqué par ceux qui agissent en maîtres des patries et des destinées, et s'arrogent le droit de décider de la vie de ceux qui ne partagent pas leurs opinions.

Comme une compensation, la poésie continua à jaillir au milieu de tant d'afflictions ; oublieux des conseils de Varela, je mis en elle toute ma haine et ma douleur, je criai contre le tyran, je pleurai le destin de Cuba et je clamai en faveur de la liberté. Et j'écrivis tellement au cours de ce printemps de 1825 que je pus préparer un volume de mes poésies avec l'intention de le donner à un éditeur.

Comme plusieurs années auparavant, je partis avec mes manuscrits sous le bras, désireux de connaître le jugement du prêtre Varela et si possible d'obtenir son approbation. De tous les amis qui, en ce lointain et chaud après-midi havanais, m'avaient accompagné au séminaire de San Carlos, le sort voulut que le plus fidèle et le plus noble partageât avec moi ce nouveau pèlerinage littéraire. Car, pour mon bonheur et ma santé spirituelle, le bon Silvestre avait fait le voyage aux États-Unis, m'offrant la joie infinie de la présence d'un vieux camarade des jours heureux.

Non seulement Silvestre m'apporta quelques-uns de mes poèmes perdus, qui m'étaient si nécessaires pour compléter ma collection poétique, mais il était également porteur de maintes nouvelles et j'eus la surprise d'apprendre qu'à l'inverse de ce que prétendaient les autorités en publiant ma lettre et en propageant la nouvelle de ma condamnation, mes poèmes patriotiques, entrés clandestinement à Cuba, commençaient à être populaires, et parmi les jeunes gens, je devenais une sorte d'idole, comme poète et comme partisan déclaré de l'émancipation. *L'Étoile de Cuba*, ce poème torturé, écrit peu avant mon départ, était devenu une sorte d'hymne de reconnaissance pour les jeunes libéraux, qui allaient même jusqu'à faire circuler des copies manuscrites de mon *Ode au Niagara*.

Et bien sûr, nous parlâmes du mariage de Lola Junco avec Felipillo Gómez, célébré, rien de moins que dans la cathédrale de La Havane, et de l'installation du couple dans la plantation de Miraflores, où ils avaient décidé de vivre. Nous évoquâmes la soudaine maladie de Sanfeliú dont les médecins craignaient l'issue. Nous parlâmes de ma famille, à laquelle il rendait visite chaque fois qu'il passait par Matanzas car, m'avoua-t-il, il y trouvait un intérêt supplémentaire : celui qu'éveillait en lui ma sœur Ignacia. Et, comme il fallait s'y attendre, nous discutâmes beaucoup de l'infatigable Domingo, que Silvestre appelait toujours *Lunes* – Lundi –, et bien qu'il le défendît, en ami fidèle, il reconnaissait que le pouvoir et l'odeur de l'argent l'attiraient de plus en plus, jusqu'à des limites qui pouvaient s'avérer dangereuses. Ainsi il me raconta l'infortuné dénouement de la romance de Domingo avec Isabel dont la beauté ne cessait de s'affirmer mais qui, par son refus arrogant, l'avait obligé à se retirer pour de longs mois dans la plantation de sa famille, où, tel un Werther tropical, il avait souffert et pleuré ses peines d'amour – comme s'il s'agissait d'amour – dans de nombreuses lettres tandis que ses sujets les plus fidèles – Cintra et Tanco en tête – le suppliaient de revenir à la ville.

Après avoir mangé dans un magnifique restaurant cubain en plein Broadway – où ni le porc grillé ni le yucca arrosé de pulpe d'orange n'avaient les saveurs précises qu'ils ont dans l'île –, nous nous rendîmes chez Varela, qui nous reçut avec un merveilleux café et avec une nouvelle déconcertante : deux jours plus tôt, un tueur à la solde du gouvernement colonial avait voulu le tuer en pleine rue. La tentative de l'homme, venu de La Havane avec cette mission, avait échoué grâce à l'intervention de Saco. Selon Varela, les choses avaient un bon côté : l'agression prouvait que l'effet de son travail se faisait sentir dans le pays, au point que l'on s'acharnait à vouloir lui faire quitter la scène. Cependant, il y avait aussi un mauvais côté : le soutien initial des personnalités qui avaient appuyé Varela commençait à faiblir, leurs relations avec la Couronne s'améliorant de nouveau. En écoutant le prêtre, je me rendis compte que ces manœuvres politiques, pleines d'intérêts occultes et frelatés, me dégoûtaient de plus en plus et me démontraient à quel point j'avais été naïf en embrassant la cause indépendantiste de façon honnête et romantique.

Alors que je faisais tout mon possible pour profiter de la présence de Silvestre à New York et que je m'accordais un répit après tout ce froid hivernal, ma santé n'avait cessé de se détériorer, car j'étais en proie à des accès de fièvres sporadiques, à des sensations de malaise dans tout le corps, à une fatigue et une difficulté à dormir due aux interminables quintes de toux. Mon aspect, comparé à celui du jeune homme parti de Cuba à peine deux ans plus tôt, avait beaucoup changé, car en plus d'une barbe peu fournie, mon visage était émacié, marqué par la maigreur et la pâleur due au manque de soleil. Mon allure était si lamentable que je décidai de remettre à plus tard l'idée de me faire tirer un portrait, car ma sœur Ignacia me réclamait dans chacune de ses lettres un portrait de son frère bien-aimé et j'avais pensé que le lui envoyer par Silvestre serait un magnifique cadeau. L'état de ma santé et les conseils des médecins remettaient à l'ordre du jour la nécessité de chercher un climat plus propice et proche de mes préférences, un lieu chaud où mes doigts ne s'engourdiraient pas en écrivant et où je me sentirais vivre plus pleinement. Désormais l'espoir d'une possible absolution perdu à jamais, je demandai à mon oncle Ignacio de m'aider à quitter ce pays, ou, tout du moins, à m'installer dans le sud, car l'idée de m'en aller à La Nouvelle-Orléans continuait à me tenter agréablement, tout comme celle de m'embarquer vers l'un des nouveaux pays hispano-américain, où je pourrais exercer mon métier d'avocat et vivre par mes propres moyens.

Quelques semaines plus tard, fort du jugement enthousiaste et approbateur de Varela, j'entrai en contact avec les libraires new-yorkais Berh et Kahl, deux émigrants allemands qui acceptèrent de se charger de la publication de mes poésies pour un prix raisonnable dont ils assumaient un pourcentage, en qualité de distributeurs exclusifs. Grâce à la générosité toujours vive de Silvestre et à un envoi spécial de mon oncle Ignacio, je pus payer le coût d'une édition dans laquelle, pensant à son éventuelle diffusion dans l'île, je me pliai à la plus lamentable des censures : je pratiquai l'autocensure en excluant du livre tous les poèmes qui, d'une façon plus ou moins directe, se référaient à la liberté de Cuba. En acceptant cette castration, aussi inévitable que définitivement cruelle, j'inaugurais – j'étais une fois de plus le novateur – la triste pratique de la censure dans la littérature cubaine, tout en pressentant que mon exemple allait être suivi par de nombreux écrivains et pour longtemps.

La remise du manuscrit aux éditeurs se fit le soir du 18 mai 1825, un jour avant le départ de Silvestre pour Cuba. Mon ami insista pour fêter l'événement dans une excellente *trattoria* située au numéro 87 de Broadway, où nous mangeâmes, à prix d'or, des crustacés inoubliables, abondamment arrosés de vin blanc... Comment aurais-je pu imaginer qu'en cette nuit heureuse j'étais en train de faire mes adieux définitifs à Silvestre, un des hommes les plus nobles et sincères que j'aie jamais connus. Car le lendemain matin, paralysé par la migraine provoquée par la partie de plaisir, je fus incapable de me lever pour l'accompagner au port et ainsi je perdis l'occasion de serrer dans mes bras une fois de plus ce jeune homme qui, trois ans plus tard, mourrait à La Havane, laissant à jamais dans mon cœur la blessure d'une perte irremplaçable.

Début juillet, la sortie tant attendue de mes *Poésies* devint une réalité. Quand je me rendis à l'imprimerie pour prendre un exemplaire de ces petits cahiers qui sentaient encore l'encre, j'éprouvai une des sensations les plus curieuses de ma vie : un peu d'incrédulité, beaucoup de vanité et même un peu de peur me surprirent au moment où je caressai la trame agréable du papier et où je soutins le poids solide du livre dont la couverture portait mon nom et dont l'intérieur contenait le meilleur de ma vie, en petites lettres aux contours précis. La consommation de l'acte poétique se trouvait entre mes mains et maintenant il me semblait impossible que je fusse le créateur de ces vers qui, d'une façon étrange, cessaient à la fois de m'appartenir et devenaient maîtres de leur sort et de leur destinée.

Grande fut la fortune de ce livre, capable de me faire croire que j'étais un grand poète, digne des éloges du célèbre écrivain espagnol Alberto Lista et du lyrique Vénézuélien Andrés Bello, deux véritables oracles de la poésie en langue castillane. A Madrid, à Londres, à Caracas, à Paris et aux États-Unis même, mon œuvre fut célébrée, et au Mexique peu après je serais reconnu comme le "poète le plus distingué de cette terre et peut-être de toute l'Amérique", tandis que certains de mes textes étaient traduits en anglais, en français, en italien et même dans la rude langue allemande. Je regrettais chaque jour d'avoir supprimé mes poèmes patriotiques mais malgré leur absence je devins dès lors, une référence de la nouvelle poésie du monde hispanique et je fus connu comme "le chantre du Niagara", catalogué comme le premier grand interprète de la nature américaine, le meilleur poète civique de la langue, le plus impétueux des romantiques hispaniques, et on parla même de moi comme du fondateur d'une sensibilité différente de l'espagnole. Je n'éprouve aucune honte en me rappelant l'orgueil que ces jugements dithyrambiques firent naître en moi, car je sentis que, grâce à la poésie, j'avais repris le nom et l'esprit que l'on avait voulu me dérober en m'empêchant de revenir à Cuba et en essayant de taire ma célébrité dans l'île. Malgré les censeurs, les tyrans, les envieux et grâce à une chose si petite et si invincible que la poésie, j'étais à nouveau Heredia, convaincu que le poète Heredia était plus important que ne pouvait le croire le pauvre et malade José María Heredia. Alors je fis un paquet de cent livres que j'envoyai à Cuba, disposé à assumer leur possible confiscation ou leur disparition, et sans plus y penser, j'embarquai sur un bateau en partance pour le Mexique, dans le but de sauver ma vie et de trouver un espace d'identité.

Il me fut fort difficile de me séparer encore une fois des amis avec lesquels j'avais partagé ces années nord-américaines. Même si mon cœur était déjà accoutumé à mes périodiques retours à la mer et aux adieux, dont je ne savais jamais jusqu'à quel point ils pouvaient être définitifs, je souffrais toujours de me séparer de ceux auxquels m'unissaient l'affection et la compréhension. Mais mon destin était d'errer, je le savais bien, et j'en fis part à Varela, à Gener et à Saco pendant que nous buvions le dernier café que devait me préparer le prêtre, le plus saint et le plus pur de mes contemporains, celui dont la foi était la plus sincère, et qui ne tarderait pas à être également censuré à Cuba, lui, dont, le moment venu, les riches Cubains se déferaient comme on jette les immondices. A l'heure des adieux à la porte de sa pension, après un bref concert de violon, Varela m'avoua que le Président Guadalupe Victoria l'avait invité à venir à Mexico et lui avait même envoyé un passeport spécial. Cependant, bien qu'il fût tenté par l'idée, il préférait continuer ses activités séditieuses et religieuses aux États-Unis, car si l'intention de Victoria d'obtenir l'indépendance de Cuba était connue de tous, Varela préférait qu'un tel événement n'arrivât que si les Cubains en décidaient ainsi.

– Nous aurons ce que nous serons capables d'avoir, me dit-il, et ce que nous mériterons d'avoir. Si nous parvenons à être libres, il faut que ce soit grâce à nous, pour que la liberté ait sa vraie valeur et que nous l'appréciions à cette juste valeur. Si nous continuons à être des esclaves, que ce soit par la faute de notre propre incapacité à secouer le joug de la tyrannie. C'est pourquoi je préfère rester ici où personne ne va m'aider et où je sais bien que les politiciens ne m'aiment pas. Tant que je le pourrai, je vais résister au froid et je vais parler cette langue qui me fait l'effet d'un bourdonnement de mouches. Ensuite, nous verrons bien ce que Dieu décidera.

Les paroles du prêtre en tête et le poids de son accolade sur mes épaules, j'embarquai le 22 août 1825 sur la goélette *Chasseur* à destination du port d'Alvarado, au Mexique. Alors, comme si elle ne pouvait manquer la fête, une tempête féroce vint à la rencontre du bateau qui fut sur le point de sombrer. Bien que les manœuvres du capitaine Claudel soient parvenues à nous sortir d'affaire, notre route fut déviée de nombreux miles par rapport à la route initiale et, grâce à cette circonstance inattendue, un matin, monsieur Claudel donna l'ordre de me réveiller juste à l'aube et il me demanda de monter sur le pont. Inquiet, j'obéis, pensant à l'imminence d'une autre tempête, même si je sentais que nous naviguions sur des eaux paisibles, et c'est seulement en arrivant près du capitaine que je compris la raison de son appel : il pointa son bras à bâbord et je vis dans le lointain la ligne de la côte sur laquelle se détachait un doux relief.

– C'est votre patrie, monsieur Heredia, me dit-il. La côte nord de Cuba. Et cette montagne, c'est celle que vous appelez le "Pain de Matanzas."

Sans mot dire, je m'approchai du bastingage sans quitter du regard cette terre à peine entrevue, diffuse comme un rêve. Ma nostalgie de Cuba s'enflamma et, sachant que nous étions dans les parages de la ville où vivaient ma mère et mes sœurs, et surtout mon inoubliable Lola, la rigueur de mon exil m'apparut comme un coup de poignard. Là-bas, au loin, que faisaient ma chère Ignacia, ma mère, mon oncle ? Avaient-ils déjà bu ce café matinal dont je ne pouvais oublier la saveur ? Et les biscuits à la noix de coco, et le chocolat au lait ? Et Lola ? Était-elle dans les bras de l'opportun Felipillo ? Conservait-elle encore entre ses jambes l'odeur de l'acte sexuel consommé la nuit précédente ? Caressait-elle la pointe de ses seins à la recherche du plaisir, comme elle le fit quand elle apprit à jouir de l'amour avec moi ? Prenait-elle dans sa bouche le membre de Felipillo comme à la fin elle avait accepté de le faire avec moi, après maintes prières, baisers et caresses ? Ses cheveux étaient-ils défaits ou attachés ? M'avait-elle oublié à jamais ou serait-elle capable de m'aimer à nouveau ?

Il me serait impossible de me rappeler toutes les questions que je me posai, les accès de jalousie et les douleurs de la nostalgie, jusqu'au moment où le profil de l'île se déroba à ma vue. Je descendis alors dans ma cabine, la haine à fleur de peau et je m'assis pour écrire mon *Hymne du proscrit*, peut-être le plus sincère de tous mes poèmes, dans lequel je criai, le regard tourné vers l'endroit où devait se trouver ma patrie :

"*Aunque viles traidores le sirvan*
Del tirano es inútil la saña
Que no en vano entre Cuba y España
Tiende inmenso sus olas el mar."

"Même si de vils traîtres le servent
Du tyran l'acharnement est inutile hargne

Car ce n'est pas en vain qu'entre Cuba et l'Espagne
La mer immense étend ses vagues."

Álvaro en fit une affaire personnelle, dont il ne voulait se décharger sur personne. Avec l'argent que lui avait donné Fernando, dit-il, on pouvait acheter deux bouteilles au marché, mais avec la même somme, lui, il avait assez pour en acheter trois chez le Bacán, un mec génial qui tenait une boutique clandestine d'alcools et vendait le même rhum, de la même qualité qu'au marché officiel, mais avec la garantie absolue qu'il n'était pas frelaté. Il lui resterait même un dollar pour acheter deux paquets de cigarettes, d'accord?

– L'affaire du Bacán, c'est de l'or en barres: il fait le rhum chez lui et il a une petite machine pour sceller les bouchons, comme à l'usine. Alors les deux ou trois contacts qu'il a dans des "shoppings" vendent ce rhum merdique et lui, il emporte à la place la même quantité de bouteilles de bon rhum et il les vend pour son compte, bien sûr un peu moins cher. Comme ça, les types des boutiques, on ne peut jamais les attraper la main dans le sac parce qu'il ne manque aucune bouteille et le Bacán a toujours des acheteurs fidèles... Ah, et il m'a dit que sous peu il va commencer à fabriquer du Coca-Cola...

Álvaro sortit en mettant sa chemise et il laissa Fernando et Conrado, face à face, à se regarder dans les yeux.

– C'est vrai qu'ils font du Coca-Cola? demanda Fernando, encore étonné.

– Et aussi du café empaqueté sous vide, et des cigares Montecristo et Cohiba avec les sceaux de garantie, et toutes les marques de cigarettes cubaines, dit Conrado. C'est de la folie pure... Quand ils colmatent une brèche, il s'en ouvre une autre, et rien n'y fait, même en plaçant un flic derrière chaque personne... On vend n'importe quoi: depuis un permis de construire jusqu'à l'inscription dans une école ou un faux certificat de décès. N'importe quoi!

Fernando eut l'impression qu'il y avait une pointe de tristesse dans les paroles de Conrado, mais il se souvint que son ami échangeait des bonbons de son entreprise contre des bouteilles de vin; des sacs publicitaires contre de l'huile; des chewing-gums contre de l'essence; tandis qu'il recevait, comme dessous de table, quelques dollars de l'Espagnol, propriétaire de l'affaire, et il compris que Conrado faisait partie du même engrenage de survie, et sa tristesse éventuelle était une totale hypocrisie.

– J'ai appris que tu avais décroché le gros lot, mon salaud, dit alors Conrado, cherchant une occasion de fuir des tristesses réelles ou feintes, qui l'aurait dit, hein ?

– Même pas moi, reconnut Fernando en regardant Conrado dans les yeux.

– C'est vrai ce que dit Varo, que tu t'es remis à écrire ?

Fernando haussa les épaules comme s'il n'attachait pas d'importance à la question.

– Mais, merde, qu'est-ce qui t'arrive ? Écoute, vieux, essaye de ne pas souffrir d'avance.

– C'est que j'ai ramassé pas mal de coups, Conrado. Et si on se prépare, ça fait moins mal. Le plus dégueulasse, c'est quand ils te tombent dessus sans prévenir.

Conrado allait répondre, mais il s'arrêta. Il regarda son ami puis il baissa la tête.

– Je sais ce qui t'arrive… J'ai parlé avec Varo et il dit que tu continues à penser que l'un d'entre nous t'a envoyé au bûcher.

– Écoute guarijo, cette histoire avec Delfina a tout fait remonter à la surface. Ce que j'ai été, ce que je suis, ce que j'aurais pu être… Et la peur, les années que j'ai vécues dans la peur. Tu te rappelles la dernière fois que nous nous sommes vus, avant que je m'en aille ?

Il n'avait jamais pu oublier cette rencontre avec Conrado, quelques mois avant son départ de Cuba. A cette époque-là, il avait cessé d'attendre la lettre susceptible de redresser le cours de son destin et il gagnait sa vie en travaillant pour un charpentier qui fabriquait des talons en bois pour un artisan, à son tour spécialisé dans la fabrication des chaussures à talons compensés pour les vendre au marché noir, et tous les jours Fernando vivait dans la crainte de voir la police faire une descente dans la menuiserie et l'accuser de travailler clandestinement. En plus il avait peur que le président du Comité de Défense de la Révolution de son pâté de maisons puisse signaler qu'il n'avait pas de travail et il était atterré par l'idée d'être fiché comme un marginal ou un antisocial, après son départ honteux de la revue *TabaCuba*. La crainte d'affronter de nouveaux problèmes frisait le délire paranoïaque si accablant que Fernando ne sortait de chez lui que pour se rendre à l'atelier de menuiserie et il n'était plus jamais allé dans une bibliothèque, un théâtre ou une salle de conférences. Il avait également cessé de rendre visite à ses anciens amis, convaincu que l'un d'entre eux l'avait dénoncé ; Álvaro et Miguel Angel avaient été les seuls à oser défier les soupçons de Fernando et leurs propres craintes, et de temps en temps ils passaient chez lui, buvaient un café et lui laissaient des livres que Fernando n'avait pour la plupart jamais lus.

Mais cet après-midi de février 1980, surmontant ses appréhensions fondées et imaginaires, il avait décidé de parcourir la ville. Le cinéma La Rampa présentait, en séances continues, un festival d'Alfred Hitchcock et ce jour-là c'était *Sueurs froides* et *Psychose*, deux de ses films préférés. Fernando avait demandé au charpentier l'autorisation de sortir de bonne heure, et à six heures il était entré au cinéma. Dans ses souvenirs, cette salle, devenue depuis quelques années un cinéma d'art et d'essai, figurait parmi les lieux agréables car c'est là, avec Víctor, Enrique, Varo et les autres Merles Moqueurs, qu'ils se rendaient, comme des musulmans à La Mecque, à la recherche d'œuvres qu'ils considéraient complexes et intellectuelles ; c'est là qu'ils avaient avalé des festivals entiers de l'expressionnisme allemand, de cinéma muet nord-américain, de cinéma tchèque antérieur à 1968, de films d'Orson Welles et de Kurosawa, et de tant de néoréalistes italiens qu'ils avaient fini par inventer la langue "néoromaine" pour parler entre eux, tout en mangeant les pizzas napolitaines tristounettes et les spaghettis hérissés, faussement bolognais, de la pizzeria voisine, le *Milan*.

A onze heures moins le quart, il avait quitté la salle avec pour toute compagnie l'image nerveuse d'Anthony Perkins. L'avenue centrale commençait à se vider, pourtant les boîtes de nuit devaient être pleines de couples, de nouveaux poètes étaient sûrement réunis au Coppélia et du cabaret Pico Blanco, haut lieu de la bohème, lui était parvenue, très étouffée, la voix rauque et chaude de José Antonio Méndez chantant *Le Paradis c'est toi*. Une vague de nostalgie avait pris Fernando aux tripes et il s'était senti comme un exilé dans son propre pays : ce territoire qui avait été le sien ne lui appartenait plus, il survivait à peine parmi ses souvenirs malmenés. La solitude épaisse qui l'accompagnait le long de la rue O, en allant vers la rue Infanta, lui fit comprendre tout ce qu'il avait perdu pendant ces années de marginalisation.

Une coutume ancestrale, non préméditée, lui avait fait prendre cette direction et Fernando en avait compris la raison au moment où les quelques lettres survivantes de l'annonce lumineuse du cabaret Las Vegas s'étaient reflétées dans ses pupilles. Alors, une cigarette aux lèvres et vingt centimes à la main, il s'était avancé vers le bar en bois noir de la cafétéria pour le plaisir de récupérer une partie de lui même :

– Sers-moi un café double, mon frère, avait-il dit, sans imaginer qu'il disait pour la dernière fois de sa vie des mots qui acquerraient toute leur valeur insondable dans ce lieu précis où durant tant de nuits au fil de tant d'années ils étaient venus, lui et ses amis, après avoir vu un film, une pièce de théâtre, à la fin d'une réunion chez Álvaro ou d'une bonne cuite, pour boire le dernier café de la nuit – ou le premier de la journée, quand l'aube était déjà proche.

Accoudé au bar du Las Vegas, il avait bu son café double et bien sucré et, tout en fumant, il avait observé l'activité des garçons, l'un chargé de servir les tasses tandis que l'autre actionnait la vieille cafetière National, ancienne combattante de mille campagnes. Et alors il avait entendu la voix, presque à côté de lui.

– Sers-moi deux cafés doubles, mon frère, et l'âme suspendue à un fil, il s'était retourné pour chercher le visage du Merle Moqueur qui venait de prononcer cette formule magique... Le choc avec le regard rapide de Conrado avait été frontal, mais tous deux étaient restés immobiles, comme s'ils ne pouvaient pas admettre ce qui était une évidence. Fernando croyait se souvenir qu'il avait souri, mais les nerfs avaient pris le dessus et une peur différente mais plus nuisible l'avait attaqué sur tous les fronts : qu'est-ce que je fais ? s'était-il demandé, je lui dis bonjour ? Il va me saluer ?, jusqu'au moment où enfin il lui avait tendu la main.

– Comment vas-tu Fernando ?

– Bien, il avait menti sans vergogne, et toi ?

– Bien, bien, avait dit l'autre. Maintenant je travaille là en face, tu sais ? Je suis chef de programme à Radio Habana Cuba.

– On me l'avait dit.

– Ah bon. Et Conrado avait bougé, de toute évidence nerveux. Je te présente Fonseca, un collègue, c'est le secrétaire du Parti. Et Fernando sut qu'il le disait intentionnellement, tandis qu'il regardait Fonseca. Lui, il a fait ses études avec moi... Bon, Fernando, on y va, c'est qu'en fait, on est en plein boulot. Il y a un problème dingue avec tous ces gens qui sont en train de se précipiter dans l'ambassade du Pérou... Appelle-moi un de ces jours, hein ? Et il lui avait serré la main, pour lui tourner le dos immédiatement. Ce n'est qu'alors que Fernando avait remarqué que le Guajiro roublard n'avait pas touché à sa tasse de café sur le bar en bois sombre.

Trois mois plus tard, quand Fernando avait décidé de quitter Cuba par la porte qui s'était ouverte cette nuit-là à l'ambassade du Pérou, la rencontre avec Conrado avait été un des aiguillons qui l'avait le plus stimulé, et maintenant, presque vingt ans après, il ressentait encore l'amertume cuisante de cette expérience capable de lui prouver qu'il n'avait pas eu l'exclusivité de la peur.

– Moi non plus je n'ai pas pu l'oublier, admit Conrado. Chaque fois que je m'en souviens, je voudrais que la terre s'ouvre sous mes pieds. Mais à cette époque on ne savait pas… Oui, j'avais peur.

– Et pourquoi tu as voulu me voir à Madrid?

– Après, les choses ont changé. Moi aussi, j'ai changé. Ce n'est plus la même chose qu'à cette époque-là…

– Heureusement, dit Fernando et il attaqua. Maintenant tu peux même être *santero*.

– T'es déjà au courant?

– Tu as toujours été le Guajiro, le même paysan roublard, comme disait Tomás, mais de là à la sorcellerie…

– Je m'étais fourré dans un merdier. Ils allaient foutre ma vie en l'air avec une enquête dans l'entreprise. Et quand tu as de l'eau jusqu'au cou, tu te raccroches à n'importe quoi. J'ai commencé par la poudre et la sorcellerie et j'ai fini par me faire *santo*… Ochún, dit-il et il mit sa main dans sa poche: d'une petite bourse de tissu jaune, il sortit des colliers enchevêtrés de perles ambrées qu'il montra avec satisfaction.

– Alors tu n'y crois pas vraiment?

– Si, si, j'y crois. C'est que j'ai vu de ces choses… Les *santos* m'ont dit de régler des choses de mon passé… C'est pour ça que je suis allé te voir à Madrid.

– Quelle chance que les *santos* nous aient aidés au moins à ça! et Fernando ne put s'empêcher de sourire. Parce que ça n'aurait pas été juste que nous finissions tous par nous détester pour toujours.

– C'est pour ça que c'est bien que tu sois revenu.

– Et toi et El Negro?

– Là, c'est plus compliqué. Miguel Angel est dans la merde jusqu'au cou et moi j'ai un travail… bon, t'as pas besoin que je te fasse un dessin! Les choses ont changé, mais pas autant que ça, et les *santos* ne peuvent pas passer leur vie à te sortir du merdier. Et il remit les colliers dans la bourse.

– Alors tu as toujours peur?

Conrado leva la tête et leurs regards se croisèrent à nouveau.

– El Negro est fou et j'ai un travail qui… commença-t-il et à nouveau il détourna le regard.

– Oui, tu l'as déjà dit, tu voyages à l'étranger, tu as une voiture, tu as obtenu un travail pour ta femme dans un hôtel, tu échanges des sucettes contre des cigares Cohibas authentiques… et tu as encore peur?

– Fais pas chier, Fernando… Tu ne sais pas…?

– Qu'est-ce que je ne sais pas, Conrado? dit-il en haussant la voix et en se penchant en avant. Comment ça, je ne sais pas? J'ai dû me taper vingt ans hors de Cuba et je vais devoir me farcir tous ceux qui me restent à vivre je ne sais pas trop où, putain! Et qu'est-ce que je ne sais pas?…

– Ça va, le prends pas comme ça!

– Et comment tu veux que je le prenne? Ou tu as déjà oublié qu'un fils de pute qui disait être mon ami m'a vendu comme un sac de patates? Et que certains d'entre vous ont été jusqu'à m'éviter? Dis-moi un peu, comment je prends ça, à ton avis?

Conrado se leva lentement. D'un pas indécis il fit le tour du tabouret où il avait été assis et marcha vers le mur de la terrasse.

– Ce n'est pas moi, Fernando, dit-il. Je ne sais pas qui c'est, et je ne peux accuser personne, mais je te jure sur ce que j'ai de plus sacré que ce n'est pas moi. Si tu veux, continue à penser que je me suis comporté comme une poule mouillée qui a eu la trouille et t'a tourné le dos, que je suis un opportuniste qui a préféré voyager, avoir une voiture, que je suis devenu *santo* par pure convenance… pense ce qui te chante, mais écoute-moi bien: je n'ai pas mouchardé, tu m'entends, ce n'est pas moi.

Et Fernando éprouva une honte sournoise en voyant s'effondrer cet homme qui un jour avait été son ami. Conrado tremblait, appuyé contre le mur de la terrasse, mais il soutenait son regard et, au fond de ses yeux, Fernando trouva cette étincelle d'inquiétude avec laquelle le paysan trop intelligent, récemment arrivé de son petit village de la province de Las Villas, contemplait le monde dont il se proposait de gravir tous les échelons.

– Je te crois, Conrado. Pardonne-moi pour tout ce que je t'ai dit, et il se leva pour embrasser l'autre à l'instant où la porte de la terrasse s'ouvrait sur Álvaro qui passait la tête, des bouteilles plein les bras.

– Ça alors? C'est le crépuscule qui vous a attendris?

En foulant le sol du Mexique ce 15 septembre 1825, je me sentis sauvé et heureux. J'étais loin d'imaginer que je passerais dans ce pays presque toute ma vie d'adulte et encore moins que je laisserais sur cette terre des lambeaux de ma chair, comme un de ces condamnés par le fanatisme, sacrifiés au fil du silex sur l'autel de la pyramide, le *Teocalli* de Cholula. Mais la perspective de revenir dans un endroit connu où on parlait ma langue, où le froid ne me tuerait pas, où j'avais déjà noué des amitiés et où certains lieux m'étaient familiers me procurait une sensation d'appartenance que je n'avais jamais éprouvée aux États-Unis.

Ainsi, sans même me reposer vraiment de la fatigue du voyage, je partis pour la haute Jalapa où m'attendait un compatriote prénommé comme moi José María Pérez, qui m'accueillit comme un vieux camarade. Logé par cet ami d'amis communs, j'acceptai l'invitation de passer quelques jours chez lui et là j'appris, stupéfait par la coïncidence, que quelque étrange raison m'avait empêché de recevoir à New York une invitation et un passeport établis sur les ordres du Président Victoria, semblables à ceux de Varela, qui auraient fait de moi un hôte illustre du Mexique.

Les jours à Jalapa furent pleins et agréables, à l'exception d'une nouvelle qui sema dans mon esprit une graine d'inquiétude : un groupe de compatriotes trop enthousiastes, après m'avoir nommé membre de la Junte patriotique cubaine à Mexico, me faisaient apparaître comme signataire d'une déclaration séditieuse. Ainsi j'inaugurais, peut-être, une autre coutume cubaine : figurer comme signataire d'une déclaration qu'on n'a jamais vue. Mais je fis fort peu de cas de cet incident et me réconciliai avec cette façon d'être des Cubains quand j'écoutai, dans un des cafés de la ville, tout un orchestre de compatriotes, dirigé par le maestro Marino Cuevas, qui interprétait les contredanses que j'avais si souvent écoutées dans l'île, avec ces mélodies mélancoliques capables, comme la meilleure poésie, d'exprimer l'âme de mon pays.

Vers la fin du mois je parvins à me libérer de l'hospitalité envahissante de mon ami et je pris une diligence à destination de la capitale. Mais en chemin je commençai à me sentir défaillir tandis que mon corps devenait brûlant. Puis les taches obscures qui me couvrirent des pieds à la tête révélèrent que j'avais attrapé la rougeole. Je ne mens pas en affirmant que, jamais comme en cette occasion, je crus ma dernière heure arrivée. Les fièvres, les douleurs et les nausées m'assaillirent toute une semaine que je passai sans manger et presque sans dormir, en proie à des frayeurs et à de terribles hallucinations. Je n'ai pas une idée bien claire des soins qui me furent prodigués dans la pension de Puebla où j'étais arrivé, et je pense que je dois seulement à ma jeunesse et aux quelques dollars qui me restaient d'être sorti vivant de cette épreuve.

Le 14 octobre, encore faible et amaigri, j'atteignis Mexico. Depuis la pension où je logeais, j'envoyai une missive notifiant mon arrivée au Président, qui me pria de venir le voir sans plus tarder. Quand j'entrai dans le palais du gouvernement et que je me trouvai face à Guadalupe Victoria, ce dernier me regarda et douta un instant que je fusse la personne qu'il attendait. Il me demanda même par deux fois si j'étais le licencié Heredia et, quand enfin il s'en convainquit, il me donna une chaleureuse accolade… Il n'était pas étonnant que le héros mythique de l'Indépendance mexicaine me demandât avant tout de me reposer et de recouvrer la santé et, à cette fin, il donna l'ordre de me loger au palais. Car, malgré mes vingt-deux ans et ma barbe rare, sans doute la fatigue et mon visage dévasté par les maladies, avec des cernes qui le marqueraient à jamais, lui firent-ils penser que cette ruine humaine ne pouvait être l'homme dont la renommée de conspirateur et de poète l'avait décidé à lui proposer de vivre au Mexique.

Hormis la maudite rougeole, ma vie en ce pays commença sous les meilleurs auspices. Quand enfin j'eus une conversation avec Victoria, il me demanda de vivre au palais et m'alloua une solde honorable en attendant de me confier une charge digne de mes capacités et de mon niveau, et il m'expliqua aussi qu'il fondait de grands espoirs en moi au cas où, finalement, le Mexique se déciderait à encourager l'Indépendance de Cuba.

Enfin libéré de la pression que signifiait le fait de dépendre pécuniairement de mon oncle, je consacrai mon temps libre à corriger et à mettre au point les versions de la tragédie *Abúfar*, de Ducis, traduction à laquelle j'avais travaillé durant le voyage depuis New York, et *Sila*, du Français Jouy, que j'adaptai comme hommage à Victoria, mais sans la lui dédier, car même si c'était mon ami, je n'oserais pas adopter cette attitude servile – à Cuba, on appelle cela de la flagornerie – tant qu'il ne serait pas un homme du commun, dépouillé de l'éclat du pouvoir. Les deux pièces, qui trouvèrent immédiatement des protecteurs enthousiastes, furent représentées en décembre ; accueillies favorablement par le public et la critique, elles consolidèrent mon prestige dans le pays.

Dans ce Mexico de 1825, durant le doux hiver de cette région, tout semblait concourir à guérir les blessures de mon corps et de mon âme. Il m'était particulièrement agréable de constater qu'en si peu d'années la nation avait réussi à stabiliser son indépendance grâce à son système républicain et fédéral, après le coup d'État impérial d'Iturbide ; désormais, avec un gouvernement élu par la volonté du peuple et une constitution démocratique, on y vivait dans un état de prospérité qui faisait penser que cinq siècles, et non cinq années, s'étaient écoulés depuis mon dernier séjour dans le pays.

Je renouai avec mes vieux amis Anastasio Zerecero et Blas de Osés, qui vivait alors entre Cuba et Mexico, et je me liai d'amitié avec de nombreux personnages de l'élite politique et culturelle de la capitale. Nommé finalement cinquième officier du secrétariat d'État et du bureau des Relations intérieures et extérieures, et résidant toujours au palais, je me trouvais dans une situation, tant économique que sociale, privilégiée pour me lancer dans les projets les plus divers. De ce fait, j'acceptai de participer à la création de la revue littéraire *El Iris*, j'écrivis le discours d'inauguration du nouvel Institut des sciences, arts et littérature dont je fus bientôt élu membre honoraire, je publiai des poèmes dans plusieurs des revues les plus prestigieuses du pays et je reçus un appui pour la préparation et la rédaction d'un ambitieux traité philosophique sur l'Histoire universelle. En même temps je m'engageai dans la vie politique du pays et j'assistai à des réunions présidentielles (dans certains cas je rédigeai les discours de Victoria), je cultivai l'amitié de militaires comme le général Santa Ana et de politiques comme Andrés Quintana Roo et je m'affiliai à la branche des francs-maçons du rite de York, libéraux invétérés dont le grand maître était Victoria en personne… Tout cela sans oublier que, grâce à ma prééminence, à ma jeunesse et à ma position sociale, je pus dormir certaines nuits dans quelques-uns des lits les plus convoités de Mexico où je tins compagnie à de fort belles dames. Je vécus ces mois avec une intensité et une plénitude qui me rappelaient fort les meilleurs moments passés à Cuba, au point que parfois je me sentais guéri de l'éternelle nostalgie de ma patrie. Mais je savais bien que je me leurrais en me disant cela, car je ne faisais que repousser mes véritables préoccupations : l'absence de ma famille et de mes vieux amis et, en plus, la morsure lointaine mais toujours douloureuse d'un amour perdu me causaient une sensation de vide que même les éloges infinis charmant mes oreilles ne pouvaient combler. Il faut sans doute chercher la preuve la plus tangible et la plus dramatique de cette absence lancinante dans les rares vers que j'écrivis en ces jours apparemment heureux, comme si les poèmes se refusaient à partager le sort d'un homme courtisé dans les salons de la haute société politique et littéraire.

Ce fut également à cette époque que j'obtins, gratuitement, le premier des portraits que j'envoyai à ma mère et à mes sœurs. Si j'acceptai alors de poser, je le dus à l'insistance de l'artiste désirant immortaliser l'image de l'homme adulé que j'étais alors et parce que mon physique, en peu de mois, avait subi une transformation bénéfique, habilement rehaussée par un pinceau qui ajouta un peu de poésie pour que j'apparaisse, sévère et puissant, non seulement plein de santé, mais avec une aura romantique, comme celle du jeune Simon Bolívar sur certains portraits.

Malgré toutes les louanges dont j'étais l'objet, le déroulement des événements de Cuba me causait une amère tristesse. Les lettres de Silvestre, de Domingo et de ma famille me parlaient fréquemment de la dépravation qui présidait à la vie de l'île, où les autorités coloniales avaient donné carte blanche à tous les vices et à tous les fléaux – en particulier la traite des esclaves, pourtant interdite – comme stratégie pour acheter et enchaîner la population qui détenait le pouvoir économique et la participation civile. En même temps, la nouvelle que Varela avait dû suspendre la publication de *El Habanero,* qui avait cessé de recevoir une aide financière, montrait clairement que l'idée d'indépendance avait fondu comme neige au soleil sous les yeux de ceux qui, comme nous, avaient un jour rêvé d'elle. De ce fait, je me pris à penser que la ferveur des hommes qui s'étaient immolés pour la juste cause n'avait peut-être été qu'un vain rêve et je me jurai de renoncer à toute entreprise destinée à lutter pour l'indépendance d'un pays empêtré dans le destin fatal qu'il méritait et que ses notables désiraient. Pauvre Cuba !

Quand j'étais assailli par des pensées aussi décevantes, je cherchais un soulagement dans mon travail. Durant plusieurs mois j'élaborai la version du *Tibère* de Chénier que Domingo me reprocha tellement – non sans raison –, déplorant que j'emploie mon talent à des traductions et des imitations au lieu de le consacrer exclusivement à mon œuvre personnelle. C'est pourquoi je m'efforçai de terminer, au cours de longues journées d'écriture, le roman *Jicoténcal* sur la paternité duquel j'ai toujours gardé le silence le plus absolu car je ne fus jamais satisfait de sa qualité littéraire. Varela, à qui j'avais parlé de mon projet à New York, était au courant de mon intention d'écrire le récit romancé de la vie du héros indigène dont j'avais connu la légende durant mes premières années mexicaines et que j'avais essayé de transformer en drame quelque temps auparavant. Après avoir commencé et abandonné plusieurs fois cette œuvre, je décidai de la reprendre et, à la fin de 1826, le roman fut imprimé à Philadelphie, bien qu'imparfait, je le sais, il conserve le mérite d'être le premier roman à caractère historique écrit en espagnol.

Pendant ce temps, le succès de ma version de *Tibère*, que j'intitulai *Cayo Graco*, résonna dans tout Mexico. Le rôle du protagoniste, tenu par le célèbre Andrés Prieto, devint l'un des plus mémorables de sa carrière féconde et mon idée de dédier l'œuvre à Ferdinand VII, l'abominable satrape espagnol, fut une heureuse trouvaille : "Voici ma première et dernière dédicace à un monarque, écrivais-je. Je ne crois pas que l'on puisse m'accuser de flagornerie car j'adresse la tragédie de Tibère au tyran d'Espagne, un roi qui est mon ennemi. En effet, à personne d'autre qu'à vous ne convient ce présent, en raison des grandes analogies qui existent entre votre caractère et celui du monstre qui fut la terreur et l'opprobre de Rome !"

Le jour de la première, tandis que je recevais de chaleureuses félicitations, un autre événement se produisit qui m'oblige à considérer ces jours-là comme tout à fait exceptionnels. J'étais flanqué de mes deux amis Blas de Osés et Quintana Roo quand un homme se fraya un chemin parmi la foule des admirateurs. Agé d'un peu plus de cinquante ans, il me sembla vaguement que je le connaissais jusqu'au moment où je parvins à le remettre quand il me dit son nom : Isidro Yáñez. C'était l'un des meilleurs amis de mon père, qui l'appelait "le magistrat Yáñez" à la fin de ses jours, quand il était juge d'instruction dans cette ville. Fier de sa longue relation avec ma famille, le magistrat se joignit au chœur des compliments et me demanda, presque comme une prière, d'avoir l'amabilité de venir saluer son épouse et ses filles, ferventes admiratrices de ma poésie. Sans beaucoup d'enthousiasme, je demandai à mes amis de m'attendre et j'allai me soumettre à l'inévitable devoir de courtoisie. Accompagné du magistrat, je m'approchai d'une solide matrone qui me souriait, tandis que deux femmes, sans doute jeunes, me tournaient le dos. En arrivant près du groupe, Yáñez, tout heureux, appela ses filles.

– Graciela, Jacoba…

A l'instant précis où Jacoba, la plus jeune fille du magistrat, se retourna et plongea dans mes yeux son regard de jais, je sus que ce regard était destiné non pas à mon visage mais à mon cœur. La peau immaculée de la jeune fille de dix-sept ans brillait sous les feux du théâtre, alors que son sourire et ses lèvres rouges illuminaient le monde d'une lumière nouvelle. Pendant que je devisais avec les femmes sur des thèmes anodins, je sentis s'entrouvrir une porte que j'avais crue à jamais fermée et que l'amour pourrait sans doute franchir, peut-être sans l'intensité tempétueuse des jours révolus, mais avec l'assurance des destins inévitables.

A peine quelques jours plus tard, le Président Victoria m'annonça qu'il me confiait la judicature du district de Veracruz, avec une solde fabuleuse et la merveilleuse compensation de vivre de nouveau près de la mer, sous les tropiques, dans le meilleur des climats. Je serais si près de Cuba que je me mis immédiatement à penser à un voyage de ma mère et de mes sœurs jusqu'à cette ville, où je pourrais à nouveau les embrasser… Le paradis, quelle mauvaise métaphore, se trouvait à portée de mes mains.

Débordant d'allégresse, je me précipitai le soir même chez les Yáñez, dont j'étais devenu un visiteur assidu. Cependant, en cette occasion, pressé par mon prochain départ de la capitale, je m'y rendis décidé à repartir avec une réponse attendue, certes, mais que je n'avais pas encore. A la première occasion où nous restâmes seuls quelques instants, Jacoba et moi, je lui avouai mon amour et lui demandai d'être mon épouse. Mon âme ressentit alors la chaleur d'une vérité en laquelle je ne croyais plus : cette femme non seulement m'aimait, mais elle m'idolâtrait et considérait comme un cadeau du ciel que le grand poète l'ait remarquée. Une telle beauté et une telle candeur me révélèrent combien je l'aimais moi aussi et je compris que l'esprit tenace de Lola Junco était devenu un fantôme relégué, condamné à mourir le jour où j'aurais une inévitable conversation avec cette femme. Un baiser, léger et chaud, scella mon pacte d'amour avec la douce Jacoba et je fus heureux de penser que je ferais à nouveau office de professeur d'une élève inexpérimentée dans l'art amoureux.

Ce même soir, avec tous les Yáñez mis au courant de notre relation, nous décidâmes de fixer la date de notre mariage, et un peu plus tard, dans ma luxueuse chambre du palais du gouvernement, j'écrivis à Silvestre pour lui annoncer la bonne nouvelle: "Je vais me marier en octobre, lui disais-je, car il est temps que se termine le roman de ma vie pour que commence sa réalité."

"… *Où irai-je quand mon cœur s'arrêtera*
Et que mes mains tomberont vers le sol
Pour y ouvrir un morceau de silence."
Eugenio Florit

La fin de l'après-midi avait toujours été son heure préférée pour se baigner dans la mer. L'eau chaude, le soleil dépouillé de la fureur du midi, le sable enfin déserté par les gens qui se réunissaient sur les plages durant les longues journées d'été, créaient une ambiance plus sereine, dont Fernando jouissait durant ce paisible entracte entre le jour et la nuit, sentant les vagues caresser son corps et atténuer les effets de la bière.

Delfina et Miguel Angel avaient eu l'idée de cette excursion. El Negro avait dit que ce jour-là il pouvait prendre la voiture de son frère, mais seulement à partir de trois heures, et Delfina payerait l'essence. Fernando apporterait la bière tandis qu'Ana Julia, la femme de Miguel Angel, avait préparé des tartines grillées et des croquettes de poisson, et Álvaro, qui insistait pour qu'ils poussent jusqu'à Varadero, leur offrit sa présence et la promesse de ne pas se soûler.

Dès qu'il foula la plage de Santa María et qu'il sentit son pied nu s'enfoncer doucement dans le sable fin, Fernando commença à retrouver des sensations qu'il croyait perdues ou tout du moins oubliées. Il prit Delfina par la main, avança vers la mer et, sans retirer son pantalon, entra dans l'eau jusqu'aux genoux. Le soleil à hauteur des yeux, il éprouva une sorte de volupté en sentant la caresse d'une mer si différente des eaux toujours froides des plages européennes où il s'était baigné au cours des dernières années. Sans pouvoir prononcer un mot, il plongea sa main dans l'eau qui lui sembla dense, palpable, et il mouilla son visage.

– Qu'est-ce que tu as, Fernando?

– Rien, dit-il, mais il décida de ne pas lui mentir. C'est que là, en ce moment, je suis heureux et j'ai peur.

Alors il se retourna et embrassa Delfina, avec une véhémence impitoyable. Elle lui serra davantage la main et appuya sa tête contre l'épaule de Fernando.

Les cris d'Álvaro, une bière à la main, mirent fin à cet instant d'extase et après avoir échangé un léger baiser, ils revinrent vers le sable.

A des époques plus propices, les Merles Moqueurs s'étaient souvent rendus à Santa María, toujours armés de quelques pizzas, de bouteilles de rhum et même de raquettes pour jouer au squash sur les courts maintenant disparus de l'hôtel Atlántico. Il se rappela que Tomás et lui étaient les organisateurs les plus enthousiastes de ces excursions et, presque honteux, il se souvint de ses regards qui s'attardaient sur Delfina, obstinée à cette époque-là à porter des bikinis osés, trop suggestifs, capables de mettre en émoi le reste des poètes.

Le soir commençait à tomber quand Álvaro, constatant que la caisse de bières avait "trépassé", selon son expression favorite, décida enfin de se mettre à l'eau. Miguel Angel et Ana Julia le suivirent et Fernando parvint à convaincre Delfina qui préférait pourtant se baigner tant qu'il y avait du soleil. L'eau à hauteur de la poitrine, ils formèrent un cercle et bavardèrent, à peine éclairés par la lumière lointaine des lanternes situées dans le patio de l'hôtel.

Ils parlèrent des enfants de Miguel Angel et Ana Julia, qui s'acharnaient tous les deux à étudier la médecine, et des trois enfants d'Álvaro, éparpillés dans le sillage des mariages trépassés qu'il avait laissés derrière lui, comme des bouteilles de rhum. Et sans savoir comment, Fernando se retrouva en train de raconter les péripéties de ses longues années d'exil : les jours incertains de Miami, obligé à vivre trois mois dans les jardins de l'Orange Bowl jusqu'à ce qu'une église protestante de Fort Lauredale accepte de le prendre sous sa responsabilité et de subvenir à ses besoins ; alors il avait pu sortir dans les rues, à peine entrevues, d'une ville qu'il avait toujours imaginée comme une réplique cubaine mais qui, en réalité, ne correspondait à aucune des notions présentes dans son souvenir. Durant cette première année, en travaillant comme maçon dans les chantiers du Down Town de Miami, Fernando avait ressenti dans sa chair le mépris des vieux émigrés cubains qui le considéraient aussi comme une vermine car, à sa nouvelle condition légale et raciale d'*hispanic*, avec une carte de travail mais sans permis de séjour permanent, venait s'ajouter la dégradante catégorie sociale de *marielito*[*]. Puis, poussé à changer d'air et désireux de se retrouver lui-même, il s'était embarqué vers le nord, et ainsi vinrent les trois années passées à Union City, New Jersey, où il n'avait jamais cessé d'être *hispanic* et *marielito* et où, de plus, il avait dû supporter le froid qui pendant le long hiver l'agressait chaque matin quand il sortait de son petit appartement pour prendre le bus qui le conduisait à Manhattan où il avait trouvé du travail comme surveillant des collections du Musée Guggenheim. Pendant quatre ans il vécut dans l'attente de son permis de séjour officiel aux États-Unis qui, à peine arrivé, lui avait seulement servi à se lancer dans un nouveau voyage, cette fois vers l'Espagne, à la recherche de son moi perdu ou, au moins, d'une autre atmosphère, d'autres coutumes et de la sonorité de sa langue, si chère à son oreille.

Depuis lors il avait vécu toutes ces années dans un petit appartement mansardé du centre de Madrid, bon marché. Au bout d'un an, il était passé de préposé au rangement des livres dans une bibliothèque à professeur dans un lycée, enseignant l'espagnol et la littérature à des jeunes plus intéressés par le rock, la *movida* et l'alcool que par les aventures du Quichotte, la poésie de Lorca et l'usage correct du gérondif. Cependant, Fernando avait réussi à recentrer sa vie, il avait eu des relations amoureuses plus ou moins satisfaisantes, il s'était fait des amis, peu nombreux mais solides, avec lesquels il partageait des livres, des sorties au cinéma et des conversations de café. Il avait même écrit des poèmes, et pendant les premières années il avait mis à profit son temps libre en lisant sur Cuba, son histoire, sa littérature, tout en s'imposant, avec une fermeté toute militante, de ne pas perdre son vocabulaire ni ses rapides intonations havanaises, même s'il lui en coûtait de demander où passait tel *autobus* au lieu de la *guagua* ou d'acheter des *chaussettes* au lieu des *bas*. Chaque jour il pensait à son île, même s'il savait que tout retour lui était interdit en raison de sa condition "d'émigré définitif", une espèce d'exil à perpétuité qu'il était possible de révoquer seulement dans des cas très particuliers et en passant par des démarches bureaucratiques

[*] Diminutif à connotation péjorative pour désigner les Cubains partis par le port de El Mariel en mai 1980, dont beaucoup déclarèrent qu'ils étaient homosexuels.

terriblement compliquées. Il avait vécu son présent comme une prolongation oppressante du passé jusqu'à ce matin où il s'était réveillé avec l'envie d'écouter de la musique ; il avait mis sur son tourne-disque préhistorique une anthologie de chansons cubaines achetée la veille à un vendeur de vieux disques et il avait écouté la *Linda cubana* de Eduardo Sánchez de Fuentes avec l'accablante certitude que, pour sa santé mentale, le mieux était d'oublier Cuba et surtout son propre passé. Fernando se souvenait qu'il avait retiré le disque de l'électrophone et, en se regardant dans le miroir de sa chambre, il s'était imposé de tuer sa mémoire, de résister à la tentation de poursuivre ses lectures et ses recherches sur le XIXe siècle cubain, et de renoncer à une appartenance obstinée qui finalement ne débouchait que sur la nostalgie et la rancœur.

Fernando tendit la main et saisit celle de Delfina, comme s'il craignait de s'enfoncer dans des sables mouvants. Il sentait encore son cœur se serrer chaque fois qu'il soulevait la pierre tombale de ses souvenirs et pour la première fois il racontait comment, lors de cette nécessaire amputation de son passé, ce qui l'avait le plus aidé, c'était le souvenir de la conversation, pendant son séjour à Miami, avec le vieil Eugenio Florit, auto-exilé aux États-Unis depuis les années 50. Ce poète né en Espagne qui avait choisi d'être cubain, déjà mythique mais oublié dans sa patrie d'origine, excommunié dans sa patrie d'adoption, était une référence d'un passé aussi lointain que les années 20, quand il avait fait connaître sa poésie d'avant-garde, rénovatrice et pure, aux adjectifs anciens et sonores. Ses poèmes, que Fernando avait trouvés dans des exemplaires défraîchis, dénichés chez des bouquinistes, avaient été une révélation, un vrai séisme pour l'apprenti poète qui avait découvert par des chemins si tortueux l'une des plus grandes voix lyriques de son pays, rarement mentionnée dans le cadre universitaire, mais auteur de fort beaux dizains, marqués par l'obsession de la mer, l'air et la lumière des tropiques, emplis de l'étrange prémonition d'une nostalgie d'un monde qu'il perdrait un jour.

Un dimanche matin, comme pour un pèlerinage, Fernando avait pris le chemin de la petite maison de South West où Florit vivait avec son frère Gerardo, à peine plus jeune que lui de quelques années. Il l'avait appelé par téléphone deux jours avant et après lui avoir expliqué en criant qu'il avait fini ses études à l'université avec une thèse sur Heredia et qu'il connaissait sa poésie, le vieux Florit lui avait dit qu'il serait très heureux de le connaître et l'avait invité à prendre le petit déjeuner à dix heures du matin, à sa sortie de la messe dominicale.

A dix heures deux minutes, Fernando avait tiré la sonnette qui lui avait renvoyé un son creux de maison inhabitée. Il avait insisté par deux fois et, alors qu'il songeait déjà à faire le tour du jardin, il avait vu arriver une vieille Ford des années 60, d'un vert rageur, d'où sortait une main qui le saluait. Selon ses calculs, Florit devait avoir quatre-vingt-trois ans, mais l'homme très mince qui était descendu de la voiture par la porte du copilote, vêtu d'une *guayabera* cubaine, blanche et immaculée, semblait beaucoup plus jeune.

– C'est que Gerardo conduit à vingt à l'heure, lui avait-il expliqué en désignant l'autre vieillard qui lui sourit tout en fermant la voiture. Viens avec moi, Gerardo va nous préparer le petit déjeuner.

Au lieu de se diriger vers l'entrée principale, le poète avait mis la clef dans la serrure d'une porte que Fernando croyait être celle du garage.

– Viens, entre, et immédiatement Fernando avait eu la sensation de traverser le miroir pour arriver au pays des merveilles : la chambre, d'environ quatre mètres sur six, était tapissée de livres du sol au plafond, et les rares espaces libres étaient occupés par des œuvres de peintres cubains ; un vitrail d'Amelia Peláez, une ville de Portocarrero, un paysage de Romañach, une mulâtresse de Carlos Enríquez, des paysans d'Abela, une aquarelle de Mijares. Le clavier ouvert, un piano droit, noir, exhibait sur le lutrin une partition jaunie de Sánchez de Fuentes, et de l'une des bibliothèques pendait un drapeau cubain décoloré. Pendant que le vieil homme mettait en marche l'air conditionné, Fernando s'était approché des étagères, lisant les titres et, surtout les auteurs des livres : Mañach, Ichaso, Lezama, Baquero, Villaverde, beaucoup de Martí, Casal, Mariano Brull, Eliseo Diego, Regino Boti, Heredia... il n'y avait que des auteurs cubains ? que des peintres cubains ? que des musiciens cubains ? que le drapeau cubain ?

Quand Fernando s'était retourné, Florit occupait déjà l'un des deux fauteuils en rotin placés au centre de la pièce et il semblait plus petit, comme si la *guayabera* blanche s'était agrandie au point de ressembler à une sorte de linceul.

– Vous n'avez que des auteurs cubains ? lui avait-il demandé tout en se dirigeant vers l'autre fauteuil.

– Comment ? Ah, excuse-moi ! Et de la poche de la *guayabera* il avait sorti un appareil auditif qu'il avait porté à son oreille. Je suis sourd comme un pot et même davantage ! Tu disais ?

– Que tous les livres étaient d'auteurs cubains ?

– Non, n'exagérons rien. Là-bas ce sont les Espagnols, ici les Anglais et les Américains. Mais en majorité, ce sont des Cubains, oui. J'en ai apporté beaucoup de Cuba et les autres je les ai achetés petit à petit. C'est une bibliothèque qui a soixante-dix ans.

L'air conditionné, mis à pleine puissance, avait commencé à refroidir la pièce. Fernando ressentit un léger tremblement, mais il voulut l'attribuer au froid et non à la douloureuse certitude que cet homme, parti de Cuba plus de trente ans auparavant, n'avait jamais quitté l'île. Il avait alors découvert que la pièce n'avait ni fenêtres, ni vitres, ni lucarnes, ni claire voie : seule la lumière de deux lampes glaciales illuminait cette atmosphère irréelle, obstinément isolée du monde extérieur suffocant auquel il avait renoncé.

– Parce que vous n'êtes jamais retourné à Cuba, n'est-ce pas ?

– Non, je suis parti d'un seul coup. J'ai parfois pensé revenir, voir des gens, mais plus maintenant. Là-bas plus personne ne me connaît, ne se souvient de moi. Tout le monde est mort. Il ne reste plus que moi.

– Et vous n'avez pas continué à écrire ?

– Je passe mes journées ici dans la bibliothèque, je lis beaucoup, je joue du piano, j'adore ça, j'écoute des opéras et des zarzuelas mais je n'écris presque pas. Mon inspiration s'est tarie.

Gerardo avait frappé et il était entré avec un plateau à la main : deux tasses blanches de café au lait, deux petites assiettes avec du pain grillé beurré et deux petites tasses de café, solides, blanches, avec le bord peint en vert. Tout en rappelant à Eugenio de prendre ses vitamines et de faire attention de ne pas tacher sa *guayabera*, il installa le plateau sur le tabouret du piano et l'approcha des fauteuils. Ses mouvements étaient si sûrs que Fernando supposa que ce rituel était quotidien.

– Bon appétit, dit-il en regardant Fernando, et il sortit.

– Merci, Gerardo. Sers-toi, Fernando, l'invita Florit qui avait déjà pris une tasse de café au lait et y trempait la tartine beurrée. C'est mon petit déjeuner de tous les jours.

Fernando l'avait observé pendant qu'il mastiquait précautionneusement le pain. Le vieil homme s'était fortement incliné pour ne pas salir la *guayabera* immaculée et il fit à Fernando l'effet d'un petit oiseau, laid et sans défense, perdu dans ce froid intense.

– Tu vois ces tasses à café ? J'en ai apporté douze de Cuba, et il n'en reste plus que quatre… J'adore ces tasses. Je les ai toutes volées, une par une, au café Vista Alegre, et il sourit avec une malice que le temps avait épargnée.

– Maître, comment avez-vous vécu ces années loin de Cuba ? osa-t-il lui demander, sans comprendre exactement ce qu'il désirait savoir.

– Comme tous les exils : foutrement mal. Cela fait des années que je ne vais pas voir la mer, c'était ce que j'aimais le plus à Cuba. Je ne sors d'ici que pour aller à l'église et à l'opéra et cela m'est égal que la saison soit bonne ou pas. Les églises et les opéras donnent toujours les mêmes spectacles, n'est-ce pas ? Je n'écris presque plus et personne ne me lit. Ici, personne ne sait qui je suis et ils n'ont d'ailleurs pas envie de le savoir. C'est la même chose à Cuba. La plupart pensent que je suis mort il y a des années. Et ce qui me semble le plus tordu c'est que j'ignore quand je vais mourir. Je suis condamné à être toujours le plus vieux. J'ai tué Brull, Ballagas, Lezama, Eliseo, qui était un enfant… Tu ne déjeunes pas ?

– Non, merci… si, le café, accepta Fernando et il essaya d'avaler la boisson. Il avait la gorge serrée et il ne se sentit même pas menacé par l'envie de fumer. La solitude sidérale de ce poète était comme une épée à plusieurs tranchants, capable de couper court à n'importe quel espoir.

– Tu sais pourquoi je suis toujours ici ? Le reste de la maison est comme un enclos. La femme de Gerardo est morte en couches et sa fille est née folle mais il n'a jamais voulu la mettre dans un hôpital. La maison est pour elle. Gerardo l'attache par la cheville, pour qu'elle puisse marcher, mais la corde ne lui permet pas d'arriver jusqu'à la porte. Quand elle a une crise, elle crie comme un beau diable. Alors je ferme tout, je mets l'air conditionné, un opéra, et j'enlève mon appareil. Elle a maintenant quarante-cinq ans et, si elle tient des Florit, elle ne va jamais mourir.

Tout en écoutant l'histoire de la nièce attachée comme un chien, Fernando avait senti grandir son angoisse et le sentiment qu'elle pouvait l'étouffer. D'une certaine façon, pensa-t-il, le poète vivait, lui aussi, attaché : aux livres, aux peintures, à la musique, au drapeau, aux tasses à café du pays où il avait vécu et écrit durant tant d'années. Enchaîné à une vie qui n'existait plus depuis trop longtemps. L'exil de Florit était une prison, et son unique consolation avait été de reproduire Cuba dans une autre île de quatre mètres sur six.

– Je me suis habitué à voir le monde depuis ce coin étrange et lointain. Mais je n'ai pas pu tuer mon passé… Je crois que personne ne peut le faire. Allez, laisse-moi te jouer quelque chose, avait dit le vieil homme et il avait soulevé le plateau pour le poser sur le secrétaire. Il avait approché le tabouret du piano… De l'oncle Eduardo.

– Oncle Eduardo ?

– Sánchez de Fuentes, avait expliqué Florit. Tu ne savais pas que c'était mon oncle ?

Fernando avait fait non de la tête, mais le vieil homme était déjà devant son piano. Il avait des doigts courts, osseux : des doigts de mort. Avec ces doigts-là il avait ôté l'appareil de son oreille et commencé à chercher les touches précises ; alors Fernando avait écouté la *Linda cubana.*

L'angoisse avait pris sa gorge dans un étau tandis qu'il observait d'un regard nouveau le parfait alignement des casuarinas centenaires, avec leurs écorces ridées, mille fois tatouées d'initiales, de cœurs et de blessures moins romantiques ; le sol pavé du Paseo, sombre et sale, qui se perdait au loin pour aller mourir dans la mer ; le piédestal en marbre, occupé par un modeste buste de Martí qui était venu remplacer la gigantesque statue de Ferdinand VII, renversée en 1900 par des jeunes gens parmi lesquels se trouvait Aquino lui-même, tous heureux de profaner, avec toute la rancœur accumulée, les symboles d'un passé colonial qui, avec tant de cruauté, s'était accroché à l'ultime lambeau, même incontrôlable, d'un empire perdu. Mais le regard de José María Heredia, manipulant à sa guise celui de Cristóbal Aquino, donnait une nouvelle dimension à la redécouverte d'un lieu que, peu de jours auparavant, Aquino croyait encore anodin et familier comme tant d'autres lieux de cette ville près desquels il avait vécu depuis son enfance déjà lointaine et qui prenaient maintenant des significations révélatrices.

Cristóbal Aquino marcha vers l'extrémité du Paseo, conscient d'avoir par trop devancé l'heure fixée pour le rendez-vous, mais poussé par le besoin de remettre en ordre bon nombre des notions acquises tout au long de sa vie. Il ne parvenait pas à ôter de son esprit, peut-être pour le restant de ses jours, la confession dévastatrice de José María Heredia, dont la lecture l'avait maintenu en haleine, bouleversé, et qui l'avait confronté à l'humanité mise à nu de celui qu'il avait toujours considéré comme un homme de génie, décidé et intouchable, et pour lequel il éprouvait désormais une compassion gênante. Mais le souvenir des sensations décrites par l'exilé le poursuivait avec une ténacité particulière, surtout quand Heredia, sur son lit de mort, évoquait le soir de 1836 où il s'était engagé sur le fastueux Paseo Nuevo, récemment inauguré, dernier-né de l'infâme opulence sucrière et esclavagiste de Matanzas, pour marcher entre ces mêmes casuarinas, alors jeunes, avec des écorces intactes, foulant le pavage brillant avant de s'arrêter devant la statue du roi d'Espagne qui avait ruiné son existence d'homme et de poète, comme on tire les ficelles d'une marionnette dépourvue de volonté : et là, Heredia s'était demandé quel avait été le véritable sens de sa vie, détruite par la trahison, le déracinement et l'oubli, toujours à la merci des desseins de la politique et des tyrannies. Mais Cristóbal Aquino ne parvenait pas non plus à se libérer du souvenir du dernier entretien entre Heredia et Lola Junco, dans cette même ville, le matin du 26 décembre 1836, car il lui semblait être le point d'orgue d'un châtiment disproportionné, capable de détruire le plus insensible des hommes et de tuer l'être hésitant et angélique qu'avait toujours été le chantre du Niagara pourtant si admiré.

Après avoir ouvert l'enveloppe où dormaient les vieux papiers qu'il avait juré de détruire, Cristóbal Aquino avait commencé à vivre une des expériences les plus insolites de son long séjour sur cette terre. Seize heures durant, il n'avait fait que fumer et lire ces mémoires singuliers, comme enchaîné à leurs pages usées mais vivantes malgré les presque cent ans écoulés depuis leur écriture. La certitude d'être le témoin d'un acte unique, capable de le confronter de façon dévastatrice à une vie privée qui, cependant, pointait ses tentacules aux quatre vents de la postérité, avait lézardé ses faibles convictions quant au serment fait à un mort plus qu'à un moribond.

Les jours suivants, au lieu d'apaiser la sensation de vivre avec le poids d'une responsabilité qui s'obstinait à le dépasser, avaient fait croître ses doutes au point de lui ravir le sommeil et la tranquillité habituelle de sa vie. C'est pourquoi il avait donné rendez-vous à Carlos Manuel Cernuda et choisi précisément cet endroit néfaste dans le souvenir de Heredia, où les casuarinas, la mer et l'histoire les aideraient peut-être à prendre la décision la plus juste.

A dix heures précises, comme ils en étaient convenus, Cernuda arriva par l'extrémité du Paseo la plus proche de la ville et Aquino, depuis le côté opposé, s'avança vers lui. A quelques mètres du piédestal occupé par Martí, en l'honneur duquel le Paseo avait été rebaptisé à l'avènement de la République, les deux hommes se serrèrent la main, ajoutant à cela l'accolade maçonnique puis ils occupèrent un des bancs de granit, dos à la ville et le visage tourné vers la mer verdâtre de la baie.

– Je ne peux pas le faire, Carlos Manuel.

Aquino chercha un de ses cigares et le porta à ses lèvres.

– Tu as lu les documents ?

– Il fallait bien que je les lise.

– Tu me comprends, maintenant ? Tu vois pourquoi j'ai refusé ? José de Jesús n'a pas osé le faire et Ramiro Junco non plus. C'est que ce n'est pas juste envers Heredia, affirma Cernuda et il appuya ses mots par un mouvement de tête, plusieurs fois répété.

– Les Junco ne sont pas les seuls qui vont être éclaboussés. Il y a des descendants de Del Monte, d'Echevarría, des Aldama… certains sont maçons, tu le sais ?

– Bien sûr que je le sais.

– Et le Cernuda dont parle Heredia ?

– C'était mon grand-père, admit l'autre.

– Alors, que faisons-nous ?

– Moi, je ne vais rien faire. Je l'ai dit à José de Jesús…

– Arrête, Cernuda, tu dois m'aider…

Aquino avait déjà mis dans la balance l'ordre de José de Jesús d'un côté et de l'autre la vérité cachée dans ces documents, l'aiguille avait indiqué que la plus élémentaire fidélité au poète et à sa mémoire exigeait que le manuscrit fût conservé et publié.

– Tu veux vraiment que je t'aide ? demanda Cernuda, sans regarder son ami.

– Je t'ai fait venir pour ça.

– Alors, ne fais rien. Éventuellement, cherche quelqu'un d'autre qui décidera.

– A qui penses-tu ?

– A Ricardito Junco…

Aquino ne put s'empêcher de sourire. Il lui était déjà venu à l'esprit que les héritiers de Ramiro Junco et, de ce fait, de José María Heredia devaient avoir le dernier mot quant au destin de la mémoire du poète, mais la seule pensée qu'un homme comme

Ricardo Junco puisse être le juge chargé de décider du sort de ces documents lui causait un intense malaise.

– Ricardito n'est pas Ramiro, dit Aquino et il alluma enfin son cigare.

– Je le sais bien! C'est un politique…

– Dis plutôt que c'est un voleur. Comme tous ceux qui vivent à l'ombre de Machado.

– Mais il a un droit que personne ne peut discuter. Ces papiers de Heredia lui appartiennent parce qu'il est le fils aîné de Ramiro. Et parce qu'en plus ils peuvent lui faire du tort.

– Celui-là, il se fout de tout, Cernuda. C'est un requin et il est de plus en plus riche. Cette Route centrale c'est l'affaire de sa vie.

– Mais toi, cela ne te concerne pas. Cela n'a rien à voir avec…

– Mais si, et tu le sais bien…

– Alors, ne lui donne pas les papiers et décide toi-même. Brûle-les, garde-les, publie-les, fais ce que tu crois devoir faire…

Cernuda se leva, disposé à battre en retraite.

– Ça alors… commença Aquino et il se leva aussi. Écoute, mon vieux, qu'est-ce qui te prend avec ces papiers? C'est à cause de ton grand-père?

Cernuda fit deux pas puis il se retourna.

– Ce qui me prend? Rien, ou alors tout le contraire… Je n'ai rien à voir avec personne dans cette histoire: je ne suis pas un Junco, ni un Del Monte, ni Tartampion. Et mon grand-père a vécu sa vie sans me demander, à moi, ce que j'en pensais. Moi, la seule chose que je crois, c'est qu'il faut les publier. Et que celui que ça emmerde soit emmerdé! Mais moi je ne veux rien avoir à faire avec tout ça. Cela ne me regarde pas.

– Ne sois pas égoïste, bien sûr que ça te regarde, c'est aussi ton problème. L'histoire de ce pays, c'est ton problème, ce que Heredia dit des tyrannies, c'est aussi ton problème, tu me comprends?

– Tu fais comme Del Monte en demandant à quelqu'un s'il comprend ce qu'il est impossible de ne pas comprendre… Mais je ne veux pas m'en mêler. L'histoire même de ce pays, celle dont tu me parles, me prouve qu'il vaut mieux rester en dehors, vivre en marge et défendre ses choix si on a la chance de pouvoir le faire décemment. Je m'en bats l'œil des Junco, des Del Monte et de ce qu'a pu être mon grand-père, tu m'entends? Parce que ces papiers de Heredia n'ont rien à voir avec les Junco, les Del Monte ou les Cernuda mais avec quelque chose de beaucoup plus grand qui s'appelle la vérité et dans ce pays cela n'a presque jamais servi à quoi que ce soit.

Tandis que Carlos Manuel Cernuda s'éloignait, Cristóbal Aquino se sentit à nouveau tenaillé par l'angoisse. Son frère maçon, le seul être au monde qui connaissait l'existence des documents, se désintéressait définitivement de leur sort et le laissait seul pour prendre cette décision ingrate. Loin de calmer ses doutes, cette conversation les multipliait, même si elle lui désignait aussi le dangereux chemin qui menait vers la solution : le nom de Ricardo Junco, gouverneur de la province de Matanzas, était un domino possible dans cette partie qui risquait de se terminer au prochain tour de jeu. Traînant une grande fatigue, Aquino revint vers l'extrémité du Paseo Martí qui finissait à la mer. Il abandonna la partie pavée et fit quelques pas sur les rochers léchés par l'eau de la baie généreuse. A sa droite il observa l'embouchure du Yumurí et à peine deux cents mètres plus loin, celle de la rivière San Juan, que descendait pour prendre la mer un luxueux yacht avec ses voiles gonflées, ses bois brillants et sa poupe où flottait un petit drapeau cubain. Aquino ignorait qui étaient les propriétaires de l'embarcation, en réalité il n'avait aucune envie de les identifier, mais il les imagina élégants, raffinés, satisfaits, avec leurs mains propres et leurs consciences tranquilles. Ils avaient sûrement oublié que l'origine de tant de beauté datait à peine d'un siècle, quand, sur ce même fleuve, les chargements d'esclaves remontaient vers les plantations de canne à sucre de la vallée ; sur leur travail et leur sueur se bâtiraient les grandes fortunes de la ville qui se chargeraient pendant des années de retarder la fin de l'esclavage et l'indépendance de Cuba. Aquino comprit que jusqu'à cet instant il n'avait jamais contemplé le faste et la richesse de Matanzas avec ce regard chargé de clairvoyance et de ressentiment et il pensa qu'il ne l'aurait jamais fait s'il n'avait pas partagé avec Heredia le roman de sa vie.

Soudain tout bascula : je ressentis toute la violence du coup de poignard que la ruse enfonça dans mon dos et je compris dès cet instant que l'illusion d'avoir trouvé au Mexique une nouvelle patrie ne serait jamais plus que cela, une illusion, qui commençait à partir en fumée sous mes yeux.

Tout commença quand le Président Victoria décida que ma nomination comme juge du district de Veracruz était finalement peu de chose et me demanda d'attendre à Mexico car il envisageait pour moi des activités d'une plus haute importance. Alors, profitant de cette pause, le sénateur et prêtre José María Alpuche – porte-parole des francs-maçons du rite écossais, conservateurs, ennemis opiniâtres de Victoria –, déposa une plainte devant le Sénat déclarant illégale mon habilitation de juge, arguant que je n'étais pas mexicain, comme l'exigeait la loi, et que je n'avais même pas vingt-cinq ans, âge requis pour occuper cette fonction.

Contrarié par une telle attaque, je demandai au Président de m'accorder la citoyenneté, tandis que je préparais un dossier dans lequel je voulais démontrer que, au lieu de mes vingt-trois ans réels, j'en avais, en fait, vingt-cinq et je cherchai même des témoins pour le confirmer, tout en affirmant que j'avais commencé mes études universitaires à Santo Domingo en 1812. Totalement impliqué dans cette supercherie, je compris pourtant que rien de ce que je faisais n'avait de sens ; aussi, en écoutant la décision du Sénat qui déclarait sans fondement la plainte d'Alpuche au regard d'une nomination présidentielle, je choisis de renoncer à mon emploi, bien décidé à demeurer à Mexico, aux côtés de ma bien-aimée Jacoba.

En compensation le Président insista pour me faire accepter l'emploi de juge administratif de la ville toute proche de Cuernavaca et il m'assigna un honorable salaire de cinq mille pesos. Je partis content. Je consacrais les jours ouvrables au travail et je passais les fins de semaines à Mexico, en compagnie de ma fiancée, dans l'attente de l'épouser pour l'emmener vivre avec moi. Mais, malgré cette tranquillité recouvrée, je pressentais l'arrivée de nouveaux orages et je dois peut-être à cette certitude le retour de la poésie, presque disparue depuis un long moment, qui vint me visiter durant ces mois où j'écrivis plusieurs poèmes dédiés à Jacoba ainsi que quelques-unes de mes dernières œuvres d'inspiration patriotique.

Alors que je vivais cette trêve de paix et de poésie, arriva le mois de septembre 1827 où j'épousai Jacoba, pour donner cette dimension de réalité qui, me semblait-il, avait été absente de mon existence pleine de péripéties, imposées par le destin plus que désirées ou provoquées par mes soins. Tout commença à être définitivement réel quand, dans les derniers jours de l'année, mon épouse me révéla qu'elle était enceinte. En toute logique, je me souvins de Lola en cette occasion, mais désormais ma vie était davantage tournée vers l'avenir que vers le passé car je la sentais engagée sur les sentiers d'une normalité tant espérée; j'étais moins intéressé par la publication de mes vers que par mon ardent désir de rendre heureuse ma jeune et belle épouse, celle, bien réelle, qui chaque jour me nourrissait et me récompensait de son amour charnel et spirituel, celle avec qui je sortais me promener durant les douces soirées de Cuernavaca, accompagné par le chien qu'elle avait absolument voulu avoir et que nous baptisâmes Hatuey, comme le cacique indien assassiné à Cuba par les conquistadors espagnols.

Je recevais fréquemment des lettres de Cuba et les échos de ma célébrité grandissante me parvenaient de ma terre natale. A cette époque j'échangeai peu de missives avec Domingo, car malgré mon pardon explicite, notre amitié n'était plus la même. Pour justifier mon désintérêt j'allai même jusqu'à frôler l'offense en lui disant que si je ne lui écrivais pas plus fréquemment c'était pour éviter les éventuels préjudices que les lettres d'un proscrit pouvaient causer à un jeune et brillant avocat, ayant même obtenu son doctorat en Espagne. Étrangement, il accusa le coup avec élégance et il me reprocha à peine mon insolence, déplorant seulement que je ne lui écrivisse pas plus souvent, lui qui était mon vieil ami. Plus consacrée aux conseils littéraires et aux projets artistiques qu'aux nouvelles personnelles, notre correspondance resta marquée pour un temps par le manque de chaleur de notre relation, même si je n'avais pas cessé de l'aimer, supposant que tout s'arrangerait comme cela s'était toujours produit le jour heureux où nous pourrions deviser face à face.

Triste, en vérité dévastatrice, fut pour moi la nouvelle que m'apporta la lettre de ma sœur Ignacia, dans laquelle elle me parlait de la maladie fulgurante du bon Silvestre et m'annonçait son incroyable décès. Sans vouloir l'accepter, je demeurai plusieurs jours à demi inconscient, essayant de nier l'irréfutable, me disant que Dieu ne pouvait être cruel au point de maintenir en vie sur cette terre tant d'êtres méprisables, mesquins, répugnants, et de nous enlever ce jeune homme que la ruse de l'ambition, la haine ou la rancœur n'avaient jamais habité: le plus honnête de tous les êtres qu'il me fût donné de connaître venait de rejoindre l'autre ange de notre génération, l'intelligent et généreux Cayetano Sanfeliú, mort deux ans auparavant…

Par chance, la naissance de notre première fille, à laquelle je donnai le prénom de ma mère, María de la Merced, me sortit de mon désespoir. Petite et vive comme l'avait été ma sœur Ignacia, l'enfant devint mon centre d'intérêt, l'orgueil de sa mère et le délire de ses grands-parents mexicains et je désirais ardemment que ma famille pût avoir le bonheur de la connaître.

En ces jours, je pensai aussi préparer une nouvelle édition de mes poèmes car la première était déjà épuisée. Mon idée était d'actualiser le recueil de poèmes de 1825 et d'imprimer à part mes vers patriotiques et politiques, dans un volume que j'intitulerais *Poesías americanas.* Mais l'état lamentable des imprimeries mexicaines et le prix élevé exigé par celle de New York me firent renconcer à mon projet, car même si mon salaire me permettait de vivre décemment, il n'était pas suffisant pour de tels luxes poétiques, ni même pour envoyer une aide régulière à ma mère, éternellement logée chez son frère Ignacio.

Au moment où j'essayais d'asseoir ma vie à Mexico, la paix presque totale que le pays avait vécue pendant plusieurs années se vit menacée à l'approche de nouvelles élections. Presque sans le vouloir, je me vis mêlé aux luttes politiques qui se déchaînèrent car le Président Victoria avait décidé que je serais député durant la prochaine législature. Je découvris avec horreur à quel point, dans les hautes sphères, la politique du pays se faisait dans les chapelles secrètes des loges maçonniques divisées en deux clans: d'un côté les francs-maçons du rite de York, libéraux et républicains, et de l'autre ceux du rite écossais, conservateurs et monarchiques. Ces derniers, opposés au Président Victoria, soutenaient le candidat Manuel Gómez Pedraza, habile orateur, sans plus de mérites politiques que sa verve rhétorique. Dans cette ambiance surchauffée où les attaques fusaient pour accuser fréquemment les "étrangers" de dominer la vie économique et politique du pays, les assemblées législatives des États, réunies en session plénière, décidèrent de donner à Gómez Pedraza l'écharpe présidentielle, au cours d'une cérémonie qui serait le prélude d'une guerre civile longue et acharnée qui, dix années durant, sèmerait sans fin l'anarchie, provoquerait l'accession au pouvoir de treize Présidents et mettrait fin à la paix et à la prospérité. C'était le début d'une bataille stérile, obstinée à faire sombrer le jeune pays dans le chaos et la rapine dont il ne semble plus pouvoir sortir.

Le 16 septembre 1828, sur la grand-place de Cuernavaca, je montai à la tribune pour prononcer un discours d'anniversaire de la Proclamation de l'Indépendance. Là je dis – et plusieurs journaux de la République le publièrent –: "N'oublions jamais que la justice est le fondement de la liberté ; que sans justice il ne peut y avoir de paix et sans paix il ne peut y avoir ni confiance, ni prospérité, ni bonheur", et je réclamai le respect de la Constitution pour éviter l'orgie politique qui fondait sur nous, depuis que ce matin-là on avait appris que le général Santa Anna s'était soulevé contre le Sénat à Jalapa... A partir de cet instant les événements s'enchaînèrent comme dans un tourbillon qui m'emporta moi aussi quand ma récente charge de procureur de l'État de Mexico m'obligea à brandir l'épée pour défendre la justice car, à l'occasion du soulèvement militaire, un groupe de malfaiteurs qui se faisaient appeler "le peuple", attaquèrent et mirent à sac les commerces de la capitale. Là, à mon grand regret, je dus participer à une violente répression et je vis, de mes yeux, d'horribles scènes de mutilation et de mort.

Il me fut douloureux de découvrir que le Mexique n'avait d'autre alternative que le despotisme ou l'anarchie. Il était évident qu'un démon terrible semblait perturber la raison des républicains américains, les faisant s'affronter entre eux, en quête du plus méprisable des fruits de l'enfer : le pouvoir. La Grande Colombie de Bolívar ne le savait que trop. Maintenant le Mexique en faisait sa pratique.

Je commençais à remâcher l'idée de quitter le Mexique où l'on m'accusait fréquemment d'être étranger. Mais où aller ? Mon interminable exil se faisait chaque jour plus triste... Je savais qu'à Cuba, même avec le despotisme régnant, j'aurais eu au moins une ambiance propice car j'y étais de plus en plus considéré comme un grand poète et même comme le fondateur de la lyrique cubaine. Mes convictions inchangées se heurtaient à nouveau à une amère réalité et la déception commençait à miner mon esprit révolutionnaire. Pour rendre ma situation encore plus désespérée et m'avertir que l'on peut cacher ses malheurs mais qu'ils reviennent toujours, le 22 juin de cette année 1829 je vis mourir d'une terrible dysenterie ma fille María de la Merced : Dieu me faisait payer le bonheur passé et chaque fois avec plus d'acharnement.

A la fin de cette année-là je dus reprendre les armes, pour une stupide défense d'un gouvernement qui, d'une certaine façon, semblait être légitime. Notre parti libéral cette fois vaincu, en janvier 1830, un gouvernement conservateur prit le pouvoir et inaugura une période de terreur et de persécutions dont je fus moi-même victime car je perdis ma charge de procureur de l'État et je dus revenir à ma petite judicature de Cuernavaca, cette fois avec un salaire misérable.

Pendant ce temps, d'autres événements avaient apporté quelque soulagement à ma vie, car le 27 novembre 1829 une lumière d'espoir nous illumina, moi et Jacoba, grâce à la naissance de notre fille Loreto, prénom dû à un vœu fait par sa mère, encore accablée de douleur par la mort de notre aînée. Par chance j'ai vu grandir à nos côtés cette petite fille, éveillée et belle, durant ces courtes années que la vie m'a accordées ; elle a été l'une des rares raisons qui m'ont maintenu debout dans les jours les plus difficiles.

Un incident désagréable se produisit quand les exilés cubains de la Junte patriotique me demandèrent mon appui pour une nouvelle conspiration indépendantiste qu'ils appelaient L'Aigle noir. Bien qu'ils aient choisi le pire moment pour demander de l'aide au gouvernement mexicain, mes compatriotes étaient persuadés que l'heure était venue de passer à l'action. Mais en apprenant les caractéristiques du mouvement et en sachant que leurs contacts à Cuba se faisaient à travers des loges maçonniques fondées en secret, je me souvins de mes aventures passées ainsi que des discussions avec le prêtre Varela et je leur annonçai un échec certain. Définitivement, leur dis-je, je ne participerais pas à la conspiration, toutefois, si à un moment donné cela s'avérait nécessaire, ils pouvaient utiliser mon nom auprès des autorités mexicaines.

Cette réponse sincère et naïve me vaudrait bon nombre de désagréments. D'abord parce que les conspirateurs se fâchèrent au point de critiquer ma position et de me taxer d'apathique et de renégat politique. Puis, parce que comme je l'avais prédit, le mouvement avorta avant de naître, car de nouveau l'espionnage du gouvernement fonctionna à merveille. Malgré les reproches dont ils m'accablèrent, le pire fut qu'ils employèrent mon nom *ad libitum,* me faisant apparaître dans plusieurs documents comme l'un des chefs de la sédition. En conséquence de quoi, une seconde condamnation tomba sur moi, cette fois à mort, sans possibilité de bénéficier d'une quelconque amnistie future. Mon délit, maintenant, était celui de "correspondance criminelle". Pauvre Heredia ! pensai-je alors.

Pendant ce temps, des nouvelles contradictoires m'arrivaient de La Havane : certaines satisfaisantes, d'autres inquiétantes. Parmi les premières, je me réjouis à la lecture de quelques poésies de Domingo, enfin publiées dans plusieurs revues, conçues comme une collection de romances où il parvenait à montrer sa capacité en matière de versification, son intelligence et sa culture, mais rarement qu'il était poète, ce que je déplorais fort. Ce qui était curieux, car cela me semblait injustifié, c'était que mon ami eût inventé que ces romances n'étaient pas de lui, mais copiés par ses soins d'un poète havanais du XVIIIe siècle, qu'il nomma Toribio Sánchez de Almodóvar. Pourquoi se cacher à nouveau? Fallait-il qu'il porte toujours un masque pour entrer en scène?... Quant aux nouvelles inquiétantes... Pendant que Domingo osait publier quelques-uns de mes poèmes et même une partie de ma correspondance nord-américaine dans sa nouvelle et élégante revue *La Moda o Recreo semanal del bello sexo*, l'Espagnol Ramón de la Sagra, qui s'auto-proclamait scientifique – lui que Sanfeliú avait mis à quia quelques années auparavant en révélant qu'il plagiait Kant –, lança dans ses *Anales de Ciencia, Agricultura, Comercio y Arte* – quel savoir encyclopédique! – des attaques enflammées contre ma poésie, surtout destinées à miner ma croissante popularité. Comme il fallait s'y attendre, cette fois encore la réponse à l'agression ne fut pas assurée par Domingo – même si, une fois de plus, c'était lui qui avait mis le feu aux poudres – qui me jura dans une lettre qu'il allait réduire en poussière l'Espagnol téméraire – mais par Saco qui prit ma défense dans la revue qu'il publiait aux États-Unis *El Mensajero semanal*, une réplique atténuée de *El Habanero* qu'il éditait auparavant avec Varela. Cet article de réponse, plus politique que littéraire, formulé sur un ton agressif, ne fut pas clairement une défense de mon œuvre mais plutôt une habile argumentation de l'existence d'une littérature cubaine indépendante et personnelle dont j'étais la meilleure incarnation. De la sorte, Saco s'efforçait de proclamer une indépendance artistique cubaine pour atteindre son objectif: démontrer que dans l'île deux classes cohabitaient, les péninsulaires et les Cubains. Ainsi, mon nom et ma poésie ne furent guère qu'un prétexte nécessaire pour alimenter les polémiques et ils furent tragiquement utilisés aux fins qui convenaient à Saquété. Aussi, même si je le remerciai de son geste, je sus à ce moment, apparemment glorieux, que mes jours étaient comptés en tant que grand poète cubain représentant des idéaux nationaux: mon engagement par ma prise de position indépendantiste, mes attaques contre le despotisme, mon opposition au goût décadent cesseraient bientôt d'être utiles à des cerveaux occupés à inventer une littérature, et avec elle un projet de pays, pour lesquels, je m'en apercevrais plus tard, ma personnalité allait devenir incongrue et même embarrassante.

Perdu dans ces méditations qui m'ôtaient tout espoir concernant l'avenir d'une île où il y avait toujours plus d'esclaves et d'ignominie, et qui me faisaient considérer avec horreur le présent du Mexique, perdant son sang dans une interminable guerre fratricide, j'écrivis mon testament comme poète civil et patriotique. Je l'intitulai *Désillusions* et du haut de mes vingt-six ans je fis mes adieux – *Je fermai mes livres, je brisai ma lyre* – aux idées qui m'avaient emporté dans le courant du mouvement romantique indépendantiste dont personne ne se souvenait dans ma patrie. Dans mes vers je renonçai à un combat pour des hommes qui "dans le vil asservissement, s'enfoncèrent avec une profonde cécité", tandis qu'ils devenaient riches et puissants à l'ombre de la tyrannie.

"*Ya para siempre abjuro*
Al oropel costoso de la gloria,
Y prefiero vivir simple, olvidado,
De fama y crimen y furor seguro..."

"A jamais je renonce
Aux coûteux oripeaux de la gloire
Et je préfère vivre simple, oublié,
A l'abri de la célébrité, du crime et de la fureur..."

J'écrivis ces vers et je pleurai sur ma lyre brisée...

Du bougainvillier à l'arec et de l'arec au rosier, le *sinsonte* vola à la recherche de l'endroit le plus fleuri pour entonner son chant et le passage blanc et gris de l'oiseau tira Fernando de l'extase où il était plongé depuis son arrivée au palais. La symphonie prétentieuse des bois et des marbres – blancs de Carrare, rouges du Levant, verts de Venise, jaunes de Naples et noirs de Belgique –, des grilles impériales apparemment entrelacées avec une délicatesse féminine plus que sculptées dans des forges ardentes, des plafonds très hauts gravés de majestueux motifs classiques, des escaliers larges comme des allées et des lustres comme des abat-jour suspendus, maintenant aveugles mais conçus pour briller de mille feux les soirs de fêtes imaginées et jamais réalisées, conféraient une splendeur écrasante à un lieu dépouillé depuis plus de cent ans du luxe exagéré capable de multiplier son élégance majestueuse et exubérante : tapisseries persanes, peintures flamandes, toscanes et espagnoles, miroirs anglais, bronzes français, tapis russes, argenterie mexicaine, verrerie italienne, porcelaines allemandes et orientales et candélabres gothiques de Prague, tous ces objets qui un jour firent toute la splendeur de cette demeure convaincue de son absolue suprématie insulaire, qui prétendit rivaliser en faste, confort, clarté et opulence avec les palais de la bourgeoisie de Londres et de Paris.

Seule la merveilleuse union de la fortune inouïe du Basque Aldama, arrivé dans l'île trente ans auparavant avec en tout et pour tout les vêtements qu'il avait sur le dos, et l'amour pour la beauté et le luxe de son gendre Del Monte, avocaillon qui ne foula jamais le sol d'un tribunal, pouvaient être à l'origine de la construction de cette demeure singulière qui était un hymne, un chant à l'ironie la plus tragique : car le vieux et richissime Domingo Aldama put à peine en jouir quelques années et mourut loin d'elle, aigri et rejeté, claquant des dents, transi de froid dans son lit d'exilé, tandis que son gendre (dont il partageait le prénom), après avoir imaginé et forgé cette demeure selon son goût et son caprice, ne put jamais la voir terminée et passa les dix dernières années de sa vie à remâcher sa rancœur et à imaginer, dans les rêves de son lointain exil, comment il aurait vécu, mangé, dormi, reçu dans ce palais éblouissant, destiné à couronner le succès de son existence mondaine.

Si cela n'avait tenu qu'à lui, Fernando ne serait jamais revenu au palais d'Aldama, pour lequel il avait autant d'admiration que d'indignation mais Arcadio, en douce, avait conduit ses pas vers les alentours de l'édifice, devinant que le magnétisme de cet aimant de pierre, avec ses colonnes parfaites et son parfum de tragédie, finirait par le captiver. Toutefois, le sortilège fut presque rompu par la vision qu'offrait le terrain vague contigu, transformé en décharge, et les personnages qui s'entassaient à l'ombre des frontons et des arcades de l'édifice : des vendeurs de bougies, de serpillières, d'images de saints et de sacs en nylon ; des malheureux et des mendiants, certains armés de vrais chiens et de petites statues de saint Lazare destinées à émouvoir les passants, des *boteros*, les taxis collectifs, disposés à louer leur voiture pour se rendre n'importe où dans La Havane, des trafiquants de tabac et de rhum à la chasse au touriste, et même une cartomancienne, en plein travail, avec un verre d'eau à la main, comme pour témoigner de la pureté de ses prédictions.

– Depuis quand c'est comme ça ? avait demandé Fernando, stupéfait par ce panorama déconcertant.

– Cinq-six ans. Quand la situation est devenue difficile, tout ça est apparu comme sorti de terre, commenta Arcadio. C'est incroyable, non ?

– Tu t'imagines si Aldama ou Del Monte voyaient à quoi ont finalement servi les arcades de leur palais ?

– Ils ont bien fait de mourir il y a un siècle. Eux qui avaient horreur des noirs et de la misère, dit Arcadio et finalement il proposa : allez, viens, on va entrer.

Le palais avait été récemment transformé en Institut d'histoire régenté par les Forces armées, mais l'invocation du nom connu du poète Arcadio Ferret leur ouvrit les portes de la forteresse grâce à un simple appel interne. Submergé par l'admiration malsaine qu'il avait toujours éprouvée par ce lieu édifié au prix du sang et de la sueur de milliers d'esclaves, Fernando suivit Arcadio jusqu'au patio intérieur de l'édifice et seul le vol agité du *sinsonte* parvint à le ramener à la réalité.

– Pourquoi tu m'as amené ici ? demanda-t-il, en allumant une autre cigarette.

– Parce que je voulais parler seul à seul avec toi et il me semble que c'est un bon endroit.

– Je n'en suis pas si sûr.

– Fernando, c'est de la pierre morte... Ici il n'y a pas de poésie.

– Je ne sais pas... Chaque fois que j'ai vu ce palais, je me suis souvenu de Heredia...

– C'est pour ça que je t'ai amené...

– Heredia était presque en train de mourir de faim au moment même où Del Monte projetait la construction de ce palais. Tu sais que ça a coûté plus de sept cent mille pesos or de l'époque ?

– C'était donné... plaisanta Arcadio et il indiqua un banc de marbre gris à son ami.

Fernando observa le *sinsonte* qui volait de nouveau vers le bougainvillier et de là se mettait à faire des trilles, avec une puissance capable d'épuiser ses poumons minuscules. Comment cet oiseau de la campagne était-il arrivé au centre même de la ville ? Comment reviendrait-il chez lui s'il le voulait ?

– Ce qui est incroyable, c'est que cela ait été payé par un homme qui trente ans plus tôt était un crève-la-faim qui avait commencé à travailler comme maçon.

– Je ne savais pas qu'Aldama avait été maçon, dit Álvaro et il enleva ses lunettes noires.

– Maçon, puis vendeur dans un magasin et ensuite le mariage d'argent. Après, trafiquant d'esclaves. Le salaud avait fait entrer tant de noirs à Cuba qu'il parvint à s'offrir quatre plantations de cannes à sucre à Matanzas, des entrepôts sur le port, des actions du chemin de fer, une compagnie de vapeurs, une entreprise d'assurances…

– En combien d'années?

– En vingt ans… Il avait gagné tellement de fric qu'il a voulu recouvrir le sol de son bureau avec des pièces d'or, mais le roi d'Espagne le lui a interdit, car personne ne pouvait marcher sur son visage… S'il voulait, il pouvait recouvrir son sol de pièces d'or, mais à condition de les mettre sur la tranche.

– Merde alors! Comment tu sais tout ça? Tu es obsédé par ces gens!

– Trente ans plus tard les volontaires ont envahi l'endroit et ils ont emporté jusqu'au dernier clou. Le gouvernement leur a tout confisqué parce qu'on a accusé le fils d'Aldama d'être un conspirateur. Quand on leur a rendu le palais, ils ont dû le vendre car les Aldama étaient presque dans la misère… Tu te rends compte que les petits-enfants de Del Monte ont vendu sa bibliothèque aux enchères et c'était pourtant la meilleure de Cuba. Il avait même des incunables et des codicilles originaux. Avoir tellement nagé pour finalement mourir sur la rive! Et tu sais qu'en haut, il y a un salon qui n'a jamais été utilisé? C'est celui dont Del Monte avait tracé le plan et qu'il destinait à ses réunions littéraires.

– Mais lui, il n'a jamais vécu ici, n'est-ce pas?

– Non, il a été obligé de fuir en 1843 et la construction s'est achevée en 1844. Il n'a jamais vu la demeure terminée.

– Tu crois vraiment que c'est lui qui a dénoncé la conspiration des esclaves? Plácido l'a accusé d'être mêlé à ça…

– Miguel Angel dit que Del Monte est entré dans la danse avec les Anglais, mais quand ça a commencé à sentir le roussi, il s'est tiré et il semble qu'il ait tout raconté sur l'affaire, dit-il en regardant Arcadio dans les yeux.

– Comme au moment de l'exil de Heredia?

– Personne ne le sait, mais je crois qu'il y a été mêlé. Heredia avait des soupçons…

Arcadio regarda un moment les étages supérieurs du palais, comme s'il cherchait quelque chose dans les hauteurs, puis il observa directement Fernando.

– Je ne sais pas ce qu'a pu te dire Álvaro sur moi, mais je ne t'ai pas dénoncé, dit-il, comme s'il extrayait de son flanc la lance de la culpabilité. Hier j'ai parlé avec Miguel Angel…

– Je ne sais pas ce que Varo devait me dire ni ce que t'a dit El Negro mais moi, je ne t'ai accusé de rien, dit Fernando essayant de se disculper, surpris par l'affirmation de l'autre.

– Ce n'était pas la peine. Tu as toujours pensé que cela pouvait être moi.

– Qui t'a dit ça ?

– Écoute, Fernando, j'ai peut-être fait des choses dans ma vie dont je pourrais avoir honte, comme tout le monde. Mais je n'ai jamais baisé personne… Je sais qu'Álvaro pense que je suis un poète médiocre et un opportuniste qui évite les problèmes, que Conrado croit que je suis un vaniteux, que Tomás ne peut pas me voir parce que je voyage à l'étranger et qu'il ne va même pas jusqu'à Guanabacoa… Moi, tout ce que je fais c'est écrire mes poèmes de mon mieux, comme je l'ai toujours fait. Mais si tu crois que je suis un mouchard et que je vous ai balancés toi et Enrique, tu te trompes. Et si je ne l'ai pas fait, c'est pas parce que je suis plus courageux ou plus génial que d'autres : c'est qu'on ne m'a rien demandé… et que je ne savais rien.

Le ton de sincérité douloureuse qui perçait à travers les paroles d'Arcadio résonna aux oreilles de Fernando comme la confession d'un moribond et il se sentit honteux d'avoir provoqué de telles révélations.

– Miguel Angel et Conrado jurent que ce n'est pas eux. Ce n'est pas non plus Enrique. Et Víctor a écrit à Delfina avant de mourir et il lui a dit que ce n'était pas lui…

– Je ne sais pas qui c'est, je ne sais pas non plus si quelqu'un a mouchardé. Mais je te jure que ce n'est pas moi.

– Et pourquoi je dois te croire, Arcadio ?

Le bel Arcadio sourit mais une tristesse pénible marqua son visage.

– Parce qu'un jour nous avons été très amis et tu sais très bien que je ne ferais jamais une chose pareille, dit-il et il se leva. Tu crois que j'aurais l'audace de te regarder en face après t'avoir dénoncé ? Merde, Fernando… Viens, allons-nous-en, je n'aime plus cet endroit.

Le *sinsonte*, absorbé par sa cantate, levait la tête vers le morceau de ciel bleu et limpide qui s'offrait au regard depuis le patio intérieur. Peut-être regrettait-il l'immensité du ciel qu'il voyait depuis le sommet d'un palmier, là-bas, dans le lieu lointain où il était né. Fernando éprouva de la pitié pour l'oiseau et aussi pour son ami.

– Il faut que tu me pardonnes, Arcadio…

– Il n'y a rien à pardonner. Il nous reste, tout au plus, à sauver l'amitié que nous avons éprouvée un jour. Nous avons déjà perdu tant de choses que je ne supporte plus d'en perdre davantage.

– Oui… Je viens juste de penser que je ne reverrais peut-être jamais de ma vie cet endroit. Ou ce morceau de ciel…

– Tu pars quand ?

– Il me reste une semaine.

– Et Delfina et toi… ?

– Je suis tombé amoureux, pieds et poings liés…

– Il va falloir que tu reviennes, dit Arcadio en remettant ses lunettes noires. Tu dois revenir… Et le roman de Heredia ?

– Parfois je n'y pense même plus. Mais chaque fois que je me souviens qu'il existe ou qu'il a existé et que je n'ai pas la moindre putain d'idée de ce qui s'est finalement passé…

– Et à ton avis que s'est-il passé ?

– Que quelqu'un m'a raconté un mensonge. Ou plus d'un. Il me semble que Aquino en sait plus qu'il ne le dit, que Carmen Junco cache des choses, que la femme de Cernuda joue les imbéciles…

– Écoute, pourquoi tu passes ta vie à croire que le monde entier est contre toi ?

– C'est pas ça, Arcadio. C'est que quelqu'un en sait plus qu'il ne veut bien le dire. J'en suis sûr.

– Et qu'est-ce que tu vas faire ?

– Je crois que je vais continuer à emmerder le monde, et il regarda à nouveau les vieux murs du palais maudit. Il me semble que Heredia le mérite bien.

J'avais beau m'éloigner d'elle, couper les amarres, détourner mon visage, la politique s'obstinait à frapper à ma porte, au point d'occuper le centre de ma vie, comme décidée à m'entraîner dans ses conséquences funestes. Ce fut, me semble-t-il, un destin tragique pour les poètes de mon époque, des temps turbulents auxquels il nous fut impossible de ne pas participer. En divers lieux de la planète, dans des langues et des circonstances différentes, d'une certaine façon nous nous étions tous proposés de nous battre pour la même cause : créer un monde nouveau, plus libre, une sensibilité et une poésie également nouvelles, enrichies par les libertés nécessaires, pour donner ainsi un visage et une parole à des pays aux consciences toute neuves. Et cette petite guerre fut dramatiquement absorbée par une guerre plus grande, à laquelle nous ne pûmes ou ne voulûmes nous soustraire, comme cela arriva au maître Andrés Bello, éternellement proscrit, au grand Byron, mort sur un champ de bataille en combattant pour la liberté d'une terre qui n'était pas la sienne, ou au sublime russe Pouchkine, auteur de cette *Ode à la liberté*, conspirateur qui, tout comme moi, subirait les rigueurs de l'exil bien que les dieux l'aient récompensé d'une fin plus heureuse que la mienne car, à défaut de mourir sur le champ de bataille, il mourut en défendant son honneur, l'épée à la main.

Dans le domaine des armes, je ne pus rien faire pour la liberté de Cuba. Et bien peu également, même si plus d'une fois j'ai dégainé mon épée, pour la liberté démocratique du Mexique, souillée par des caudillos qui semblaient aveuglés par la drogue du pouvoir. Cependant, je portais sur mes épaules une condamnation à l'exil et une autre à la peine de mort, tandis qu'à Mexico, où de plus en plus on me traitait d'étranger, les nouveaux dictateurs m'inscrivaient sur leurs listes noires parce que j'avais prétendu défendre ce que je croyais nécessaire et honorable de défendre : un gouvernement élu et une constitution approuvée par la majorité.

Je m'acheminai vers ma disgrâce politique, progressive mais inexorable à partir du 14 janvier 1830 où le général Bustamante s'empara du pouvoir puis institua dans ce malheureux pays quelque chose de pire que le despotisme espagnol. Le nouveau gouvernement, qui se savait universellement exécré, imposa sa volonté par la terreur et consolida son pouvoir grâce à la soldatesque déchaînée et au clergé rétabli dans ses privilèges. Les chambres du gouvernement et les ministères s'emplirent de scélérats arrivistes qui sous couvert de leurs postes se taisaient devant les exactions les plus inouïes. Les commandants militaires, tels de nouveaux seigneurs féodaux, exerçaient leurs pouvoirs locaux d'une façon absolue, comme si chacun d'eux avait été la réplique grotesque de Ferdinand VII. La vengeance, la délation et la revanche politique devinrent une façon de vivre dans un pays qui s'écroulait sous les yeux avides des puissances impériales.

Le comble de l'horreur fut atteint en ces jours où, sur l'instance des curés, on commença à détruire les imprimeries, à brûler des livres considérés comme séditieux ou immoraux et à fusiller des imprimeurs et des éditeurs. Était-ce pour en arriver là que quinze mille Mexicains étaient morts dans la guerre contre l'Espagne ? Le chemin de la liberté conduisait-il à ce précipice sans fond de répression, d'intolérance, de revanche et de tyrannie ? L'avenir de Cuba, que je rêvai libre, serait-il aussi la proie de fanatiques, ivres de haine et de pouvoir ?

Désenchanté, je voulus m'éloigner de toute activité politique, mais tant d'infamie me faisait mourir de honte et je décidai que, perdu pour perdu, il m'était égal de perdre la vie : je devins alors le pourfendeur du régime, et depuis les pages du journal *El Conservador*, je lançai une campagne contre les excès et les atrocités. Je me souviens qu'à chaque fois que je remettais un de mes articles, je rentrais chez moi en proie à cet éternel tremblement de mes jambes car chaque écrit pouvait signifier mon emprisonnement ou ma mort aux mains de n'importe quelle bande de forcenés en uniforme, comme cela était arrivé à mon bienfaiteur, l'ex-Président Victoria, "jugé et fusillé" à l'aube du 14 février 1831, sans aucune considération pour les fidèles et loyaux services rendus au pays. Pauvre Mexique !

Bien que ma santé commençât à se ressentir de ses vieilles maladies et que mon scepticisme allât en grandissant, une force étrange m'obligeait à continuer à participer, à surmonter mes peurs, c'est pourquoi, en ma nouvelle qualité de représentant à la Commission des codes juridiques de l'État du Mexique, je me battis pour une chose aussi vaine que la légalité et je m'opposai aux actes d'injustice avec mes pauvres moyens. Ma position fut encore plus active quand je devins magistrat de la cour de justice dont le siège se trouvait dans la haute ville de Toluca où je résidais depuis un certain temps.

Au milieu de ce tourbillon, ma troisième fille vint au monde le 21 juillet 1831 et nous l'appelâmes Jacoba Julia Francisca de Paula. Mais cette enfant, à l'opposé de l'infatigable Loreto, était une créature paisible, trop silencieuse et sujette aux maladies, ce qui nous fit toujours craindre le pire.

Au cours de ces mêmes mois, mes longs efforts se virent couronnés par le début de la publication des quatre tomes de mes *Leçons d'Histoire universelle* qui, loin de correspondre à mes ambitieux projets initiaux, ne furent qu'une adaptation américanisée des *Éléments d'Histoire* de l'Anglais Tytler.

Mais ni ces naissances, ni les luttes et les déceptions subies au cours de ces années ne parvinrent à réveiller en moi le poète qui avait, semblait-il, disparu. De toutes les révélations, dont certaines sont même honteuses, que j'exprime tout au long de ces lignes, aucune n'est plus terrible ni plus douloureuse que celle-ci : car bien avant que ne meure l'homme que je suis, je sus qu'était mort en moi le poète que j'avais été. Le processus fut lent et silencieux, mais il m'apparaissait de plus en plus évident que cette impétuosité et cette capacité que Dieu m'avait données et qui me permettaient de transmuer dans mes poèmes mes sentiments réels ou feints, commençaient à s'épuiser sans espoir de renouveau. Malgré tout, je tentai de ne pas me rendre car si je cessais d'être poète, que pouvais-je bien être ? Admettre la vérité fut un déchirement. Qu'est-ce qui avait pu tarir la source que j'avais crue inépuisable ? Comment mes yeux se refusaient-ils à voir, dans chaque acte, dans chaque sentiment, l'origine et le besoin d'écrire un poème ? Qu'était-il advenu de cet état d'esprit qui m'accompagnait telle une obsession fidèle depuis mon enfance ? Je me pose la question aujourd'hui sans toutefois en connaître la réponse, mais à cette époque je m'obstinais à rester ce que j'avais toujours été, et les rares poèmes que je parvins à écrire furent lourds et cérébraux, sans une goutte du sang chaud qui avait coulé dans chacun de mes vers juvéniles.

Cependant, en ces jours, je reconsidérai la proposition de faire une seconde édition définitive de mes poésies. Avec l'aide de ma famille et de Domingo qui, tout heureux, offrit de collaborer au projet, nous lançâmes une campagne de souscriptions tandis qu'à New York, Gener se chargeait de la gestion de l'édition. La folie politique dans laquelle je me vis impliqué au cours de l'année 1831 et les problèmes de santé dont je commençais à souffrir retardèrent l'indispensable travail de révision et je ne pus déclarer la tâche terminée qu'en 1832, comme l'annonça Domingo dans la nouvelle revue qu'il dirigeait alors, appelée *Bimestre Cubana*, dans laquelle il me qualifia d'"heureux génie littéraire que Cuba s'enorgueillit de compter parmi ses enfants". Cependant, les souscriptions furent peu nombreuses et les prix élevés des éditeurs new-yorkais m'obligèrent à chercher des imprimeurs au Mexique. Je décidai finalement de publier le livre à Toluca même et pour réduire le coût, avec l'aide de ma bonne Jacoba, je me chargeai moi-même de la composition typographique tandis que tous deux nous révisions soigneusement les épreuves pour éviter ces coquilles désagréables, semblables à des asticots tapis dans une pomme appétissante.

Enfin, au mois de juin 1832, je pus caresser les petits cahiers qui constitueraient les deux tomes dans lesquels j'avais mis tout mon être. Je dédiai le premier volume à Jacoba et le second, à qui d'autre que Domingo, le seul de mes vieux amis des belles années de jeunesse qui, apparemment, croyait encore à ma poésie. Faisant une concession à la tyrannie, je dus imprimer toute ma poésie patriotique dans les derniers feuillets du second tome pour pouvoir les exclure des livres que je projetais de relier et d'envoyer à Cuba.

Comme au Mexique l'ambiance du moment n'était guère propice à la littérature, la nouvelle collection de mes vers ne causa pas l'émotion de la première édition incomplète. A l'étranger, en revanche, le livre fut accueilli avec enthousiasme et jusqu'à mes oreilles vaniteuses parvinrent les rumeurs des louanges et des félicitations, dont beaucoup provenaient de personnalités en vue, de la politique et de l'art… Mais je ne ressemblais plus en rien au jeune homme qui était arrivé au Mexique avec l'auréole mystique du poète romantique et conspirateur. Les malheurs avaient fait de moi un homme prématurément vieilli, déçu et même traqué dans le pays où j'avais passé la plus grande partie de ma vie.

Car à nouveau les événements politiques me poursuivaient comme le fer cherche à atteindre l'aimant. L'année 1832 avait débuté par un nouveau *pronunciamiento* de mon vieil ami, le général Santa Anna, qui maintenant lançait un cri de guerre contre le dictateur Bustamante. Réclamé par le caudillo qui connaissait mon aversion pour le gouvernement en place, je me vis impliqué dans sa campagne et je devins son secrétaire personnel durant le coup d'État, ce qui m'obligea à un moment donné à fuir Toluca avec ma famille, quand les troupes du gouvernement entrèrent dans la ville et, entre autres cibles désignées, mirent à sac ma demeure au point de la laisser pratiquement en ruine. Mais avant la fin de l'année, Santa Anna renversa Bustamante et le général victorieux se livra à un de ses habituels mauvais coups : il mit à la tête du gouvernement sa marionnette Gómez Pedraza et occupa la vice-présidence qui lui permettait d'être le véritable maître des destinées du pays mais aussi de jouir d'une plus grande liberté pour s'adonner à ses deux grandes passions : les combats de coqs et le vol.

Avec le nouveau gouvernement, je fus enfin élu député, cette fois de l'État de Mexico. Comme il fallait s'y attendre, quelques voix s'élevèrent pour rappeler que je n'étais pas natif de la république, mais Santa Anna, comme il fallait également s'y attendre, imposa sa volonté. Cependant, malgré l'amitié qui nous liait et la filiation politique que nous partagions, le général ne put réduire au silence ma bouche obstinée qui, comme première décision en qualité de député, s'opposa aux procédures qui prétendaient donner à certains notables le titre de Héros de la Patrie – Santa Anna en personne à leur tête –, tous vivants, exerçant une activité. Je m'opposai aussi à la motion, non moins dangereuse, qui visait à proscrire plusieurs ennemis politiques et à les priver de leurs droits civiques. J'arguai que seule la postérité a le droit d'accorder des titres de gloire aux hommes, car – nous l'avions déjà vu et nous continuerions à le voir – de nombreux héros et bienfaiteurs d'aujourd'hui n'étaient que les hommes indignes de demain. De même, je m'élevai contre la loi de proscription, considérant que priver un citoyen de la protection des lois était une mesure aussi absurde qu'atroce... Inutile de dire que les deux motions furent approuvées et quelques jours plus tard, conscient de me suicider politiquement mais convaincu que l'immolation était préférable à la complicité d'une ignominie, je renonçai à mon siège de député, sans avoir touché aucune des soldes que le gouvernement me devait.

J'étais de plus en plus convaincu que le Mexique roulait vers l'abîme. Comme toutes les dictatures contre lesquelles j'avais juré de me battre, celle-ci, sans le moindre scrupule, se servait des lois pour soumettre la volonté des citoyens ; en conséquence la dissidence, l'intelligence, l'acte individuel se transformèrent en délits et le pouvoir écrasa sans pitié ses opposants. Cependant, armé d'un courage personnel qui me surprit, depuis les colonnes de mon nouveau journal, *El Fanal*, je continuai à défendre ce que je croyais juste et légal, même si Santa Anna me retira l'appui économique qu'il m'avait offert auparavant pour la fondation de la revue. Mais je ne me laissais pas acheter et ainsi, plus libre, sans entraves, je continuai à publier, obligé d'utiliser plus d'une fois mes maigres finances pour sortir un numéro. Une telle attitude me valut toutes sortes de conséquences funestes et même des menaces comme celle que publia le journal officiel de Toluca où on m'accusait d'être à la solde des ennemis du peuple et au service des puissances étrangères, chargé de critiquer les agissements du gouvernement et de discréditer les autorités d'un pays qui m'avait offert patrie, honneurs et subsistance, pour finir par un avertissement fort clair : "Attention, monsieur Heredia. Faites très attention." Désormais le journalisme servait aussi à menacer…

La paix cependant ne revenait toujours pas et Santa Anna – déjà connu dans le pays sous le surnom de Quinzegriffes, car il avait perdu une jambe au combat et on disait que s'il ne volait pas plus c'était parce qu'il ne pouvait dérober que ce qu'il attrapait avec ses quinze ongles – se fit porter triomphalement à la présidence devant "le danger imminent que vivait la patrie", tandis que la répression se durcissait. Mon Dieu, où étais-je tombé ?

Pour couronner le tout, les nouvelles que je reçues de Cuba, au cours de cette néfaste année 1833, n'étaient pas meilleures. Les lettres me parlaient de l'arrivée d'un nouveau capitaine général, un certain Miguel Tacón, lui aussi investi des pleins pouvoirs et connu pour son aversion profonde envers ceux qui étaient nés dans cette partie du monde. Ancien officier des troupes royalistes sur le continent, à peine arrivé, Tacón avait bien prévenu que désormais l'histoire de l'île serait marquée par un avant et un après lui, et pour y parvenir il était prêt à tout. Un autre tyran, un de plus. Et je me sentais si fatigué…

Fernando Terry ne pouvait imaginer qu'il voyait pour la dernière fois le docteur Mendoza, mais il garderait pour le restant de ses jours, comme un émouvant trésor, l'expression jubilatoire du vieux maître quand il avait salué Delfina : elle avait été son élève modèle durant cette année-là, la seule capable de savoir qui était l'auteur de *L'Ane d'or* et celle qui avait appris les déclinaisons avec le plus de facilité, rappela le vieil homme comme s'il réprimandait Fernando. La retrouver si belle encore, vingt-cinq ans plus tard, et la sentir heureuse fut comme un cadeau inattendu que le professeur reçut avec un grand plaisir puis, après avoir remis à Fernando une liste des maçons présents à la tenue de la loge "Fils de Cuba" du 11 avril 1921, il prit la femme par la main et la conduisit vers un des bancs placés sous les baies vitrées de la bibliothèque qui donnaient sur la vieille avenue Carlos III. Le docteur Mendoza semblait disposé à évoquer le passé.

La liste des noms à la main, Fernando s'assit à l'une des tables destinées aux lecteurs. Il aurait voulu pouvoir compter sur l'aide de Delfina, mais devant l'égoïsme du professeur il se résigna. A la première lecture il cocha les noms qui lui étaient devenus familiers, Cristóbal Aquino, Carlos Manuel Cernuda, Ramiro Junco et José de Jesús Heredia, et il mit des points d'interrogation en marge de trois autres : Ricardo Ramiro Junco, Serafín Del Monte et Cándido Alfonso. Le premier devait être à l'évidence l'oncle Ricardito dont Carmen Junco lui avait parlé, tandis que les deux autres, totalement inconnus de lui, portaient des noms aux consonances trop sonores dans cette histoire : Del Monte et Alfonso. Un descendant éloigné de Domingo Del Monte ou de la famille Alfonso, si liée aux Aldama et à Del Monte lui-même, aurait-il prétendu faire taire les révélations embarrassantes du poète ? L'idée semblait plausible, agréable même à son esprit, éternellement prédisposé contre Domingo Del Monte, l'homme que Heredia avait considéré pendant des années comme son meilleur ami sans savoir qu'un jour il l'humilierait en le qualifiant "d'ange déchu" et le mépriserait en le considérant comme un renégat. Fernando ferma les yeux, disposé à se libérer des préjugés et, le crayon à la main, étudia à nouveau le document, essayant de trouver une autre révélation moins évidente parmi les quatre-vingts noms qui défilaient sous ses yeux. Et soudain il sentit qu'un voyant rouge s'allumait, presque à la fin de la liste : Rafael Figarola. Comment était-il possible que ce nom lui ait échappé alors qu'il le renvoyait directement au docteur Domingo Figarola Caneda, directeur de la Bibliothèque nationale durant les décennies de 1910 et 1920, auteur d'une étude intitulée *Le Grand Poète José María Heredia*? Sans avoir besoin de faire un effort de mémoire, Fernando se souvint de l'épisode raconté par Figarola Caneda lui-même au sujet de documents de Heredia qu'il avait achetés à José de Jesús qui, à cette occasion, avait reconnu avoir détruit la lettre embarrassante de 1823, dans laquelle le poète niait sa participation à la conjuration des Rayons et Soleils de Bolívar. Bien qu'il ne pût se souvenir de la date exacte, il était cependant certain que l'épisode raconté par Figarola Caneda était antérieur à 1921 et il se rappelait parfaitement que le bibliothécaire mentionnait aussi ses recherches sur des documents inédits de Heredia, peut-être un roman, dont son fils avait affirmé ignorer la moindre référence. Cette piste aveugle avait été, durant des années, une des rares mentions de l'existence possible d'un roman perdu de Heredia et trouver un Figarola parmi les francs-maçons au courant de la remise à la loge des documents inédits du poète, auxquels le mystérieux délai de publication ajoutait un peu plus de piment, ne pouvait que renvoyer vers le bibliophile acharné, chercheur infatigable de documents historiques qui, non seulement avait aussi préparé une édition des documents de José Antonio Saco mais, comble de l'implication, avait également été l'éditeur des premiers tomes du *Centón espitolario* de Domingo Del Monte, dans lequel ce dernier, patriarche de la vie intellectuelle cubaine de son époque, publiait la correspondance reçue de José María Heredia dont il avait exclu plusieurs lettres, pour une raison ou une autre… Figarola Caneda ? Mais s'il était parvenu à s'emparer des documents du poète, pourquoi ne les avait-il pas publiés ?

Il médita quelques instants, essayant de préparer son offensive. Cette liste de noms oubliés commençait à lui ouvrir trop de pistes ; il avait eu l'idée de la vérifier seulement six jours avant la fin de son séjour à Cuba alors qu'elle éveillait en lui la sensation de se retrouver au point de départ. De sa table, il demanda au docteur Mendoza où étaient les dictionnaires. Le vieil homme lui indiqua une étagère, près du fichier, et Fernando vit Delfina sourire. Parmi les gros tomes il chercha le *Dictionnaire de la littérature cubaine*, dans l'espoir de trouver une fiche sur Figarola Caneda, et il respira avec soulagement en la trouvant. Il lut en diagonale car il cherchait juste une information ; Figarola Caneda était mort en 1925, soit quatre ans après la remise des documents effectuée par José de Jesús. Cette date s'avérait prometteuse, car elle révélait que le bibliothécaire avait eu quatre ans pour s'emparer des papiers, en supposant qu'il ait réussi à savoir où ils se trouvaient vraiment. Si tout cela était possible et si Rafael Figarola avait révélé le secret à son parent présumé Domingo Figarola et, en plus, réussi à se procurer ces documents, la seule raison pour que le bibliothécaire ne les ait pas publiés était d'avoir respecté la demande expresse de José de Jesús, et peut-être de Heredia lui-même, de ne pas rendre publics les documents avant 1939. Mais alors et après ? Si les documents ne se trouvaient pas à la Bibliothèque nationale, comme tous ceux acquis par Figarola, où avaient-ils pu atterrir ? Qui avait bien pu s'en emparer et empêcher leur publication ? Ou était-ce Figarola lui-même qui avait décidé de faire disparaître un manuscrit rempli de révélations gênantes, définitivement inopportunes.

Ces suppositions romantiques et compliquées étaient une gratification pour l'intellect de Fernando, qui retrouvait tout son enthousiasme devant la possibilité de trouver la piste qui le conduirait vers ces maudits papiers. La liste dans sa poche, il s'approcha de Delfina et de Mendoza pour leur faire part de sa découverte. Delfina souriait, partageant sa joie, mais le docteur Mendoza essaya de le ramener à la réalité.

– Tout cela est très intéressant, Fernando, mais je suis de plus en plus convaincu que ces papiers n'existent plus.

– Maître…

– Je ne veux pas te décourager et je ne te dis pas d'abandonner tes recherches, mais je suis convaincu que celui qui a finalement eu les documents voulait, justement, que personne n'en prenne connaissance… Si Figarola Caneda les avait récupérés, lui, il les aurait publiés, que cela plaise ou non. Mais si c'est Ricardo Junco ou un Del Monte ou quelqu'un de la famille, la chose est différente. Heredia est mort il y a cent soixante ans et maintenant tout le monde se fiche plus ou moins d'être parent de Del Monte ou des Junco pour vouloir cacher une aussi vieille histoire… Tu ne crois pas ? Celui qui les a volés ou achetés l'a fait pour que ces documents ne soient jamais révélés. Excuse-moi, Fernando, mais j'ai l'impression que ces papiers n'existent plus. Quand je pense que je t'ai fait venir…

Mais Fernando ne s'avoua pas vaincu. Il profitait de cette toute nouvelle bouffée d'optimisme, peut-être provoquée par cette même sensation de renaissance que lui insufflait Delfina. Un avertissement secret lui soufflait qu'il ne pouvait pas faire marche arrière, que la mémoire du poète méritait cet acharnement, que la vérité et la justice n'étaient pas des chimères oubliées, et il avait le pressentiment que s'il parvenait à sauver la vie perdue de Heredia, de bien des façons il sauvait aussi la sienne. Il l'avait dit à Delfina pendant qu'ils marchaient vers la maison des sœurs Junco, et elle lui avait donné l'avis dont il avait le plus besoin :

– Alors ne t'arrête pas. Continue jusqu'où tu pourras.

A cette heure de l'après-midi, à mi-chemin entre le déjeuner et le dîner, le *paladar* Palmar de Junco s'accordait un moment de repos. Fernando appuya sur la sonnette de la grille et, au lieu de la petite-fille de Carmencita, ce fut la vieille femme noire qui avait servi le café lors de la première visite qui vint leur ouvrir.

Une fois dans le salon, Fernando remarqua que l'installation surréaliste s'était enrichie : maintenant il y avait aussi sur le piano un chien auquel Delfina jeta un regard de stupeur car il restait tellement immobile qu'il semblait empaillé.

– Tu crois qu'il est vivant ? demanda-t-elle.

– Regarde son ventre. Il respire, dit-il.

Carmencita Junco, drapée dans une robe de chambre en soie avec des motifs chinois, entra dans le salon et les salua.

– C'est Rosita, dit-elle en indiquant l'animal. Nous venons de la laver et pour qu'elle ne se roule pas dans la terre nous la mettons là jusqu'à ce qu'elle sèche. Elle a tellement peur de tomber qu'elle ne bouge pas jusqu'à ce qu'on la descende de là.

– Vous pouvez peut-être la descendre maintenant ? demanda Delfina, prenant en pitié l'animal terrorisé.

– Voyons un peu. La vielle dame vérifia cette éventualité en glissant ses doigts dans les poils de la chienne. Oui, ajouta-t-elle et elle prit l'animal sous le ventre pour le déposer par terre : comme piquée par une guêpe, la chienne sortit en trombe du salon. C'est une chienne folle qui a le vertige, dit-elle en complément d'information.

L'hôtesse leur indiqua un canapé tandis qu'elle occupait le fauteuil qui semblait être son préféré.

– Vous avez du nouveau ?

Choisissant chaque mot avec soin, Fernando lui raconta son enquête et il souligna tout particulièrement le fait que Ricardo Junco connaissait aussi l'existence des documents perdus.

– Bien sûr, oncle Ricardito était maçon. Papa non, lui il n'a jamais aimé ça.

– Et Ricardo ne pourrait pas ?... s'aventura Fernando.

– Avoir volé ces papiers ? l'interrompit la vieille dame. Bien sûr que oui. Oncle Ricardito était une calamité. Comme négociant il concluait toujours les pires accords et comme politique il s'est suicidé quand il s'est mis à travailler pour Machado. Même s'il a gagné une fortune, il jetait aussi l'argent par les fenêtres et il s'est retrouvé plusieurs fois à deux doigts de la misère. Il répétait toujours qu'il était l'aîné et l'héritier de grand-père Ramiro, et il éprouvait une obsession maladive pour l'histoire des Junco, la richesse des Junco... et même pour le palais des Junco. Je ne crois pas qu'il aurait trouvé drôle la possibilité, qu'au lieu d'être des Junco, nous puissions être des Heredia. Et si les documents racontaient cette histoire...

– Il a pu les détruire ? demanda Fernando, les nerfs à fleur de peau.

– Attendez, jeune homme, attendez. Nous faisons des suppositions, parce qu'en fait je ne sais rien. Je me contente de vous dire comment était oncle Ricardito.

– Mais ce que vous me dites me fait réfléchir.

– Eh bien, c'est ce que vous vouliez, non ?

– Oui, et cela me fait penser à des choses terribles. Écoutez Carmencita, personne ne sait ce que racontait Heredia dans ces papiers mais cela devait être beaucoup plus important qu'une histoire d'amour avec Lola Junco car tout Matanzas était au courant de leurs sentiments ; Heredia lui avait dédié plusieurs poèmes et il semble qu'on ait raconté plus d'une fois qu'Estéban était le fils de Lola et de Heredia. Mais la décision d'attendre cent ans est très révélatrice. Heredia a dû savoir beaucoup de choses qui ont été oubliées par la suite, ou pire, cachées. Des secrets qui pouvaient changer la vie de plus d'un ou qui pouvaient même changer quelques vérités sur l'histoire de ce pays… S'il racontait sa version des faits, je crois que ces documents étaient plus importants pour d'autres gens que pour la famille Junco.

Carmencita suivit avec attention le raisonnement de Fernando. Ses yeux, insensibles au passage du temps, brillaient avec cette intensité qui la faisait paraître plus jeune. Lentement, comme si son esprit était ailleurs, la femme mit la main dans une des poches de sa robe de chambre et en sortit un paquet de cigarettes, une boîte d'allumettes en argent et un fume-cigarette noir et brillant, couronné d'un anneau d'or où elle glissa soigneusement une cigarette avant de l'allumer. Fernando l'observa pendant qu'elle fumait, avec une élégance de vampire et le plaisir accru des fumeurs occasionnels.

– Vous avez beaucoup réfléchi à ces documents, dit-elle enfin, en observant l'inscription sur la boîte en argent. Et maintenant je vais vous faire réfléchir un peu plus. Écoutez, en 1937, quand nous vivions déjà ici à La Havane, oncle Ricardito s'est lancé dans des affaires et il s'est retrouvé presque sans le sou. Je me souviens bien de la date car il est venu parler avec mon père pour lui dire que s'il ne s'en sortait pas, il allait vendre le palais des Junco, ce qui entraîna une dispute très vive entre eux. Mais à peine quelques mois plus tard, oncle Ricardito a eu à nouveau beaucoup d'argent. Et j'insiste, beaucoup d'argent ! Mon père n'a jamais su d'où il l'avait tiré. C'était un mystère et il est resté entier. Et moi je vous demande : ces documents de Heredia pouvaient-ils avoir une si grande valeur ? Ne me répondez pas maintenant. Pensez-y encore un peu et si finalement vous découvrez quelque chose, n'oubliez pas de me le dire, s'il vous plaît. Figurez-vous que je suis de plus en plus convaincue que mon nom est Carmen Heredia.

Douze heures, calcula Cristóbal Aquino tout en allumant son cigare. Si l'information qu'il avait reçue était juste, le lendemain matin à huit heures, la police effectuerait une perquisition à la loge "Fils de Cuba". Et même si les sbires du général Machado savaient qu'ils ne trouveraient aucune preuve de sédition dans le temple, le frère maçon qui leur avait donné l'information les avait prévenus qu'il s'agissait d'un coup de semonce pour faire une démonstration de force. Ce serait une fouille en règle, car ils connaissaient même l'existence de la niche dans la Chambre secrète des Maîtres maçons. Le délateur, sûrement infiltré depuis quelque temps dans la fraternité, avait fourni les détails précis pour que la redoutable police spéciale puisse faire preuve de sa terrible capacité à se maintenir au courant des agissements de ses opposants et même de la vie privée des personnes dont les opinions étaient contraires au régime. Leurs archives contenaient les noms des francs-maçons qui avaient lancé l'idée de demander la démission du dictateur et, plus tard, de le faire expulser de la fraternité. Sans pouvoir l'éviter, Cristóbal Aquino se rappela comment à l'époque de Heredia une autre police spéciale, d'un autre satrape, avait percé à jour les secrets de la fraternité, au point de démanteler la naissante franc-maçonnerie cubaine. Rien ni personne n'était à l'abri de la trahison, et encore moins dans un régime de dictature. Son propre nom se trouvait-il sur la liste noire des sbires ? Cristóbal Aquino n'avait aucune raison d'en douter. Durant sa dernière période en tant que Vénérable, sans que personne ne pût l'éviter, la loge s'était transformée en forum de débats politiques et avait voté en faveur de l'expulsion déshonorante de Gerardo Machado, accusé d'avoir trahi les principes maçonniques.

Les nombreuses années consacrées au travail de secrétariat de la loge allaient maintenant lui faciliter la préparation du terrain. Même si ces deux dernières années son fils Salvador avait été chargé de cette responsabilité, Cristóbal Aquino savait que, même les yeux bandés, il pouvait classer, sélectionner, séparer des documents plus ou moins précieux et sortir de la loge ceux qu'il considérait inestimables, tout en laissant quelques os à ronger, destinés à calmer l'appétit des fauves. En accord avec le frère maçon qui dirigeait la bibliothèque "Gener et Del Monte", ils avaient décidé de transférer les documents les plus importants dans les caves de cette institution bien qu'Aquino pressentît que les sbires, déjà au courant des secrets de la loge, pourraient aussi avoir vent de la cachette provisoire des archives.

L'arrivée de son fils Salvador le fit revenir à la réalité. Avec précision, il lui indiqua quels papiers devaient sortir du temple et ceux qui devaient y rester, ce qui devait être sauvé en premier et ce qui pouvait attendre. Il lui expliqua qu'il devait effectuer seul aussi bien le tri des documents que leur transfert à la bibliothèque car, dans ces circonstances, il ne pouvait se fier à personne. Pendant ce temps, il devait faire deux choses qu'il était le seul à pouvoir faire.

En cet instant Cristóbal Aquino se souvint de son vieil ami Carlos Manuel Cernuda. Sa mort, trois ans auparavant, l'avait délivré de ces tourments mais avait fait de lui, Cristóbal Aquino, l'unique dépositaire du secret de la véritable vie de José María Heredia. Depuis lors, il était le seul à supporter le poids d'une responsabilité embarrassante dont il avait enfin décidé de se libérer. Si la loge avait cessé d'être un lieu sûr pour les documents du poète, si la bibliothèque pouvait être fouillée avec la même impunité et si sa propre maison figurait parmi les objectifs possibles de l'insatiable police spéciale, où cacher le manuscrit de Heredia pour qu'il suive son destin ? La réponse, tant de fois envisagée et enfin acceptée par Cristóbal Aquino, eut sur son âme l'effet d'un baume apaisant.

Mais avant, il devait laisser des traces visibles de ses actions. Pendant que son fils rangeait les documents dans plusieurs cartons, Cristóbal Aquino chercha le livre des actes de l'année 1921 et il garda celui qui correspondait à la tenue du 11 avril. Il trouva, écrit à l'encre noire, le résumé des événements de cette nuit-là où un hommage avait été rendu à José de Jesús Heredia, décoré du grade honorifique de Vénérable Maître *ad vitam* qui, en retour, avait confié à sa loge mère des documents révélateurs concernant son père.

– Dépêche-toi, mais fais attention, dit Cristóbal Aquino à son fils et il passa dans la pièce voisine du secrétariat où se trouvait la machine à écrire. Avec dextérité, il plaça la feuille dans le rouleau et commença à taper: il copiait textuellement l'acte mais, au fur et à mesure il commençait à ajouter des détails capables d'embellir et de donner plus de vie à l'histoire de cette nuit-là. Il reformula avec plus d'emphase le serment réclamé par Carlos Manuel Cernuda et il exprima de façon plus explicite la requête de José de Jesús demandant que les documents restent dans le temple jusqu'en 1939 et qu'ils n'en sortent que pour être publiés. Il hésita un instant, ne sachant s'il devait ajouter ou pas l'exigence de José de Jesús selon laquelle Ramiro Junco devait être consulté avant d'effectuer la publication du manuscrit, mais il décida de respecter la volonté du frère Ramiro de ne pas se voir mêlé à cette histoire. Quand il termina la transcription corrigée et augmentée, Cristóbal Aquino revint dans la petite pièce où son fils finissait de remplir des caisses.

– Ne me demande rien maintenant, je te raconterai tout après. Place le livre des actes avec les documents qui vont aller à la bibliothèque et ce papier, laisse-le parmi ceux que la police va trouver. Je vais à la salle des Maîtres.

Avec délicatesse, Cristóbal Aquino déposa son cigare fumant sur un cendrier en verre et sortit dans le couloir qui conduisait à la Chambre secrète. Quand il ouvrit la porte, la même odeur toujours mystérieuse lui sembla particulièrement évocatrice ce soir-là. Il fit deux pas dans l'obscurité et respira le parfum de la pièce pour s'en pénétrer et se sentir submergé par l'orgueil d'appartenir à une confrérie qui avait tant fait pour la liberté et l'égalité entre les hommes et pour la liberté de son propre pays dont la guerre d'Indépendance avait été préparée dans une petite loge. A cet instant, Cristóbal Aquino eut la prémonition fulgurante qu'il foulait pour la dernière fois le sol de cet endroit mais il l'oublia aussitôt car rien dans la réalité de cette nuit du 25 octobre 1932 ne pouvait le prévenir que ses yeux ne verraient pas la lumière du prochain jour. Il tira alors sur la petite chaîne qui pendait au plafond puis, éclairé par la faible clarté de l'ampoule derrière lui, il parvint à introduire la clef dans la niche et en sortit les documents qui reposaient là: une enveloppe jaune, attachée avec un ruban mauve et une boîte en bois, elle aussi fermée à clef, où étaient rangés les registres comptables, le titre de propriété des terrains sur lesquels s'élevait le temple, la liste des codes secrets pour frapper employés depuis 1863 et l'acte de fondation de la loge "Fils de Cuba", selon le rite écossais, dépendant du Grand Orient de Cuba et des Antilles. Pour faciliter le travail des policiers il ne ferma pas la niche à clef. En réalité, pensa-t-il, il le faisait pour démontrer à ces fins limiers qu'en matière d'espionnage les maçons avaient une longue expérience.

Quand il revint au secrétariat, son fils Salvador rangeait les livres des actes qui devaient être emportés et Cristóbal Aquino récupéra son cigare. Il le ralluma avec son briquet doré puis exhala une grosse colonne de fumée.

– Sors les caisses, une par une, par l'arrière. Cándido Alfonso t'attend à la bibliothèque. Moi, j'emporte ceci, et il montra à son fils la boîte en bois et l'enveloppe jaune. Quand tu auras fini, ferme tout et rentre chez toi, ta femme est toute seule. Moi j'ai encore à faire.

– Et cette enveloppe ? lui demanda alors son fils.

– Une mission du passé dont je vais me décharger, lui répondit-il en souriant.

Cristóbal Aquino jeta un regard douloureux sur la pièce du secrétariat où, dans quelques heures, ces chiens de policiers mettraient leurs sales pattes. Même si les francs-maçons parvenaient à sortir toute leur précieuse documentation, la profanation de la loge était une sorte de viol, indigne et dégradant. Martí, Céspedes, Heredia, Maceo, Agramonte, Calixto García verraient, du haut de leurs portraits accrochés au mur du local, à quelles extrémités pouvait se livrer un franc-maçon renégat.

Le cigare à la bouche, il sortit du temple par la porte du fond et, non sans efforts, il grimpa sur le mur qui le séparait de la partie arrière de la cave de l'Espagnol Terencio. Le long d'un couloir humide, parmi les sacs de légumes et les caisses de bière, il avança presque à tâtons vers la rue ; après avoir regardé à droite et à gauche, il sortit sur le trottoir et avança vers le centre de la ville. Il marcha durant plusieurs minutes, sans cesser de se demander si sa décision quant aux mémoires de Heredia était la plus appropriée. Mais il ne trouva pas d'autre alternative : le plus important était d'éviter que la police ne s'emparât du manuscrit et n'allât même jusqu'à le détruire mais, en même temps, c'était la façon la plus juste de libérer sa conscience du poids de la responsabilité qu'il avait assumée au cours des dernières années.

Il était neuf heures à peine passées mais la ville était étrangement vide, comme menacée par un cyclone. Les actions de la police avaient terrorisé les habitants de Matanzas et même les ivrognes habituels avaient déserté les cafés du centre. Aquino traversa la place d'armes d'un pas léger, dépassa le Casino espagnol et descendit la rue Contreras jusqu'au numéro 96, où vivaient la veuve et les enfants de Cernuda. Après avoir vérifié qu'il n'était pas suivi, il frappa à la porte et s'excusa auprès de Milagros, l'épouse de Carlos Manuel, de la déranger à une heure pareille. Elle l'invita à entrer mais il lui expliqua qu'il était pressé. Alors il lui demanda de garder en lieu sûr le coffret de bois, car on s'attendait à une perquisition de la loge. Il lui expliqua qu'il y avait là des documents importants, mais qu'aucun n'était compromettant politiquement. Serrant le coffret contre sa poitrine, Milagros lui dit de ne pas se tracasser et Aquino prit congé sans préciser où il allait.

Il remonta la rue Contreras, passa de nouveau devant le Casino espagnol, traversa le parc et, une fois dans la rue Milanés, longea la cathédrale en direction de la vielle Plaza de la Vigía. A cet instant, son fils Salvador, qui quelques minutes auparavant était sorti de la loge "Fils de Cuba" avec la première des caisses qu'il devait transférer à la Bibliothèque Gener et Del Monte, le vit se perdre dans la rue déserte. Salvador sourit : son père, qui avait agi en pur franc-maçon tout au long de son existence, devait se sentir dans son élément, actif et conspirateur, tandis qu'il marchait avec cette enveloppe jaune sous le bras. Ce que Salvador Aquino ne pouvait savoir à cet instant c'était qu'il voyait, pour la dernière fois, l'homme généreux et honnête qui lui avait enseigné les secrets de la vie et de la franc-maçonnerie.

Quel espace physique, calculé en pouces, coudées, vares ou mètres peut occuper la vie d'un homme ? Le poète Florit avait fait tenir toute son existence dans une pièce de six mètres sur quatre ; Hemingway, en revanche, avait eu besoin de toute l'étendue de sa propriété *La Vigía* avec ses chambres, ses bureaux, ses secrétaires et même ses arbres et ses baies vitrées. Heredia, non : il n'avait même pas laissé une tombe ; sa vie tout entière se résumait à une poignée de poèmes, plusieurs centaines de lettres et un manuscrit perdu.

C'est pourquoi, après avoir fermé la porte de la chambre et contemplé durant de longues minutes, assis sur le lit, les caisses disposées sur le sol du placard, marquées des numéros 2 et 3 à moitié effacés, Fernando Terry pensa que la plus grande partie de sa vie se trouvait là et peut-être aussi toute celle de Enrique.

Il se rappelait encore avec une précision maladive comment il avait passé plusieurs jours à préparer ces deux caisses et une troisième maintenant disparue, dans lesquelles il avait placé, avec son habituel excès de précaution, les papiers qu'il jugeait dignes d'être sauvés. Une quantité équivalente de coupures de journaux, de textes, de revues et de dossiers qu'un jour il avait crus importants avaient fini dans le feu allumé dans le patio de sa maison, partis en fumée ou réduits en cendres comme une partie de son propre passé. Dans la première caisse, il avait réuni les documents concernant Heredia : des fiches, une copie de son mémoire de maîtrise, les brouillons des chapitres déjà rédigés de sa thèse de doctorat, des chemises avec quelques articles et des essais sur le poète, photocopiés ou découpés. Suivant un ordre strict de priorité, c'étaient les seuls documents que Carmela lui avait envoyés peu à peu, après son départ de Cuba. Dans la seconde caisse, il avait disposé ce qu'il avait réuni sur les écrivains et le contexte culturel et politique de la première moitié du XIXe siècle ; elle était encore intacte, telle qu'il l'avait laissée dix-huit ans plus tôt, tout comme la caisse numéro 3 où il avait rangé ses textes et ses notes de poésie, les récits qu'il avait écrits en diverses occasions de sa vie et la copie de la *Tragi-comédie cubaine* qui, après la mort de Enrique, lui avait été remise par les parents de son ami, avec un mot bref qui l'avait définitivement plongé dans l'incertitude lancinante : "Ceci est pour Fernando", disait le papier, sans exprimer aucun autre désir ou volonté, seulement signé d'un E très rond, presque aussi rond que la roue du camion qui avait mis fin à la vie de son ami… En ce midi de plus en plus lointain où il avait décidé de mettre un point final à cette sorte d'enterrement de l'écrivain et de l'homme qu'il avait été, Fernando avait passé un coup de fil à Miguel Angel pour lui demander de venir le voir chez lui. Ils s'étaient mis d'accord et, le lendemain, El Negro l'avait conduit avec la voiture de son père jusqu'à l'ancien bar Cuatro Ruedas, où étaient ouverts les bureaux qui permettaient à quiconque reconnaîtrait être une scorie antisociale de faire le saut définitif vers l'exil.

Depuis son retour, il avait résisté au désir d'ouvrir ces caisses. Il savait qu'elles pouvaient fonctionner comme la boîte de Pandore : une fois ouvertes, elles provoqueraient une dispersion incontrôlable de nostalgies accrochées à d'autres souvenirs encore plus agressifs. Mais la proximité de son départ et la sensation d'être plus près que jamais des papiers perdus de Heredia le poussèrent à se livrer à l'exhumation si longtemps ajournée.

Fernando alluma une cigarette et sortit la caisse numéro 3. Il la déposa sur le lit et libéra avec précaution le dessus en carton. Alors il s'aperçut que, durant des années, il s'était trompé sur l'ordre dans lequel il croyait avoir placé les documents. Il avait toujours vu sur le dessus l'enveloppe où il avait glissé son livre inachevé de poésies qu'il avait intitulé, d'une façon provisoire qui lui semblait de plus en plus définitive, *Le Jour de ma mort,* comme le poème destiné à ouvrir le volume où il s'adonnait au parricide enthousiaste de César Vallejo: "*Je ne mourrai pas à Paris, il ne pleuvra pas,/Le Jour de ma mort n'est pas dans mon souvenir./Je ne mourrai pas à Paris, ni dans un lieu lointain/Encore moins aujourd'hui, un jeudi, alors que l'hiver se termine...*" Pourquoi s'était-il cru capable de deviner les circonstances du jour imprévisible de sa mort? Pourquoi la vie l'avait-elle obligé à nier chacun de ces vers chargés d'optimisme qui maintenant lui semblaient avoir été écrits par quelqu'un d'autre, presque un inconnu? Comment lui, qui s'était toujours senti tellement poète, avait-il réussi à vivre en renonçant de façon si radicale à cette profession de foi? Vraiment avait-il eu des raisons de rire? Maintenant Fernando découvrait, flottant sur ses poèmes, un dossier marqué C-O-P-I-E D-É-F-I-N-I-T-I-V-E de la *Tragi-comédie cubaine (roman théâtral)*, et il sentit qu'il n'était pas préparé à affronter cette profanation. Mais une force extérieure, acharnée à violer sa volonté, le poussa à sortir le dossier. Sur une première feuille Enrique répétait le titre de son texte, sans ajouter son nom. Comme malgré lui, Fernando tourna cependant la feuille; il dut affronter les lettres tapées à la machine, un peu effacées par le temps, et il pénétra dans un monde sans fond où il commença à tomber sans avoir la consolation de la moindre prise à laquelle se raccrocher...

"On entend une musique: guitare, luth, maracas et bongo. C'est une mélodie sensuelle, mulâtresse, avec une odeur de forêt et un goût de rhum, trompeuse, elle conduit à penser à des plaisirs chauds, au point qu'à force de l'écouter on finit par ne plus avoir conscience de sa présence. Le soleil commence à se lever, tropical et joyeux, tandis que le ciel noir se teinte peu à peu de gris avant de laisser éclater une resplendissante couleur bleue. Avec la clarté progressive, commencent à se dessiner les contours de l'Ile Perdue: au fond, des montagnes où s'ouvrent des vallées vertes peuplées de palmiers enchanteurs, de *ceibas*, de *júcaros* et de *majaguas.* Les manguiers et les pruniers sont en fleurs et parmi leurs branches volent des *sinsontes*, des *tomeguines* verts et des serins discrets, tous insouciants et apparemment heureux, tel que cela devait être avant l'expulsion définitive.

Au premier plan de l'espace scénique on voit des maisons, d'époques et d'architectures différentes, disposées le long de rues étroites et oppressantes. Un certain air d'abandon, de village fantôme, donne son caractère au lieu où aucune présence humaine n'est décelable, bien que de toutes parts on puisse lire des écriteaux où apparaît le mot "Interdit".

L'avant-scène a été inondée d'une eau intensément bleue qui réverbère la lumière: c'est la mer, toujours houleuse, qui détermine l'espace minime de l'Ile Perdue, en l'entourant, en l'opprimant, en la refermant sur elle-même. Cette mer est un élément important qui réapparaîtra comme un leitmotiv tout au long de l'histoire car elle joue aussi sur le destin des personnages et elle déterminera même leur être historique, marqué par cette indestructible condition d'insulaire."

Fernando sursauta violemment quand il entendit deux coups frappés à la porte et la voix de sa mère.

– Tomás et Miguel Angel viennent d'arriver.

– Dis-leur de m'attendre sur la terrasse, parvint-il à dire et il respira, soulagé, conscient de sa propre respiration. L'interruption lui rendait la lucidité nécessaire pour se détacher de la lecture d'une histoire qui, telle une maladie subtile mais dévastatrice, pouvait s'infiltrer jusqu'à la moelle de ses os. Quelque chose de trop révélateur, de carrément démoniaque, avait reposé durant vingt ans dans ces feuilles au point qu'il était sûr désormais de ne pouvoir s'empêcher de les lire. Avec délicatesse, il replaça le livre de Enrique dans la caisse qu'il referma pour la remettre à l'endroit où elle aurait dû attendre vingt ans de plus ou même toute la vie.

Dans le couloir il fut accueilli par l'arôme du café que sa mère préparait. Il avança jusqu'à la terrasse et dans le même fauteuil où s'était assis Enrique lors de son ultime visite, il trouva Tomás en train de s'éventer avec un journal, tandis que El Negro observait quelque chose dans les arbres du patio.

– Mon vieux, quelle chaleur! dit Tomás en le regardant.

– C'est l'enfer sur terre, commenta Fernando sans vouloir faire de l'ironie.

– Qu'est-ce que tu cherches là-haut, El Negro?

– Un oiseau, un *sinsonte,* dit Miguel Angel et il s'avança sur la terrasse pour saluer Fernando. Cela faisait longtemps que je n'en voyais pas...

– Comment ça se présente pour toi, Fernando? demanda Tomás sans cesser d'agiter le journal.

– A la fois bien et mal. Je ne sais pas... je dois partir dans cinq jours.

Le café apporté par Carmela les obligea à marquer une pause. Ils le burent en silence, et Fernando se demanda s'il devait informer Tomás et Miguel Angel de ce qu'il venait de faire, mais il se retint. Il aurait pourtant voulu savoir à quoi pouvait bien penser Tomás et pourquoi il s'était fait accompagner par El Negro pour venir chez lui, vingt ans après sa dernière visite. La possibilité que Tomás soit le traître était devenue plus plausible au fur et à mesure qu'il avait écarté certains des suspects ; la grande différence entre les classifications de Fernando dépendait de sa condition de bourreau ou de victime, d'accusateur infâme ou d'accusé à tort, d'homme informé ou ignorant. Entre les deux extrêmes, la distance était comme un vaste océan, encore plus infinie depuis qu'il avait lu quelques lignes de l'œuvre de Enrique.

– Qu'est-ce qui t'amène ? voulut savoir Fernando.

– Ta directrice de thèse. Elle m'a aperçu hier à l'université et elle n'arrête pas de rabâcher que tu ne dois pas partir sans être passé la voir.

– Santori, je croyais qu'elle avait pris sa retraite ?

– Elle a bien pris sa retraite, mais elle continue à la ramener. Elle dirige toutes les commissions qui se présentent et elle donne encore un cours de maîtrise. Enfin, tu sais bien comment elle est, la vieille.

Fernando réfléchit un instant.

– Non, je ne le sais plus. Elle s'est révélée bien différente de ce que je croyais, même si je pensais la connaître.

– Je ne te comprends pas.

– Je crois qu'elle s'est lavé les mains de ce qui m'est arrivé et quand on m'a coupé la tête, elle a laissé faire. Si elle s'était jetée dans la bagarre, je n'aurais pas été foutu dehors.

– Putain, Fernando... l'interrompit Miguel Angel.

– Vous savez très bien que Santori était une éminence grise, non seulement à l'université mais aussi dans des sphères plus élevées. Si elle avait poussé un coup de gueule, il aurait bien fallu l'écouter.

– A cette époque-là... dit Tomás d'un air sceptique.

– Vous vous défilez tous en me disant *à cette époque-là*... Tu t'imagines un peu si on avait découvert que tu louais ta voiture aux professeurs étrangers qui venaient à la faculté ? Ou pire encore, que Miguel Angel était ton copain et que tu me parlais, que tu venais chez moi ?

– On m'aurait foutu dehors avec pertes et fracas, confirma Tomás et il détourna son regard vers les arbres du patio. Il transpirait et Fernando se demandait si c'était à cause de la chaleur ou de la tournure chaotique que prenait la conversation. Tomás essuya la sueur qui coulait sur son front avec son doigt et le secoua, mouillant le sol. Tu étais liquidé, Fernando, et je ne suis pas suicidaire. S'ils avaient appris que je venais te voir, on ne m'aurait pas admis un jour de plus à la faculté... Maintenant ce n'est plus pareil et tu le sais. Mais à ce moment-là c'était dangereux. Il y avait toujours quelqu'un prêt à te donner la corde pour te pendre... Personne ne m'a rien dit, personne ne m'a prévenu, mais tout le monde savait à l'université que Enrique, toi et moi nous étions comme cul et chemise et si j'avais levé le petit doigt, on me l'aurait coupé, sûr ! Mais, dis-moi, on est vraiment obligés de parler de tout ça ?

Fernando regarda Miguel Angel et dans ses yeux rougis comme toujours, il découvrit un encouragement tacite.

– Je crois que oui... parce que je ne sais toujours pas qui m'a balancé.

Tomás sourit. Son rire semblait sincère bien que nerveux.

– Tu entends cela, El Negro ? dit-il en se retournant pour chercher un appui solidaire, mais Miguel Angel resta silencieux. Alors il regarda Fernando. Et tu crois que moi ?...

– Je ne sais pas, Tomás. C'est toi qui le sais.

– Vraiment je crois que t'es complètement dingue, Fernando ! Qu'est-ce que j'aurais gagné à te dénoncer, tu peux me le dire ? Mais putain, de quoi tu voulais que je t'accuse, et auprès de qui ?

– C'est exactement ce que disent Miguel Angel et les autres !

– Eh bien ce n'est pas moi, et arrête de faire chier avec ça ! Merde alors ! Mais pour qui tu me prends ?

– En ce moment je n'en sais rien...

Tomás ne put s'empêcher de sourire et il semblait plus sûr de lui.

– Tu sais ce que tu as ? Eh bien tu fais dans la tragédie et tu aimes t'apitoyer sur ton sort ! Tu adores renifler la merde des autres mais tu ne sens pas la tienne... Écoute, je ne te l'ai jamais dit, mais j'ai parlé avec Enrique et il m'a dit que tu l'avais accusé d'être pédé. Et ça, tu l'as oublié ? Oui, oui, je la connais cette histoire, je sais bien que ta vie a été foutue en l'air mais si tu avais été un peu plus intelligent et un peu moins porté sur le drame, tu t'en serais beaucoup mieux sorti ! Qu'est-ce que j'ai fait moi, depuis le début ? J'ai pris les choses comme elles se présentaient sans me compliquer la vie. Tu ne crois pas qu'on est un peu trop vieux pour croire que les morts reviennent, que la poésie sert à quelque chose, que Heredia n'était pas un pauvre con qui s'est mis dans de beaux draps en se mêlant de ce qui ne le regardait pas, pour passer ensuite toute sa vie à se lamenter, exactement comme toi ? Et quelle leçon tu as tirée de tout ça ? Mon cul, Fernando, mon cul ! Tu as vécu aigri, foutu, et tu te consoles en voyant et en croyant ce que tu veux bien voir ou croire…

– Mais bordel, de quoi tu parles ? Qu'est-ce que tu sais de ma vie, toi ?

– Je te dis exactement la même chose, l'interrompit Tomás, exaspéré. Qu'est-ce que tu sais de ma vie ? Écoute-moi un peu, mon vieux, tant qu'à se fourrer dans la merde, nous allons nous y rouler pour de bon : tu sais ce que c'est que d'être professeur de la bicentenaire et digne Université de La Havane et de devoir prendre au petit déjeuner une décoction de feuilles d'oranger ? T'as déjà mangé du hachis de peau de bananes ? Tu es allé en vélo de chez toi à ton travail, tous les jours, pendant quatre ans ? Tu as vu ta mère tomber malade d'une névrite ou de je ne sais quelle saloperie et devenir aveugle en quinze jours ? Tu as eu peur que ta fille décide de faire la pute ? Ou tu sais ce que c'est que d'être obligé de rire des plaisanteries d'un connard d'étranger à qui tu sers de chauffeur, qui fait le même boulot que toi mais qui gagne cent fois plus ? Écoute, Fernando, j'ai tout supporté et je n'ai rien : une vieille guimbarde sans essence, une maison décrépie et quelques livres, mais quand la situation est devenue intenable, j'ai vendu ceux qui étaient vendables à ces mêmes profs étrangers pour acheter de l'huile, du lait en poudre et un peu de viande pour mes gamins et pour ma mère. En quarante ans, j'ai mangé une tonne de pois chiches et j'ai assisté à plus de réunions que le président de l'ONU. Mais je ne passe pas mes journées à pleurnicher dans un coin et à me lamenter sur ce que ma vie aurait pu être… De quelle tragédie tu peux bien me parler, à moi ?

– Mais j'ai été obligé de partir…

– Et c'est de ma faute peut-être ? Ou c'est celle de El Negro, de Varo ou celle d'un autre putain de mec ?

– Tu ne veux pas comprendre.

Fernando essaya de trancher la question, bien qu'il sache que les flèches décochées par Tomás l'avaient profondément atteint: son autocompassion était devenue une sorte de cuirasse et en accusant les autres de ses malheurs, il apportait un soulagement à ses frustrations. Mais Tomás ne s'avoua pas vaincu.

– C'est possible. Ou alors c'est toi qui ne peux pas comprendre, parce que tu ne sais pas regarder les choses sous un autre angle. Et puis écoute-moi bien, pour en finir une fois pour toutes avec cette histoire: je ne t'ai pas dénoncé, ni toi ni personne. C'est clair? Et la prochaine fois que tu te la ramènes avec ça, je te donne des coups de pied au cul jusqu'à en user mes chaussures! Maintenant je fous le camp! Santori t'attend demain à dix heures, après ses cours. Vas-y, à moins que tu n'en aies rien à branler! El Negro, tu restes?

Tomás se leva et Fernando ne réussit pas à prononcer le moindre mot pour le retenir.

– Tu veux que je reste? lui demanda Miguel Angel, la cigarette aux lèvres.

– Non, laisse-moi seul…

– Je passerai demain. Et il s'apprêta à sortir. Fernando, maintenant tu te sens vachement mal mais je crois que c'est mieux comme ça, non?

– Tu crois, El Negro?

Le sentiment d'avoir été injuste, pendant tant d'années, avec tant de personnes, et de s'être cru le seul à affronter des problèmes graves, révéla à Fernando l'égoïsme de ses pensées et la mesquinerie des accusations dans lesquelles il se complaisait. Tomás avait peut-être raison et ses frustrations personnelles l'avaient rendu incapable de comprendre les autres. Cependant, il ne put s'empêcher de penser que quelqu'un l'avait trahi et que s'il excluait aussi Tomás, le seul traître qui se profilait à l'horizon était Álvaro. Ce n'est pas possible, se dit-il et il éprouva le besoin jusqu'alors inconnu de se confesser et d'entendre des mots d'absolution qui le consoleraient.

Ce fut alors que l'idée de quitter le Mexique commença à devenir une obsession. Elle me réveillait la nuit, me surprenait au cours des repas, m'empêchait presque de respirer. Au fil des ans, malgré tous mes efforts pour que ce pays devînt le mien, j'avais toujours été tenté, comme par un vice pervers, de rentrer à Cuba, justement à Cuba, le seul lieu au monde où je ne pouvais pas revenir. Avec les années, Jacoba s'habitua à cette espèce de manie incurable et je l'entendis parfois dire que "quand nous reviendrions à Cuba…", comme si elle avait vécu dans l'île, elle aussi. Ma fille Loreto, qui depuis toute petite parlait comme un *loro* – un perroquet –, en parfait accord avec les consonances de son nom, apprit bientôt à répéter qu'elle était cubaine, précisant parfois, de Matanzas. Le chien de la maison s'appelait Hatuey, comme le cacique indien taino et à notre table, selon les possibilités économiques du moment, nous mangions des plats cubains, en particulier du manioc et des *tamales* de maïs tendre, faits en cocotte, comme les préparent les négresses de La Havane et de Matanzas, bien farcis à la viande de porc, avec de la tomate, de l'ail et des oignons. Je sais qu'il est malsain de cultiver la nostalgie à ce point, mais seules ces références m'assuraient une identité à laquelle je ne voulais pas renoncer. Ce fut peut-être la grande erreur de ma vie, ou peut-être qu'il en fut ainsi parce que j'étais incapable de penser autrement, prédestiné à inventer l'exil de Cuba, la nostalgie de Cuba, le rêve de liberté de Cuba mais, de toute façon, j'assume aujourd'hui ce mode de vie comme le principal élan qui me maintint sur la brèche et fit de moi l'homme que je suis et non un autre, définitivement différent.

Bien sûr, mes espoirs de retour étaient encouragés par les rumeurs d'une possible grâce générale accordée à tous les condamnés politiques sous le précédent règne espagnol, mais en même temps j'étais si excédé par ce qui arrivait à ce pauvre Mexique, dévasté par les ambitions, que j'envisageai de partir vers un lieu aussi hostile que les États-Unis, ou même vers la lointaine et non moins froide Europe, dans le but de m'évader du chaos et des excès de la politique. J'étais de plus en plus convaincu que, même si cette terre généreuse m'avait donné une patrie, des honneurs, et avait assuré ma subsistance, comme mes ennemis le disaient à juste titre, cette patrie volait en éclats et me criait que je n'étais pas un vrai Mexicain ; les honneurs accordés me furent retirés ou comptés et la survie se faisait de plus en plus difficile car des mois entiers passaient sans que la patrie me réglât mes salaires, ce qui m'obligeait souvent à dépendre de l'aide apportée par la famille de Jacoba.

Cette situation économique désespérée m'enchaînait à ce pays, car il m'était impossible de réunir les sommes d'argent nécessaires pour le voyage, l'achat de vêtements adaptés à d'autres climats et les moyens pour m'établir à nouveau. De plus, malade comme je l'étais, dans quelle mine, dans quel champ ou sur quelle route en construction pouvais-je travailler? Avais-je le droit de rêver de la possibilité de vivre comme avocat dans un nouveau pays, avec ses propres lois et même avec une autre langue? L'horizon de ma vie s'assombrit encore quand on m'avertit des vents nouveaux que le capitaine général Tacón faisait souffler sur La Havane; il avait décrété l'expulsion de Saco à cause de la publication d'une brochure dans laquelle il défendait le projet avorté de création d'une académie cubaine de littérature – dont Domingo avait été l'instigateur, même si, une fois de plus, il laissait à Saquété le rôle de pourfendeur, chargé de la défense... Je sus bientôt que la raison majeure de la déportation de Saco était qu'il critiquait dans sa brochure certains amis intimes du macabre intendant des Finances de La Havane, le marquis de Villanueva qui, fort de l'autorité dont il jouissait en tant que responsable des sommes envoyées par la riche Cuba pour faire vivre les ministres et les courtisans d'une Espagne appauvrie, exigea presque du capitaine général cette mesure de représailles contre Saco. Appréhendé de façon spectaculaire alors qu'il faisait cours au séminaire de San Carlos, Saco fut accusé de faire de la propagande séditieuse et condamné à la déportation, précisément au moment où la grâce générale décidée par la régente était rendue publique. Alors, devant le silence de Domingo qui n'osa pas relever le gant, un des hommes les plus lucides du pays, José de la Luz y Caballero, dut assumer la défense du nouvel exilé; il argumenta qu'aucun homme sain d'esprit n'était capable d'encourager des idéaux séparatistes car "même parmi les plus naïfs l'idée d'indépendance était discréditée". Le prêtre Varela, presque oublié à New York et moi-même, nous étions, bien entendu, les naïfs. A notre sujet, le satrape Tacón, en apprenant la nouvelle de la grâce, déclara que nous ne pouvions pas en bénéficier car nous avions tous deux été des séditieux actifs tout au long des dernières années.

Je ne sais si à l'avenir d'autres hommes subiront une condamnation semblable à la mienne et vivront des années d'exil dans l'éternelle nostalgie de leur patrie, à jamais étrangers, loin de leur famille et de leurs amis, avec mille histoires tronquées et perdues derrière eux, parlant des langues étranges et brûlant du désir de revenir: s'il devait en être ainsi, depuis mon lit de mort, je leur dis toute ma compassion car ils souffriront le plus cruel des châtiments que peuvent infliger ceux qui, depuis les sommets du pouvoir, se comportent en maîtres de la patrie et du destin de ses citoyens.

Mais alors que je rêvais de la possibilité de quitter le Mexique, je n'en continuais pas moins de travailler pour gagner ma vie et d'écrire pour vivre. Comme l'État mexicain me payait de moins en moins, fin 1833, je dus accepter la Chaire de littérature générale et particulière de l'Institut de littérature où je donnais également des cours d'histoire ancienne et moderne. Devenu, peu après, ministre intérimaire du Tribunal de l'État de Mexico, j'exprimai mes goûts littéraires, bien vivaces, à travers l'une des meilleures revues que je pus fonder dans ma vie, *Minerva*, dont je parvins à tirer jusqu'à vingt-sept numéros; parallèlement j'achevai ma traduction du roman *Waverley* de Walter Scott, un écrivain écossais dont je partageais la passion pour l'histoire.

Les nouvelles qui me parvenaient de Cuba étaient rares et tristes et la plupart m'étaient envoyées par Gener, depuis les États-Unis; comme cela arrive généralement dans les époques de terreur, les amis cubains craignaient qu'une correspondance adressée à mon nom ne fût interceptée. Ainsi, de cette façon détournée, j'envoyais mes salutations à Domingo et aux autres amis, car je me refusais à interrompre totalement ma vieille relation avec eux et, en même temps, à mettre mes lettres entre les mains des policiers zélés du régime, nombreux et, disait-on, efficaces.

Au milieu de l'année 1834, il me fut bien dur d'apprendre que je perdais avec Cuba le lien que Gener représentait quand il m'annonça son prochain retour à Cuba, profitant de la mesure de grâce. Les paroles de Varela me revinrent tout de suite à l'esprit; dix ans auparavant il m'avait dit qui était Gener et quelle était son influence à Cuba. Finalement le Catalan en faisait usage, alors qu'en 1823, lorsqu'il était Président des Cortès, c'était justement lui qui avait accepté la motion décrétant Ferdinand VII dément et incapable, pour lui retirer tout pouvoir décisionnel au gouvernement. Mais le riche Gener rentrait tandis que le pauvre Heredia n'était pas gracié car sa présence dans l'île pouvait engendrer des troubles... Quelle morale au monde peut-elle s'arroger le droit de me critiquer? L'un de ceux qui se sont enrichis durant ces années de corruption et de compromissions peut-il élever la voix pour condamner mes faiblesses?... Gener rentra à Matanzas où il fut accueilli avec la plus belle cérémonie de toute l'histoire de la ville, salves d'artillerie et accolade du gouverneur comprises. Puis, à La Havane, on déroula des tapis devant lui et on donna des banquets en son honneur. Pour couronner cette mascarade, le Catalan fut fêté au palais du gouverneur par Tacón en personne et à l'issue de la soirée, ils se séparèrent comme de vieux amis en se donnant l'accolade devant la luxueuse calèche de cette sorte de héros national qu'était devenu Tomás Gener…

A cette même période me parvint une lettre de ma sœur Ignacia me racontant qu'à l'issue de brèves et intenses fiançailles, Domingo s'était enfin marié. Avec sa coutumière habileté à raconter, ma sœur me donnait des détails intéressants sur l'événement. Le premier était que l'heureuse élue répondait au nom de Rosita Aldama, qu'elle était jeune et belle et, comme on pouvait s'y attendre, richissime, car son père n'était ni plus ni moins que le célèbre Domingo Aldama, propriétaire d'une des plus grosses fortunes du pays. Le comble, c'est que le riche Aldama et les familles Mádam et Alfonso – parents du malheureux Silvestre décédé prématurément – constituaient le clan des producteurs de sucre les plus puissants du pays et (je le tenais de Varela) ils tiraient les ficelles quand il s'agissait de manipuler les projets politiques élaborés à Cuba… Le grand Domingo avait épousé le meilleur rejeton de ce jardin – sans qu'il me l'annonçât jamais, à moi “son ami de cœur” – pour entrer dans la haute société cubaine, enrichie grâce à l'esclavage infâme qu'il avait pourtant osé critiquer à une certaine époque. Son cynisme était tel qu'il affirma qu'il n'accepterait pas un centime de son beau-père ; il refusa la dot de trente mille pesos, tout en demandant à son nouveau papa d'investir cet argent de façon profitable et de verser les rentes à sa fille, car il vivrait de son métier d'avocat (qu'il ne devait jamais exercer). Par contre, il ne refusa pas certains cadeaux, comme le petit palais de Matanzas dans la rue Gelabert et la maison de La Havane, située en plein centre. Domingo était définitivement devenu un homme riche et il avait obtenu plus que la luxueuse calèche ou la belle bibliothèque qui avaient été, un jour, les objectifs cruciaux de sa vie…

Après quelques mois d'un calme relatif, le Mexique fut de nouveau ébranlé de la tête aux pieds quand Santa Anna imposa un régime centralisateur destiné à concentrer entre ses mains tout le pouvoir de la nation. Aurions-nous à brève échéance un second empereur, émule de ce fou d'Iturbide ? Dès que je fus au courant de ces desseins, révélateurs des véritables intentions dictatoriales de Quinzegriffes, je rédigeai un manifeste contre le centralisme et j'obtins les signatures des habitants de Toluca, tandis que je sentais s'approcher les poignards que le dictateur, dans sa haine, brandissait vers moi. Mais j'assumai les risques inhérents à ma position et je la défendis chaque fois que je le pus, du haut de toutes les tribunes dont je pus disposer. Santa Anna, avec la magnificence des tyrans, décida que j'étais apparemment un mal nécessaire, une vieille cicatrice indélébile et s'il n'alla pas jusqu'à me donner des ailes, il se contenta de les rogner et me maintint à mon poste d'obscur fonctionnaire auprès d'un tribunal, juste pour éviter que je ne mourusse de faim.

Grâce à l'inépuisable fertilité de Jacoba, mon quatrième enfant naquit le 5 septembre 1834 et nous le baptisâmes José Francisco, en l'honneur de mon père si généreux. Nous étions maintenant cinq à la maison et tandis que Loreto nous comblait de joie, Julia progressait à peine, passant d'une maladie à une autre. Avec une telle progéniture à ma charge je décidai d'accepter le poste de directeur de l'Institut de littérature de l'État dont je fus bientôt promu recteur, bien que le salaire fut plus proche de celui d'un appariteur.

Mais j'étais toujours obsédé par l'idée de quitter le Mexique. Ma mère avait commencé des démarches dans l'île, avec le seul appui de mon oncle Ignacio car plusieurs de mes vieux amis refusèrent, par leur silence (ce fut le cas de Domingo comme je le saurais plus tard) ou de façon explicite, de compliquer leurs relations déjà problématiques avec le gouvernement en intervenant en faveur de mon retour. Mais le capitaine général Tacón se montrait inflexible et je demandai à ma mère d'interrompre ses démarches : je ne voulais pas, dans ces circonstances, que mon éventuel retour puisse être pris comme une action magnanime, une sorte de faveur personnelle d'un homme qui imposait la censure, fermait des centres culturels et ordonnait de nouvelles proscriptions. Ma seule possibilité était éventuellement de solliciter l'autorisation de me rendre à Cuba pour un bref séjour, sous couvert des lois espagnoles inconstantes, utilisées par le puissant Tacón selon son caprice. Momentanément, je fondai tous mes espoirs sur le paiement des salaires que me devait l'État et si j'obtenais cet argent, je partirai précipitamment pour les États-Unis pour échapper enfin au cauchemar qu'était devenue la vie au Mexique.

Les malheurs de ma vie retracés jusqu'ici semblent-ils suffisants ? Sont-ils assez nombreux pour un seul être humain ? Car tout jugement doit inclure les coups néfastes, que, du haut du ciel, Dieu me porta en deux mois à peine : le 17 mai 1835, après une agonie qui nous tua presque, moi et sa mère – déjà atteinte de phtisie –, la petite Julia mourut et put enfin reposer en paix. Et le 12 juillet, le bébé José Francisco fut emporté par une maladie foudroyante. Un lourd manteau de ténèbres vint alors s'abattre sur ma vie.

En conséquence de ces décès auxquels il faut ajouter celui de mon beau-père, le vieux magistrat Yáñez, ma mort sembla également imminente. Soudain ma tuberculose s'aggrava et je traversai une crise comme je n'en avais jamais connue, atteint en même temps de fièvres tierces. En quelques semaines je maigris, perdis une partie de mes cheveux et, malgré mes trente-deux ans, je ressemblais davantage à un homme de cinquante. Je crois que si je ne mourus pas alors, je ne le dois qu'à la force de mon obsession de revenir à Cuba avant de quitter ce monde.

Cette année-là, comme cadeau d'anniversaire, je reçus enfin une chose que j'avais longtemps réclamée et désirée : un portrait de ma mère. Ce dernier, peint à l'huile, était magnifique et il avait la vertu de me montrer une femme qui, malgré son âge avancé, conservait la force du regard et la vigueur de l'expression qui l'avaient toujours caractérisée. Après ces douze longues années, je ne pus retenir mes larmes en contemplant ce portrait de María de la Merced Heredia. Devrais-je mourir sans embrasser de nouveau cette femme qui m'avait donné la vie et la parole, qui m'avait donné le premier des baisers et qui, par un chaud après-midi de l'été 1807, pour mes quatre ans, m'avait emmené dans l'unique commerce digne de ce nom de la ville de Pensacola pour m'acheter ce merveilleux volume des fables d'Esope, le premier livre de mon existence ? N'embrasserais-je plus jamais ma chère Ignacia et ne connaîtrais-je pas les neveux qu'elle et mes autres sœurs m'avaient donnés ? Devrais-je mourir sans revoir un palmier royal ?

Des jours, des semaines, des mois s'écoulèrent : je prenais ma plume mais je restais devant une feuille blanche. Du matin au soir, de la nuit à l'aube, je méditai cet acte, le côté irréversible de son exécution, la douleur que j'éprouvai à seulement l'envisager. Mais je savais que tout se réduisait à une alternative infernale : c'était maintenant ou jamais car ma vie s'éteignait et Dieu, juge si sévère envers moi, me pardonnerait, sans doute, une aussi grande faiblesse. Et en ce triste matin du 1er avril 1836, je sortis de chez moi avec une enveloppe cachetée à la main contenant mon ultime renoncement à tout ou presque tout ce en quoi j'avais cru et pour lequel j'avais lutté et souffert.

La lettre que j'adressai au capitaine général Miguel Tacón n'est que trop connue. Comme il fallait s'y attendre, dès qu'il reçut cette missive, Tacón pensa m'avoir vaincu et mes vieux amis me considérèrent comme un traître. Mais dans cette lettre, dont je n'ai pas honte car je n'exprimais que la vérité, je demandais au général de m'autoriser à rentrer à Cuba pour une courte période, dans le but de revoir ma vieille mère sans doute pour la dernière fois. Pour lui prouver que je n'étais plus le même Heredia, apparemment dangereux, dont on lui avait parlé, je lui expliquai une chose dont j'étais plus que convaincu: "On m'assure que Votre Excellence pense que mon voyage aurait des fins révolutionnaires, ce qui me permet d'affirmer que ses informateurs m'ont cruellement calomnié. Il est vrai qu'il y a douze ans, l'indépendance de Cuba était le plus fervent de mes vœux et que pour y parvenir j'aurais versé tout mon sang avec joie. Mais les calamités et les désastres dont je suis le témoin dans les nouveaux pays américains ont grandement modifié mes opinions et aujourd'hui je considérerais comme un crime toute tentative de faire subir à l'heureuse et opulente Cuba, les maux qui affligent le continent américain."

L'envoi de cette lettre eut un effet quasiment miraculeux et transforma le cours de mon existence. Je sentis, sur-le-champ, ma santé s'améliorer, mon état d'esprit changer et l'espoir donner de nouveau un sens à ma vie. De plus, le cinquième de mes enfants naquit sain et robuste. Nous l'appelâmes José de Jesús et jusqu'à maintenant j'ai pu le voir grandir en bonne santé pour la plus grande joie de sa mère et de moi-même. Et je reconnais que je me sentis heureux quand, au mois de juin, je reçus la missive de Tacón qui m'autorisait à passer deux mois dans la toujours fidèle île de Cuba. Ce jour-là j'eus l'impression que les portes du paradis s'ouvraient devant moi, même si je savais que je venais seulement de franchir le seuil de l'enfer.

Les préparatifs du voyage furent délicats, en particulier l'aspect financier. D'une façon ou d'une autre, je devais assurer la subsistance de Jacoba et des enfants et, de plus, disposer de l'argent nécessaire pour les voyages, le logement, et même pour l'achat de vêtements adaptés au climat cubain car il fallait, bien entendu que je fusse habillé plus décemment qu'avec les vestes grossières et les pantalons de drap aux fonds usés que je portais à Toluca. Quelques bons amis, comme le licencié Quintana Roo et Anastasio Zerecero, m'offrirent leur aide mais je préférai m'endetter en empruntant plutôt que de dépendre, une fois de plus, de la charité de ceux qui m'aimaient.

Chaque nuit, je rêvais de l'instant du départ et mon esprit semblait vouloir m'assurer que j'allais vivre des moments heureux. Ma mère et mes sœurs me prédisaient un beau séjour à Matanzas, mon oncle Ignacio serait enchanté de m'avoir à ses côtés et il pensait encore que mes vieux amis ne manqueraient pas de me presser de questions et qu'après avoir écouté mes raisons, ils me combleraient d'affection et m'ouvriraient leurs bras. De plus, je pensais à la possibilité d'avoir enfin une indispensable conversation avec Lola Junco pour entendre, de sa bouche, le récit des jours difficiles de notre séparation et les raisons de sa dernière lettre dévastatrice. J'allais même jusqu'à envisager quelques séances de travail avec Domingo que je pensais charger de la préparation d'une édition définitive de mes poèmes.

Je baignais dans cette allégresse quand se produisit un événement susceptible de me révéler à quel point ma vie avait changé. Le 2 octobre 1836, alors que la date de mon départ était déjà fixée pour la fin du mois, le grand peintre anglais Sonkins, en visite au Mexique, m'invita à entreprendre, avec lui et d'autres amis, l'ascension du mont Nevado, très proche de la ville de Toluca. J'avais plusieurs fois envisagé cette aventure mais les rigueurs de la vie avaient toujours fini par s'imposer. Je me sentais alors si bien que je ne voulus pas manquer cette occasion. L'ascension du pic fut un succès et mes forces pourtant diminuées répondirent courageusement. Alors, il me fut donné de contempler, depuis les hauteurs, l'immensité du haut plateau où, à peine quatre siècles auparavant, avaient régné les puissants Aztèques. L'émotion m'emporta, comme cela m'arrive généralement devant la magnificence de la nature et du temps et je pensai que je vivais encore un jour inoubliable comme celui où j'avais contemplé les prodigieuses chutes du Niagara.

Peu après, nous commençâmes la descente et, à la nuit tombée, nous entrâmes dans Toluca. Après avoir bu quelques *pulques* dans une *cantina* de la ville, je rentrai enfin chez moi où je retrouvai Jacoba qui veillait en m'attendant, mes enfants qui dormaient comme des anges et le chien Hatuey qui me lécha les mains. Je me baignai longuement tout en devisant avec mon épouse. Je mangeai avec avidité, bus un peu de vin, puis, après avoir donné un baiser à Jacoba, nous allâmes nous coucher et, fatigué par la journée, je m'endormis comme un bienheureux… Mais pas même un triste et simple vers, capable de refléter l'expérience vécue, ne jaillit des profondeurs du puits sec de ma sensibilité pour remonter jusqu'à mon esprit. Si depuis un certain temps je savais que j'étais un poète mort, en m'éveillant le lendemain matin, je sus que ce poète était désormais enterré.

Et les cothurnes ? Les frises étaient bien là ; elles n'avaient jamais décoré aucun temple, couvertes d'une éternelle poussière, tandis qu'elles prétendaient perpétuer des histoires épiques d'empereurs triomphants et de leurs vaillantes centuries. Il y avait aussi les cariatides qui n'avaient jamais soutenu aucun toit, elles exhibaient des seins ronds et pétrifiés, comme des haltérophiles transsexuels. Mais les frises et les cariatides étaient dépourvues de splendeur propre car leur mission était seulement de rappeler et de magnifier l'œuvre et la vie des seigneurs de l'histoire, également réunis là : Jules César, Auguste, Hadrien, Marc Aurèle, des têtes rigides en plâtre, moulées sur l'original en marbre, admiré dans quelque musée du monde. Et les cothurnes ? Les chefs d'œuvre se trouvaient aussi à leur place : la Victoire de Samothrace, toujours aussi décapitée ; la Vénus de Milo, mutilée et peut-être plus sensuelle de ce fait ; le Discobole en action permanente ; les estampes, guerrières pour Apollon et mystérieuses pour Aphrodite, réparties entre un Parthénon miniature, un Collysée intact et des amphores prétendument préhelléniques, helléniques et post-hélléniques, qui n'avaient jamais porté dans leur ventre stérile les huiles féminines de Perse ni les vins virils de Macédoine. Et les cothurnes ? Un Cerbère, gravé sur de minuscules pièces de céramiques, découvrait ses crocs depuis la mosaïque placée à l'entrée de ce musée de faux trésors où Fernando Terry cherchait, sans les trouver, une simple paire de cothurnes.

Parce que Fernando n'oublierait jamais le jour où le professeur, la *doctora* Calderón avait apporté ces cothurnes dans la salle pour agrémenter son cours sur la tragédie grecque et alors, voulant se montrer plus intelligent et plus méfiant que ses camarades, il avait lancé la question :

– *Doctora*, mais ces cothurnes, ils sont authentiques ?

Le regard du professeur l'avait carbonisé sur place, lui faisant comprendre à quel point il avait mis les pieds dans le plat, comme chaussés de cothurnes à semelles de plomb !

– *Compañerito*, lui avait demandé le professeur Calderón en brandissant une des impressionnantes chaussures, êtes-vous très naïf ou très moqueur ?

Et Fernando, arborant son plus beau sourire moqueur, avait échappé de justesse au comble du ridicule, sous le regard approbateur de ses copains.

À peine entré dans la faculté, il n'avait pu se soustraire à l'inévitable processus de confrontation entre la réalité et le souvenir. Bien que la structure de l'édifice n'ait pas changé, tout lui sembla froid, sans âme et même habité par des puanteurs insultantes, dépourvu de la vitalité que lui-même et ses amis lui avaient insufflée à cette époque-là, qui restait accrochée à leurs souvenirs comme si elle avait été vraiment idyllique. En arrivant au troisième étage, Fernando remarqua le numéro 19 sur la porte de la classe et il lui sembla que c'était une exagération du destin que la *doctora* Santori soit justement en train de faire cours dans la salle où il avait donné sa dernière conférence à la faculté des lettres. Disposé à boire la ciguë jusqu'à la lie, il décida de s'accorder une pause avant d'entrer dans la salle ; une cigarette aux lèvres, il s'accouda à la balustrade du balcon, comme il l'avait fait tant de fois durant les jours, les après-midi et les soirs vécus dans ce même lieu. A ses côtés pouvait se trouver Enrique, caustique et amusant, disposé à parler aussi bien d'un potin super drôle qu'il venait d'apprendre que de son extase en découvrant la littérature exquise de Marguerite Yourcenar ; ou le bel Arcadio, obstiné à être et à ressembler à un poète, lisant entre les cours, publiquement et ostensiblement, Roque Dalton et Juan Gelman, Eliot et Pound ; ou Tomás, attirant leur attention sur les fesses de la nouvelle que, dès lors, ils avaient appelé "Le Petit Cul de Première Année" ; ou Miguel Angel, commentant son travail au Comité de base des Jeunesses communistes ou les essais de Frantz Fanon ; ou Conrado, avec cet exemplaire de l'*Ulysse* qu'il n'avait jamais lu, bien visible sous son bras ; ou Varo, ironique et insouciant, toujours prêt à se moquer du premier qui passerait, comme si c'était la seule chose qui lui importait dans la vie. Dans l'angle du balcon, pouvaient se trouver Víctor et Delfina, se tenant par la main, sûrement en train de parler de ce que serait leur vie : des enfants, des films, des livres, des joies partagées… Une des fiancées de Fernando, à cette époque, pouvait passer à côté de lui, avec son parfum frais de bourgeon prêt à éclore. Ses amis et lui pouvaient parler de toutes ces questions discutées durant ces années: de la conférence de Cortázar à laquelle ils avaient assisté comme de fervents cronopes; de la mort de Lezama Lima, seul et abandonné, à peine mentionnée dans les journaux de l'île; du raffinement de la prose de Carpentier dans *Concert baroque* qui venait d'être publié; de la lecture d'une vieille édition de *Le Négrier*, ce roman fou de Lino Novás Calvo retiré des programmes d'études depuis que son auteur avait choisi l'exil; de l'impressionnante sagacité de Vargas Llosa et de son *Histoire d'un déicide*; du douloureux sens de la vie exprimé dans le petit livre d'Eliseo Diego récemment édité ou de la découverte furtive de la poésie lumineuse d'Eugenio Florit...

Fernando laissa tomber son mégot dans le cendrier métallique et poussa la porte de la salle 19. Face au tableau, debout, se trouvait le professeur, la *doctora* Santori, toute petite et fragile. Les années qui pesaient sur elle en quantité excessive ne l'avaient cependant pas trop changée et elle était encore capable d'affronter une classe sans porter de lunettes. Ses petits yeux de serpent brillèrent en rencontrant ceux de Fernando, mais sa voix convaincante ne changea pas de ton pour continuer à parler à ses étudiants du destin ingrat de Juan Clemente Zenea, un des nombreux poètes exilés qui avait tenté le vol inversé du retour pour finir accusé d'espionnage par les colonialistes espagnols et de trahison par les patriotes cubains. Combien de fois cette femme avait-elle raconté cette obscure histoire d'un poète emporté par les turbulences politiques de son époque?

Pendant que la *doctora* Santori achevait son commentaire par le récit de l'exécution de Zenea, Fernando comprit pourquoi il avait eu peur de revenir à la faculté: plus que l'aspect arbitraire du jugement sommaire exécuté par le policier Ramón ou les défenestrations successives qu'il vivrait par la suite, ce qu'il craignait de ressusciter, c'était cette autre existence perdue, antérieure au désastre, débordante de sourires, de rires et de fous rires, car alors le bonheur était possible même avec les carences, les limitations et les silences, grâce à tant d'espoirs purs, de projets rutilants et à un état d'innocence capable de lui faire croire aux pouvoirs de la poésie et à l'authenticité de certains cothurnes.

– Et les cothurnes, professeur? demanda-t-il enfin à madame Santori qui avait préféré, à la fin de son cours, le musée poussiéreux des fausses antiquités classiques pour parler avec son ex-disciple.

– Les cothurnes ? Ils ont été volés… quelqu'un a dû penser qu'ils étaient authentiques, non ?

– A la bonne heure ! dit Fernando et le vieux professeur le regarda sans comprendre son commentaire.

Au fond du local il y avait un banc de bois près d'une grande fenêtre. En s'appuyant au dossier, la *doctora* Santori se laissa glisser lentement sur le siège et sourit. Elle sortit de la poche de sa robe un paquet de cigarettes et un briquet à essence.

– Mais vous fumez toujours ! s'étonna Fernando.

– Cesser de fumer maintenant, à mon âge ?

– Moi, je pense tous les jours que je vais arrêter… mais je n'essaye même pas, lui avoua Fernando.

– Comme c'est bon que tu sois là, Fernando. J'ai pensé des tas de fois que je mourrais sans te revoir, dit le professeur. Allez, vas-y, raconte-moi un peu ta vie…

Fernando l'observa tandis qu'elle portait sa cigarette à ses lèvres et soufflait la fumée. C'était, semblait-il, un acte de suprême plaisir pour cette vieille fille endurcie dont les penchants sexuels avaient toujours intrigué ses étudiants. Cependant, au fur et à mesure que ses cours avançaient, enthousiasmés par les surprenantes lectures des écrivains cubains que proposait Santori, les étudiants oubliaient ces détails et se laissaient séduire par un savoir établi sur une sensibilité toujours alerte et des années de recherche et d'enseignement.

– Il m'est arrivé à la fois très peu de choses et beaucoup de choses, finit-il par dire et il essaya de faire une synthèse des avatars de ses vingt dernières années.

– Alors tu es venu pour chercher ce manuscrit de Heredia ?

– Oui, surtout pour ça…

– Je suis heureuse de te l'entendre dire. Cela veut dire que tu ne t'es pas laissé détruire. Je vais te dire une chose : tu sais, depuis, je n'ai jamais eu un élève comme toi. Même Enrique n'était pas aussi bon…

– Avec tant de jeunes…

Il essaya d'esquiver ce compliment exagéré.

– Non, sérieusement. Ni avant ni après. C'est pour cela que j'ai voulu que tu deviennes professeur à la faculté. Je pensais que tu serais mon meilleur successeur.

– Eh bien, vous voyez, je suis parti et vous êtes toujours là !

– Et ça je ne me le pardonnerai jamais, lâcha la vieille dame, comme si cette affirmation la brûlait. La *doctora* regarda un instant sa cigarette, tira une dernière bouffée et la lança par la fenêtre. Fernando préféra garder le silence, surpris par cette révélation, sans imaginer ce qu'il n'allait pas tarder à entendre.

– J'aurais pu te sauver !

– Mais, professeur, si vous…

– C'était facile, Fernando : ou tu étais réintégré ou je démissionnais.

– Cela n'aurait rien donné, professeur.

– Tu sais que cela aurait marché, bien sûr que oui. Au moins j'aurais vécu plus sereine et plus fière de moi pendant toutes ces années. Mais à l'époque, je n'ai même pas osé y penser. J'ai protesté, j'ai écrit au recteur, au ministre, au responsable idéologique du Parti, mais je n'ai pas démissionné…

– Je ne savais pas. Et qu'est-ce qu'ils vous ont répondu ?

– Ils faisaient traîner les choses en longueur. Ils disaient que tu avais commis une erreur, que le camarade de la Sécurité avait fait un rapport, que par la suite ton attitude n'avait pas été des plus correctes, qu'il fallait attendre… Jusqu'au jour où je me suis foutue en colère et j'ai dit que si les choses ne s'arrangeaient pas j'allais m'adresser beaucoup plus haut. Et finalement ils t'ont envoyé cette lettre, mais il était trop tard.

– Tout cela a été complètement idiot. Quelqu'un a dit au policier que je savais qu'Enrique voulait s'en aller.

– Tu sais, je n'en suis pas si sûre. A mon avis c'est un piège qu'on t'a tendu. Quand je suis allée voir les gens de la Sécurité qui s'occupaient de l'université, ils m'ont dit que tu t'étais accusé toi-même…

– Mais comment est-ce possible ?

– C'est ce que je leur ai dit et alors ils m'ont fait écouter ton enregistrement où tu disais qu'il était arrivé quelque chose à Enrique et qu'il avait dit qu'un de ces jours il partirait sur un bateau… Je leur ai dit qu'ils ne pouvaient pas briser ta carrière pour une telle idiotie… et alors ils m'ont sorti un rapport sur toi de la revue *TabaCuba*. Là, on t'accusait de déviationnisme idéologique, d'autosuffisance, d'avoir une mauvaise attitude au travail et dans les tâches politiques, toutes ces choses dont on peut accuser n'importe quelle personne intelligente. Ils m'ont dit eux-mêmes que rien de tout cela n'était grave, qu'en attendant deux ans, peut-être moins, tu pourrais revenir à la faculté. Et à ce moment-là je n'ai pas fait ce que j'aurais dû faire : exiger ton retour contre ma démission... Quand Tomás m'a dit que tu étais parti par le port de El Mariel, je me suis sentie tellement coupable que j'en suis presque tombée malade. J'ai compris que nous tous, ceux qui auraient pu faire quelque chose, mais surtout moi, nous étions coupables de t'avoir perdu.

Fernando sentit qu'il avait la bouche sèche. La possibilité tant de fois rêvée durant ces jours de marginalisation de recevoir un coup de fil lui demandant de revenir à la faculté, avait été plus plausible qu'il ne se l'était imaginé et cela aurait pu arriver bien avant ce mois de mai 1980 où il s'était embarqué pour l'exil. Alors sa vie aurait repris son cours et tout aurait été différent. Mais finalement, des aveux stupides, l'extrémisme implacable de certaines personnes et le manque de décision des autres avaient gagné la bataille sans qu'il ait même été besoin que quelqu'un le dénonce. Maintenant l'absurdité de son destin lui semblait tout simplement ridicule.

– Non, *doctora*, je continue à croire que quelqu'un m'a accusé...

– Quand tu es parti, j'ai vu le recteur et je lui ai dit que nous t'avions renvoyé du pays. Mais il m'a répondu que tu avais toi-même donné raison à ceux qui t'accusaient...

– C'est que je n'en pouvais plus, professeur.

– C'est ce que je lui ai dit. Qu'est-ce qu'ils pouvaient te faire de plus, sans que tu réagisses ?... Tout cela n'a été qu'un lamentable gâchis... C'est pour ça que je voulais te demander pardon, Fernando, et je voulais que ce soit ici, à la faculté...

– Je n'ai rien à vous pardonner, professeur. Au contraire, je vous remercie de vous être occupée de moi.

– Si, tu dois me pardonner, parce que je n'ai pas fait ce que j'aurais dû faire. Et tu sais ce qui est pire ? Ce n'est même pas par peur. Je savais qu'on n'allait pas me renvoyer pour ça... Si j'avais eu peur, je serais plus excusable. Mais je ne l'ai pas fait parce que je croyais que tout était tellement idiot que quelqu'un allait finir par s'en rendre compte...

La vieille *doctora* Santori promena son regard sur l'archéologie didactique du musée. Durant ses cinquante années comme professeur, peut-être n'avait-elle jamais eu une conversation aussi douloureuse. Fernando comprit alors l'ampleur du sentiment de culpabilité de cette femme, si sûre d'elle, si précise, qui la poussait à reconnaître sa terrible faiblesse.

– Et quand pars-tu ?
– Dans quatre jours.
– Et si tu ne trouves pas les manuscrits de Heredia ?
– Je dois m'en aller de toute façon. Bien que je sois de plus en plus convaincu que ces documents n'existent plus.
– Ce serait dommage que tu ne les trouves pas. Et on ne peut pas savoir ce qu'ils sont devenus ? Au moins ça, non ?
– Je ne suis pas très sûr, reconnut Fernando et il lui fit part de ses recherches dans la grande loge et les soupçons de Carmencita Junco quant à l'un des enrichissements cycliques de son oncle Ricardo.

La *doctora* Santori l'écouta tout en allumant une autre cigarette, ses petits yeux de serpent presque fermés, irrités par la fumée.

– Si ce Ricardo Junco les a vendus, et pour une grosse somme, alors la piste mène vers un Del Monte ou un Aldama, ou quelqu'un de ce clan. Mais écarte les autres francs-maçons, même Figarola. Ce que Heredia racontait était très important, sinon, son fils l'aurait vendu et n'aurait pas fait tant de mystères… Écoute, ça me rend nerveuse d'imaginer que ces documents peuvent encore exister, dit la *doctora* et elle prit la main de Fernando. Écoute, Fernando, ne renonce pas maintenant. Tu sais, ce serait une merveilleuse vengeance. Contre tous ceux qui t'ont accusé et nous qui ne t'avons pas aidé. Ne t'arrête pas, quatre jours c'est long.

De la terrasse supérieure du palais des Junco, don Ricardo contempla la vue qu'il affectionnait : la vieille Plaza de la Vigía et le dernier pont sur la rivière San Juan, avant que ses eaux vertes n'aillent se fondre dans la mer impassible de la baie. Le soleil matinal, sans un seul nuage capable de gêner son labeur, colorait de scintillements patinés les eaux, les arbres et même les murs des édifices vétustes de la place, comme s'il s'obstinait à retoucher un panorama déjà éclatant de beauté.

Dès son enfance, don Ricardo avait éprouvé une douce prédilection pour ce paysage dont avaient joui un siècle durant, depuis cette même terrasse, quatre générations de la famille Junco. Quand Vicente, le frère de son grand-père avait fait construire le palais en 1838, la Plaza de la Vigía était le cœur commercial de la ville la plus prospère de Cuba et la famille Junco était elle-même si prospère et puissante que don Vicente, mû par son désir ardent d'édifier le palais le plus somptueux de la ville, était parvenu à acheter à la municipalité, une partie de la rue pour y construire une aile de l'édifice et atteindre l'harmonie architecturale rêvée pour sa demeure. Trop de choses avaient changé depuis ces jours glorieux où les Junco pouvaient acheter des rues, des plantations, des sucreries, des vies et même des silences. Maintenant la place était différente car le vieux fortin de la Vigía, avec son long toit de tuiles rouges que don Ricardo avait connu dans son enfance, avait disparu, tout comme l'ancienne douane de mer et la manufacture de cigares qu'il n'avait jamais vues. Mais la grande fortune de la famille était aussi partie en fumée avec les guerres, les crises, les fraudes et même les dilapidations comme celles de son frère Anselmito, obstiné à financer de désastreuses courses de voitures, de ridicules jeux floraux et à donner des concerts au théâtre Sauto, toujours suivis de fêtes interminables qui emplissaient le palais de personnages extravagants et toujours affamés, admirateurs du pianiste polonais pouilleux ou de la puante danseuse russe du moment. Le travail de son père, don Ramiro Junco, était à peine parvenu à consolider l'économie mal en point du clan et les propres efforts de Ricardo, particulièrement productifs sous le gouvernement de Machado, avaient empli des coffres sans fond qui, plus tard, commencèrent à révéler des chiffres angoissants, quand le flux des revenus faciles fut interrompu au moment du renversement du général. Cependant, de toutes les options qui se profilaient à l'horizon comme des alternatives économiques valables, la seule que don Ricardo Junco n'allait pas retenir, c'était la vente de ce palais, orgueil de la famille et témoin de son pouvoir ancestral.

Mais en ce matin de printemps 1938, Ricardo Junco se félicitait car dans une heure à peine il devait entamer une négociation qui pourrait, du moins l'espérait-il, retarder sa débâcle économique. Un million? Deux millions?... Il jubilait maintenant en se souvenant que, six ans auparavant, s'il avait cédé à sa première impulsion, ces documents dont il pouvait maintenant tirer une fortune, se seraient transformés en un tas de cendres dispersées par le vent.

Il avait été sur le point de ne pas recevoir Cristóbal Aquino en cette nuit de 1932 quand le vieil homme s'était présenté chez lui à une heure indue. Pour sûr, sachant que le bateau de Machado était en train de couler, don Ricardo avait renoncé à ses activités politiques, mais la présence d'Aquino chez lui ne pouvait avoir d'autre motif que l'imminente perquisition de la loge par la police et il n'était pas disposé à brûler son influence déjà bien limitée pour protéger ces obstinés qui, comme son propre père, croyaient plus à la fraternité qu'à la vie même. Pour lui, la franc-maçonnerie n'avait guère été qu'une façon de renforcer sa position sociale, mais il avait dû y mettre fin quand, au comble du fanatisme, ces fous avaient commencé à se mêler de politique pour finir par demander la démission du Président et ensuite l'expulser honteusement de cette institution dans laquelle le général occupait le grade 33, le plus haut échelon de la vie maçonnique. Tout cela, comme si Machado allait perdre le sommeil à cause de l'exclusion décidée par ses pathétiques Frères maçons.

Une inexplicable prémonition, aussi insondable que salvatrice, l'avait fait changer d'avis et il avait accepté de recevoir Aquino dans la bibliothèque. En le voyant entrer, il avait éprouvé de la pitié pour ce vieil homme qui lui rappelait tellement son propre père. Un cigare abîmé entre les doigts et un paquet jaune et sale sous le bras, Aquino épongeait la sueur de son visage. C'est la peur qui le fait transpirer ainsi ? s'était-il demandé alors qu'il n'allait pas tarder à comprendre son erreur. Sans le saluer, Cristóbal Aquino lui avait expliqué qu'il venait lui remettre quelque chose qui lui appartenait peut-être et il espérait que lui, Ricardo, saurait l'apprécier à sa juste valeur. Puis il avait laissé tomber sur le bureau d'acajou, un paquet jaune attaché avec un ruban mauve.

– Quelle est cette chose qui m'appartient et qui a tant de valeur ? avait demandé don Ricardo tout en invitant le vieil homme à s'asseoir. Voulez-vous un verre d'eau ? Un café ?

Après avoir accepté cette offre, Aquino lui avait rappelé que cette enveloppe jaune était celle-là même que José de Jesús Heredia avait confiée à la loge onze ans auparavant. Ricardo Junco avait oublié ces papiers depuis longtemps mais au fur et à mesure qu'il écoutait l'histoire qu'ils renfermaient, le lien dramatique et inquiétant qui les unissait à sa famille et à lui-même lui était peu à peu apparu et il avait commencé à comprendre que l'affaire était sérieuse. L'attitude de son père, don Ramiro, décidé à n'exercer aucun droit sur le sort du manuscrit puisqu'il n'avait même pas voulu le lire, lui avait semblé incroyable.

– En ce moment même je suis le seul, à part toi, à savoir où se trouvent ces documents, avait ajouté Aquino. Même mon fils l'ignore. Et je suis également la seule personne vivante qui les ait lus…

Ricardo Junco avait alors commis une erreur qui aurait pu être fatale.

– Je ne sais pas combien d'argent tu en veux, mais en fait...

– Je n'en veux foutrement rien, Ricardito. On voit bien que tu n'es pas comme ton père, lui avait dit le franc-maçon et don Ricardo éprouvait encore avec dépit une sensation d'amertume cuisante en se rappelant le regard de mépris dont Aquino l'avait gratifié. Ces documents n'ont pas de prix, on ne peut ni les acheter ni les vendre. José de Jesús a vécu dans la misère pendant des années et il ne les a pas vendus. Ton père n'a pas voulu y toucher, mais dès qu'il a eu connaissance de leur existence et qu'il a appris que José de Jesús ne les avait pas vendus, il lui a donné de l'argent tous les mois pour qu'il ne meure pas de faim. Cernuda a refusé de les détruire parce qu'il savait qu'ils étaient trop importants... Ce sont des documents sur ta famille, mais ils ont aussi quelque chose à voir avec ce que ce pays est devenu ou pas... Et il y a des choses qui sont sacrées, au cas où tu ne le saurais pas.

– Excuse-moi, c'est que j'ai pensé...

Don Ricardo avait essayé d'arranger ce qui semblait irréparable.

– Eh bien, tu m'as offensé et en cette minute même je pense que je n'aurais jamais dû venir ici avec ces documents ! Ce qui y est écrit dépasse largement les mémoires d'un homme et je crois que cela doit être publié, même si cela fait du tort à l'histoire des Junco ou à celle d'autres familles. Mais si cela tombe entre les mains de certains sbires de tes amis, Dieu sait ce qu'ils peuvent en faire... Bien que je pense que tu es un voleur et une merde de politicard qui n'aurait jamais dû mettre les pieds dans une loge, je crois qu'ils t'appartiennent. Fais-en ce qui te semblera le plus opportun, mais si tu les détruis, pense bien à ton père et au fait que tu détruis également ta propre famille. Merci pour le café.

Dans son souvenir, don Ricardo Junco voyait sortir le vieux Cristóbal Aquino, drapé dans sa dignité, tout auréolé de son éthique maçonnique déployée comme un étendard, et la rancœur qu'il en éprouvait avait été à peine mitigée par la satisfaction de savoir que, deux heures plus tard, le vieux était à l'agonie dans son lit, terrassé par la douleur de la crise cardiaque qui devait l'emporter.

Cette même nuit, don Ricardo avait perdu le sommeil en lisant l'histoire que Heredia racontait dans le manuscrit et au petit jour il avait décidé que ces papiers ne pouvaient avoir d'autre destin que de partir en fumée. Mais un pressentiment l'avait sauvé et il avait remis l'exécution à plus tard en se souvenant qu'il était le seul à connaître ce secret, bien qu'il ait vécu pendant de longs mois en soupçonnant que la fureur avait tué le vieil Aquino et qu'avant de mourir il avait peut-être révélé à son fils le lieu où se trouvait le manuscrit. Alors, au cas où les circonstances l'y forceraient, il s'était préparé à dire au jeune Aquino que son père ne lui avait jamais remis ces documents dont il avait oublié jusqu'à l'existence.

Six ans durant, le coffre fort de don Ricardo avait servi de refuge à la mémoire de José María Heredia. A chaque fois qu'il ouvrait la niche, il était envahi par la satisfaction que lui procurait la contemplation de l'enveloppe jaune. Mais le plaisir de s'être emparé aussi facilement de ces documents était généralement assombri par la constatation que, dans ce même coffre, ses disponibilités diminuaient à une vitesse stupéfiante et à l'évidence la voûte métallique ne serait bientôt plus occupée que par ces documents infâmes.

Pour don Ricardo, la récente nouvelle que son parent Dominguito Vélez de la Riva s'obstinait à être candidat à la présidence de la République aux prochaines élections transforma l'ouverture du coffre-fort en une source d'allégresse inattendue. Car si l'argent diminuait à vue d'œil, cette enveloppe jaune se chargerait certainement de redresser, d'une façon plus que satisfaisante, l'état de ses finances quand il proposerait à Dominguito la vente de feuillets, écrits rien de moins que par José María Heredia, qui, s'ils révélaient l'origine bâtarde de la moitié de la famille Junco, dévoilaient aussi quelques histoires fort peu plaisantes sur son trisaïeul Domingo Del Monte, le patriarche familial dont cet imbécile de Dominguito aux prétentions présidentielles tirait tant d'orgueil. En fin de compte, pour Ricardito Junco, reconnaître qu'il était le descendant de Heredia pouvait même être considéré comme un honneur, d'autant plus que l'on préparait à grand bruit la célébration du centenaire de la mort du poète et la réédition des poésies du Chantre du Niagara dont on exaltait le rôle de patriote et d'homme d'honneur. En revanche, pour un prétendant à la présidence de la République, arrière-arrière petit-fils de Del Monte, descendant aussi de ces Alfonso et Aldama – enrichis par le trafic des esclaves – qui avaient tant retardé l'indépendance de l'île, la diffusion de ces mémoires pouvait être un coup mortel, imparable, que ses ennemis politiques exploiteraient jusqu'à plus soif…

La brise de la mer agita les cheveux de don Ricardo et le ramena à la réalité. Du haut de sa terrasse il regarda l'horloge de la mairie et constata qu'il était neuf heures quarante. Dans vingt minutes, son cousin Dominguito arriverait, toujours aussi ponctuel, et don Ricardo ne savait quelle somme exacte il allait demander en échange des documents. Un million ? Est-ce beaucoup ou peu ? Combien peut valoir la présidence de la République ? Combien peut-on voler en un an ? Et en quatre ? Deux millions ? calculait-il en descendant les escaliers vers la bibliothèque de ce palais qui, grâce à Dieu et au grand-père Heredia, resteraient celui des Junco pour les siècles des siècles.

Et enfin je sentis que je recevais la bénédiction d'un océan bienveillant, féminin et doux comme cette Yemanjá, adorée par l'inoubliable Betinha. À peine avais-je entrepris le plus ardemment désiré de tous mes voyages que je compris combien ces onze années passées loin des ondes fantasques de la mer et de sa musique solennelle étaient trop longues pour un homme né sur sa rive, qui, après avoir grandi bercé par son murmure, l'avait tant de fois traversée, emporté par les vents du destin. Onze ans et de nombreuses expectatives réalisèrent un miracle pour que mon cœur se souvînt qu'un jour il avait été poète et j'écrivis une ode, *A l'océan*, avec les dernières bribes de ma sensibilité épuisée.

Cette traversée, d'à peine six jours entre Veracruz et La Havane, me parut presque interminable car mes désirs mêlés d'angoisse étaient semblables à ceux d'Ulysse parti à la recherche des siens et de son propre destin. Habité par un optimisme indestructible qui peignait ce retour de bleu et de rose, mon esprit, en éveil presque constant, essayait d'anticiper les événements et les sensations, jusqu'au moment où, le 4 novembre au matin, la silhouette de La Havane se profila au loin. Ce ne furent pas les palmiers que je vis en premier, mais la masse de pierre des forteresses, symbole d'un pouvoir qui s'obstinait à se maintenir dans la place. En cet instant, les larmes aux yeux, je fus assailli par le doute, mais seulement l'espace de cet instant, et je me demandai si j'avais bien choisi la meilleure solution en sollicitant l'autorisation d'un gouverneur étranger pour me rendre dans mon propre pays.

Lentement nous accostâmes dans la baie, à l'endroit même où avait levé l'ancre le navire qui avait emmené Varela si loin de

Cuba. Depuis le pont, je vis la vieille Alameda de Paula où je m'étais si souvent promené avec mes amis, la Place d'Armes, le séminaire de San Carlos, le nouveau Paseo del Prado, et alors, comme une douce étreinte, pour me prévenir que j'étais arrivé chez moi, me parvint cette odeur métisse et si propre à la ville que seulement en cet instant je pus reconnaître dans sa singularité douloureuse et incomparable.

En descendant la passerelle du bateau où deux militaires examinaient les passeports, j'eus la première grande surprise de toutes celles que me réserverait ce retour : un homme à la barbe bien taillée, élégamment vêtu d'un costume trois-pièces en lin blanc, avec une léontine en or et des bottines en vernis brillant, m'observait à une certaine distance à travers des lunettes également cerclées d'or. Quand l'homme commença à s'avancer vers moi, je vis un sourire connu sur ses lèvres, tandis qu'il m'ouvrait les bras en disant :

– José María ! Enfin !

Et alors seulement je découvris que ce monsieur élégant était mon vieil ami Domingo dans les bras duquel je me jetai, croyant défaillir.

Je ne pus dire un mot tandis que je le prenais par les bras, m'écartant pour essayer de faire coïncider sa prestance actuelle avec la lointaine image de cet homme que je n'avais pas revu depuis juin 1823, plus de treize ans auparavant, en ces jours difficiles marqués par tant de doutes et de craintes. Mais Domingo ne cessait de sourire et me contemplait de son regard myope, maintenant corrigé, avec une évidente satisfaction.

– Te voilà de retour, dit-il.

– Quelle surprise ! Je ne pensais pas que quelqu'un viendrait…

– Il fallait que je sois le premier à te voir. Pour constater que tu ne vas pas aussi mal que tu le dis dans tes lettres. Toujours aussi excessif !

A cet instant un officier en tricorne s'approcha et demanda si j'étais bien José María Heredia puis il me pria de l'accompagner pour légaliser mon entrée dans l'île.

– J'ai beaucoup de choses à discuter avec toi. Quand nous voyons-nous ?

– Je t'attends dehors. Tu me comprends ? Nous allons manger chez moi. Je veux que tu fasses la connaissance de ma Rosita, que tu voies ma bibliothèque, que tu rencontres les écrivains qui t'admirent…

Cette invitation inattendue fit vibrer en moi les cordes sensibles que je croyais pétrifiées et j'éprouvai l'espoir absurde de pouvoir survoler le temps pour en réparer les effets.

– Domingo, je te demande de me pardonner si un jour j'ai...

– Allons, José María, je ne sais pas de quoi tu parles. Je t'attends dehors. Tu me comprends ?

Après sa question, nous nous embrassâmes de nouveau. Avec la force et l'affection de tant d'années d'amitié, de disputes, de fêtes, de rivalités, de poèmes et d'amours partagés, ce geste m'empêchait ne serait-ce que d'imaginer que c'était la dernière fois que je verrais l'ami que j'avais tant de fois pardonné et qui m'infligea la plus cruelle déception et la plus infâme trahison.

On me fit attendre assis sur un banc pendant trois heures et, à chaque fois que je m'informais, on me répondait que mes papiers seraient bientôt prêts. Ces militaires, sans doute prévenus et sachant ainsi qui j'étais, exerçaient sur moi le pouvoir infime mais terrible que les circonstances leur offraient et m'obligeaient à attendre aussi longtemps qu'ils le désireraient, avant de me permettre d'entrer dans ce pays qui était ma patrie. Alors que la faim commençait à me faire défaillir, ils me firent enfin entrer dans un bureau où un autre officier, de plus haut rang que le précédent, me posa mille questions quant aux raisons de mon voyage et me mit en garde sur deux points : mon permis de séjour était révocable, en conséquence je pouvais être expulsé du pays à n'importe quel moment si je prenais part à une action répréhensible, et à l'expiration du délai des deux mois autorisés, si je demeurais sur l'île, je serais mis à la disposition des tribunaux espagnols. Puis, sans me souhaiter bonne chance, il me remit mes lamentables documents.

Ni allégresse, ni foule en liesse, ni salves d'artillerie, rien de tout cela ne m'attendait quand je sortis dans la rue. Ce genre de réception était réservée au héros Gener qui, de retour d'exil, retrouvait ses millions, mais pas à l'insignifiant Heredia qui revenait malade et vaincu. Chargé de mes bagages, le plus étrange fut que je ne trouvai pas non plus Domingo que je cherchai dans les bars du port, comme s'il fût encore possible que le monsieur parfumé à la lavande française qui m'avait reçu fréquentât encore ces bons vieux lupanars où il avait passé tant de nuits à jouer aux cartes et à boire du gros rouge.

Comme je comptais partir le lendemain matin pour Matanzas, je décidai de prendre une chambre dans une pension proche. Là, je laissai mes bagages, je me rafraîchis et je mangeai avec avidité une assiette de *qimbombó* à la viande avec du riz blanc qui émoustilla les papilles de ma mémoire, bien décidées à renouer avec le plaisir caché de ces saveurs irremplaçables. Je sortis alors dans la rue à la recherche de mon ami. Malgré les services que proposait un nombre incroyable de cabriolets et de calèches de louage, je préférai marcher un peu dans cette ville merveilleuse, toujours plus chaotique et tapageuse, et je m'en fus directement au 62 rue Havane où vivait maintenant Domingo. Comme je m'y attendais, la demeure s'avéra être un vrai palais, avec des colonnades de marbre à l'entrée, un portail pour les voitures à chevaux et de grandes fenêtres aux vitres colorées, protégées par des grilles merveilleusement entrelacées. J'avais à peine frappé avec le heurtoir qu'un majordome m'ouvrit, un nègre dans un uniforme impeccable qui me demanda dans un espagnol de Castille ce que je désirais. Je l'en informai et le valet me dit que Monsieur était sorti. Je lui demandai s'il savait où je pouvais le trouver et il me répondit qu'il n'en savait rien. Je lui demandai s'il avait une idée de l'heure de son retour mais il ne fut pas non plus en mesure de m'informer. Je lui demandai de s'enquérir auprès de Madame et il me dit que la *niña* Rosita était chez ses parents.

Le soir commençait à peine à tomber et, pour passer le temps, je déambulai dans la ville que je trouvai fort changée. Ces dernières années, mus par une sourde rivalité de pouvoirs, Tacón et l'intendant Villanueva avaient entrepris divers travaux dont le résultat était déjà appréciable dans les rues bien pavées et éclairées, ou dans les constructions et les places avec de belles fontaines qui, un peu partout, donnaient une certaine allure et une élégance à une ville dont la prospérité était palpable. En proie à l'incertitude, je dépassai l'enceinte de la ville et là où s'était jadis élevée la maison de *Madame* Anne-Marie, je ne trouvai qu'un sinistre terrain vague à côté de ce qui était le début d'une longue promenade en construction qui porterait le nom de Tacón. Désarmé par l'absence des derniers vestiges de cet endroit vers lequel je m'étais toujours acheminé comme vers un sanctuaire, je pris une quelconque direction et à quelques pâtés de maisons je trouvai la structure déjà construite du nouveau théâtre que le capitaine général avait fait édifier et qui, comme la promenade, porterait aussi son nom. La ville que je connaissais si bien commençait à échapper à mes vieilles références, à me voler mes nostalgies et à me prévenir de ma condition : je venais d'ailleurs et j'étais presque un étranger dans mon propre pays. Mais son odeur invincible se porta à mon secours pour me rappeler que certaines choses sont tellement vraies que ni le pouvoir ni les dictateurs ne parviennent à les faire changer.

Fatigué par ma promenade et les émotions accumulées, je fus surpris d'entendre la salve d'artillerie qui annonçait neuf heures du soir et je pressai le pas vers la maison de Domingo où le même majordome me fit les mêmes réponses, insolites et décourageantes. Sans comprendre ce qui se passait, j'allai dormir à la pension où, malgré la fatigue, je ne pus trouver le sommeil qu'après m'être mille fois retourné dans mon lit. Le lendemain matin, après un café serré et fort qui me rendit à la vie, je refis le chemin qui me séparait du 62 de la rue Havane et pour la troisième fois j'obtins un résultat similaire et plus qu'étrange. Aussi, pendant que je me rendais à Matanzas dans une diligence remplie de voyageurs et d'odeurs désagréables, ne pouvais-je m'ôter de l'esprit cet événement inexplicable. Où pouvait bien être Domingo ? Pourquoi ne laissait-il pas des instructions pour moi s'il se proposait de m'inviter chez lui ? Serait-il possible qu'il m'évitât après être venu m'accueillir, lui, le seul parmi tous ceux qui me connaissaient ?

Ému, comme toujours, par le spectacle des innombrables palmiers royaux de la vallée du Yumurí et par la beauté sans égale de l'arrivée à Matanzas, perdu dans l'évocation d'un monde de souvenirs d'amours perdus, de jours de foi en des croyances aujourd'hui vaincues, j'oubliai pour un temps mon étrange aventure avec Domingo et je m'abandonnai à la joie de revoir ma famille. Ma mère, solide comme un chêne, se mit cependant à pleurer, se demandant ce que l'on avait bien pu faire à son fils chéri, cet homme de trente-deux ans amaigri, le cheveu rare et les yeux cernés de deux ombres noires, qui l'embrassa et lui demanda sa bénédiction. Mes sœurs, Ignacia, Rafaela, Dolores et la petite Conchita, se joignirent au chœur de sanglots, de baisers et d'étreintes et m'apparurent comme des personnes nouvelles dont je faisais connaissance à cet instant. Mon oncle Ignacio, affectueux comme toujours, mais en proie à une tristesse qu'il ne parvenait pas à cacher, déboucha un excellent vin blanc de Cadix pour me souhaiter la bienvenue. Je dus consacrer de longues heures au récit des avatars de ma vie tout au long des treize dernières années, tandis que ma mère, assise à mes côtés, ne cessait de caresser mes mains qui, d'après elle, avaient écrit les plus beaux poèmes du monde... Avec une sorte de désespoir nous essayions de jeter des ponts au-dessus de la distance et de l'oubli, pour récupérer avec des mots, puisque les faits appartenaient au passé, des vies brisées par l'acharnement de la politique.

En fin de soirée je sortis avec Ignacio pour faire une promenade dans la ville que je trouvais fort changée et embellie. Quelque chose m'inquiétait dans l'attitude de mon oncle ; après avoir marché un moment, je lui proposai de boire un verre et il décida de m'emmener à la taverne à la mode, *Le Lion d'or*, fréquentée par les gens bien mais aussi par ceux qui menaient la vie de bohème. Là, après quelques verres de vin, j'appris enfin ce que je désirais tant savoir : Lola Junco habitait de nouveau la ville, toujours mariée à Felipillo Gómez, et même si je fis croire à Ignacio que j'acceptais son conseil de ne par remuer les eaux troubles du passé, je pris note en pensée de sa nouvelle adresse. Alors seulement j'osai lui demander la raison de son visible chagrin et ce brave homme, à qúi je devais tant, me regarda dans les yeux et, sans pouvoir se retenir, se mit à pleurer. Troublé, croyant même être la cause de cette étrange réaction, je lui demandai des explications et Ignacio, cet être si bon, m'ouvrit son cœur.

– Je suis brisé, fils, commença-t-il et il me fit le récit de son inconcevable histoire d'amour avec un certain Carlos Manuel Cernuda, commerçant de la ville, dont il avait toujours été amoureux. Sans pouvoir accorder quelque crédit à ce que j'entendais, il me parla de la relation charnelle secrète et orageuse qui m'expliquait enfin l'attitude toujours étrange de mon oncle en matière de jupons. Cernuda, marié, père de plusieurs enfants, avait été son grand amour depuis le temps où ils avaient suivi ensemble les cours à l'université et le récent décès de son aimé plongeait Ignacio dans un état similaire au veuvage. Contrairement à ce que je pensais, je n'éprouvai ni dégoût ni mépris en entendant cette terrible révélation : l'histoire de cet amour inverti, vécu dans la plus terrible clandestinité, me fit comprendre enfin mon pauvre oncle et imaginer combien il avait souffert et combien il continuait à souffrir à cause d'un penchant abominé par Dieu et par les hommes. Cependant, cet être transi de douleur était cette même personne qui, avec bonté et fidélité, durant de longues années, avait donné un toit à ma mère et à mes sœurs et m'avait fait vivre grâce à son argent et sa compréhension pendant les temps difficiles de mon exil nord-américain.

Dès le lendemain matin, encouragé peut-être par la confession de mon oncle, je décidai que, d'une façon ou d'une autre, je devais provoquer une rencontre avec Lola Junco. Un billet manuscrit dans ma poche, je décidai de passer devant sa porte chaque fois que j'allais me promener. J'avais l'espoir de la voir sortir à un moment donné ou de rencontrer son esclave Tita, notre ancienne confidente, qui était certainement restée à son service. Mais les jours passèrent et aucune personne connue ne sortit de la maison de la femme que j'avais tant aimée.

Une chose me sembla étrange: aucun de mes nombreux amis de Matanzas n'était venu me voir dans les premiers jours qui suivirent mon arrivée dans la ville. Si j'en croyais Ignacio, ils devaient craindre d'être vus en ma compagnie, car j'étais toujours considéré comme un ennemi du régime et dans les conditions où l'on vivait à Cuba, avec presque autant de policiers que de citoyens, personne ne voulait être associé à un séditieux comme moi. Pour cette raison l'attitude de Domingo, venu m'accueillir au port, me semblait plus courageuse, mais plus inexplicable encore sa disparition ultérieure et l'absence persistante de nouvelles.

Curieusement, des gens comme José Arango et sa fille Pepilla vinrent me souhaiter la bienvenue et m'invitèrent à dîner chez eux. De même les Alfonso, l'oncle et la tante de Silvestre, mort prématurément, m'offrirent leur amitié inconditionnelle et me remirent, suivant une disposition de mon ami, un paquet contenant les lettres que pendant des années je lui avais envoyées. Orlando Hernández, le fils du bon docteur Hernández, me rendit également visite et des heures durant nous évoquâmes les derniers jours de son père, mort en prison, et le sort lamentable de nos idéaux brisés.

Jusqu'au matin, vers la fin novembre, où j'eus la surprise de recevoir la visite de Félix Tanco, le Tanco plein d'humour du bon vieux temps, devenu maintenant journaliste et écrivain reconnu, directeur de la poste de la ville. En le voyant dans le salon, chez moi, à peine changé par les années, je m'approchai et il m'ouvrit les bras. Sur-le-champ, il me demanda d'excuser le retard avec lequel il venait me voir mais depuis une altercation qui l'avait opposé aux censeurs du capitaine général, deux ans auparavant, il sentait que chacun de ses pas était surveillé par les agents secrets du gouvernement. En vérité, son délire de persécution me sembla exagéré car je savais bien qu'après son affrontement avec la censure, Tanco avait vécu normalement et même conservé son travail pour le gouvernement. Mais il était en proie à une gêne évidente ; je lui dis de ne pas se tracasser et que s'il éprouvait quelque crainte il pouvait s'en aller. Il eut alors recours à son éternel rire saccadé et me dit d'oublier tout cela pour que nous puissions bavarder tranquillement. Toutefois, au lieu de bavarder, je ne fis guère que répondre à ses questions au sujet de ma lettre à Tacón, puis il me raconta finalement les discussions qu'elle avait suscitées entre ceux qui étaient pour ou contre ma décision.

– Et toi, tu étais pour ou contre ? lui demandai-je en le regardant dans les yeux.

– J'ai toujours dit que c'était une décision personnelle, mais que… je ne sais pas, José María. Je ne sais pas si c'est mieux ou pire pour le pays. Du fait de ce que tu représentes.

– Le pays ne s'est jamais préoccupé de savoir si j'allais bien ou mal, et je ne représente plus rien : je suis un fantôme. Je crois que si je suis vivant et debout, c'est uniquement grâce au désir de revenir à Cuba, d'embrasser ma mère et de vous revoir, vous, mes amis. Et grâce à l'aide que mon oncle m'a apportée…

– Pour l'amour du ciel, José María, me dit-il. Ne dis pas cela. Le destin du pays est en jeu, tu me comprends ?

Alors, en entendant cette question creuse et familière à mes oreilles, je sentis qu'entre moi et cet homme, jadis euphorique et drôle, s'élevait une muraille impénétrable que je ne tentai ni d'abattre ni de contourner. Comme la conversation languissait, je lui demandai, quand il en aurait l'occasion, de dire à Domingo que j'attendais toujours de ses nouvelles, que j'irais sous peu à La Havane et que je pensais lui rendre visite comme il me l'avait demandé lors de mon arrivée.

Quelques jours plus tard, de retour de l'une de mes promenades infructueuses aux abords de la maison de Lola, je trouvai chez moi, m'attendant, le jeune poète José Antonio Echevarría dont certains disaient qu'il était le nouvel espoir de la poésie nationale. Après les présentations, pendant que nous buvions le café qu'Ignacia eut l'amabilité de nous servir, le jeune Echevarría m'avoua toute son admiration et combien il lui semblait ridicule que son pauvre talent ait pu être comparé au mien. Il me rendait visite, dit-il, car il n'avait que faire de ce qui se disait, parmi les intellectuels, de ma lettre à Tacón et de mon voyage à Cuba. Cette sincérité me plut et presque deux heures durant je lui contai la succession d'événements et de déceptions qui m'avaient conduit à écrire la lettre qui avait déchaîné une telle polémique et par instants, je crus remarquer dans ses yeux une lueur de compréhension. A la fin, comme je le raccompagnais, Echevarría dit une chose qui me sembla particulièrement inquiétante :

– Heredia, vous êtes quelqu'un d'inestimable pour Cuba, mais votre vie n'appartient qu'à vous et vous avez déjà trop souffert. Ne permettez pas que l'on vous fasse plus de mal que celui qui vous a déjà été fait.

Ces paroles résonnant encore à mes oreilles, je décidai d'écarter tous mes doutes et j'écrivis à Domingo dont j'obtiendrais sûrement toutes les réponses nécessaires. Je le gratifiai dans ma lettre d'un "Ami très cher" et je lui demandai ce qui s'était passé après mon arrivée, tout en lui rappelant, plus que mon désir, le besoin urgent de le voir et de m'entretenir longuement avec lui. Je lui demandai de bien vouloir répondre à ma lettre et c'est à peine si je lui parlai des étranges visites de Tanco et d'Echevarría.

La lumière aveuglante qui déchira les ténèbres de l'incertitude m'éclaira enfin, justement le lendemain soir. Nous avions déjà éteint les lampes de la maison quand nous entendîmes quelques coups nerveux frappés à la porte. C'était Blas de Osés et dès qu'il me vit, il se jeta dans mes bras et me demanda pardon. Il fallait que je le comprenne, me disait-il, trébuchant sur les mots dans son empressement à m'expliquer qu'une sorte d'ordre non formulé mais clairement répandu recommandait aux amis ne pas chercher à me voir, de m'éviter, de ne pas écouter mes justifications. Frappé de stupeur par cette information, je conduisis Osés jusqu'à ma chambre et je fermai la porte pour avoir avec lui la conversation privée qu'une telle nouvelle exigeait.

– Ils te considèrent comme un traître parce que tu as écrit à Tacón, parce que tu es revenu... Ils disent que tu as choisi le pire moment pour rentrer.

– Mais nom de Dieu, qui dit cela ? criai-je presque, sans pouvoir croire ce que j'entendais, même si je savais que c'était là une des cartes qui pouvait m'échoir dans ce jeu dangereux.

– Tous. Tanco, Palma, Cintra...

– Mais enfin, Tanco est venu me voir.

– Et regarde ce qu'il a écrit à Domingo, dit-il et il sortit une feuille de la poche de sa veste : "J'ai rencontré et embrassé José María Heredia. Je l'embrassais et j'avais honte, j'étais indigné et il m'inspirait de la pitié. Je le voyais comme un déserteur, comme un transfuge abattu, humilié, sans poésie, sans charme, sans vertu..."

Osés froissa la feuille et me regarda.

– Tanco a fait plusieurs copies de la lettre… C'en est trop. C'est pour cela que je suis venu te voir.

Un mélange d'indignation et de peine obscurcit mon esprit et de ma conscience altérée jaillit une seule question :

– Et Domingo ?

– Tanco est un pauvre diable, dit Osés, et il fit une pause. Il est venu te voir pour écrire ce que Domingo voulait entendre.

A cet instant je fus submergé par une sensation bien connue, comme si la terre s'ouvrait sous mes pieds ou comme si le ciel et la terre se rejoignaient pour m'écraser sans pitié.

– Je crois que je commence à comprendre mais il y a des choses qui m'échappent et que tu vas m'expliquer, n'est-ce pas ? Qu'est-ce qu'il y a derrière tout cela ? Pourquoi s'acharnent-ils sur moi ?

Osés me demanda d'aller chercher une bouteille de vin. Nos verres à la main nous parlâmes jusqu'au petit matin et je pris enfin connaissance de la terrible intrigue dont je faisais partie sans le savoir.

Mon retour à Cuba, justement à ce moment, était considéré comme une victoire pour Tacón qui se proposait, dans son projet de gouvernement, non seulement d'effacer toute idée de sédition, si tant est qu'elle existât encore, mais aussi de saper le pouvoir politique et économique des riches cubains qui jusqu'alors avaient manipulé à leur guise les capitaines généraux. A ce moment-là, un plan était en marche, destiné à évincer Tacón, et dans ce but, les Alfonso, les Aldama et les Mádam avaient investi de fortes sommes, destinées à acheter des appuis en métropole. Apparemment la stratégie de l'homme au pouvoir avait été efficace et c'est pourquoi sa révocation était urgente : allié aux commerçants péninsulaires et aux négriers de Barcelone et de Cadix, Tacón avait inondé l'île d'esclaves, à l'encontre des souhaits des riches cubains qui se proposaient d'arrêter le flux de nègres qui, bien entendu, freinait toute tentative indépendantiste et les attachait à une économie qui leur était de moins en moins profitable.

De sorte que les potentats s'étaient proposés de faire la guerre sur tous les fronts mais ils concentraient leurs espoirs sur les nouvelles Cortès et sur la demande de lois spéciales pour l'île, car ils étaient parvenus à obtenir pour leurs hommes deux des trois sièges de députés : Saco et l'aveugle Escovedo, choisi alors que Domingo, qui était la véritable carte des riches, avait préféré une fois de plus rester dans l'ombre et travailler en coulisse… Le cerveau qui actionnait toute cette grande machination n'était autre que le grand Domingo, murmura Osés. Ses patrons et ses parents apportaient l'argent, et lui, il apportait l'intelligence et les relations nécessaires pour une bataille de subtilités qui exigeait une ample vision des choses.

– Et pourquoi est-il venu m'accueillir ? demandai-je, devinant presque la dure réponse que me fit Blas de Osés.

– Il voulait voir en toi l'image de la défaite. Il a pris le risque de subir des remontrances, mais il ne pouvait s'en empêcher. La bataille avec toi, c'est autre chose : c'est une guerre personnelle et il voulait contempler le perdant. S'il n'a pas pu te vaincre sur le terrain de la poésie, il voulait, du moins, voir comment il t'avait vaincu dans la vie…

– J'ai peine à te croire. Ce que tu me dis est par trop morbide…

– Mais il y a pire encore. Ta lettre, ce n'est pas Tacón qui l'a rendue publique : c'est Domingo… Pour t'humilier, il est capable de n'importe quoi et ce qu'il prépare en ce moment est plus perfide et plus dangereux que tout ce que tu peux imaginer. Il veut ternir ta réputation de poète, car il a décidé d'inventer la littérature cubaine et il veut le faire sans toi.

– Que me dis-tu là ? demandai-je, vraiment confondu.

– Tu as bien entendu. Si tu brilles seul, personne ne peut voiler ton éclat. Mais si on t'entoure de nuages tu ne brilleras plus comme un soleil. Domingo a tout imaginé d'une façon terrifiante et avec l'argent de son beau-père il va y parvenir.

– Bon sang ! Je n'y comprends rien !

– Les réunions littéraires qu'il organise chez lui servent à lancer son projet. Il a mis tout le monde au travail et a réparti les rôles. Certains vont récupérer les Indiens cubains pour avoir un passé antérieur aux Espagnols ; d'autres écrivent sur les paysans pour inventer une tradition ; d'autres sur les horreurs de l'esclavage pour créer une morale anti-esclavagiste ; d'autres sur les coutumes de La Havane pour créer un esprit urbain ; d'autres sur l'histoire pour prouver que nous sommes différents de l'Espagne… Quand tout cela existera, on pourra inventer l'image d'un pays et on pourra même se passer de tes poèmes… Mais il y a encore pire que tout cela. Car en plus de créer un pays, ils vont l'édifier sur le piédestal du mensonge.

Et alors Osés me raconta une chose encore plus macabre que tout ce que j'avais entendu au cours de mon existence pourtant si peu paisible. Cinq ans auparavant, me dit-il, on avait trouvé dans la bibliothèque de la Société patriotique une histoire de La Havane écrite au XVIIIe siècle par un certain Félix de Arrate. Le livre allait être publié prochainement et Domingo et ses acolytes allaient profiter de l'événement pour annoncer une autre grande découverte : ils allaient dire que, tout récemment, était apparu un poème épique du XVIIe siècle, inclus dans un autre livre, écrit par l'évêque Morell de Santa Cruz il y avait environ cent ans, qui avait également été trouvé, par hasard, dans les papiers de la Société.

– De quel poème épique me parles-tu ?

– D'un faux, José María. Le livre de l'évêque existe, c'est une espèce d'histoire de Cuba, mais il n'a fait que copier quelques octaves, que quelqu'un lui avait récitées, du poème d'un certain Silvestre de Balboa, racontant le sauvetage d'un évêque séquestré par des pirates français. Il s'agissait de quelques vers, mais maintenant Domingo et Echevarría sont en train d'écrire, à eux deux, le poème complet et ils vont le faire passer pour un document de 1600.

– Mais c'est une folie !

– Pas tellement. Parce que si cela ne prend pas, tout passera pour une blague littéraire, comme pour les *Romances* de Domingo, signés par Sánchez de Almodóvar. Mais si cela marche ? Et bien alors, nous avons notre tradition, chrétienne, avec une littérature épique où le héros de la bataille contre les pirates n'est ni plus ni moins qu'un brave nègre qui reçoit sa liberté en récompense.

Une des plus grandes tristesses de ma vie s'empara de moi à cet instant. Non pas à cause de ce que l'on pensait ou disait de moi, mais quant à l'avenir de ce pays dont le destin avait été la cause de mes souffrances durant tant de longues années, un pays qui allait naître sur la couche du mensonge, d'une fiction payée par de vieux marchands d'esclaves à un poète médiocre et machiavélique qui avait obtenu ce qu'il cherchait sur terre grâce à un habile mariage d'argent.

Tout au long de la nuit, plusieurs bouteilles de vin défilèrent dans ma chambre et ma lucidité s'en fut avec elles. Ivre, je ne me souviens plus ni quand ni comment partit Blas de Osés, mais en revanche, je me rappelle la terrible sensation de malaise qui me réveilla, à midi bien sonné, avec une fatigue que j'attribuai à l'excès d'alcool. Dégoûté de tout, je pensai que mon retour à Cuba, pour lequel j'avais payé un prix si élevé, n'était qu'une erreur monumentale et je commençai à désirer rentrer au

Mexique, à son chaos, à son anarchie, à ma pauvreté, pour me sentir loin de cette atmosphère qui me donnait la nausée.

Je restai enfermé chez moi pendant plus d'une semaine, craignant d'être surpris par une crise de ma maladie, quand me parvint une lettre de Domingo ; je sus alors que toute l'histoire presque incroyable que m'avait racontée Osés était aussi vraie que le soleil se levait tous les matins. Dans la lettre, datée du 28 novembre à La Havane, il m'appelait "Mon cher José María" et m'informait qu'il passerait bientôt par Matanzas mais qu'il n'aurait pas le temps de me voir car, bien que son petit palais se trouvât à peine à trois pâtés de maisons de chez moi, son épouse et sa belle-mère l'y attendaient pour aller passer quelque temps dans une des plantations de la famille. Il me disait aussi que ce n'était pas le meilleur moment pour publier mes poèmes en Espagne, et que, par conséquent, il se déchargeait du travail d'édition qu'il avait accepté auparavant. Et sans rien m'expliquer de ce qui s'était passé le jour de mon arrivée, il me disait : "Le désir que j'ai de parler avec toi n'en est pas moins ardent, les sujets de discussion ne nous manqueront pas, à commencer par ton infortuné voyage dans cette île, sous les funestes auspices qui t'ont accompagné" et il terminait en m'enfonçant un poignard dans le cœur : "Ange déchu : je t'aime toujours avec une charité et une affection sans pareilles. Ton éternel ami, Domingo"... Dois-je avouer que je pleurai comme un enfant, en lisant cette lettre ? Pas même la pieuse insulte par laquelle il m'appelait "ange déchu", ni la charité qui avait remplacé l'affection, pas même son ton triomphant ou la suffisance avec laquelle il me jetait au visage ses vacances d'homme riche à l'ombre de sa grande fortune ne furent suffisants pour que la haine l'emportât sur la douleur. Car cette missive scellait la fin d'une amitié tumultueuse, pour laquelle il s'était battu en des époques meilleures et que je m'étais appliqué à sauver par mon pardon en d'autres occasions, mais maintenant, prise dans une intrigue plus vaste, elle était sacrifiée par Domingo, le potentat, nouveau dictateur et orfèvre des destinées humaines, au dieu des intérêts politiques mesquins et occultes, derrière des chiffres comportant six ou sept zéros. Cette lettre était-elle écrite par ce même Domingo qui avait toujours caché son rôle de protagoniste derrière d'autres noms ? Était-ce le même qui jouait son argent, ses vêtements et même sa vie à un jeu de cartes, à un combat de coqs, à un jeu de dés ? Le même qui répétait les phrases de Varela en les faisant passer pour les siennes ? Le même qui était en train de créer une littérature à partir d'une supercherie colossale et qui corrompait le talent de ceux qui l'entouraient ? Le même qui, tel un chien malchanceux, poursuivait mes femmes de ses assiduités ? Le même qui venait de publier une diatribe contre le gouvernement de Tacón, mais de nouveau sans signature ? Le même qui n'avait jamais subi l'exil, ni la prison, ni la persécution, car il n'avait jamais osé faire au grand jour la moindre chose qui impliquât un risque ? Le même qui, dans un placet adressé à la reine d'Espagne, se référait à l'idéal indépendantiste comme à "ce monstre épouvantable" ? Était-ce ou non ce même Domingo qui vingt ans plus tôt m'avait cédé le passage vers le lit d'une prostituée parce qu'il n'osait pas être le premier, y compris en amour, et le même qui en un jour lointain avait perdu le contrôle de ses émotions et m'avait embrassé sur la bouche ? Ange déchu : c'est ainsi que m'appelait ce perpétuel habitant de l'enfer de la peur, de l'intrigue et de la médiocrité. Je séchai alors mes larmes car je compris que je ne pouvais rien faire : mon erreur était-elle si terrible ? Cela n'avait plus d'importance car mes raisons ne seraient pas écoutées et la voix de Domingo était celle des maîtres de l'histoire : ma condamnation avait été prononcée. Il faudrait attendre de nombreuses années pour que les vérités le fussent à nouveau (si un tel miracle était possible) et pour que la justice de l'histoire tombât sur nos pauvres têtes. Et c'est à cette justice et à celle de Dieu que je m'en remets maintenant, avec l'espoir qu'une telle réhabilitation de ma mémoire soit un jour possible.

– Et après on va vraiment à Varadero ? demanda Álvaro, sur un ton suppliant tout en posant sa main sur l'épaule de Fernando.

– Écoute, mon vieux, je t'ai déjà dit oui. Je ne sais pas quel cinéma tu te fais avec Varadero !

– C'est pas du cinéma, rétorqua l'autre. Tout ce que je veux, c'est voir des nichons, beaucoup de nichons !

– Ça, ça ne m'étonne pas ! dit Delfina en se retournant pour regarder Álvaro qui avalait une gorgée de sa fiasque de rhum.

– Tais-toi un peu, Varo ! protesta alors Miguel Angel et il se tourna un peu plus, cherchant à se rendormir. Plus il est vieux, plus il est con…

Arcadio s'était excusé de ne pas pouvoir participer à l'excursion mais il leur avait prêté la voiture tandis que Conrado leur avait passé une carte avec laquelle ils pourraient consommer, sans payer un centime, toute l'essence qu'engloutirait le carburateur insatiable de la Lada.

La veille au soir, après avoir raconté à ses amis sa conversation avec le professeur Santori, Fernando avait décidé que la seule piste possible menait toujours à Salvador Aquino si, comme il le pensait, le vieux leur avait menti ou peut-être caché une partie de la vérité. Décidé à attendrir le cœur du vieil homme, Fernando s'était arrêté dans un supermarché avant de sortir de La Havane et avait acheté deux poulets pour les lui offrir en arrivant à Colón.

Tout en conduisant sur l'autoroute désolée, avec Delfina à côté de lui et deux des Merles Moqueurs sur le siège arrière, Fernando Terry comprit qu'il se sentait de moins en moins prêt à quitter Cuba. La récupération possible de son passé, l'évidence palpable que peut-être aucun de ses vieux amis ne l'avait trahi, les retrouvailles avec sa mère, sa maison et ses plus vieux souvenirs, le renouveau de ses désirs corporels et spirituels grâce à Delfina lui faisaient envisager son retour vers l'exil comme un nouveau déchirement, inattendu et douloureux. Cependant, la possibilité si compliquée d'un éventuel rapatriement – en passant par une paperasse infinie qui au bout du compte cachait peut-être un refus – lui semblait si peu crédible qu'il n'essaya même pas de l'évaluer. En plus, s'il revenait à Cuba, de quoi vivrait-il ? Supporterait-il d'avoir comme chef un directeur du style de sa vieille connaissance de *TabaCuba*? S'habituerait-il à nouveau aux restrictions économiques du pays, à parcourir la ville en bicyclette, à inventer des moyens de se procurer du lait en poudre, du café et de la viande, une fois dépensés les dollars qu'il apporterait ? Serait-il un jour un homme fiable aux yeux d'une quelconque structure officielle ? Les murs dressés entre ce rêve et sa réalisation étaient aussi épais que le malaise qu'il ressentait à l'idée du retour à la solitude et au silence, encore plus inquiétants après avoir réveillé des comportements et des habitudes ancestrales. La seule chose qui lui apportait un certain soulagement, c'était l'espoir de retours réguliers, à chaque fois que ses moyens le lui permettraient, l'espoir d'emmener Delfina avec lui quand elle surmonterait les difficultés de sa vie, l'espoir de pouvoir ouvrir à nouveau ses vieux livres et d'écouter ses disques sans être paralysé par l'angoisse.

La monotonie de la route avait plongé Miguel Angel dans le sommeil et Álvaro dans l'ennui. Delfina, par la fenêtre fermée, regardait défiler les orangers de son côté. Une sensation de paix envahit Fernando et il pensa qu'il reviendrait tant de fois qu'à la fin il resterait, car, en réalité – et maintenant il en avait la certitude – il n'était jamais parti.

Quand ils dépassèrent le panneau annonçant l'arrivée à Colón, Fernando s'aperçut qu'il était à peine dix heures du matin et il décida d'aller directement chez Salvador Aquino, sans passer par l'intermédiaire de son petit-fils Roberto.

Comme ils s'y attendaient, le vieux était assis dans son fauteuil à bascule, sur le seuil de sa maison. Avec son éternel chapeau sur la tête, il s'éventait le visage tout en imposant le rythme du balancement avec ses pieds. Cela faisait combien d'années qu'il était assis là, avec les mêmes accessoires, en attendant de manger son dernier riz au poulet? L'arrivée de la voiture attira son attention et, les yeux mi-clos, il essaya de distinguer les nouveaux venus.

– Bonjour Aquino, vous vous souvenez de nous? demanda Álvaro et le vieil homme sourit.

– Oui, oui... Mais qui est le noir? Et la dame? demanda-t-il en pointant son éventail vers Miguel Angel et Delfina.

– Des amis à nous, dit Fernando pour essayer de devancer Álvaro dont le regard révélait son intention de dire une de ses énormités habituelles. Nous allions à Matanzas et nous avons eu l'idée de vous faire une petite visite. Regardez ce que je vous apporte, et il leva le sac où se trouvaient les deux poulets.

– Merde alors, c'est bon ça, Lucrecia! cria-t-il alors vers l'intérieur de la maison.

Lucrecia les salua affectueusement, emporta les poulets et les aida à sortir quatre chaises jusqu'au portail, après les avoir prévenus que son fils Roberto était à La Havane, pour une réunion.

– Alors, vous avez trouvé quelque chose? demanda le vieil homme en allumant un de ses impressionnants cigares et après avoir bu le café offert par sa bru.

– Oui et non, commença Fernando. Nous n'avons pas trouvé les documents, mais nous avons appris certaines choses intéressantes et il mit le vieil homme au courant de la liste des personnes qui avaient assisté à la fameuse séance de la loge, des soupçons de Carmen Junco quant à la fortune de son oncle Ricardo, et de l'évidence, de plus en plus diaphane, que les documents racontaient une histoire peu agréable pour certaines personnes.

– C'est logique, oui, admit le vieux tout en regardant Delfina, de toute évidence plus intéressé par le décolleté de la femme que par les commentaires de Fernando.

– Et je suis de plus en plus convaincu que quelqu'un a sorti les documents de la loge.

– Oui, on dirait bien, murmura Aquino, comme si ce qu'il entendait lui importait peu.

Miguel Angel regardait Fernando, tandis qu'Álvaro s'agitait nerveusement. Delfina semblait, elle aussi, étrangère à une situation qui s'embourbait et mettait en évidence l'erreur de Fernando qui espérait une révélation salvatrice de la part du vieillard.

– Grand-père, dit alors Delfina, en se penchant et en ajoutant une note musicale à la douceur habituelle de sa voix. Vous ne savez vraiment rien d'autre ?

Aquino observa plus ouvertement la femme et sourit légèrement.

– Pourquoi cette question ?

Delfina arrangea ses cheveux qui frôlèrent le visage du vieil homme.

– Eh bien, je vous le demande parce que nous, nous pensons que vous savez... Écoutez, moi je pense que ces documents n'existent plus, mais Fernando ne va pas repartir tranquille s'il ne sait pas avec certitude que quelqu'un les a sortis de la loge et dans quel but... C'est que Heredia pouvait y raconter des choses qu'aucun de nous ne peut imaginer, vous me comprenez ?

– Bien sûr, et je comprends aussi que vous voulez m'embobiner.

– Alors ? insista Delfina en souriant.

Salvador Aquino tira sur son cigare et un nuage de fumée entoura son visage. L'éventail et le fauteuil s'immobilisèrent, tandis que, d'une main, il se frottait le cou.

– La nuit où nous avons sorti les documents de la loge, mon père a fait une copie de l'acte de la séance du jour où José de Jesús avait remis les papiers, dit-il presque sans reprendre son souffle. C'est la copie qui a été trouvée aux Archives nationales. Il ne savait pas ce qui allait arriver quand la police entrerait dans la loge, pas plus qu'il ne savait si les choses que nous allions emmener à la bibliothèque y seraient en sécurité... et il voulait que l'on sache que José de Jesús avait confié ces documents de son père.

– C'est pour ça que Mendoza s'étonnait qu'il y ait un acte en dehors du livre et que les deux ne soient pas identiques, commenta Fernando.

– Et pourquoi votre père voulait-il que cela se sache ?... demanda Miguel Angel.

– Parce qu'il savait que ces documents étaient importants et parce qu'il allait les sortir de la loge.

– Votre père les a emportés ? Fernando sursauta, enthousiasmé.

– Il les a sortis de la loge, c'est ce que je viens de vous dire. Mais je ne sais pas où il les a emportés. Parce que mon père est mort ce matin-là.

– Il ne les a pas emportés chez lui ? demanda Delfina.

– Non, ma mère ne les a jamais vus. En plus, notre maison ne se trouvait pas dans cette direction.

– Dans quelle direction, Aquino ?

– J'étais en train de sortir une caisse quand j'ai vu mon père qui traversait la place d'Armes. Il est descendu par la rue Milanés, vers la Vigía, alors que nous vivions dans la direction opposée.

– Alors ?

Fernando sentait que ses mains devenaient moites et que son cœur battait à tout rompre tandis qu'il tentait d'imaginer comment les papiers de Heredia sortaient de la loge sous le bras de Cristóbal Aquino.

– Il les a emportés quelque part. Mais je ne sais pas de quel endroit il peut bien s'agir.

– Vous êtes sûr qu'il ne les a pas cachés dans la bibliothèque ?

– Aussi sûr que c'est moi qui ai rempli, fermé et transporté les dix caisses que nous avons mises à la bibliothèque.

– Et il ne vous a donné aucun indice ?

– Il m'a dit qu'il allait faire deux choses importantes, rien de plus. Il a sorti les papiers de la Chambre secrète des Maîtres et les a emportés. C'était une enveloppe jaune, de cette taille, attachée avec un ruban plus ou moins violet…

– Et vous dîtes qu'il est mort juste cette nuit-là ?

– Oui, la dernière fois que je l'ai vu vivant c'est quand il traversait la place et descendait la rue Milanés…

Fernando sentit tout son corps parcouru par un tremblement.

– Aquino, Ricardo Junco vivait dans le palais des Junco, Place de la Vigía, n'est-ce pas ?

– Oui, ça j'y ai pensé des tas de fois.

– Et c'était un homme de confiance de Machado, non ?

– J'y ai aussi pensé.

– Et il était encore franc-maçon ?

– Il était endormi, comme nous disons… mais il était toujours franc-maçon.

– Vous pensez que votre père a pu lui donner les papiers? A cause de l'histoire de Heredia et de Lola Junco?...

– Je ne sais pas pourquoi, mais j'ai toujours pensé qu'il les lui avait donnés parce qu'il était le fils de Ramiro Junco. J'y ai tellement pensé que je le lui ai demandé person-nellement, mais Ricardito m'a répondu que non... et je ne l'ai pas cru.

– Pourquoi est-ce que vous ne l'avez pas cru? Álvaro semblait exaspéré et il s'était levé.

– Par intuition. Parce que je ne lui faisais pas confiance. Parce que Ricardito était un sacré fils de pute!

– Ce qui est bizarre c'est que, Ricardo Junco étant ce qu'il était, votre père lui ait donné les documents de Heredia, justement à lui...

– J'y ai aussi beaucoup réfléchi et c'est pour ça que je n'ai jamais été tout à fait sûr. Mais s'il l'a fait, il devait avoir une bonne raison, me semble-t-il. Peut-être un engagement envers Ramiro Junco ou quelque chose de ce genre... Ramiro et mon père étaient de grands amis.

Fernando alluma une cigarette et en aspirant la fumée il eut la conviction définitive que tous les chemins parcourus conduisaient au néant. Alors, ne saurait-il jamais ce que contenaient ces documents qui ne cessaient de se dérober? Ne connaîtrait-il jamais les vérités de Heredia?

– Aquino, pourquoi la dernière fois. vous ne nous avez pas raconté cette histoire?

Le vieil homme sourit et recommença à s'éventer tout en balançant son fauteuil.

– Parce que je n'avais pas l'autorisation de le faire. Vous êtes arrivés tout d'un coup...

– L'autorisation de qui?

– De mon petit-fils Roberto... Si quelqu'un devait trouver les papiers de Heredia, ce devait être lui, non?

– Et pourquoi, maintenant, vous a-t-il donné l'autorisation?

– Parce qu'au point où en sont les choses, nous sommes convaincus que celui qui a finalement eu les documents les a brûlés ou jetés à la mer.

Dès lors, la terrible impression d'être un étranger, si souvent ressentie tout au long de mon existence, m'assaillit de nouveau avec une ardeur renouvelée. Cette petite île infortunée de la

Caraïbe était le seul endroit où je m'étais senti à l'abri de ce vide éprouvant, de ce manque de défenses qui m'avait poursuivi en d'autres lieux du monde depuis que j'étais enfant. Cuba non: Cuba m'appartenait, Cuba était mon territoire naturel, non pas grâce au hasard imprévisible qui m'avait fait naître dans la chaude Santiago, entre la mer et les montagnes, mais parce que c'était le seul lieu où j'avais senti que la lumière, l'air, les gens, les déchirements, la nourriture, les paysages, les espoirs et les odeurs parlaient à mon oreille, dans leur propre langue, que je comprenais jusque dans ses silences. C'est pour cela qu'elle était ma patrie, et parce que j'en avais décidé ainsi, bien que, en comptant ces deux mois de ce qui serait mon ultime séjour dans l'île, je n'y avais vécu que six ans, dont trois dans ma petite enfance. Six ans et un certificat de baptême établi à Santiago de Cuba suffisaient-ils pour que je sois cubain? Existe-t-il un lien possible entre une patrie, une date et un lieu de naissance? Je n'ai ni n'avais de réponses à des questions aussi sensibles mais en ces jours amers je me sentis au bord de l'ultime précipice avec le vide sous mes pieds, comme en ce glorieux matin devant le Niagara, et je contemplai de nouveau la chute de la pierre qui me maintenait en équilibre, même si maintenant je la suivais dans l'abîme: mais il n'y avait aucune branche à laquelle me retenir pour conserver mon corps et mon âme attachés à cette idée de pays que j'avais forgée et dont on me dépouillait maintenant sans pitié.

Il ne me restait qu'une question à résoudre dans l'île et je m'employai à le faire le plus tôt possible, pour rentrer au plus vite au Mexique d'où me parvenaient des nouvelles alarmantes de l'état de santé de ma pauvre Jacoba. Et penser que pendant treize ans, cet ardent désir de retour m'avait fait vivre! De plus la maladie qui ne s'était pas trop manifestée, pour me laisser quelques forces, empirait à nouveau car il est bien connu que la phtisie a beaucoup à voir avec les états d'âme et le malaise spirituel que je commençai à éprouver réveilla ma vieille souffrance et me maintint alité plusieurs jours durant.

Mon autorisation de séjour à Cuba expirait le 5 janvier et je devais à la fois faire mes adieux à l'année 1836 et à Matanzas, le jour même de mes trente-trois ans. J'avais promis à ma pauvre mère et à mes sœurs de passer en leur compagnie cet anniversaire pour lequel elles prépareraient un dîner et inviteraient quelques amis. Quels amis? voulus-je leur demander, mais je n'osai leur faire un tel affront.

Mes forces quelques peu retrouvées, je fis à nouveau des promenades à travers la ville et je pris goût à la fréquentation du Paseo Nuevo, construit en bordure de mer dans le quartier de Versailles. A la fois près et loin de la ville, j'éprouvai là un peu de bien-être malgré la présence de la statue bien lisse du misérable Ferdinand VII qui marquait le début de cette promenade protégée par de jeunes arbres, des casuarinas.

Un après-midi, alors que je marchais là, par un effet du hasard, mes yeux croisèrent le regard d'un homme qui m'observait avec un mélange de méfiance et de crainte. Je dus faire violence à ma mémoire et enfin le souvenir surgit : il s'agissait d'Antonio Betancourt, un des vieux conspirateurs que, avec ses beaux-frères Juan et Pablo Aranguren, j'avais toujours considérés comme mes délateurs. Ma première réaction fut de refuser de le saluer mais les yeux de Bétancourt me suppliaient d'une façon si douloureuse qu'ils parvinrent à m'arrêter. Alors il s'approcha de moi et me dit combien il se réjouissait de me voir.

– Je voudrais pouvoir en dire autant mais je ne peux pas, fut mon amère répartie.

– Je sais ce que tu penses mais on t'a trompé. Nous ne t'avons pas dénoncé.

– Et pourquoi devrais-je te croire ?

– C'est à toi de le décider, mais quand nous avons été arrêtés, tu es resté en liberté, et après, nous avons su que le prix exigé par le délateur était que tu restes en liberté.

– Que me dis-tu là ? demandai-je, logiquement pris d'une vive inquiétude. Antonio Bétancourt sembla retrouver son aplomb et me regarda dans les yeux.

– Je dis que quelqu'un qui savait tout à notre sujet nous a dénoncés. Quelqu'un qui savait que tu étais en relation avec le docteur Hernández et avec Teurbe, et qui savait aussi que mes beaux-frères et moi nous avions été initiés par toi pour participer à la conspiration. Cette personne savait tout de nous et nous a dénoncés, mais en même temps elle ne voulait pas que tu sois arrêté. Il fallait que ce soit quelqu'un qui te connaisse très bien…

– Je ne te comprends pas et je ne peux pas te croire !

– C'est difficile à comprendre et à croire, mais je te jure qu'ils savaient déjà tout quand ils nous ont arrêtés. Quelqu'un avait déjà chanté…

– Et qui était-ce ?

– Je ne le sais pas. Mais toi, tu devrais le savoir !

– Je ne veux plus rien savoir, furent mes dernières paroles et, prés de la statue du roi félon Ferdinand VII dont la tyrannie avait ruiné le cours de ma vie, j'abandonnai cet homme qui me faisait une révélation aussi étrange qu'incroyable.

Cette nuit-là je racontai cet étrange dialogue à Blas de Osés qui continuait subrepticement à me rendre visite car, aussi absurde que puissent paraître les paroles de Bétancourt, l'ombre du doute commençait à planer sur ma vieille certitude que les Aranguren et lui avaient été mes délateurs. Mais soudain mes obsessions se portèrent sur un autre sujet quand Osés me confirma que Lola Junco était en ville car une épidémie de variole s'était déclarée dans la plantation de sa famille et ils avaient décidé d'annuler le séjour qu'ils y effectuaient toujours pour Noël.

Avec un acharnement renouvelé, je consacrai de nombreuses heures à surveiller la demeure. Une parcelle de mon vieil esprit de conspirateur m'encourageait, tandis que je maraudais comme un espion. Mais Lola ne mettait pas un pied dehors, et Tita non plus, ce qui me semblait de plus en plus étrange. La soif, le froid, la pluie, le soleil, comme le jeune homme qui, quinze ans auparavant, surveillait sa bien-aimée, l'homme de trente-trois ans endura tout cela mais, cette fois, avec les pieds enflammés par les humeurs malignes qui envahissaient son corps tourmenté par une toux déchirante. J'eus la certitude que je finirais par la voir seulement le soir du 25 décembre : tandis que nous célébrions à la maison le souper de Noël, je me souvins que le lendemain était jour de la Saint-Esteban et que Lola avait une dévotion particulière pour ce saint dont elle invoquait souvent le nom. Je m'informai et je sus que la première messe à la cathédrale était célébrée à sept heures du matin ; je demandai qu'on me réveillât à six heures.

Le jour se levait à peine quand j'occupai mon poste de surveillance. Malgré le froid, mes mains transpiraient et mes jambes tremblaient comme autrefois. Alors qu'il ne restait que dix minutes avant le début de la messe, je la vis sortir de chez elle, accompagnée d'une esclave qui m'était inconnue. Bien qu'elle n'eût que trente ans, la dame que je vis marcher vers l'église, vêtue d'une robe noire fermée jusqu'au cou, sans ornements ni bijoux visibles, semblait plus âgée. L'amertume avait marqué sa bouche, dont les commissures tombaient tristement, cette belle bouche que j'avais tant baisée. Les cheveux, tirés en arrière de façon sévère, laissaient voir les fils blancs d'un vieillissement prématuré. Une tristesse mêlée d'angoisse m'étreignit le cœur en voyant ce qu'était devenue la nymphe du Yumurí, le plus beau bijou de l'écrin de Matanzas, la jeune fille douce et bien tournée avec laquelle j'avais partagé les moments les plus intenses de mon amour de jeunesse.

J'entrai dans l'église à sa suite et, sans qu'elle le remarquât, je m'assis derrière elle. L'office commença; au cours d'une pause entre les prières, je mis la main sur son épaule et je fis en sorte que mon billet tombât sur ses genoux. Elle ne se retourna point, elle prit le billet sans l'ouvrir, le garda dans sa main avec le chapelet de jais. Son odeur à nulle autre pareille, comme celle de La Havane, mais absolument féminine et pure, pénétra jusqu'au tréfonds de mon cerveau, pour altérer tous mes sens. Je ne sais combien de temps dura cette messe, ni quel passage de la Bible fut récité. Je ne me souviens même pas du prêtre qui officiait: mon univers se limitait à une odeur et à la nuque que j'avais devant moi comme si rien d'autre n'existait sur la face de la terre.

L'office terminé, Lola s'agenouilla pour prier. Moi, dans l'expectative, j'allai au fond de la chapelle. Quand elle termina ses prières, elle murmura quelques mots à l'esclave qui sortit de l'église tandis que Lola se dirigeait vers la chapellenie. Sans hésiter un instant je la suivis et, en passant le seuil, mon regard rencontra les yeux baignés de larmes de celle qui avait été ma femme. En silence, Lola me prit par la main et nous sortîmes dans le cloître où des orangers chargés de fruits filtraient la lumière encore timide du soleil. Nous occupâmes un petit banc et nous laissâmes nos yeux se perdre en contemplation.

– Je n'ai jamais cru que je te reverrais, me dit-elle et je compris que si les rigueurs de la vie avaient changé son aspect physique, sa voix était restée inaltérable, insensible à l'acharnement dévastateur de notre destin perfide.

– J'ai vécu toutes ses années pour te revoir, lui avouai-je et, sans pouvoir me retenir, je lui donnai un baiser. Ce fut un baiser doux, plus douloureux que fervent, si différent de nos baisers fébriles perdus dans le temps parmi les arbres de la vallée du Yumurí.

– La vie nous a maltraités, dit-elle en caressant mon visage.

– Cela fait des jours que j'essaye de te voir. J'avais préparé ce billet pour Tita.

– Tita ne vit plus avec moi. Mon mari l'a envoyée à la plantation où elle coupe la canne à sucre.

– Comment est-ce possible ?
– Tout est possible quand il y a des maîtres et des esclaves. C'était pour cela que tu voulais te battre, non ?
– Je ne me rappelle presque plus pourquoi je voulais me battre.
– Moi, si… tous les jours.
– Pour l'amour du ciel, Lola.
– Tu ne sais pas ce que j'ai vécu, José María.
Aujourd'hui encore, quand toutes les souffrances terrestres cèdent le pas devant la présence de la mort qui me guette, je sens couler mes larmes en évoquant cette rencontre. En réalité, Lola avait eu notre enfant, qui n'était pas mort comme on me l'avait fait croire. Ses parents, décidés à la sauver d'un déshonneur qu'elle aurait préféré, lui avaient retiré l'enfant : ils l'avaient alors baptisé comme s'il était le fils du frère de Lola, Rubén, et ils l'avaient fait grandir dans ce mensonge. Felipe Gómez avait accepté de se marier avec elle mais il ne lui avait jamais pardonné : il aimait les millions de la dot de la jeune fille impure et il méprisait la femme qui avait aimé un poète pauvre et séditieux. Cela faisait treize ans que durait cet enfer, l'âge qu'avait alors notre enfant, devenu un adolescent robuste que Lola voyait seulement lorsque sa famille se réunissait dans la plantation de son frère Rubén. La douleur qu'elle éprouvait en le voyant sans pouvoir lui avouer qu'elle était sa mère, lui brisait le cœur, mais pour son bien, elle avait accepté qu'il continuât à croire qu'il était le fils de Rubén et qu'il s'appelait Esteban Junco.
– Et pourquoi m'as-tu écrit cette lettre ?
– On m'a forcée à le faire.
– Et pourquoi ne m'as-tu pas écrit à nouveau, plus tard ?
– Ne valait-il pas mieux que tu m'oublies ? Que tu vives ta vie sans te voir enchaîné à un passé que tu ne pouvais pas changer, à un fils que tu ne pourrais pas voir ? J'ai cru aussi que le mieux était le silence.
– Et pourquoi me le dis-tu maintenant ?
– Parce que je sais tout de toi. Je sais que tu es très malade. Que dans quelques jours tu dois rentrer au Mexique. Et parce que je t'aime encore.
Le deuxième et dernier des baisers que Lola et moi nous échangeâmes ce matin-là, le dernier de notre vie, eut la fureur et la passion des temps passés. Je sentis dans tout mon être la chaleur de sa langue, je bus à sa bouche, je mordis la pulpe

rajeunie de ses lèvres et je caressai ses seins, percevant sous le tissu la ferme érection de ses mamelons. Et soudain je compris la terrible erreur qu'avaient été nos deux vies quand Lola se leva et me regarda dans les yeux.

– Je dois partir. Je t'en prie, ne cherche pas à me revoir. Tu sais maintenant ce que tu voulais savoir : tu as un fils appelé Esteban et je t'ai toujours aimé. Mais il est impossible de revenir en arrière. Tu ne dois éprouver de haine pour personne. C'est la vie qui nous était réservée et non une autre et cela n'a plus de sens de chercher les coupables. Il reste peut-être à changer le monde pour que d'autres ne souffrent pas ce que nous avons souffert. Mais toi et moi savons que c'est impossible. Adieu, José María.

Et elle partit vers l'église sans se retourner une seule fois.

Sur ce banc, alors baigné par le soleil du jour de la Saint-Esteban, je restai assis plusieurs heures, paralysé, pensant à une vie qui n'était pas la mienne et que j'aurais tant aimé vivre : sans gloire et sans aventure, peut-être même sans poésie, loin de la politique et de ses orages, peut-être comme un simple et obscur avocat de province qui jouit de tout le bonheur de l'univers à travers le baiser d'une femme et la caresse d'un fils. Que peut-on demander de plus ?

– C'est Álvaro, dit Delfina, et elle lui passa le téléphone tout en se dirigeant vers la salle de bains.

– Dis-moi, Varo, t'es tombé du lit ?

– Mauvaises nouvelles, mon vieux : le docteur Mendoza a trépassé.

Fernando sut tout de suite que ce n'était pas une des blagues habituelles d'Álvaro, mais quelque chose l'empêchait d'y croire. Même si cela faisait à peine une demi-heure qu'il s'était réveillé, les deux tasses de café qu'il avait déjà bues lui avaient rendu sa lucidité.

– Fernando ? demanda l'autre devant le silence prolongé.

– Oui… c'est que… Qu'est-ce qui est arrivé ?

– Une attaque, une embolie je crois… Son fils vient de m'appeler. Il sera enterré aujourd'hui à quatre heures. On le veille à la Grande loge. Je vais appeler les autres. Que vas-tu faire ?

– Attends-moi, dans une heure je serai chez toi, et il raccrocha.

Depuis la salle de bain lui parvenaient le bruit de l'eau et la voix de Delfina qui fredonnait une chanson qu'il n'arriva pas à reconnaître. Elle avait laissé la porte ouverte et Fernando respira l'odeur propre du savon fondant sur sa peau et il contempla, sur la cuvette fermée des toilettes, la chemise de nuit et le slip qu'elle avait enlevés, et il lui sembla qu'il avait là les preuves évidentes et brûlantes d'une cohabitation nécessaire, si étrangère à la mort et que pourtant la politique, la vie et les hommes s'acharnaient à rendre impossible.

– Tu es là ? demanda-t-elle, derrière le rideau.

– Oui.

– Que voulait Varo à une heure pareille ?

– Mendoza est mort, dit-il, d'un seul trait.

Elle ouvrit le rideau. La stupeur marquait son visage mouillé. Fernando la contempla un instant : les mamelons obscurs et pulpeux, le ventre légèrement arrondi, les poils du pubis lissés par l'eau et comme blanchis par les restes de savon, les cuisses longues, brunies par le soleil de la plage. Et il comprit qu'il était bien loin d'avoir épuisé les désirs et les besoins qu'elle faisait naître en lui.

– Je suis amoureux de toi, Delfina, dit-il et il s'approcha de la douche pour embrasser ses lèvres mouillées et à cet instant précis il sentit qu'elle était sa femme.

Quand il arriva chez Álvaro, Fernando éprouva la sensation qu'il s'était écoulé beaucoup plus que vingt-sept jours depuis son retour. L'accumulation d'événements et de situations qu'il avait réappris à vivre en quatre semaines pouvait remplir des années de son existence sans consistance à Madrid. Il lui semblait absurde que justement le docteur Mendoza, aujourd'hui décédé, ait été à l'origine de sa décision de revenir pour chercher la vérité perdue de la vie de Heredia, et que, en revanche, il trouve les évidences égarées de sa propre vie.

– Nous allons attendre Tomás, dit Álvaro, il ne va pas tarder à arriver.

– Je crois que Tomás est furieux contre moi.

– Oublie ça. Non, oublie tout, plutôt... Et Delfina, elle ne va pas venir ?

– Elle est partie un moment à son travail, après elle va préparer le repas de son père et elle arrivera à la veillée avant l'enterrement.

– Tu veux t'en jeter un derrière la cravate ?

– Tu as déjà commencé ?

– Dis plutôt que je n'ai pas fini. Je venais juste de me coucher quand le fils de Mendoza m'a appelé.

– Tu es en train de te tuer, Varo.

– Je t'ai déjà dit que ça fait un bon moment que je suis mort… Ce que tu vois c'est une inertie pure, un clone comme on dit maintenant…

– Pourquoi tu fais ça?

– Parce que ça ne regarde que moi, Fernando. Parce que j'aime ça et que je le veux. Parce que c'est la seule chose que je peux décider. Ça te va?

Álvaro entra dans la maison et revint avec un verre à moitié rempli d'alcool dans lequel flottait un cube de glace.

– Tout bien considéré, dit-il, tout le monde meurt. Ce n'est jamais qu'une question de temps et de façon.

– Tu n'écris plus, n'est-ce pas?

– Pour quoi faire? Ça sert à quelque chose?

– Tu es foutu à ce point?

– Ici le plus foutu de tous, c'est toi. Il te reste deux jours. Que vas-tu faire?

– Partir. Que veux-tu que je fasse d'autre? Après je verrai comment les choses se mettent en place. J'ai Delfina là, dit-il en indiquant sa poitrine.

– Et où en es-tu avec Heredia?

– Je ne sais pas, mais je crois que ça valait la peine.

Álvaro agita son verre pour refroidir la boisson.

– Et le traître? demanda-t-il.

– Pourquoi est-ce que tu t'obstines à parler de ça?

Fernando le regarda dans les yeux et alors il osa lâcher l'idée qui l'obsédait.

– Si ce n'est pas toi, il n'y a pas eu de traître.

Álvaro sourit.

– Tu as pardonné à tous les défunts.

– Je crois que oui, même à Tomás. J'avais toujours voulu que ce soit lui.

– Quel dommage!… Et pourquoi tu penses que c'est peut-être moi?

– Parce que tu en savais autant que les autres… mais cela me ferait beaucoup de peine que ce soit toi.

– Mais maintenant tu penses que oui, que si ça se trouve j'ai…

– Varo, je te l'ai dit dès que je suis arrivé: nous allons oublier tout cela.

– Après avoir tellement fait chier avec ça, maintenant tu décides que tu ne veux plus en parler… Après avoir pensé pendant vingt ans qu'un de tes amis t'avait balancé, maintenant tu pardonnes à tout le monde et voilà. Putain, Fernando, t'es incroyable! Et tu t'imagines que les autres vont te pardonner d'avoir cru que l'un d'entre nous était un mouchard qui vous a dénoncés, toi et Enrique?

– Arrête, Varo.

– Non, je ne m'arrête pas, parce que tout ce qui me reste dans ma vie ce sont mes amis... Mes enfants, je les connais à peine, cela fait je ne sais combien de temps que je n'écris pas un poème qui vaille la peine, aucune femme ne me supporte plus d'une semaine, un de ces quatre cette maison va me tomber sur la tête...

– Mais merde, cesse de boire...

– Eh bien non, putain de merde! C'est la seule chose que je peux vraiment décider, dit-il et il leva son verre. Et si je dois mourir demain que ce soit avec une cuite mémorable! Comme ça, si ça se trouve je ne m'en rendrai même pas compte...

– L'ennui c'est que tu ne vas pas mourir demain.

– C'est vrai, je suis mort hier ou avant-hier ou il y a vingt ans. Je ne me rappelle même plus quand je suis mort.

Fernando le vit boire d'un trait et un frisson parcourut tout son corps.

– Je sais que ce n'est pas toi, fit-il.

– Écoute Fernando, moi aussi je te l'ai dit quand tu es arrivé: personne ne t'a dénoncé. Et pas parce que nous sommes plus forts, ni plus formidables ni rien de tout cela, si on nous avait cuisinés un peu, n'importe lequel d'entre nous aurait pu parler et t'accuser de n'importe quoi. Mais le hasard a fait qu'on nous a pas interrogés... J'ai fait ce que j'ai pu pour que tu retrouves tes amis mais toi tu as mis le couteau dans la plaie et tu l'as bien enfoncé. Et je ne dis rien en ce qui concerne les autres, mais moi, Álvaro Almazán, je ne te pardonne pas toute cette connerie. Tu m'entends?

– Alors, finalement le fils de pute c'est moi... Allez, laisse tomber, t'es bourré.

– Ouais, mais les ivrognes ne disent pas toujours des couillonnades. Fais le bilan et tu vas voir que j'ai raison. Tu veux un verre maintenant?

Fernando le vit se lever et s'éloigner vers l'intérieur de la maison.

– Oui, donne-moi un peu de rhum.

La Havane vivait l'allégresse de la nouvelle année 1837 et moi, tel un fantôme, je frôlai cette gaieté sans avoir d'yeux pour elle. C'était comme si le garçon qui vingt ans auparavant avait voulu avaler la ville, respirer chacune de ses exhalaisons, était devenu un étranger pour l'homme qui maintenant passait en ignorant le bonheur vide et conditionné d'un peuple qui, après avoir mangé son pain, prenait plaisir au cirque. Je pris une chambre dans la même pension où je m'étais logé à mon arrivée et après avoir écrit à ma mère pour lui faire savoir que j'allais bien, je bus toute une bouteille de vin et me laissai tomber sur le lit.

Le lendemain je me présentai devant les autorités pour les informer que j'étais disposé à quitter l'île avant le 5 janvier, date à laquelle expirait mon visa. Là on m'expliqua que la goélette *El Carmen* avait retardé son départ de dix jours, et que, de ce fait, mon permis de séjour était prolongé d'autant. Alors, comme un pèlerin qui fait ses adieux à ses croyances et à ses lieux saints, je consacrai une bonne partie de mon temps à parcourir la ville. J'étais peu attiré par ses constructions neuves et rutilantes, ses vastes avenues modernes, ses rues maintenant plus propres et, à plusieurs reprises, je préférai prendre une calèche jusqu'au lointain quartier du Manglar, zone habitée par les noirs et les gitans, pour manger dans ses gargotes, écouter des histoires et sentir que je me trouvais dans cette même ville que j'avais quittée jadis, il y avait des millions d'années.

Ma disposition d'esprit ne s'améliorait guère : les événements et les révélations de ce voyage vers le passé avaient été par trop terribles pour que les blessures aient une chance de se refermer. Le pire était la certitude que je n'avais plus rien à faire dans ce pays qui, loin de me rendre la santé, les affections, le bonheur, m'accablait maintenant sous les fautes, les oublis et le mépris. Pour moi tout avait l'amertume du dénouement et devant l'imminence de mon départ, j'écrivis à Domingo. Ce fut une lettre dépourvue de rancœur ou de récriminations, dans laquelle je regrettais à peine de n'avoir pu le rencontrer. Je ne mentionnais pas sa lettre, ni le fait qu'il m'eût évité et encore moins tout ce que j'avais appris par Blas de Osés. A la fin je lui faisais mes adieux définitifs et je lui souhaitais tout le bonheur du monde.

Une nuit, en rentrant à la pension, je trouvai un billet sur mon lit, envoyé par le bureau du capitaine général. Pressentant des représailles du fait que j'avais dépassé la date de mon séjour dans l'île, j'ouvris l'enveloppe et, à ma grande surprise, je trouvai une invitation que me faisait Miguel Tacón en personne, désireux d'avoir un entretien avec moi. Le jour fixé était le 12 janvier, à quatre heures, au palais des capitaines généraux ; il disait que ce serait pour lui un honneur de converser avec un écrivain aussi célèbre, et sous sa signature apparaissaient – selon l'usage – les titres politiques et honorifiques qu'il étalait avec cette manie des tyrans de faire suivre leurs noms d'épithètes ridicules destinés à proclamer leur toute-puissance : depuis Vicomte de Bayamo, Marquis de la Unión de Cuba, Chevalier de l'Ordre Insigne de la Toison d'Or jusqu'aux titres de Lieutenant général des Armées Nationales, Gouverneur et Capitaine Général de l'Ile de Cuba.

Avec l'appréhension qui ne m'avait pas quitté depuis que j'avais reçu la lettre, le jour dit, je montai les grands escaliers qui conduisaient au bureau du satrape. La curiosité malsaine, éveillée par l'homme terrible qui tenait en échec les maîtres du pays tandis qu'il emplissait la ville de places et de monuments où ses sympathisants se réunissaient pour acclamer son nom, se mêlait à la répugnance que m'inspirait cette rencontre avec l'implacable censeur de toute idée libérale, l'exécuteur du pouvoir qui s'arrogeait le droit de réglementer ma relation avec Cuba, le militaire impitoyable qui avait exprimé sa haine envers tout ce qui était américain. Comme cela se produit généralement, on racontait sur lui des histoires et des légendes si typiques des personnages de son espèce qu'il est presque inutile de les mentionner : cela allait de sa capacité à vivre sans dormir, travaillant des nuits entières, jusqu'à dire qu'il avait une mémoire insolite et sévère qui lui permettait de se souvenir de chacun de ses ordres ou de chacune de ses volontés. De même, on parlait de sa puissance sexuelle, de ses rages irrépressibles et de son obsession de l'ordre et du pouvoir, ainsi que de son amour pour les uniformes et les décorations, dont il ne se séparait jamais.

Quand l'aide de camp me fit entrer dans le bureau, le capitaine général m'attendait, debout, au centre de la pièce. Au fond, près d'un grand portrait de la reine María Cristina, se trouvait une hampe avec un drapeau espagnol et un autre avec les symboles de la dynastie régnante, en plus d'un vieux blason de la couronne de Castille et de León et des emblèmes de plusieurs corps d'armée. Tacón fit quelques pas vers moi et pour une fois mes jambes ne se mirent pas à trembler. Il me tendit la main d'un geste martial puis m'indiqua un siège. Il ne souriait pas et ses yeux de corbeau essayaient de se faire une meilleure image de ma tournure, qui ne lui paraissait peut-être pas correspondre à celle d'un ennemi politique. Le général avait une allure robuste, des cheveux très noirs, pour ses soixante ans, et je découvris qu'il rehaussait sa stature grâce à des bottes volumineuses aux semelles très épaisses. Tout compte fait, malgré son pouvoir absolu, sa possibilité d'écraser des vies et des pays, il n'était qu'un homme, aussi fragile que n'importe quel être né du ventre d'une femme. Après m'avoir offert un café trop sucré, le tout-puissant dit à l'aide de camp que personne ne devait nous déranger puis il occupa un des hauts fauteuils en bois et en cuir, tandis qu'il fixait son regard sur un point indéfini, à ma droite.

– Je désirais sincèrement vous connaître, dit-il. Dans tout le monde hispanique, on parle du Chantre du Niagara comme d'une légende vivante et à Cuba on vous considère comme un héros.

– Je n'en suis pas si sûr, lui rétorquai-je et son regard se tourna vers moi.

– Seulement parce que vous m'avez écrit et que vous êtes revenu ?

– Également pour cela.

– Cela a dû être douloureux pour vous.

– En effet. Plus que vous ne pouvez l'imaginer.

– On vous a mal reçu à Cuba ? Vous savez, j'avais donné des ordres stricts...

– Non, non, on m'a seulement rappelé que je suis ici grâce à votre bon vouloir et que ce bon vouloir pouvait changer.

– Rien de plus éloigné de mes intentions. Pour moi c'était très important que vous veniez à Cuba.

– Je sais... je suis une sorte de trophée de guerre, non ?

– Vous avez toujours été un mauvais exemple et vos poèmes... Heredia, le fait que vous ayez fait un faux pas est une victoire pour mon gouvernement et pour la couronne d'Espagne.

– Mon faux pas, pour reprendre votre mot, a beaucoup à voir avec des motifs personnels.

– Oui, bien entendu. Avez-vous trouvé votre mère en bonne santé ?

– Oui, heureusement.

– Je m'en réjouis... et il me regarda droit dans les yeux. Mais dans votre lettre vous me disiez d'autres choses. Vous me disiez que vous n'estimiez plus que l'Indépendance fût la meilleure solution pour cette île.

– J'ai vu ce qui est arrivé au Mexique. Je sais ce qui se passe en Colombie et ce n'est guère encourageant.

– On voyait cela venir depuis des années. Je suis arrivé en Amérique en 1809, comme gouverneur de Popayán, et je savais que tout finirait ainsi. Votre père le savait aussi…

Je ne sais quelle fibre de mon cerveau toucha à ce moment le général en mentionnant mon père. Mais le fait qu'il se comparât à cet homme probe, mort dans la misère, provoqua une étrange révolution dans mon esprit. Ma réaction ne fut pas celle d'un homme courageux car en vérité je ne l'ai jamais été: mais quoi qu'il arrivât, je sentais que j'étais au-dessus de ce personnage. L'homme tout-puissant ne pouvait plus m'écraser, car la vie s'était chargée de le faire. Je savais que mes jours sur cette terre étaient comptés, que je ne reviendrais jamais à Cuba et cela me procura un sentiment de liberté comme jamais auparavant je n'en avais éprouvé, me sachant à l'abri de ses possibles excès. Ni ma voix ni mes jambes ne tremblèrent quand je lui répondis:

– Il est lamentable que certains hommes, après s'être battus pour la justice, deviennent injustes… Mais ce qui arrive à Cuba ne porte pas précisément à se réjouir. La prospérité est là, certes, mais rien ne peut compenser le manque de liberté. Ou l'esclavage, par exemple…

– Oui, c'est une infamie.

– Que vous encouragez.

– Pour des motifs politiques. Et vous savez bien que la politique impose ses conditions.

– Et à quel prix!

Tacón me regarda comme si quelque chose lui échappait; il reporta son regard sur un point imprécis, au-delà de ma tête, et parla presque dans un murmure.

– Que pensez-vous de moi? Soyez sincère, s'il vous plaît…

– Je ne crois pas devoir vous le dire. Vous êtes mon amphitryon…

– Je vous en prie, dites-le-moi.

– Je ne crois pas que vous désiriez entendre ma vérité. Je pense que vous préférez celle de ces hommes à votre solde qui descendent dans la rue pour vous acclamer.

– C'est la vérité de la majorité.

– Beaucoup de ceux qui un jour furent acclamés ont vu leurs tombes profanées le lendemain et on les a injuriés quand ils ne pouvaient plus exercer le pouvoir. Alors ne faites pas trop confiance à ceux qui chantent vos louanges et vous obéissent, et encore moins s'ils ont peur.

– Peur ? Je crois que vous n'avez pas compris ce qui se passe à Cuba.

– Je crois que oui. Vous voulez vraiment entendre ce que je pense de vous ? Eh bien, je pense que vous accomplissez votre mission mais que vous avez imposé la terreur, la censure et la délation comme mode de vie dans ce pays. Vous détestez ceux qui sont nés dans cette île. Vous êtes l'ennemi de l'intelligence, vous imposez la démagogie et, comme tous les dictateurs, vous demandez en échange qu'on vous aime.

En cet instant seulement, je vis un bref sourire se dessiner sur les lèvres de Tacón. Il s'appuya légèrement au dossier de son fauteuil, caressa sa barbe et, après m'avoir regardé un instant, il dirigea à nouveau son regard vers le vide, comme s'il s'adressait à un interlocuteur invisible, plus important qu'un simple poète vaincu et malade.

– Et vous ne croyez pas que combattre le vice, le jeu, la prostitution et la corruption soit une remarquable réussite de mon gouvernement ? Croyez-vous qu'améliorer les rues, construire des promenades, des théâtres, des édifices publics, une prison neuve où les prisonniers vivent comme des êtres humains et non comme des animaux, soit une œuvre méprisable ? Apporter le progrès à cette île qui aura le chemin de fer avant même qu'il n'arrive en Espagne est un acte despotique ? Êtes-vous sûr qu'il est pire de censurer deux ou trois hommes intelligents plutôt que de permettre l'indécence, l'immoralité, l'agressivité constante qui régnait dans la presse ? Ne pensez-vous pas, monsieur Heredia, qu'il est préférable d'empêcher le chaos dans lequel cette île pourrait sombrer avec une révolution où les premiers à se soulever seraient les nègres qui en finiraient avec nos institutions et notre religion, plutôt que d'accepter une sédition que vous-même avez encouragée il y a quelques années ?

– Rien ne justifie que l'on passe outre la volonté du peuple.

– Mais, monsieur Heredia, ne soyez pas naïf. De quel peuple me parlez-vous ? N'allez pas me dire que vous parlez au nom des nègres, de cette racaille du Manglar où vous vous êtes rendu ces jours-ci ? Ou au nom des esclaves qui ne savent même pas prononcer le castillan ? Il fit une pause et me regarda. Non, non, vous vous référez sûrement à ces grands messieurs qui se sont enrichis avec la traite et qui, dernièrement, sont devenus des philanthropes, car pour conserver leur poches bien pleines ils ont maintenant besoin d'une autre force de travail... Combien d'entre eux ont appuyé l'indépendance de Cuba en 1823?... Mais j'ajouterais ceci: je sais que votre ami Domingo vous a évité, et qui plus est, il ne vous a même pas invité à une de ses réunions littéraires qu'il organise chez lui et où il se comporte comme un pacha. Eh bien, ce même monsieur, qui n'a pas le courage d'écrire son nom sur un pamphlet qu'il a écrit contre mon gouvernement, a reçu l'ordre de m'amadouer et peut-être de m'acheter et je crois qu'il l'a exécuté avec plaisir. Je me suis rendu deux fois chez lui: d'abord à un dîner puis à une de ses réunions... Si seulement vous aviez pu voir sa bibliothèque, avec ces étagères débordant de livres venus des quatre coins du monde, des revues publiées hier en Europe, avec ces sièges en cuir et ces lustres aux cent lumières. Et les esclaves de la maison, pardieu, vêtus comme à Paris! Avec ces messieurs est-il possible de penser à l'Indépendance? Ce sont eux qui s'opposent à la traite et à l'esclavage? Laissez-moi rire...

– C'est trop triste pour prêter à rire. Mais ces messieurs qui veulent s'approprier le nom de Cuba ne sont pas Cuba. Qu'ils vivent comme ils le font ne justifie ni la terreur ni le manque de liberté ni la répression qui s'abat sur ceux qui pensent différemment.

– Cela est une autre histoire. Je sais que l'on m'accuse de réprimer l'activité politique dans l'île mais, croyez-moi, je le fais pour éviter de plus grands maux. Les États-Unis et l'Angleterre ne quittent pas ce pays des yeux. Et si on ouvre une brèche, ce sera la fin. Si pour que l'île reste espagnole il faut faire taire les déclarations politiques de quelques-uns, eh bien, nous les ferons taire! Des grands maux, il faut choisir le moindre. C'est de la politique, c'est du réalisme.

– La surveillance d'une police qui en sait plus sur moi que moi-même, c'est aussi une réalité. Tout comme le fait qu'il y ait de plus en plus de proscrits.

– C'est un châtiment cruel et c'est pour cela que nous l'utilisons. Mais nous l'appliquons avec justice. S'il y a des lois, les lois s'appliquent. Mais puisque nous abordons cette question, laissez-moi vous dire une chose: de tous les actes de mon gouvernement, le seul que je regrette, c'est d'avoir ordonné l'exil de Saco, parce que je l'ai fait, poussé par les intérêts de monsieur le Comte de Villanueva qui est cubain comme vous, mais qui vous déteste et vous méprise tous. Mais je n'ai pas expulsé Saco de force, comme le disent mes ennemis. Dans cette même pièce je me suis entretenu avec lui et je lui ai expliqué ce qui s'était passé. C'est pourquoi des mois se sont écoulés entre l'ordre de proscription et le moment où il a choisi le pays, le bateau, la date qui lui convenait le mieux pour abandonner l'île, avec un salaire en poche fixé par ses patrons, les Aldama et les Alfonso. Vous ne le saviez pas?... Mais oubliez Saco et regardez autour de vous. Qu'est-ce qui est le plus important : un homme ou la prospérité d'un pays ?

A cet instant, peut-être du fait de la tension à laquelle j'étais soumis, je sentis que ma vue se voilait, mais une étrange force, née peut-être de la conviction que ma vie avait été bouleversée par des hommes de son espèce, me soutint et me poussa à continuer.

– Vous considérez-vous comme le bienfaiteur du pays ?

– Qu'en pensez-vous, après tout ce que j'ai fait pour cette île ? Aujourd'hui à Cuba on vit mieux que jamais...

– Je croyais que c'était à cause du prix élevé du sucre. Mais ces bénéfices n'arrivent pas aux baraquements des esclaves que vous faites venir à Cuba et pour lesquels vous recevez toujours un pourcentage sonnant et trébuchant...

– Vous ne voulez pas comprendre... On dirait que nous parlons de deux pays différents.

Et pour la première fois je perçus un certain ressentiment dans sa voix.

– Au contraire, c'est le même pays et je comprends de mieux en mieux. La seule chose indiscutable dans tout cela c'est que la finalité du pouvoir est de le conserver et son essence est la répression.

– Vous croyez que le pouvoir m'intéresse ? Écoutez, on me ferait une grande faveur si quelqu'un d'autre venait gouverner l'île...

– Le pouvoir est comme une drogue et l'ivresse de l'histoire peut être le pire de ses effets.

– L'histoire est une putain, monsieur Heredia. Ingrate... dit-il, comme s'il lui manquait un mot et il se leva.

– Mais elle est écrite par ceux qui ont le pouvoir. Même si l'autre Histoire, la vraie, la seule valable, finit par s'imposer. Ce qui est terrible c'est que l'on n'en tire pas les leçons, on n'apprend jamais. Les peuples sont incorrigibles...

Tacón s'arrêta et me regarda dans les yeux.

– Dans votre lettre, vous...

– Que vouliez-vous ? Il aurait fallu que je fusse très stupide pour ne pas vous dire ce que vous vouliez entendre.

– C'est du cynisme.

– Vous avez raison. Mais un moribond comme moi, qui désirait revoir sa mère et sa famille peut-être pour la dernière fois de sa vie et qui avait besoin de respirer encore une fois l'air de cette île, a droit au cynisme et au mensonge.

– Mais c'est qu'en plus vous êtes un lâche, monsieur Heredia.

– C'est vrai, et en ce moment même j'ai peur. Vous qui avez interdit à mes compatriotes de lire ma poésie et qui jouissez du pouvoir de décider de la vie de ceux qui habitent cette île, vous avez maintenant la mienne entre vos mains. Vous avez déjà mon renoncement politique et maintenant je vous offre ma tête.

Tacón sourit alors.

– Votre démission politique me suffit. Aujourd'hui, à Cuba, vous n'êtes plus personne. Vous êtes un insecte et même vos amis ne vous aiment plus. Pourquoi vous ferais-je tuer ? Vivant mais vaincu vous êtes plus utile… Ah ! et pour sûr, ne croyez pas ce que l'on vous a dit : la poésie est dangereuse, mais pas à ce point.

– Vous avez raison. Aucun poème ne renversera jamais un tyran. Mais elle le stigmatise, parfois de façon indélébile. Souvenez-vous qu'il reste l'autre Histoire, la vraie, qui un jour effacera votre nom des monuments que vous avez construits et crachera sur votre tombe puisque aujourd'hui elle ne peut le faire sur votre personne. Et cette Histoire, si elle vaut quelque chose, aura ma poésie à ses côtés. Et tout votre pouvoir ne pourra l'éviter.

– Je vous l'ai déjà dit : vous êtes un rêveur. Vous me faîtes pitié. Aussi vais-je vous raconter quelque chose dont vous allez peut-être même me remercier, dit-il en arpentant la pièce sans me regarder. Votre ami Domingo vous a évité, n'est-ce pas ? Eh bien, ne le regrettez pas. Cet homme n'a jamais été votre ami. C'est lui qui vous a dénoncé en 1823, après que vous lui ayez raconté que vous étiez en train de conspirer…

L'estocade de Tacón me fendit le cœur. M'avait-il fait venir dans ce seul but ?

– Si vous voulez, je peux vous montrer des actes dont nous disposons…

– Non, je ne veux rien voir… murmurai-je, me sentant détruit, je désirais me trouver très loin de là, et même ne m'être jamais trouvé dans cette pièce et avoir entendu la terrible révélation qui m'emplissait d'une épouvantable tristesse et dévorait toutes mes forces.

– C'est bon. Je voulais simplement que vous sachiez qui est ce monsieur.

– Puis-je me retirer ?

– Vous le pouvez, vous le pouvez. Mais souvenez-vous d'une chose : tant que je gouvernerai cette île, vous ne reviendrez jamais à Cuba.

– C'est cela le pouvoir. Utilisez-le. Bonsoir.

J'eus du mal à me mettre debout et je dus m'aider de la force de mes bras. Comme un homme ivre, je descendis les escaliers et en arrivant au dernier palier, je levai les yeux. De toute sa hauteur, avec son uniforme rutilant, couvert de décorations, avec tous ses honneurs et tous ses titres, cet homme m'observait mais je savais déjà que l'Histoire n'aurait pour lui aucun pardon. Et pour le délateur Domingo ? Et pour moi ?

S'infiltrant à travers les tissus noirs brodés de têtes de mort très blanches, traversant l'odeur oppressante des fleurs, de la cire et de l'encens, pénétrant librement les éternels attributs de la fraternité, maintenant en deuil, le temps, plutôt que de s'arrêter, commença à reculer. Ce devenir inversé semblait chercher des essences inaltérables, hors de la marche progressive des pendules, comme acharné à démentir la continuité inexorable de l'histoire.

Au centre de la grande salle, le cercueil avait un rôle de premier ordre, presque excessif, pleinement assumé par les hommes qui tout autour célébraient la cérémonie d'adieu avec un sentiment de résignation manifeste. Francs-maçons, parents et connaissances, pénétrés par l'esprit de tristesse intense du moment, avaient écouté, debout, la première invocation du Vénérable Maître, capable d'exprimer toute la philosophie de la vie et de la mort des hommes assermentés et initiés aux secrets de la fraternité millénaire.

– Grand Architecte de l'Univers, avait commencé l'homme paré des ornements de la Vénérabilité. Pouvoir infini. Être miséricordieux qui peut se concevoir mais ne peut se définir. Auteur immuable des transformations incessantes. Toi qui ne vois rien d'anormal à notre mort, comme Tu ne le vois pas non plus à notre naissance, je T'invoque Toi. Nous souhaitons que notre frère Gonzalo Mendoza Santiesteban vive à tes côtés comme il vécut parmi nous et que Tu l'accueilles avec bonté, en lui accordant la récompense du juste, à lui qui fut juste.

Pendant que le Vénérable Maître allumait l'encens, Fernando sentit sur son bras la pression de la main chaude de Delfina, et Miguel Angel, à côté de lui, murmura :

– C'est très fort. Je n'imaginais pas que c'était comme ça…

– Asseyez-vous, ordonna alors le Vénérable.

Près de Miguel Angel, Arcadio, Álvaro, Conrado et Tomás occupèrent un siège, tous aussi fascinés par la singulière cérémonie qui maintenant rendait compte de la fragilité des plus précieuses prétentions humaines.

– L'existence terrestre des êtres se plie à ce processus naturel et il n'est pas d'homme qui parvienne à échapper à son influence. Les gloires, les richesses, les honneurs vers lesquels tendent nos éternels désirs restent ici comme le corps inerte, quand l'âme se libère de sa prison à l'instant de l'avare baiser de la mort.

Sur le monticule de l'Orient, les deux enfants et l'épouse de Mendoza écoutaient les vérités prononcées par le Vénérable. Au cours de ses années de vie maçonnique, le professeur avait peut-être appris ces leçons et compris leur consolation particulière et déchirante.

Pendant que le Maître de Cérémonies commençait à prononcer ce que le Vénérable avait appelé le panégyrique du défunt, Fernando Terry, qui voyait l'intérieur d'un temple maçonnique pour la première fois, comprit comment pour ces hommes, obstinés à maintenir une fraternité ancestrale, le temps pouvait emprunter des cours différents de ceux que, jusqu'à cet instant, il avait jugés normaux : une éthique immuable, étrangère aux outrages du temps et de l'époque, reliait les maçons à un idéal de perfection basé sur les principes inviolables de la fidélité, la solidarité et la fraternité, acceptés librement et consciemment. Alors il tenta d'imaginer ce qui s'était passé dans la nuit du 11 février 1921 quand, durant une cérémonie moins funèbre mais assumée avec la même solennité, José de Jesús Heredia avait chargé ses frères maçons d'être les gardiens de la mémoire de son père et avait entendu, prononcé par les quatre-vingt-six hommes initiés à ces rituels, le serment de garder son secret.

Sur un ordre du Vénérable, les présents, à nouveau debout, regardèrent comment le second Surveillant déposait des fleurs sur le cercueil et en faisait plusieurs fois le tour. Puis, plusieurs maçons répétèrent l'opération, jusqu'au moment où le Vénérable

Maître descendit de l'Orient et demanda à ses frères de former une chaîne humaine autour du cercueil couvert de fleurs. Mais une chose étrange se produisit dans cette formation : la chaîne des hommes qui se tenaient par la main resta ouverte entre le Maître de Cérémonies et le Vénérable. Alors le Vénérable murmura quelque chose à l'oreille de l'homme qui se trouvait à sa droite et le message circula jusqu'au Maître de Cérémonies, qui dit finalement à haute voix :

– Vénérable Maître, la chaîne est rompue.

Ce à quoi le fonctionnaire suprême de la loge répondit :

– Mes chers frères, la mort du frère Gonzalo Mendoza a rompu la chaîne de fraternité qui nous unissait. La disparition de ce précieux maillon a interrompu, bien que de façon momentanée, le courant de solidarité qui doit unir tous les francs-maçons... Et, bien que cette rupture soit la conséquence d'une loi naturelle, unique cause capable de défaire les liens fraternels qui nous unissent dans la vie, nous devons la reconstruire, car ces liens ne doivent jamais se relâcher... Je vous invite, mes frères, à réajuster les maillons de la chaîne symbolique : fermez la chaîne, ordonna-t-il, et le Maître de Cérémonies tendit la main pour prendre celle du Vénérable. Mes frères, la chaîne est unie. Que ce cercle que nous formons autour du tumulus qui nous rappelle notre frère défunt soit le baume qui atténue notre peine et consolide notre union...

Fernando Terry ne put se retenir. Comme s'il obéissait à un ordre oublié, qui ne pouvait plus attendre, il mit sa main gauche dans celle de Delfina, tandis que de la droite il attrapait celle de Miguel Angel El Negro qui, le regard fixé sur les maçons qui reformaient la chaîne, tendit sa main gauche à Arcadio qui prit celle d'Álvaro qui, après avoir hésité un instant, saisit celle de Conrado qui a son tour serra celle de Tomás, juste au moment où le Vénérable Maître reprenait son discours.

– Frères, sous cette voûte funèbre, témoin muet de notre sincère hommage, nous devons éloigner de nous toute idée de ressentiment ou d'égoïsme. J'invite toutes les personnes présentes à prêter avec moi le serment solennel d'oublier les injures et les offenses éventuellement reçues. Que disparaissent les vaines rancœurs : que la paix et l'harmonie soient avec nous.

Sans lâcher la main de Conrado, Tomás regarda Fernando dans les yeux, tandis qu'il avançait vers Delfina pour saisir la main de la femme et fermer la chaîne. Six hommes et une femme, accompagnés par le souvenir de deux frères morts se regardèrent dans les yeux comme si, en réalité, le temps pouvait s'arrêter et même repartir en arrière pour que la mémoire puisse se libérer de ses rancœurs les plus véhémentes.

– Il faut que quelqu'un meure pour que les autres sachent qu'ils sont vivants, dit Miguel Angel.

– Pas de discours, merde! intervint Álvaro.

Fernando et Tomás sourirent.

– C'est dommage que le vieux soit mort, mais ça il faut le fêter, proposa Arcadio.

– Une *tertulia* des Merles Moqueurs, ça serait pas mal, proposa Miguel Angel.

– D'accord, mais maintenant lâchez-moi, protesta Álvaro en souriant, et le formalisme qui menaçait de s'ankyloser, se dissipa soudain.

Fernando et Delfina occupèrent de nouveau leurs sièges. La certitude de ce que pouvait signifier cette chaîne et le départ imminent de Fernando renforçaient leur malaise.

– Depuis combien d'années pouvaient-ils bien être mariés? demanda-t-elle en regardant vers le monticule de l'Orient où se trouvait la veuve.

– Va savoir. Le fils aîné a notre âge.

– Et celui qui porte la chemise à carreaux, c'est le plus petit, non?

Fernando chercha du regard le benjamin des Mendoza et le trouva debout, près d'une couronne de fleurs, en train de parler avec un homme plus âgé que lui. L'homme, un mulâtre costaud, mais avec les cheveux tout blancs, portait un pull-over sans col qui permettait de voir les deux grosses chaînes en or qui se croisaient sur sa nuque.

– Oui, c'est celui qui vend de la viande de porc au marché, confirma Fernando qui, à ce moment, reçut comme une violente décharge électrique: l'homme qui parlait avec le fils de Mendoza se retourna et, malgré les cheveux blancs, les années, les médailles et les croix en or qui brillaient maintenant sur sa poitrine, il le reconnut sur-le-champ. Sa mémoire avait tant de fois vomi ce visage aux yeux inquisiteurs, que même en enfer il l'aurait reconnu. L'homme, une cigarette entre ses doigts pleins de bagues, se dirigeait vers la porte du temple avec une démarche déplaisante quand Fernando, les mains couvertes de sueur, sentit qu'une force inconnue le poussait en avant.

– Je reviens tout de suite, dit-il à Delfina et il passa devant ses amis pour aller vers la porte.

En sortant dans le vestibule il le vit, près de l'une des grandes fenêtres, sa cigarette maintenant allumée. Il le regarda avec une intensité telle que l'homme se sentit observé et dirigea son regard vers lui, puis se retourna tout de suite pour jeter la cendre par la fenêtre. Alors Fernando Terry avança et s'arrêta à côté de lui. Il pensa prendre, lui aussi, une cigarette, mais il savait que ses mains trembleraient de façon incontrôlable.

– Tu ne te souviens pas de moi ?

L'homme, surpris par la présence d'un inconnu, se mit sur ses gardes et tenta de sourire tout en l'observant.

– Mon vieux, ta tête me dit quelque chose, mais… tu es du marché ?

– Tu es Ramón… dit alors Fernando et le sourire s'envola sur le visage de l'autre.

– Ah… bon, tu me connais d'avant.

– Je suis Fernando Terry, dit-il et il attendit la réaction du flic.

– Ah, mais oui, merde… et il sourit à nouveau. Le type de l'université. Mais dis donc, ça fait un bail ! Comment va la vie, mon vieux ?

Ramón semblait à nouveau sûr de lui, calme et presque content de retrouver une vieille connaissance.

– Ma vie ? Une vraie merde ! J'ai dû quitter Cuba…

– Tu déconnes ?

– Ça t'étonne ?

– Bon, enfin, pas tellement, admit Ramón. Y'a tellement de gens qui sont partis…

– Et pour toi ça marche, à ce que je vois, et Fernando fit un signe vers les chaînes en or qu'exhibait l'autre.

– Maintenant oui, mais moi aussi j'en ai bavé. J'ai été renvoyé en 1989. Une embrouille avec des œuvres d'art… On n'a rien pu prouver, mais on m'a éjecté et j'ai vécu de ce qui se présentait jusqu'à ce que je travaille au marché avec Jorgito Mendoza.

– Alors tu n'es plus flic ?

– Non, depuis dix ans. Putain… Ramón… J'avais presque oublié ce nom ! Après ça, j'ai été Waldo, Omar et à la fin je m'appelais Alexis. Et toi, pourquoi tu es parti ?

– Tu sais que j'ai été renvoyé de l'université et mis sur la liste noire.

– A cette époque-là, c'était terrible, oui. Pour la moindre chose…

– J'ai passé ma vie à rêver de toi.
– Merde, mon frère…
– Je ne suis pas ton frère !
– Bon, ça va, ça va…
– Et maintenant tu es franc-maçon ?
– Oui, ça m'a pris comme ça.

Fernando perçut la dose d'ironie qui pesait dans la réponse. Ramón, ou quel que soit son nom, pouvait être n'importe quoi : flic, franc-maçon, chrétien, vendeur de cochons et tout ce que la vie pouvait l'obliger à être.

– Je voulais te poser une question et comme tu n'es plus flic tu vas pouvoir me répondre.

Ramón sourit et lança son mégot dans la rue.

– Qui m'a balancé et a dit que je savais que mon ami allait partir ?

Ramón semblait maintenant amusé et regardait Fernando comme un être bizarre.

– Qui t'a dit que quelqu'un t'avait balancé ?
– Tu me l'as fait comprendre.
– Ou tu as voulu le comprendre. Écoute, si je me souviens bien, je t'ai seulement appâté. Nous savions que vous vous retrouviez, que vous faisiez vos réunions et que vous vous mesuriez à coups de poèmes. Nous avons essayé d'attirer l'un d'entre vous, je ne me souviens plus de son nom, un petit noir…
– Miguel Angel ?
– Je me souviens pas du nom. C'était un super militant. Et il nous a envoyés chier. Alors, il y a eu l'histoire de celui qui avait voulu partir sur une barque et pour moi c'était l'occasion rêvée. Je t'ai lancé un hameçon, pour voir si tu allais mordre, si tu voulais collaborer mais t'as pas voulu et tu m'as donné la corde pour te pendre. J'ai fait un rapport pour qu'on te tire les oreilles et qu'on te serre la vis, mais quelqu'un à l'université a pris peur et ils ont décidé de te foutre dehors.
– C'est faux !
– Faux ? Pourquoi tu voudrais que je te raconte des bobards maintenant ? Des mensonges, je t'en ai dit ce jour-là et tu les as avalés. Personne n'a rien dit de toi. Ni la petite pédale qui était arrêtée ni aucun de tes amis. Tu t'es foutu dans la merde tout seul et à l'université, ils t'ont pas loupé, t'as eu droit au pire, parce qu'ils ont eu la trouille, eux aussi !
– Je n'arrive pas à te croire. Je ne peux pas te croire.

– Bon, ça c'est ton affaire. Je te répète que je ne suis plus flic et ce truc remonte à la préhistoire. Écoute, grâce à toi je suis sorti de l'université où je m'emmerdais à mort et on m'a nommé au ministère de la Culture. Mais j'ai pas voulu te baiser.

– Mais tu m'as baisé pourtant !

– Ici n'importe qui se fait baiser. Regarde-moi.

– J'arrive pas à croire que tu as tout inventé.

– Mais si, je te dis que oui ! Écoute, je te le jure sur la tête de ma vieille. Qu'elle ne sorte pas vivante de là si je mens, et il fit un geste vers l'intérieur du temple.

Fernando remarqua qu'il pouvait maintenant prendre une cigarette, mais il ne l'alluma pas. Le cynisme de cet homme l'étouffait. Finalement, à l'origine de cette histoire absurde qui avait marqué sa vie et celle de ses compagnons, il n'y avait eu ni peur ni pression ni chantage : tout cela était seulement dû à la décision perfide d'un policier en quête de galons et d'indics. Ce même policier qui, des années plus tard, serait expulsé pour Dieu sait quelles malversations, sans doute bien réelles et condamnables.

– Alors, c'est à cause de toi que ma vie a été foutue en l'air !

– Ou tu l'as bien voulu…

– Oui… dit Fernando et il découvrit qu'il n'avait plus ni arguments ni envie de parler ou de rester devant cet homme qui, en d'autres temps, pouvait avoir poursuivi des maçons, des catholiques et qui était capable de militer maintenant dans la franc-maçonnerie et d'exhiber sur sa poitrine une croix et une médaille à l'effigie de la Vierge de la Charité du Cuivre. Tu as fait ça, tout simplement parce que t'es un fils de pute !

– Écoute, mon vieux, ça va bien comme ça, arrête ton char !

– Tu as fait ça parce que t'es un fils de pute, mais je te remercie pour ce que tu viens de me dire, continua Fernando, tout en éprouvant la satisfaction de faire la paix avec lui-même et avec son passé. Il se sentait soudain lavé, libéré du poids que cet homme, devenu pendant des années le maître de certains destins, avait fait peser sur sa conscience. J'espère ne pas rater ta veillée funèbre !

Fernando entra dans le temple au moment où six francs-maçons avec leurs tabliers et leurs épées faisaient une haie d'honneur au cercueil. Il observa Delfina et il vit ses amis, qui faisaient circuler une bouteille de rhum sous leurs jambes. Sans s'arrêter il alla jusqu'au cercueil et, entre deux des gardiens, il s'approcha pour voir le visage du docteur Mendoza. Il voulait le remercier pour ses cours de latin et pour la découverte du document maçonnique qui lui avait offert la possibilité de se libérer de la face la plus obscure et douloureuse de son passé.

Depuis qu'il avait l'âge de raison, Domingo Vélez de la Riva y Del Monte avait appris à détester ses parents à cause du prénom qu'ils lui avaient donné.

Dominguito était né un jour du joyeux printemps de Paris de l'an 1898, au moment où le dernier sang était versé à Cuba, où brûlait le dernier champ de cannes à sucre et où coulait le dernier bateau espagnol, alors que la guerre d'Indépendance se terminait enfin avec l'intervention opportuniste des marines nord-américains.

Quatre ans plus tard, justement la veille du jour où la famille allait rentrer à Cuba pour s'installer dans une maison à La Havane et participer aux célébrations de la naissance de la nouvelle République, la douce grand-mère Flora avait emmené Dominguito à deux endroits qui, à partir de ses souvenirs d'enfant, entretenus par les photographies romantiques prises ce jour-là, deviendraient les fleurons indélébiles de sa mémoire. Le premier lieu fut la tour Eiffel, tout récemment construite, brillante et infinie dans le souvenir d'un enfant qui n'éprouverait jamais plus une stupéfaction aussi absolue. Au cimetière du Montparnasse, le second lieu fut la tombe de son grand-père Leonardo Del Monte, qui partageait l'ombre du même saule avec la modeste sépulture où gisait le poète Baudelaire.

Devant cette tombe sur laquelle étaient gravés dans le marbre un palmier royal et un drapeau cubain, la douce grand-maman Flora lui expliqua pourquoi ses parents lui avaient donné le nom du dernier jour de la semaine : c'était le prénom de son trisaïeul Domingo Aldama, un émigrant basque de Viscaye qui, à force de travail et d'intelligence, était devenu un des hommes les plus riches de Cuba et c'était également le prénom de son bisaïeul Domingo Del Monte, l'homme le plus cultivé qu'ait jamais connu l'île où ils reviendraient bientôt. En l'honneur de ces deux hommes, continua la grand-mère, ses parents, mariés à l'église du Saint-Esprit de La Havane, quelques jours avant le départ de toute la famille pour Paris, décidèrent d'appeler Domingo le fruit de leur amour, l'enfant le plus beau du monde qui, grâce à Dieu, est l'enfant que j'ai là devant moi. C'est pour cela que tu te prénommes Domingo : pour rappeler à jamais les deux ancêtres qui ont donné son origine à cette famille qui est cubaine comme le sont les palmiers royaux et les *sinsontes*... Et précisément parce que tu es cubain comme nous tous, demain, avec ton papa et ta maman, tu prendras un grand bateau pour aller à Cuba, qui est notre pays, bien que les guerres et les malheurs aient obligé tes parents à beaucoup s'aimer à Paris, ce qui est la seule raison de ta naissance ici, si loin de notre île merveilleuse. Ne l'oublie jamais, lui ordonna sa grand-mère: regarde cette tombe où repose ton grand-père Leonardo Del Monte, l'homme qui fut mon époux: tu ne peux être que cubain car, pour que tu le sois, tes ancêtres Domingo Aldama, Domingo Del Monte et mon bon Leonardo ont beaucoup souffert et sont tous morts loin de l'île qu'ils avaient rêvée de voir libre et prospère, lui avait murmuré, des larmes dans ses yeux chaleureux, la douce grand-maman qu'il ne reverrait jamais car la vieille dame mourrait trois ans plus tard, dans la lointaine ville de New York, sans être revenue à Cuba.

Au lieu d'être associé à l'honneur familial et à un sentiment patriotique, son prénom, Domingo, avait toujours été une caractéristique gênante. Au collège de Boston où il avait fait ses études jusqu'à son entrée à Harvard, Domingo Vélez de la Riva y Del Monte avait été "Dominga" pour ses professeurs incapables de dire son nom correctement, tandis que ses compagnons yankees l'appelaient en général "Sunday" quand ils découvraient le sens de ce prénom exotique et difficile à prononcer. Dans la demeure du quartier du Vedado où il avait grandi et passé toutes ses vacances entre 1910 et 1919, ses parents et les serviteurs l'appelaient Dominguito, mais les rares amis qu'il parvint à se faire dans le quartier préféraient l'appeler Mingo, avec la circonstance aggravante qu'être un *mingo* équivaut à être un imbécile et que le *mingo* est la boule blanche qui, au billard, n'a pas de chiffre ni de valeur positive, car elle sert seulement à être frappée par les autres boules, sans autre fonction dans le jeu.

Il avait grandi en se défendant du stigmate de ce nom, il était devenu avocat et avait ouvert un cabinet à Matanzas où il était parvenu à faire un de ces habituels mariages d'argent qui avaient tant profité à sa famille – dont la grand-mère Flora ne lui avait jamais parlé – en se mariant avec Ana de las Mercedes Mádam, une lointaine parente, plutôt laide et mal faite, mais dont la famille, à la différence des Aldama et des Alfonso avec lesquels les Mádam étaient alliés commercialement depuis un siècle, avait effectué le saut de la colonie à la République avec des coffres débordant d'argent bien placé dans les banques sûres de Paris, Londres et New York.

Ce fut l'image de la douce aïeule Flora, éclairée par un timide rayon de soleil filtré par le feuillage protecteur du saule pleureur, dans le vieux cimetière de Montparnasse, qui était venue à l'esprit de Domingo Vélez de la Riva quand, dans son bureau privé, il était arrivé à la troisième feuille de ce manuscrit tapé à la machine par son parent Ricardito Junco et qu'il se trouva pour la première fois en présence de son propre prénom, Domingo, mais suivi d'un bref commentaire qui le qualifiait de "doté d'une voix d'ange et d'un regard de démon myope". Ce qui jusqu'alors lui était apparu comme un *bluff* saugrenu de Ricardito, commença à prendre tout son sens et Domingo Vélez de la Riva y Del Monte ne put s'empêcher de lire le manuscrit – où le nom de Domingo apparaissait souvent – mais sans pouvoir ôter de son esprit qu'à peine huit mois le séparait du 7 mai 1939, date à laquelle son parent avait l'intention de révéler publiquement l'existence de ces documents gênants.

Quand Domingo Vélez de la Riva tourna la dernière page, il éprouva une haine infinie envers ses origines, sa famille, le pays où ces événements s'étaient produits et surtout pour son prénom. Ce n'était plus seulement le fait de porter le nom d'un jour de la semaine, qu'on l'appelle Sunday ou Dominga ou, par moquerie, qu'on le surnomme Mingo : maintenant ces trois syllabes prenaient un sens nouveau qui renvoyait à la trahison, l'opportunisme, la jalousie et le mensonge d'une façon si dévastatrice que, une fois l'incendie allumé, rien ne pourrait éviter que les flammes ne le brûlent, lui et ses ambitions politiques.

Il médita plusieurs jours, tandis qu'il revenait sur certains passages du manuscrit soulignés lors de sa première lecture. Et à chaque fois qu'il y pensait, l'obligation de se plier au chantage lui semblait encore plus irrémédiable. Pour quelqu'un d'immoral et ruiné comme Ricardito Junco, cela avait peu d'importance que l'on découvre l'origine bâtarde d'une partie de la famille, mais pour un candidat à la présidence de la République ces lointaines accusations, vraies ou fausses, proférées rien de moins que par le poète national de Cuba, seraient définitives, irréversibles.

Après y avoir réfléchi pendant plusieurs jours, Domingo avait décidé de montrer le document à son épouse, car il ne pourrait répondre aux exigences de Ricardito Junco qu'avec son consentement : un demi-million de dollars, virés sur un compte à la

Chase Manhattan Bank. Ana de las Mercedes, avec désinvolture et curiosité, commença la lecture mais quelques heures plus tard, elle entra dans le bureau de son mari en criant que c'était une infamie. Alors Domingo Vélez de la Riva entama les démarches pour acquérir les mémoires écrits par un homme qui, depuis sa tombe perdue, lançait vers l'avenir cette vengeance accablante.

Avant de conclure l'affaire, Domingo Vélez de la Riva lut l'original, à la recherche de possibles modifications introduites par son méprisable cousin et il put vérifier que la copie qu'il avait lue était d'une fidélité terrifiante. Signé de sa main et de celle de Ana de las Mercedes, il remit à Ricardo Junco un chèque de cinq cent mille dollars, assorti de la promesse que si une autre copie du manuscrit était diffusée, il donnerait toute sa fortune à un assassin pour qu'il ne laisse la vie sauve à aucun des Junco.

Domingo Vélez de la Riva calcula que ces cent dix-huit feuilles, presque sans valeur sur le marché, lui avaient coûté quatre mille deux cent sept dollars et vingt-huit cents chacune, sans qu'il ait la moindre certitude de pouvoir récupérer cet investissement : un autre coup d'État, une autre révolution, une autre intervention nord-américaine pouvaient changer le destin du pays et balayer, en un instant, toutes ses aspirations politiques et, avec elles, la possibilité de récupérer ce que lui avait coûté ces feuilles fanées que le 7 mai 1939, avec un soulagement croissant, Domingo Vélez de la Riva y Del Monte, suivant strictement l'ordre numérique, jeta peu à peu au feu où elles se consumèrent difficilement en dégageant une fumée sombre comme si chacune d'elles ne lui avait pas coûté la bagatelle de quatre mille dollars. Tout cela pour que l'histoire repose en paix, une fois encore arrangée par la volonté et la fortune d'un autre Domingo qui n'arriverait même pas à être président d'un pays qu'il ne put jamais ni comprendre ni aimer, malgré ce qu'avait un jour exigé de lui sa douce grand-mère Flora.

Après avoir tant imaginé son retour, les retrouvailles avec des personnes et des lieux, la récupération de sensations et de plaisirs, de souvenirs et d'odeurs, après avoir même élaboré les gestes, les mots et les attitudes qu'il prendrait ou dirait, Fernando Terry se sentait incapable de savoir de quelle façon il devait quitter Cuba. Dans un sens, au cours des vingt-huit jours passés dans son pays, de vieilles plaies s'étaient refermées mais en même temps de nouvelles blessures s'étaient ouvertes et il était pleinement conscient qu'elles risquaient de lui faire perdre tout son sang. Si vingt ans plus tôt il s'était enfui comme un forcené, emportant dans ses oreilles les cris de la foule excitée qui le traitait de vermine, convaincu qu'il ne reviendrait jamais, maintenant s'ouvrait devant lui une incertitude marécageuse, qui semblait l'attirer de plus en plus pour s'emparer de lui.

Ce ne fut que lorsque Carmela lui proposa de faire un dîner à la maison pour inviter ses amis que Fernando trouva le meilleur moyen de mettre fin à son séjour à Cuba. Il proposa alors à sa mère de déjeuner tous les deux seuls, car il voulait passer l'après-midi avec Delfina et la nuit avec ses amis, pour attendre avec eux le lever du jour de son départ. Puis il passerait prendre ses affaires à la maison et partirait à l'aéroport : il ne se sentait pas la force de supporter les adieux et il préférait être seul, se sentir seul durant les derniers moments, sans impliquer personne d'autre dans cet étrange instant de son destin.

Fernando appela Álvaro et lui demanda de convoquer les Merles Moqueurs pour une réunion, le soir même. Il lirait alors, lui dit-il, quelque chose qu'aucun d'eux n'avait jamais entendu, même pas lui, et il abandonna Álvaro en proie à une crise de curiosité. Le déjeuner avec sa mère fut paisible et triste, frôlant une fausse quotidienneté. Carmela lui avait préparé ce *quimbombó* fondant qu'il adorait et qu'ils accompagnèrent de fritures de *malangas*, de riz blanc et de viande hachée avec beaucoup d'ail et de citron créole. Prévoyant que Delfina serait peut-être encore chez son père, Fernando s'allongea sur le lit de Carmela et, sans avoir besoin de lire, dix minutes après il dormait.

Quand sa mère lui caressa le front, il se réveilla sans la moindre notion du moment qu'il vivait. Ce fut une sensation douce et trompeuse qui l'obligea à réfléchir pour savoir où, et surtout quand se produisait ce réveil si doux.

– On te demande au téléphone... allez, lui disait Carmela.

Il finit par s'asseoir et reprit tout à fait conscience de la réalité. Il marcha lentement jusqu'au téléphone, persuadé qu'il s'agissait de Delfina.

– Oui, je t'écoute...

– C'est vous Fernando ? demanda une voix de femme.

– Oui... dit-il en essayant de reconnaître la personne qui lui parlait.

– C'est Carmencita Junco.

– Ah, c'est vous... Oui, je vous écoute.

– Quand partez-vous ?
– Demain. Je pars demain.
– C'est que je voudrais vous voir.
Les dernières ombres de sommeil s'effacèrent devant une intense prémonition et Fernando sentit qu'il respirait avec difficulté.
– Dans une demi-heure c'est possible ?
– Oui, je vous attends chez moi.
A peine vingt-cinq minutes plus tard, Fernando appuyait sur la sonnette, sous l'enseigne du restaurant Palmar de Junco où l'accueillit le sourire de la petite fille de Carmencita Junco.
La vieille dame lui ouvrit la porte et lui serra la main. Fernando la suivit jusqu'au salon où le décor s'était enrichi de nouvelles surprises auxquelles il ne prêta même pas attention. La femme lui indiqua le canapé et elle s'assit dans son fauteuil préféré.
– Comment vont les choses ? demanda-t-elle en préparant son délicat fume-cigarette.
– Pas trop mal, bien que je n'aie pas trouvé les documents de Heredia. Arrivé à ce point de mes recherches, je suis presque sûr que votre oncle Ricardo a été le dernier à les avoir en sa possession, après qu'ils aient été sortis de la loge. Puis il les a vendus ou détruits lui-même.
– Alors vous pensez qu'ils n'existent plus… Et vous vouliez ces papiers pour les publier, n'est-ce pas ?
– Ce n'est pas que je voulais les publier. C'était le fils de Heredia qui l'exigeait.
– Oui, vous avez raison, admit la vieille dame.
– Au moins cela aurait été bien de savoir ce qu'ils contenaient…
Carmencita Junco sourit.
– Cela peut s'arranger.
Fernando sentit ses nerfs se tendre.
– Ne me dites pas que vous ?…
– Non, je n'ai même jamais vu ces documents… mais j'ai une lettre de Heredia.
– Quelle lettre ?
– Celle que je vais vous donner à lire, mais qui ne peut être publiée. C'est une lettre personnelle. D'ailleurs, si vous dites que vous l'avez lue, je vous démentirai. Si les mémoires de Heredia avaient été retrouvés, cela serait différent.
– Mais de quelle lettre s'agit-il ?

– On dirait que c'est la dernière lettre que Heredia a écrite. Elle était pour Lola Junco et il demanda à son épouse, Jacoba Yáñez, de la lui remettre en main propre. S'il arrivait quelque chose à Lola, son fils Esteban devait en être le destinataire.

– Alors c'est vrai que Heredia et Lola… Et pourquoi allez-vous me la montrer maintenant ?

– Parce que je crois, moi aussi, que le manuscrit de Heredia n'existe plus mais vous, du moins, il faut que vous sachiez ce qu'il racontait…

La vieille dame se leva. Sur le piano se trouvait un dossier dont elle sortit deux feuilles de papier, chacune sous une enveloppe en plastique transparent.

– Ne sortez pas les feuilles du plastique, elles pourraient tomber en poussière.

Fernando reçut les feuilles protégées et il avança vers une chaise placée près de la baie vitrée. Il y avait quelque chose d'étrange dans cette lettre, car ce n'était pas l'écriture de Heredia qui, toute petite et noire, courait sur les papiers parcheminés. Fernando, les mains moites, inclina les feuilles sous un angle adéquat et commença à lire, tandis qu'une douleur viscérale lui serrait la gorge, au point de se sentir au bord de l'asphyxie.

Mexico, le 3 mai 1839.

Madame Dolores Junco,
Matanzas,
Ile de Cuba

Ma très chère Lola,

Ne t'étonne pas que ce soit mon épouse, ma bonne et bien-aimée Jacoba, qui te fasse parvenir cette lettre. Car, dans l'impossibilité où je me trouve de l'écrire de ma main, je lui ai demandé de la transcrire sous ma dictée et, de plus, de se charger de la remettre entre tes mains ou, si cela s'avérait nécessaire, entre celles de notre fils Esteban. Elle, qui connaît chaque secret de ma vie, a accepté d'accomplir cette volonté que j'ose lui demander devant l'imminence de ma mort.

Il y a deux ans, au cours du douloureux voyage à Cuba, j'eus quelques satisfactions, comme celle de revoir ma mère, mon oncle et mes sœurs, ou de faire la connaissance de mes neveux.

Mais je me rappelle tout particulièrement le bref entretien que j'eus avec toi et durant lequel tu me fis part des malheurs que j'avais provoqués dans ta vie. Par chance, ce jour-là j'eus la consolation d'entendre de ta propre voix que des décisions supérieures à nos volontés, dictées par des destinées fatales qui semblaient déjà gravées sur nos fronts, s'étaient imposées pour décider, à notre place, du cours de nos vies et tu me fis don de la joie infinie de savoir que le fruit de la passion qu'un jour nous éprouvâmes n'avait pas subi le triste sort que, pendant de longues années, j'avais cru être le sien.

Hormis ces petites compensations, si précieuses pour mon esprit, mes jours à Cuba m'apprirent, avec une cruauté impitoyable, quelles extrémités peuvent atteindre la haine, la vanité, l'envie, l'attrait du pouvoir et la capacité de vengeance que peut abriter le cœur des hommes. Durant ces quelques semaines, j'endurai le mépris, les plus épouvantables vexations et les déceptions les plus inconcevables ; je pris connaissance de certaines des supercheries les plus impudentes que l'esprit humain puisse concevoir. Et j'appris – comble des désillusions – que l'origine de tous mes grands malheurs était due à une trahison, venue d'une personne en qui j'avais placé toute ma confiance, mon affection d'ami et, plus d'une fois, mes pardons.

Avec tout le poids de cette douleur je revins à Mexico, sachant que je rentrais blessé à mort. Mes derniers mois ici ont été une longue et douloureuse agonie pour laquelle les médecins n'avaient point de remèdes, car ma maladie, bien qu'elle affecte mon corps, est aussi une maladie de l'âme. Il me fut particulièrement pénible de découvrir, alors que je n'étais déjà plus capable d'écrire de la poésie, que je ne trouvais pas même un ami à qui envoyer une lettre pour lui confier mes angoisses. Mais, éprouvant le besoin de faire la seule chose que j'ai su faire tout au long de mes durs jours sur terre, je commençai à écrire, m'adressant peut-être à Dieu, et je confiai au papier les avatars de cet étrange et persistant roman qu'a été ma vie. Dépourvu de vanité, avec toute la sincérité que j'ai été capable d'exiger de mon esprit fatigué, parfois de façon extrêmement crue, j'ai enchaîné les épisodes mémorables de mon existence et dans cette évocation, bien entendu, tu apparais, toi et tout le bonheur et les chagrins dont notre brève relation marqua nos vies. Mais j'évoque aussi, parce que la justice et la vérité l'exigent, des événements que je suis le seul à connaître ou que d'autres qui les connaissent aussi vont taire par peur ou par convenance personnelle, et dont je considère que mon fils Esteban doit avoir connaissance et, si cela est possible, chacun des fils de ce malheureux bout de terre, qu'avec obstination, j'ai toujours considéré comme ma patrie.

C'est pourquoi, bien que mon plus grand désir soit que mon histoire soit connue de tous et que la vérité reprenne ses droits, j'ai décidé que tu remettes ces documents que Jacoba te fera parvenir entre les mains de notre fils, car malgré ta décision de lui occulter ses origines, je crois que nous n'avons pas le droit de lui ravir la plus grande vérité de sa vie et mon désir est qu'il sache qui furent ses parents et quelles raisons s'opposèrent à ce que nous lui donnions l'amour que mérite un fruit de l'amour. Ensuite, je m'en remets à son jugement et à sa volonté quant au destin final de ces feuillets: qu'il décide s'ils doivent être rendus publics ou s'il juge préférable de les faire disparaître et de cacher la vérité – qui n'est pas seulement sa vérité et celle de son père – sous le voile du silence.

La raison qui m'a poussé à prendre cette décision de remettre entre les mains d'Esteban le sort de ma mémoire est justement liée à toi et à lui. Car rien n'est plus éloigné de mes intentions que de porter préjudice à ta réputation ou de lui causer des difficultés dues à son origine. Mais une foi profonde me pousse à faire confiance à l'honnêteté de ce fils que je n'ai jamais pu voir, et je quitterai ce monde avec la conviction qu'un jour il fera connaître publiquement la réalité de ma vie.

Je sais qu'on a beaucoup parlé de moi et de mes actes au cours des dernières années, que l'on m'accuse d'avoir failli à mes principes et à mes convictions, de m'être plié à la censure, d'avoir pactisé avec un satrape pour qu'il me fasse l'aumône de me laisser passer deux mois à Cuba. Et c'est vrai. Seulement, derrière ces vérités il y en a d'autres, inconnues de mes compatriotes, comme la raison pour laquelle j'écrivis cette triste lettre pour me disculper devant le juge instructeur du procès en 1823, car ils n'ont jamais pu savoir que ce fut ton amour et l'espoir de pouvoir vivre à tes côtés, avec notre enfant, qui me firent inventer ce serment d'innocence dont je ne me repens même pas aujourd'hui, car son unique finalité était d'ouvrir une brèche pour revenir te serrer dans mes bras.

Mais certains de ceux qui m'ont accusé avec la plus grande hargne occuperont leurs justes places le jour réparateur où les hommes pourront lire cette histoire, y compris notre vieille connaissance Domingo, aujourd'hui homme influent qui se délecte dans des veillées littéraires entouré d'éphèbes complaisants et de beaux livres, tandis qu'il jouit de la fortune faite, à coups de fouet, sur la contrebande d'esclaves par son richissime beau-père. Alors, ceux qui voudront savoir, si tant est que quelqu'un veuille encore le savoir, comprendront comment certains des hommes qui se firent passer pour la conscience du pays ne furent que des trafiquants du pouvoir, disposés à vendre leur âme aux enchères en échange de la richesse et des parfums de la gloire. Ce jour-là seulement, mon âme sera en paix : avec toi, avec la vérité, avec moi-même et avec ce fils que je n'ai jamais pu prendre dans mes bras, que je n'ai jamais pu embrasser. Et alors mon âme reposera, dans le lieu que Dieu lui aura choisi. Mais comme j'ai été un homme bon, je m'en remets, avec confiance, à la miséricorde infinie du Grand Architecte de l'Univers.

Chère Lola : quand tu parleras avec Jacoba, je t'en prie, ne lui demande pas comment ont été mes derniers jours. Je préfère que tu te souviennes du jeune homme que tu as connu sur l'embarcadère du Yumurí où il te jura son amour. De celui qui t'écrivit des poèmes pleins de vrais sentiments et de celui qui te promit, sincèrement, d'être ton époux et de te rendre heureuse.

J'espère que tu comprendras ces dernières décisions de ma vie et que parfois, devant la statue de San Esteban, tu prieras pour la paix de mon âme.

Je t'aime et je t'embrasse,

José María

PS : Si tu le peux, donne ton amitié à ma bonne Jacoba. Pendant toutes ces années, elle a été mon ange gardien et aussi la plus douce et la plus compréhensive des épouses.

Fernando observa la signature, qui rappelait à peine le tracé de plume élégant et rapide par lequel le poète terminait ses lettres. Il relut la date et il pensa que ce paraphe hésitant avait peut-être été la dernière chose écrite de la main de cet homme capable de créer tant de beauté. Alors il comprit que tous ses malheurs avaient été infimes, en les voyant dans le miroir des infortunes où il avait cherché son reflet.

Quand je montai sur le bateau qui allait me rendre à ma condition d'exilé et que je contemplai la ville, sous le soleil pur de ce midi du 16 janvier 1837, je savais que je faisais mes adieux définitifs à Cuba et j'éprouvai un mélange de douleur et de soulagement. A l'horizon de ma vie il n'y avait pas, comme pour le prêtre Varela quand nous étions venus lui faire nos adieux, la perspective d'une bataille ou du moins le soutien d'un idéal : car mon avenir, telle une bourse trouée, ne m'offrirait ni poésie ni amour ni révolution, tout juste un peu de temps pour remâcher mes désillusions et préparer mon départ de ce monde, loin du lieu où j'étais né et où j'aurais dû vivre.

Alors que le bateau quittait le port, depuis le bastingage où je m'étais accoudé pour jeter un dernier regard sur l'île et les récifs de la côte, je découvris un homme, plus ou moins de mon âge, qui suivait le bateau des yeux. Durant un long moment nos regards se croisèrent et je reçus la peine profonde exprimée par ces yeux, une tristesse étrangement identique à la mienne, capable de franchir les vagues et le temps pour forger une harmonie mystérieuse qui depuis lors me réveille parfois, car je sais que nous fûmes plus que deux hommes se regardant par-delà des vagues.

Les trois jours que j'avais passés à La Havane avant mon départ, après la rencontre avec Tacón, furent peut-être les meilleurs de mon amer séjour à Cuba. Dans le bureau du capitaine général, j'avais crevé l'abcès, me libérant du poison qui était en moi, comme s'il se fut agi d'une saignée bienfaisante pour mon âme et pour mon corps qui alla même jusqu'à récupérer un peu de ses forces diminuées par la maladie galopante.

Avec une tranquillité d'esprit inattendue je marchai par les rues, sans but, essayant de m'imprégner de leur exhalaison, puisque je ne pouvais pas emporter une conversation ou les adieux affectueux de mes vieux camarades des lointaines aventures, certains perdus dans la mort, d'autres dans la trahison enfin avérée. En souvenir de l'amitié que j'avais éprouvée pour Domingo, je m'arrêtai pour voir un combat de coqs ; pour la première fois de ma vie, je mis de l'argent entre les pattes d'un animal et je gagnai les trois fois où je pariai. Puis je bus du vin dans les tavernes du port en me souvenant de mes nobles amis, Silvestre et Sanfeliú, et sur les instances de mon vieil ami l'acteur Antonio Hermosilla – le même qui à l'époque de ma gloire naissante avait joué le drame *Arteo* dans un entrepôt de Matanzas – j'assistai à la représentation qu'il avait montée en l'honneur du tragédien Rafael García. Comme invité de l'organisateur, j'occupai ce soir-là une des loges d'honneur du vieux théâtre

Diorama où j'eus plaisir à écouter les interprétations que fit Hermosilla des rôles qui avaient fait la splendeur et la gloire de García. Cependant, à la fin de la représentation, une chose tout à fait inattendue se produisit. Vêtu en Othello, le visage encore noirci, Antonio s'était arrêté sur le devant de la scène et avait annoncé au public que, parmi les spectateurs, se trouvait le grand poète José María Heredia. Mon estomac se noua subitement mais je n'eus pas le temps d'assimiler la chose car à mon grand étonnement j'eus la surprise, dans une salle comble, d'entendre Hermosilla me couvrir des plus beaux éloges que j'aie jamais entendus : peut-être me firent-ils cette impression du fait qu'ils sortaient de la bouche d'un ami, que je les écoutais à Cuba et que lorsque Antonio se tut, le murmure des spectateurs fit place aux applaudissements d'un public qui s'était soudain levé. Alors les mains de mes compatriotes me firent la plus grande ovation que j'aie jamais reçue. Ému, je saluai ces personnes qui défiaient des desseins connus mais occultes et m'offraient la récompense de leur admiration. Puis l'émotion toucha à l'extase lorsque Hermosilla réclama le silence et devant le public toujours debout, il commença à réciter :

"*Dadme mi lira, dádmela, que siento*
En mi alma estremecida y agitada
Arder la inspiración. O! cuánto tiempo
En tinieblas pasó sin que mi frente
Brillase con su luz... ! Niágara undoso
Sola tu faz sublime ya podría
Tornarme el don divino, que ensañada
Me robó del dolor la mano impía."

"Donnez-moi ma lyre, donnez-la-moi car je ressens
Dans mon âme émue et agitée
Brûler l'inspiration. Oh ! combien de temps
Passé dans les ténèbres sans que sa lumière
N'éclaire mon front !. Niagara opulent
Seule ta face sublime pourrait désormais
Me rendre le don divin que l'acharnement de la main impie
De la douleur m'a dérobé."

Une chose extraordinaire, qui me dépassait, coulait dans ces vers, écrits par le poète que j'avais été, et, maintenant, sur les lèvres d'un Cubain, récités en terre cubaine aux oreilles de dizaines de Cubains, ils prenaient enfin leur véritable dimension. Cela ne valait-il pas la peine d'être revenu dans ma patrie ne serait-ce que pour écouter ces vers, pour écouter les applaudissements qui m'assourdissaient ? Les larmes coulèrent sur mon visage tandis que je recevais cette merveilleuse consécration qui me révéla, en un instant, tout le sens de ma pauvre vie : il s'agissait de moi et ce poème était le grand triomphe du poète.

Disposés à fêter cela, nous nous retrouvâmes, Antonio, Rafael et moi, dans une des tavernes du port, mais à la fin de la soirée, Hermosilla décida de nous inviter dans un lieu que nous ne serions sûrement pas prêts d'oublier, comme il se plut à nous le répéter, la bouche déjà pâteuse sous l'effet de l'alcool. Malgré les réticences du vieux Rafael et mon épuisement après cette longue journée, il était presque minuit quand nous prîmes une calèche qui nous mena au-delà du Paseo de la Reina et nous déposa devant un édifice qui ne pouvait être qu'un bordel. Les portes du lieu, qui dans une certaine mesure évoquait pour moi la maison de *Madame* Anne-Marie, étaient ouvertes malgré l'heure tardive. En entrant, nous vîmes une femme dodue, à la peau couleur de cannelle, âgée d'environ cinquante ans, qui soulevait ses chairs abondantes d'un grand fauteuil d'osier et s'approchait pour nous accueillir. Au lieu de sentir mes jambes trembler, je me sentis totalement défaillir en découvrant que la grosse matrone n'était autre que Betinha dont les yeux s'emplirent de larmes en me reconnaissant, puis, sans pouvoir se retenir, elle courut vers moi et se jeta à mon cou.

Je ne ressens aucune honte à dire que je passai mes deux derniers jours à Cuba enfermé avec Betinha dans une chambre du bordel qu'elle régentait maintenant. La pudeur ne m'empêche pas non plus de reconnaître que cette fois-là nous ne fîmes pas l'amour, comme tant de fois par le passé. Non pas que le désir fût absent : mais nous comprîmes, Betinha et moi, que nous étions loin d'être les mêmes et qu'il est des souvenirs qu'il ne faut pas flétrir par des actes incapables de les surpasser ou même de les ressusciter. Ainsi, tout près de l'autel couvert de bougies où elle avait placé la statuette de sa mère Yemanjá, Betinha et moi passâmes des heures à reconstituer les événements de nos vies et elle me raconta ses avatars, d'abord à la Nouvelle-Orléans, puis dans la prospère San Francisco et son retour à Cuba, deux ans plus tôt, quand elle s'associa à un Français, un riche planteur de café, et qu'elle disposa du capital suffisant pour monter ce négoce, le seul qu'elle connût. Elle aborda le côté triste de l'histoire en m'apprenant la mort de *Madame* Anne-Marie, trois ans auparavant, âgée de plus de soixante-dix ans mais encore illuminée par la clarté invincible de son beau regard d'espionne : car, à ma grande surprise, Betinha me confirma que l'aimable bordel de son ancienne patronne n'avait été, en réalité, que la façade d'un système d'espionnage efficace payé par le gouvernement français.

Pour me convaincre que mon souvenir l'avait toujours accompagnée, Betinha ouvrit le coffret où autrefois elle rangeait son inséparable effigie de la femme-poisson, mère de toutes les eaux, et elle me montra la vieille édition de mes poèmes que je lui avais envoyée en 1825. Les feuillets du livre, aux pages pratiquement usées à force d'être lues, avaient été, au dire de cette femme si franche, le plus beau des trésors qui l'avait accompagnée tout au long de sa vie.

Triste fut l'instant des adieux, car maintenant nous savions bien qu'il n'y aurait plus de rencontres inattendues, cadeau de ses dieux ou des miens, mais une absence infinie. Serrée contre ma poitrine malade, Betinha me demanda de prendre soin de moi et alors elle me passa au cou un fin cordon auquel était suspendu un petit coquillage qui tinta en heurtant ma croix.

– C'est pour que tu rêves toujours de la mer, me dit-elle et, sans pouvoir se retenir, elle se mit à pleurer, car elle savait qu'elle faisait ses adieux à un mourant.

L'odeur de mon amie et celle de La Havane dans le cœur, je vis le navire *El Carmen* lever l'ancre et je me séparai de Cuba avec le regard de cet inconnu comme ultime adieu, mais aussi avec douleur en pensant à mes amis morts, avec rage en pensant au destin qu'on avait imposé à la belle Lola Junco, avec peine en pensant aux milliers d'hommes qui vivaient là, réduits à l'esclavage, et avec un sentiment de compassion pour ceux qui s'étaient vus contraints de vendre leur âme et leur intelligence sur le marché de la vie pour devenir finalement, eux aussi, des esclaves. C'est pourquoi, dès que je foulai le sol du Mexique, je compris combien ce voyage dans ma patrie avait été nécessaire : car, plus que pour vivre, j'en avais besoin pour mourir en paix, maintenant que la mort se dressait, seule, sur mon horizon limité…

Le 2 février 1837, j'entrai à Toluca où m'attendait une situation terrible, avec Jacoba de plus en plus malade, des salaires qui n'arrivaient jamais et les rumeurs du chaos et de l'anarchie qui continuaient à dévaster ce malheureux pays. Je fus sauvé de la dépression la plus profonde par la gaieté de mes enfants, la belle et loquace Loreto et José de Jesús, tout potelé, que sa sœur s'obstinait à appeler Bichí, qui se jetèrent dans mes bras en me voyant et s'assirent ensuite près du feu pour écouter les messages que je leur apportais depuis la lointaine Cuba, envoyés par leur grand-mère, leurs tantes, leurs cousins cubains qui espéraient un jour les connaître et déposer sur leurs joues les baisers que je devais leur transmettre.

Ce furent mes enfants et ma bonne Jacoba qui me donnèrent la force nécessaire pour sortir dans la rue et me battre pour notre subsistance. J'avais beau conserver mon travail comme magistrat du tribunal de Toluca, la situation des employés publics était de plus en plus précaire, et je cherchai où travailler comme maître d'école, tandis que je préparais l'admission à un concours qui était exigé pour les prochaines élections des magistrats. Dans ce but, je présentai au ministre de la Justice un document que j'intitulai *Carrière littéraire, Mérites et Services du Licencié José María de Heredia*, espérant que la vaine splendeur de mes gloires passées servirait au moins à me garantir un emploi. Mais, après plusieurs semaines d'attente, à la mi-juillet la composition de la nouvelle magistrature de l'État fut rendue publique et mon nom n'y figurait pas. Humilié par un pouvoir distant mais implacable qui me rappelait mes actions passées pour la défense de la légalité et de la Constitution, je me présentai au tribunal pour réclamer les salaires qui m'étaient dus et sur les deux mille deux cents pesos que j'aurais dû toucher, on m'en donna cinquante-six, et on me montra, pour se défaire de moi, la nouvelle loi qui serait bientôt publiée, selon laquelle il fallait être Mexicain de naissance pour exercer dans la magistrature.

Grâce à mes anciens collègues du tribunal je parvins à être habilité comme avocat, mais je n'obtins que peu de travail par cette voie, et je dus me contenter de l'emploi de rédacteur de *La Gaceta oficial* où je me languis durant plusieurs mois. Nous dûmes alors prendre une décision extrême, menacés par la misère. Malgré les réticences de Jacoba, qui considérait cela comme un acte suicidaire, je mis en vente la plus grande partie de la bibliothèque que, durant les années de ma vie au Mexique, j'avais réussi à réunir. Bon nombre de ces livres étaient signés par leurs auteurs et contenaient de chaleureuses dédicaces, d'autres étaient des cadeaux des imprimeurs qui attendaient de moi un commentaire élogieux et les autres étaient le fruit de ma bibliophilie qui m'avait poussé à acheter un livre plutôt que de savoir s'il me restait de l'argent pour souper. Mais, à ce moment, c'était la nourriture de mes enfants qui comptait et si les livres nous donnaient pour une fois de quoi manger, eh bien je dirais adieu à ma bibliothèque, comme si souvent dans ma vie j'avais dû me défaire de tant de choses attachantes. Ainsi, tandis que Domingo projetait la construction d'un fastueux palais et buvait des vins français avec un groupe d'éphèbes papillonnant entre les milliers d'exemplaires de sa splendide bibliothèque, le poète José María Heredia faisait annoncer la vente de ses livres pour avoir, dans la solitude de l'exil, du lait pour ses enfants et quelques *tortillas* à se mettre sous la dent.

A l'exception de celles que j'échangeai avec ma mère, j'écrivis et ne reçus que peu de lettres pendant cette période. Je n'avais plus d'amis ni d'ennemis avec qui correspondre et l'oubli dans lequel j'étais tombé semblait m'avoir effacé des listes des possibles destinataires de quiconque m'avait jadis connu, écrit et même adulé. En fin de compte, Tacón avait peut-être raison, je n'étais plus personne, je n'existais pour personne et personne ne se souciait de moi. Blas de Osés fut le seul à m'écrire de loin en loin et je sus par lui au milieu de l'année 1838 que Tacón avait fini par être remplacé grâce aux manœuvres des patrons de Domingo qui s'étaient chargés d'acheter, à prix d'or, un député espagnol, un certain Oliván, qui à son tour avait fait le nécessaire pour acheter d'autres voix aux Cortès qui présentèrent le général comme un danger pour la stabilité de Cuba et obtinrent finalement sa déposition, grandement fêtée par les vieux loups négriers, maintenant transformés en moutons. Je sus également par l'une de ses lettres que Domingo avait enfin signé un des nombreux pamphlets qu'il avait écrits tout au long de sa vie. Il s'agissait d'un *Projet de mémorandum à sa Majesté la Reine, au nom de la mairie de La Havane, demandant des lois particulières pour l'île de Cuba*, dans lequel il se référait à nos anciennes aspirations libertaires et à “l'Indépendance, cet épouvantable monstre”, dont l'île s'était heureusement débarrassée. La Reine, qui avait interdit la participation de députés cubains aux Cortès, répondit à Domingo et à ses chefs avec une célérité inhabituelle, l'assurant que l'application de lois spéciales à Cuba était impossible… Finalement, et sans que j'en fus surpris, j'appris par Osés la publication d'un poème perdu jusqu'alors, écrit au début du XVIIe siècle par un certain Silvestre de Balboa, greffier du roi demeurant dans la ville de Port-au-Prince. Le poème épique contait l'enlèvement de l'évêque Juan de las Cabezas Altamirano par le pirate huguenot français Gilberto Girón, et son sauvetage ultérieur grâce au courage d'un habitant de la ville de Bayamo. Le révélateur *Espejo de paciencia*, comme l'affirmait José Antonio Echevarría en le présentant au grand jour, était une copie fidèle du manuscrit original – que personne ne vit jamais – à son tour copié de l'original primitif par l'évêque de Cuba, Morell de Santa Cruz qui, enthousiasmé par la vieille chronique, avait décidé de l'inclure dans son *Historia de la isla y catedral de Cuba* que, pour la plus grande chance de la culture cubaine, Echevarría en personne avait trouvée dans la bibliothèque de la Société patriotique de La Havane, cent ans après qu'elle eut été perdue… Désormais nous avions derrière nous, comme tous les grands peuples, une histoire épique, chrétienne et ancienne, avec des héros et des apparitions mythologiques qui lui donnaient une tonalité et une saveur personnelle. Il était triste, fort triste, de savoir que nous faisions naître d'un mensonge une chose aussi sacrée que la littérature. Dégoûté, je voulus me désintéresser de tout cela, et pour une fois je me réjouis d'être loin de Cuba et à l'abri d'une quelconque complicité avec des supercheries aussi inconsistantes…

Mais mon habitude invétérée d'écrire des lettres, acquise durant les longues années d'exil, mettait du feu dans mes doigts, des mots bouillaient sur mes lèvres, réclamant l'exorcisme de l'écriture. Alors, un dimanche matin en revenant de la messe avec Jacoba et les enfants, je me sentis torturé par le désir de confier à quelqu'un certaines vérités de ma vie et je m'assis à ma table, armé d'une plume. Je n'avais jamais raconté à personne ce que j'avais éprouvé en arrivant à La Havane, en décembre 1817, pas plus que ma rencontre avec Domingo et les premières péripéties de notre amitié. Et ce fut précisément cela qui me vint à l'esprit. Mais, je me demandai, inquiet, à qui ces souvenirs seraient adressés ? Je compris alors que le meilleur destinataire de cette confession était un fils qui ne m'avait jamais connu et qui, sans cet exercice de ma mémoire, n'aurait jamais l'occasion de découvrir la véritable vie de l'homme que fut son père…

Mon fils : à cet instant je commençai à t'écrire et je sentis que le baume du soulagement couronnait mon effort tandis que je me mettais à nu devant toi, et que, sans rien dissimuler, je me présentais tel que je fus et que je suis. Mais par la suite, au fur et à mesure que je confiai ma vie à ces feuillets, je compris que, le moment venu, d'autres hommes devraient aussi les lire, car ils renfermaient quelque chose de plus que l'existence d'un pauvre homme, emporté par les vents de l'histoire et du malheur, submergé par les vagues du pouvoir…

Rien de remarquable n'arriva durant le reste de mes jours que tu doives savoir, à part la naissance du septième de mes enfants, une jolie petite fille que nous appelâmes Luisa et qui, grâce à Dieu, grandit heureuse et en bonne santé auprès de ta sœur, Loreto, et de ton frère, Bichí.

Ces derniers mois au cours desquels j'ai à peine pu écrire et même parfois dicter, je les ai vécus dans une angoisse permanente, et si nous ne sommes pas morts de faim, c'est grâce à la charité de quelques bons amis mexicains. En mars dernier, nous avons dû revenir dans cette ville de Mexico où j'avais jadis reçu tant de louanges et où, l'épée à la main, je m'étais battu pour la défense de cette lettre morte appelée Constitution. Grâce à l'influence de mon vieux et bon camarade Andrés Quintana Roo, je réussis à me faire admettre comme responsable de la rubrique littéraire du *Diario del gobierno de la República mexicana* mais au bout de quelques semaines mon état physique m'empêcha de continuer à assurer cette tâche, et je me cloîtrai dans cette petite maison obscure, où Loreto, Luisa et Bichí ont dû assister à mon déclin final, aidant leur mère à mettre des emplâtres sur ma poitrine et respirant avec moi les vapeurs camphrées qui prétendent faciliter ma respiration…

Jacoba, ma fidèle et bien-aimée Jacoba, depuis des jours écrit sous ma dictée ces pages finales du roman de ma vie. Aujourd'hui, nous sommes le 3 mai ; je me suis réveillé avec une très forte fièvre et par deux fois j'ai vomi du sang. Je sais que c'est la fin et j'attends, ce soir, la présence du prêtre pour me mettre en règle avec Dieu. Cependant, il y a quelques jours à peine, j'ai écrit à ma mère et, pour lui offrir une dernière joie, je lui ai parlé de mon projet de retour à Cuba pour y recouvrer ma santé. Je désirais l'encourager à l'idée que le nouveau capitaine général m'autoriserait à rentrer car, plus qu'un révolutionnaire, il recevrait un homme fatigué, à peine âgé de trente-cinq ans mais désormais incapable de se lancer dans une quelconque aventure. "Je vous préviens, pour que vous ne soyez pas épouvantée, lui disais-je comme si mon retour était vraiment possible, que vous n'allez voir en moi que mon ombre ou mon spectre. Peut-être, grâce à vos dons culinaires, avec un bon petit *ajiaco,* le *ñame* et le *quimbombó,* parviendrai-je à me rétablir quelque peu, mais surtout grâce à votre compagnie et à celle de mes sœurs." Je demandai alors à Jacoba de m'asseoir dans le lit et, appuyé sur elle, je signai la lettre à laquelle j'ajoutai une brève note finale. Dois-je te dire que je me souvins alors des chaudes soirées de La Havane, vingt ans auparavant, quand, sur la croupe de la mulâtresse Betinha, j'avais écrit ces poèmes d'amour prétentieux et ardents? Jacoba qui m'a pardonné toutes mes faiblesses a également su me pardonner de tels égarements, tout comme, selon le prêtre, Dieu m'a pardonné mes mensonges, ma luxure et mes vanités de pécheur repenti.

En m'éveillant ce soir j'ai demandé à Jacoba de faire plus de lumière et elle a accédé à mon désir. Mais je n'ai pas perçu cette clarté. Car des profondeurs de mon être surgit un voile obscur capable de m'envelopper; c'est également de ce lieu secret qu'a jailli, comme une goutte d'eau dans le désert, le besoin d'effectuer un dernier acte pour libérer mon esprit. J'ai alors demandé à Jacoba d'écrire sous ma dictée une lettre que, comme tu peux l'imaginer, il m'était impossible de ne pas envoyer: sa destinataire est ta mère. Je lui explique mon désir de t'envoyer ces mémoires et de te supplier de prendre, en temps voulu, les mesures nécessaires pour les rendre publics, si tu penses que la connaissance intime et authentique de ma vie puisse être de quelque utilité.

Je ne sais si je le dois à l'imminence de la fin ou à l'acte de libération qu'impliquait cette missive indispensable, mais en ce moment le désir d'écrire un poème s'est réveillé en moi. La poésie, qui m'avait oublié, est revenue pour me faire ses adieux. J'ai demandé à Jacoba de reprendre la plume et, accompagné de la poésie avec laquelle j'avais toujours vécu, j'ai murmuré mes adieux au monde et j'ai sollicité la miséricorde du Créateur... "*De Dieu, les accents résonnent à mes oreilles,/Et Dieu ne peut tromper les hommes.*"

Que dois-je te dire encore, mon fils? Je n'ai pu te prendre dans mes bras et t'embrasser, mais tu sauras me pardonner. Si tu lis chacune de ces feuilles, tu connaîtras comme personne l'homme que je fus et celui que je voulus être, car sans ambages, sans mensonges ni omissions, je t'ai tout raconté, depuis les choses les plus scabreuses jusqu'aux plus personnelles ou honteuses de ma vie, car j'ai compris que seul le visage découvert de la vérité était susceptible de permettre le dialogue avec toi et avec les hommes du futur auxquels je m'adresse également et pour lesquels, un jour, je ferai partie de l'Histoire...

Esteban: ne me donne pas ton amour si tu ne le peux. Mais comprends-moi et sois juste envers moi et ma volonté.

Ton père qui, en tant que tel, t'aime.

José María Heredia.

Après trois jours de délire et d'agonie, mourut José María Heredia y Heredia, à dix heures du matin, le jeudi 7 mai 1839, dans la maison de la rue de l'Hospice San Nicolás, au numéro 15. Il avait trente-cinq ans, quatre mois et sept jours. Il fut enterré ce même jour, dans le plus grand dénuement, en présence de quelques rares amis et sans aucune reconnaissance officielle, malgré son ancienne condition de député de la nation. Son corps repose au Panthéon du Sanctuaire de María Santísima de los Ángeles, dans le cimetière de Santa Paula. La presse mexicaine n'a publié aucun avis de décès. Le lendemain de sa mort, le *Diario del gobierno de la República mexicana* annonça que son poste devenu vacant était ouvert à concours.

Selon sa dernière volonté, ces documents doivent être remis à madame Dolores Junco, à Matanzas, île de Cuba, pour qu'elle les fasse parvenir à monsieur Esteban Junco, quand elle le jugera opportun.

Je certifie, devant Dieu et la postérité, que dans la mesure de mon savoir, ceci est l'histoire véritable de la vie de José María Heredia, homme qui connut la gloire et mourut dans l'oubli. Il fut le Chantre du Niagara, des palmiers et de l'étoile de Cuba. Il fut condamné à l'exil pour avoir désiré l'Indépendance de l'Ile, la patrie qu'il aima chaque jour de sa vie. Que son âme repose en paix.

Jacoba Yáñez, veuve Heredia,

Mexico,
12 mai 1839.

Tel un navigateur perdu, Fernando Terry fixe du regard l'étoile du berger et il ne peut éviter de contempler ce miracle quotidien en la voyant s'estomper. Du noir au gris, de plus en plus délavé, le ciel a perdu son obscurité et une lumière impérieuse finit par avaler ce point lumineux du firmament: avec l'arrivée de la lumière s'est levé le rideau sur l'aube du jour de son départ.

– Nous partirons quand tu voudras, lui dit Delfina et Fernando reçoit sur sa nuque la chaleur de la caresse.

– Je ne sais pas comment partir, lui avoue-t-il et il se retourne pour la regarder.

La nuit a été longue, avec beaucoup de bouteilles et de mots, bien que Enrique ait parlé plus longtemps qu'eux tous : comme dans une course de relais, les Merles Moqueurs survivants ont été contraints de lire le manuscrit de la *Tragi-comédie cubaine*, et sans plus de manières, ils ont commencé à écouter une *musique avec guitare, luth, maracas et bongó. C'est une mélodie sensuelle, mulâtresse, avec une odeur de forêt et un goût de rhum, qui traîtreusement vous conduit à penser à des plaisirs chauds*, pendant que la géographie d'une certaine Ile Perdue grandissait à leurs pieds. Les scènes du roman théâtral avaient commencé à peindre devant leurs yeux une fable prémonitoire, pleine d'ironie et de tristesse, dotée du pouvoir révélateur de soustraire des années à la prétendue réalité de la vie pour les déverser dans la réalité d'un roman où ils avaient de nouveau vingt ans et Enrique, avec ses gestes théâtraux et doux, reprenait sa place et devenait le centre de la représentation, comme tant d'autres fois : comme le jour où il leur avait avoué qu'il était homosexuel ou comme le soir où un camion l'avait écrasé, sans qu'aucun d'entre eux ait jamais réussi à savoir s'il s'agissait d'un suicide maquillé ou du simple caprice d'un hasard arrangé, qui avait placé le camion et le personnage au même moment et au même endroit.

Avec l'arrivée du petit jour, le charme fut rompu et Fernando put sentir comment les années reprenaient leur place irréversible dans le destin des personnages tragiques que le sort leur avait réservé : sans volonté propre, sans expectative ni avenir identifiable, chargé du fardeau d'un passé tyrannique, marqué par les frustrations, les soupçons, les éloignements et l'amertume.

La mer – la mer toujours recommencée – trompeusement paisible se dore peu à peu à la lumière du soleil et par les interstices compliqués que laissent libres les immeubles impertinents, Fernando contemple sa surface patinée. Combien d'années encore sera-t-il obligé de vivre loin de la mer ? se demande-t-il et il regarde vers la terrasse. Parmi les bouteilles, les verres et les canettes vides, Álvaro, El Negro Miguel Angel, Tomás et le bel Arcadio boivent dans un silence inévitable le café que Conrado s'est chargé de préparer, tandis que Delfina s'approche de lui avec deux tasses à la main. Alors Fernando doit se souvenir, comme si à cet instant on décidait l'heure de sa mort, de tous les jours de sa vie où il a été condamné à boire en solitaire le premier café du matin, sans entendre ne serait-ce que la simple recommandation que lui fait maintenant sa femme.

– Fais attention, c'est chaud.

La certitude qu'ils ont tous été des personnages construits, manipulés en fonction d'une intrigue élaborée par des desseins étrangers, à eux enfermés dans les limites d'un temps trop précis et d'un espace inamovible, si semblable à une feuille de papier, lui révèle la tragédie irréparable qui les tenaille : ils n'ont été que des marionnettes animées par des volontés supérieures, avec un destin tracé par la velléité des seigneurs de l'Olympe, qui dans leur magnificence leur ont tout juste accordé la consolation de certaines joies, de quelques poèmes échangés et de souvenirs qui peuvent encore être sauvés.

Fernando regarde ses amis et pense qu'Álvaro ne méritait peut-être pas d'être cet alcoolique endurci, ayant perdu toute capacité d'écrire des poèmes, ou que El Negro aurait pu être, à jamais, un éternel croyant sans problèmes, peut-être un de ces personnages qui traversent la vie d'un pas léger sans regarder sur les côtés et sans même connaître la couleur de leur peau. L'excès de cynisme de Tomás lui apparaît comme un acharnement contre lui-même tandis que le Guajiro Conrado a été modelé de façon trop évidente comme un roublard, dépouillé – tout à fait volontairement – de l'innocence traditionnelle des types de son espèce et de son origine. Même la foi en la poésie d'Arcadio lui semble excessive, bien qu'il vive dans une histoire de poètes, car personne ne pratique plus cette mystique passée de mode. Parmi toutes ces exagérations, seule Delfina lui apparaît comme une personne dramatiquement réelle, palpitante et belle, étrange au milieu de ces tristes vies de roman.

Cela a-t-il toujours été comme ça ? se demande-t-il alors, en se rappelant les caprices du destin de José María Heredia, entraîné par les flux et les reflux de l'histoire, par le pouvoir et l'ambition, emporté dans un tourbillon si dense qu'il eut l'intuition, à tout juste vingt ans, du signe romanesque qui marquait son existence. Est-ce possible de se révolter ? se demande-t-il ensuite, mais ce n'est plus que pure rhétorique, seulement pour enfoncer encore le doigt dans la plaie, car il sait que l'acte de révolte est le premier qui leur a été refusé, radicalement extirpé de toutes leurs possibilités et de leurs désirs. Il ne lui reste qu'à accomplir sa *moira*, comme Ulysse affronta la sienne, contre son gré ; ou comme Heredia assuma la sienne, jusqu'à la fin.

– Oui... mais c'est que maintenant je ne sais plus comment m'en aller, parvient seulement à dire Fernando et, comme tant d'autres fois, elle l'oblige fermement à boire la première gorgée de son café.

Mantilla, 1er janvier 1999 – 23 juin 2001

Huit ans après sa mort, quand le cimetière de Santa Paula fut fermé, et comme aucune réclamation n'avait été présentée, les restes de José María Heredia furent jetés dans une fosse commune du cimetière de Tepellac. Aucune tombe ne porte son nom et on ignore ce qu'est devenue la pierre tombale originelle où avait été gravée l'épitaphe suivante: "*Le voile du sépulcre enveloppe son corps/Mais la science, la poésie/Et la vertu pure qui brûlaient dans son âme/le rendent immortel sur terre et dans les cieux.*"

Le prêtre Félix Varela mourut aussi en exil. On a dit de lui et de Heredia qu'ils "définirent largement l'idéologie d'un peuple colonial qui se refusait à jamais à être le comptoir d'un régime monarchique lointain et caduc, et devenait une nation en s'appuyant seulement sur quelques poèmes et sur un maigre journal publié en exil. Ainsi Heredia et Varela formèrent l'esprit cubain." Béatifié par l'église catholique et en cours de canonisation, Varela devint, à son époque, le théologien catholique le plus important des États-Unis bien que le Vatican, cédant aux exigences de l'Espagne, lui eût refusé l'évêché de New York, tandis qu'à Cuba il avait perdu presque toute son influence quand ses disciples renièrent l'idéal indépendantiste, optèrent pour le réformisme et s'enrichirent à l'ombre du pouvoir colonial. Ses *Leçons de philosophie*, qui pendant des années servirent de méthode d'enseignement au séminaire et à l'Université de San Carlos et San Ambrosio, furent pratiquement interdites dans l'île. Il mourut dans le village de San Agustín, en Floride, le vendredi 25 février 1853, à huit heures et demie du soir. A sa mort, il laissait pour tout bien, plusieurs bibles, quelques tomes de ses œuvres philosophiques et un vieux violon, auquel il manquait une corde. Depuis 1911 ses restes reposent dans l'Aula Magna de l'Université de La Havane.

José Antonio Saco consacra plusieurs années de sa vie à écrire une impressionnante *Histoire de l'esclavage*, après avoir publié des articles et des pamphlets contre les tendances annexionnistes qui prirent de l'importance à Cuba pendant les décennies de 1840 et 1850. Exilé en 1835, il ne revint dans l'île qu'en 1860, pour renouer avec la dernière tentative réformiste qui échoua également. En exil, il écrivit: "Cela fait quinze ans que la patrie m'arrache des soupirs de nostalgie, je suis résigné à ne plus jamais la revoir, mais il me semble que je la reverrais encore moins si le pavillon des États-Unis flottait sur ses forteresses et sur ses tours. Je crois que je n'inclinerais pas mon front devant ses rutilantes étoiles, car si j'ai pu supporter, à l'étranger, ma condition d'étranger, l'être sur ma propre terre serait pour moi le plus terrible des sacrifices." Saco passa ses derniers jours dans une petite maison du Paseo de Gracia, à Barcelone, alors qu'il était à nouveau député aux Cortès où il espérait encore obtenir des réformes politiques pour le gouvernement de l'île de Cuba. Il mourut en 1879 à l'âge de quatre-vingt-deux ans, au moment où le Pacte de Zanjón mettait fin à une guerre de dix ans entre Cuba et l'Espagne, avec laquelle il n'avait jamais été d'accord.

Félix Tanco mourut aux États-Unis en 1871 et ne vit jamais publié son roman abolitionniste *Petrona y Rosalía*, qu'il avait écrit poussé par Domingo Del Monte. Quant à José Antonio Echevarría, impliqué dans des activités séparatistes, il mourut aussi aux États-Unis en 1885. Outre la publication et la glose de *Espejo de paciencia* – dont l'authenticité a été acceptée par la majorité des spécialistes, bien qu'ils n'aient jamais pu expliquer de façon satisfaisante l'étrange apparition du manuscrit et la diversité stylistique repérable dans plusieurs strophes –, Echevarría écrivit un roman historique *Antonelli*, avec pour cadre La Havane au XVIe siècle, également écrit sur les recommandations de Del Monte. Tanco et Echevarría sont considérés comme des auteurs mineurs, lus seulement par les spécialistes.

Le 17 juin 1844, quatre jours seulement après son arrivée à Cuba, mourut, à Matanzas, à l'âge de trente-trois ans, Jacoba Yáñez, veuve Heredia. Ses trois enfants, Loreto, José de Jesús et Luisa, ainsi que les documents et manuscrits du poète, furent confiés aux bons soins de María de la Merced Heredia y Campuzano, mère de José María, qui survécut dix-sept ans à son fils.

Dolores Junco y Morejón, la jeune fille dont fut aussi amoureux Silvestre Alfonso, mourut près de Matanzas en 1863, mariée en secondes noces à l'Espagnol Angel Zapatín.

Pour sa part, Domingo Del Monte quitta Cuba en 1843, craignant des représailles du fait de sa possible implication dans les menées anglaises visant à fomenter un soulèvement d'esclaves dans l'île, pour ensuite obtenir son indépendance ou une possible annexion par l'Angleterre. Accusé par le poète Plácido – Gabriel de la Concepción Valdés, fusillé en 1844 – d'avoir participé à la conspiration, son plus grand défenseur fut l'ex-esclave et poète Francisco Manzano qui devait sa liberté aux interventions et aux collectes organisées par Del Monte. Manzano nia obstinément un lien quelconque de son bienfaiteur avec les conspirateurs présumés. Aucune charge ne fut retenue contre Del Monte qui ne fut jamais accusé de façon officielle mais ne revint jamais à Cuba. Il vécut le reste de sa vie entre Paris et Madrid, dans des maisons débordant de luxe où il organisait des réceptions et des réunions littéraires sur le modèle de celles de Matanzas ou de La Havane. Dans ces réunions, selon Nicolás Azcárate, "Del Monte me parlait de Heredia comme d'un illuminé et je crois qu'il refusa parfois des invitations du conspirateur et tenta même de le dissuader de certains de ses projets..." Sans que l'on sût jamais de façon définitive quel fut son rôle dans ladite "Conspiration de la Escalera", Domingo Del Monte mourut à Madrid en 1853.

Aux chutes du Niagara, en hommage à leur chantre, une plaque de bronze porte les vers de la fameuse ode. A Toluca, une statue a été érigée à la mémoire de José María Heredia. En 1902, quand l'indépendance de l'île fut proclamée, la rue de Santiago de Cuba où naquit Heredia fut définitivement baptisée de son nom et nombreux sont ceux qui le considèrent comme le Poète national. Deux siècles après sa naissance, sa poésie est toujours considérée comme la première manifestation éclatante de la cubanité littéraire et du romantisme hispano-américain, et certains de ses poèmes comme l'*Ode au Niagara*, *Le Teocalli de Cholula*, *Hymne du proscrit* et *L'Étoile de Cuba* sont étudiés comme les exemples les plus achevés de la poésie lyrique naissante du pays et cités par les spécialistes et les lecteurs. Ses vers patriotiques font de José María Heredia le premier grand poète civil de Cuba et le grand romantique d'Amérique, comme le reconnut José Martí en évoquant la mémoire du poète mort dans la misère et l'oubli.

Remerciements

Nourri de faits historiques vérifiables et s'appuyant même textuellement sur des lettres et des documents personnels, le roman de la vie du poète Heredia, narré à la première personne, doit cependant être considéré comme une œuvre de fiction. L'existence réelle du poète, tout comme celle des personnages qui l'entourent – de Domingo Del Monte, Varela, Saco, Tanco au capitaine général Tacón et au caudillo mexicain Santa Anna, ou ses deux grands amours, Lola Junco et Jacoba Yáñez – sont ici présentées à partir d'un discours fictionnel qui tisse librement la trame où se croisent les péripéties historiques et romanesques. Ainsi, tout ce qui est évoqué par Heredia est arrivé, a dû ou pu arriver dans la réalité, mais tout est toujours vu et reflété à travers le prisme romanesque dans une perspective contemporaine.

Pour écrire un livre comme celui-ci, l'auteur doit s'appuyer sur les jugements, les travaux, les lectures, la collaboration et la confiance de nombreuses personnes, tout au long du processus de recherche, d'écriture et de correction. C'est pourquoi je tiens à exprimer ma reconnaissance, en premier lieu, à mon amie Marta Armenteros dont l'aide inestimable m'a permis de réunir les informations et les données bibliographiques, ainsi qu'à Ambrosio Fornet, pour sa lecture judicieuse et indispensable de la première version du roman. De même je veux exprimer ma gratitude à Raúl Ruiz et à Urbano Martínez Carmenate, furieusement amoureux de Matanzas, leur ville ; à Belkis Hernández et à Liliana Chirino, pour la promenade dans le Palais d'Aldama ; au professeur Eduardo Torres Cuevas qui m'a confié le manuscrit inédit de son histoire de la franc-maçonnerie à Cuba ; à José Luis Ferrer pour ses analyses éclairées de la naissance de la culture cubaine au cours des années 1820-1830 ; à Eliseo Alberto qui m'a offert l'histoire d'Eugenio Florit ; à mes fidèles lecteurs, Alex Fleites, Arturo Arango, Vivian Lechuga, José Antonio Michelena, Beatriz de Moura, Anne-Marie Métailié et Abilio Estévez, pour le temps et l'attention qu'ils ont consacrés à l'amélioration de ce roman. Et comme toujours, je tiens à remercier tout particulièrement pour sa patience, ses conseils littéraires et autres satisfactions nécessaires – indispensables – mon épouse, Lucía López Coll.

Leonardo Padura
Mantilla, été 2001

Table

BIBLIOTHÈQUE HISPANO-AMÉRICAINE

Histoires d'amour d'Amérique latine
Présentées par Claude Couffon

Federico ANDAHAZI
La Villa des mystères

José María ARGUEDAS
Yawar fiesta

J. BLANC, J. HOCQENGHEM, Y. LE BOT ET R. SOLIS
La Fragile Armada
(La marche des zapatistes)

Alfredo BRYCE-ECHENIQUE
Le Petit Verre de ces dames
Ne m'attendez pas en Avril
Noctambulisme aggravé
L'Amygdalite de Tarzan

Jesús DÍAZ
Les Paroles perdues
La Peau et le masque
Parle-moi un peu de Cuba
Les Initiales de la terre

Ramón DÍAZ-ETEROVIC
Les Sept Fils de Simenon

Mario DELGADO APARAÍN
La Ballade de Johnny Sosa
Une histoire de l'humanité

Santiago GAMBOA
Les Captifs du Lys blanc
Perdre une question de méthode

Javier GONZALEZ RUBIO
T'aimer fut mon châtiment

Sylvia IPARRAGUIRRE
La Terre de Feu

Alejandro JODOROWSKY
L'Arbre du Dieu pendu
L'Enfant du Jeudi noir

Miguel LITTIN
Le Bandit aux yeux transparents
Le Voyageur Byzantin

Rosa MONTERO
Le Territoire des Barbares

Elsa OSORIO
Luz ou le temps sauvage

Leonardo PADURA
Electre à la Havane
L'Automne à Cuba
Le Palmier et l'Étoile
Passé parfait

Alfredo PITA
Le chasseur absent

Horacio QUIROGA
Contes d'amour de folie et de mort
Anaconda
Les Exilés
Au-delà
Le Désert

Hernán Rivera LETELIER
La Reine Isabel chantait des chansons d'amour
Le Soulier Rouge de Rosita Quintana
Les Trains vont au Purgatoire
Mirage d'amour avec fanfare

Pablo DE SANTIS
Le Théâtre de la mémoire
La Traduction

Antonio SARABIA
Le Ciel à belles dents
Les Invités du Volcan

Luis SEPÚLVEDA
Histoire d'une mouette et du chat qui lui apprit à voler
Journal d'un tueur sentimental
Le Monde du bout du monde
Le Neveu d'Amérique
Les Roses d'Atacama
Rendez-vous d'amour dans un pays en guerre
Un nom de torero
Le Vieux qui lisait des romans d'amour
Yacare Hot line

Karla SUÁREZ
Tropique des silences

Paco Ignacio TAIBO II
Le Rendez-vous des héros
De Passage
L'Année où nous étions nulle part
Archanges

Impression réalisée sur CAMERON par

BUSSIÈRE CAMEDAN IMPRIMERIES

GROUPE CPI

à Saint-Amand-Montrond (Cher)
en décembre 2002

N° d'édition : 1658001. — N° d'impression : 025636/1.
Dépôt légal : janvier 2003.

Imprimé en France